LAIKRAKSTA DIENA BIBLIOTĒKA

1. grāmata

LAIKRAKSTA DIENA BIBLIOTĒKA
1. grāmata

Hermanis Hese
STIKLA PĒRLĪŠU SPĒLE

Hermann Hesse
DAS GLASPERLENSPIEL

No vācu valodas tulkojis Ģirts Bļodnieks
Tulkojuma pirmpublicējums 1976

Iespiests Eiropas Savienībā

Pirmās grāmatas ISBN 84-9819-733-3
Sērijas ISBN 84-9819-732-5

UDK 821.112.2-31
He 832

Mediasat Group
Edificio Torre Picasso, planta 34
Plaza Pablo Ruiz Picasso, 1
28020 Madrid, Spain

HERMANIS
HESE
Stikla pērlīšu spēle

Biogrāfiska studija
par Spēles maģistru Jozefu Knehtu
līdz ar Knehta atstātajiem rakstiem

Izdevis Hermanis Hese

No vācu valodas tulkojis Ģirts Bļodnieks

LAIKRAKSTA DIENA BIBLIOTĒKA

Ceļotājiem uz Austrumzemi[1]

---

[1] Romāns veltīts H. Heses stāsta "Ceļotājiem uz Austrumzemi" (1931) varoņiem, autora iztēles radītas visu laiku un zemju humānistu brālības biedriem.

...non entia enim licet quodammodo levibusque hominibus facilius atque incuriosius verbis reddere quam entia, verumtamen pio diligentique rerum scriptori plane aliter res se habet: nihil tantum repugnat ne verbis illustretur, at nihil adeo necesse est ante hominum oculos proponere ut certas quasdam res, quas esse neque demonstrari neque probari potest, quae contra eo ipso, quod pii diligentesque viri illas quasi ut entia tractant, enti nascendique facultati paululum appropinquant.

ALBERTUS SECUNDUS,[1]

tract, de cristall. spirit., ed. Clangor et Collof, lib. I, cap. 28.[2]

Knehta paša tulkojums:
...tik tiešām, lai arī lētprātīgiem ļaudīm liktos, ka neesošo dažā ziņā vieglāk un mazāk atbildīgi attēlot kā esošo, bijīgs un apzinīgs vēsturnieks tomēr spriež gluži pretēji: neko nav tik grūti ietērpt vārdos un tai pašā laikā tik nepieciešams parādīt cilvēkiem kā zināmas lietas, kuru eksistence nav nedz pierādāma, nedz pārbaudāma, bet kuras tieši tāpēc, ka bijīgie un apzinīgie tās apcer it kā esošas, kaut par soli tuvojas savai esamībai, varbūtībai, ka tās varētu rasties.

---

[1] *Albertus Secundus* —Alberts Otrais (*latīņu val.*), izdomāta persona, aicināta atsaukt atmiņā viduslaiku sholastu un enciklopēdistu Albertu Lielo — dominikāni Albertu Bolštetu (1193—1280), Akvīnas Toma skolotāju. Epigrāfu, kura vācu teksta autors ir H. Hese, sholastu latīņu valodā pārtulkojuši viņa draugi — filologi Šalls un Feinhalss.

[2] Alberts Otrais, trakt. par garīg. kristāl., izd. Klangors un Kollofs, I grām., 28. nod. (*latīņu val.*).

STIKLA PĒRLĪŠU SPĒLE

Populārs ievads Spēles vēsturē

Mūsu nolūks ir apkopot šajā darbā tās trūcīgās biogrāfiskas ziņas, ko mums izdevies savākt par Jozefu Knehtu, kurš Stikla pērlīšu spēles arhīvos dēvēts par *Ludi Magister Iosephus III*[1]. Mēs apzināmies, ka šāda iecere savā ziņā runā pretī vai vismaz šķietami neatbilst mūsu gara dzīves likumiem un tradīcijām. Kā nekā — individualitātes noliegšana, personības iespējami pilnīga iekļaušana Audzināšanas kolēģijas un zinātņu hierarhijā ir viens no minētās gara dzīves pamatprincipiem. Šis princips, saglabādamies no paaudzes uz paaudzi, šodien tiktāl ieviesies, ka ļoti grūti, nereti pat neiespējami atrast biogrāfiska vai psiholoģiska rakstura informāciju par atsevišķām personām, kam izcili nopelni hierarhijas priekšā; visai bieži pat neizdodas noskaidrot šo personu vārdus. Tāda nu reiz ir mūsu Provinces gara dzīves īpatnība, ka tās hierarhiskās organizācijas ideāls ir anonimitāte un tai šo ideālu izdevies puslīdz īstenot.

Ja tomēr centāmies kaut nedaudz iepazīt Spēles maģistra Jozefa III dzīvi, kaut aptuveni ieskicēt viņa personības vaibstus, tad darījām to ne jau tādēļ, lai cildinātu atsevišķu cilvēku vai spītētu ieražām, — gluži otrādi, bijām pārliecināti, ka, rīkodamies šādi, pakalpojam zinātnei un patiesībai. Tā ir sena atziņa: jo precīzāk un grūtāk atspēkojami formulēta tēze, jo neatvairāmāk izvirzās prasība pēc antitēzes. Mēs atzīstam un cienām ideju, kas noteic mūsu iestāžu un mūsu gara dzīves anonimitāti. Bet pietiek ielūkoties šīs pašas gara dzīves, it īpaši Stikla pērlīšu spēles aizsākumos, lai nešaubīgi pārliecinātos, ka ikviena attīstības fāze, ikviens papildinājums, grozījums, būtisks pavērsiens — vienalga, progresīvs vai konservatīvs —, nenorādot tieši uz savu vienīgo un faktisko ierosinātāju, tomēr spilgtāko izpausmi rod tā cilvēka personā, kurš jauninājumu ieviesis, kurš bijis attiecīgā pārkārtojuma un pilnveidojuma veicējs.

---

[1] Spēles maģistrs Jozefs III (*latīņu val.*).

Tiesa, mūsdienu uzskati par personību jūtami atšķiras no agrāko laiku biogrāfu un vēsturnieku priekšstatiem par šo jēdzienu. Viņu acīs, it īpaši to autoru uztverē, kuru laikā sevišķi interesējās par biogrāfijām, personības galvenā iezīme bija anomālais, normai neatbilstošais, ārkārtējais, nereti pat patoloģiskais, turpretī mēs, tagadnes cilvēki, par izcilu atzīstam tikai tādu personību, kas, vairīdamās no oriģinalitātes un dīvainībām, spēj maksimāli pakļauties vispārīgajam, kalpot pārpersoniskajam. Iedziļinoties aplūkojamā jautājumā, mēs pārliecināmies, ka šāds ideāls bijis pazīstams jau senatnē: "Viedā" vai "Pilnīgā" tēls senajā Ķīnā vai Sokrata ētikas ideāls gandrīz neatšķiras no mūsu ideāla; ne viena vien liela garīga organizācija — piemēram, Romas baznīca savos ziedu laikos — atzinusi apmēram tos pašus principus, un daži dižākie katolicisma pārstāvji, piemēram, svētais Akvīnas Toms, tāpat kā sengrieķu skulptūras, drīzāk atgādina klasiskus noteikta tipa pārstāvjus nekā konkrētas personas. Tomēr laikposmā pirms gara dzīves atjaunotnes, kurš sākās divdesmitajā gadsimtā un kura mantinieki mēs esam, šis neizkropļotais, senais ideāls acīmredzot bijis gandrīz aizmirsts. Mēs jūtamies pārsteigti, atrazdami tā laika biogrāfijās sīkas ziņas par to, cik brāļu un māsu bijis varonim, kādas garīgas rētas viņam atstājušas atvadas no bērnības, pubertāte, cīņa par atzīšanu, mīlas alkas. Mūs, šodienas cilvēkus, neinteresē nedz patoloģija vai raduraksti, nedz arī varoņa jūtu dzīve, viņa gremošana vai miegs, — pat viņa garīgās attīstības priekšvēsture, viņa izaugsme, darot iemīļotu darbu, lasot iemīļotas grāmatas, mums neliekas īpaši svarīga. Mūsu uztverē tikai tas ir varonis un sevišķas ievērības cienīgs, kurš, pateicoties dotībām un audzināšanai, spējis savu individualitāti gandrīz pilnīgi pakļaut hierarhiskajai funkcijai, nezaudējot tomēr spēku, svaigumu, apbrīnojamo enerģiju, kas noteic katra indivīda īpatnību un vērtību. Gadījumā, ja indivīds nonāk konfliktā ar hierarhiju, mēs tieši šo konfliktu uzskatām par pārbaudes akmeni personības dižumam. Neatzīdami dumpiniekus, kas iegribu un kaislību varā noliedz ierasto Kārtību, mēs tomēr dziļā cieņā pieminam upurus, patiesi traģiskās personības.

Runājot par varoņiem, par cilvēkiem, kas patiesi var noderēt citiem par paraugu, mums interese par indivīdu, par viņa vārdu, par viņa ārieni un rīcību šķiet atvainojama un dabiska, jo arī pati pilnīgākā hierarhija, pati nevainojamākā organizācija mūsu acīs nav mašīna, nedzīvu un nenozīmīgu detaļu kopums, bet ir dzīvs organisms, kurā ik sastāvdaļai, ik orgānam piemīt sava savdabība, sava brīvība tai brīnumainajā norisē, ko saucam par dzīvi. Saskaņā ar šādiem uzskatiem mēs vācām informāciju par Stikla pērlīšu spēles maģistra Jozefa Knehta mūžu,

12

īpaši cenzdamies atrast viņa atstātus rakstus, un mūsu rokās patiešām nokļuvuši vairāki manuskripti, kas, liekas, var interesēt lasītāju.

Tas, kas mums pavēstāms par Knehta dzīvi un personību, daudziem Ordeņa biedriem, pirmām kārtām Stikla pērlīšu spēles pazinējiem, domājams, labi vai vismaz daļēji zināms, un jau tādēļ vien mūsu apcerējums adresēts ne tikai šīm aprindām, bet arī plašākai lasītāju saimei, uz kuras atsaucību paļaujamies.

Orientējoties uz šauru lietpratēju loku, ievads un komentāri būtu lieki, bet, tā kā mēs vēlamies, lai mūsu varoņa dzīvesstāstu un rakstus lasītu ne tikai Ordeņa biedri, mums jāuzņemas pagrūts uzdevums, proti, grāmatas sākumā populāra ievada formā jāiepazīstina mazāk kompetenti lasītāji ar Stikla pērlīšu spēles nozīmi un vēsturi. Mēs uzsveram, ka ievads domāts plašai lasītāju saimei un ka nebūt ne-tiecamies atrisināt Spēles un Spēles vēstures problēmas, par kurām turpinās diskusijas Ordeņa aprindās. Līdz objektīvam tēmas izgais-mojumam vēl tālu.

Veltīgi tātad prasīt, lai sniedzam izsmeļošu Spēles vēstures un teorijas izklāstu; tas šodien nebūtu pa spēkam arī autoriem, kas cie-nījamāki un erudītāki par mums. Tāds izklāsts ir nākotnes uzdevums, ja vien zudumā neies avoti un saglabāsies garīgie priekšnosacījumi. Vēl jo mazāk šī studija uzskatāma par Spēles mācību grāmatu — tāda vispār netiks uzrakstīta. Šīs visu spēļu spēles likumi apgūstami vien pa-rastajā, sen noteiktajā ceļā; apguvei jāveltī gadi, un jāšaubās, vai kāda Spēles pratēja interesēs būs jebkad atvieglot tās apguves procesu.

Spēles likumi, zīmju valoda un gramatika atgādina sīki izstrādātu slepenrakstu, kura radīšanai izmantotas vairākas zinātnes un mākslas nozares, pirmām kārtām matemātika un mūzika, respektīvi, mūzikas zinātne, un tajā var izteikt un attiecināt citus pret citiem turpat visu zinātnes nozaru saturus un atzinumus. Stikla pērlīšu spēle tātad ir rotaļa ar visas mūsu kultūras saturu un vērtībām; prasmīgs spēlētājs lieto šos dotumus tikpat virtuozi, kā mākslas plauksmes dienās gleznotājs, iespējams, lietoja savu paleti. Visu, ko cilvēce radoša pacēluma gad-simtos paveikusi atziņas, cildenu domu un mākslas sfērās, visu, kas turpmākajos gadsimtos ietverts zinātniskos jēdzienos un intelektuāli apgūts, — visu šo garīgo vērtību milzumu Spēles pratējs pārvalda kā ērģelnieks savas ērģeles; šo ērģeļu pilnību grūti pat iztēloties, to ma-nuāļi un pedāļi aptver visu gara pasauli, tām ir neskaitāmi reģistri, un teorētiski uz šā instrumenta var atskaņot visas pasaules garīgo satvaru. Manuāļu, pedāļu un reģistru skaits ir reglamentēts, mēģinājumi grozīt to skaitu vai izvietojumu, pilnveidot tos, šķiet, iespējami tikai nosacīti: augstākā Spēles vadība stingri kontrolē Spēles valodas bagātināšanu ar

13

jauniem jēdzieniem. Toties šā negrozāmā karkasa vai, turpinot mūsu salīdzinājumu, milzu ērģeļu komplicētā mehānisma ietvaros katram spēlētājam paveras neierobežotas kombināciju iespējas — tūkstoš partiju vidū, kas spēlētas, stingri ievērojot noteikumus, neizdotos atrast ne divas, kas kaut ārēji līdzinātos viena otrai. Pat tad, ja divi spēlētāji nejauši izraudzītos savām partijām vienu un to pašu šauro tēmu, abas partijas krasi atšķirtos domu gaitas, rakstura, nokrāsas, prasmes ziņā un noritētu katra citādi.

Visbeidzot, Stikla pērlīšu spēles aizsākumus un priekšvēsturi vēsturnieks pēc paša ieskatiem var attiecināt uz jebkuru laikmetu. Tāpat kā visām lielajām idejām, tai sākuma būtībā nav, tās ideja pati par sevi ir mūžīga. Kā ideja, kā nojautums vai ideāls tās pirmveids sastopams jau tālā senatnē, piemēram, Pitagora darbos[1], vēlāk, antīkās kultūras norieta periodā, — hellēnisma gnostiķu sacerējumos[2], vienlīdz arī seno ķīniešu rakstos, tad — arābu un mauru gara dzīves uzplaukuma periodu traktātos; pēc tam Spēles priekšvēstures pēdas pāri sholastikas un humānisma ērām ved uz septiņpadsmitā un astoņpadsmitā gadsimta matemātiķu akadēmijām[3], pie romantisma filozofiem[4] un Novalisa maģisko sapņu rūnām[5]. Par pamatu ikvienai garīgai kustībai, kuras mērķis un ideāls ir *universitas litterarum*[6], par pamatu katrai Platona akadēmijai[7], katrai

---

[1] ...piemēram, Pitagora darbos — norāde uz sengrieķu filozofa aizsākto tradīciju izteikt garīgus satvarus ar mūzikas, matemātikas un kosmoloģijas zīmju sistēmas palīdzību.

[2] ...hellēnisma gnostiķu sacerējumos — H. Hesi saista šā reliģiski filozofiskā agrā kristiānisma virziena centieni tvert esamību tās mūžīgajā polaritātē, sintezēt racionālo un iracionālo. Gnostiķu mācības mūsu ēras sākumā bija izplatītas Hellēnizētajās Tuvo Austrumu pilsētās.

[3] ...matemātiķu akadēmijām — 17. un 18. gadsimtā tika likti pamati jaunām matemātikas zinātnes nozarēm — logaritmēšanai, diferenciālrēķiniem, integrālrēķiniem, analītiskajai un tēlotājai ģeometrijai.

[4] ...romantisma filozofiem — domāti, šķiet, F. Šlēgels (1772—1829), kurš pirmais norādīja uz indoeiropiešu valodu kopību, J. Hāmanis (1730—1788), filozofs mistiķis, "vētras un trauksmes" literārā virziena rosinātājs, kā arī A. Šlēgels (1767—1845) un F. Šellings (1775—1854).

[5] ...Novalisa maģisko sapņu rūnām — Novaliss, īstajā vārdā F. Hardenbergs (1772—1801), vācu romantisma spilgts pārstāvis, mistisku nāves alku dzejnieks.

[6] Zinātņu sadraudzība, kopums (*latīņu val.*).

[7] ...katrai Platona akadēmijai — Platona filozofijas skola 4. gs. p. m. ē. mītiskā varoņa Akadēma dārzā netālu no Atēnām kļuva par paraugu dažādiem zinātniskās domas centriem senajā Aleksandrijā, viduslaiku Florencē (1440) u.c.

gara elites kopībai, katram mēģinājumam tuvināt eksaktās un humanitārās zinātnes, samierināt zinātni un mākslu vai zinātni un reliģiju allaž bijusi viena un tā pati mūžīgā ideja, kas mūsdienās guvusi Stikla pērlīšu spēles formu. Tādi dižgari kā Abelārs[1], Leibnics, Hēgelis neapšaubāmi lolojuši sapni par universa ietveršanu koncentriskās sistēmās, par gara un mākslas dzīvās dailes saliedējumu ar eksakto zinātņu, formulu maģisko spēku. Laikā, kad mūzika un. matemātika gandrīz reizē pieredzēja savu klasisko periodu, abas disciplīnas nereti draudzīgi tuvinājās un bagātināja viena otru. Bet divus gadsimtus agrāk mēs Nikolaja Kuzanska rakstos[2] uzduramies domām, kas radušās līdzīgā gaisotnē, piemēram, šīm: "Gars aizgūst potenciālā formu, lai visu izmērītu potencialitātes stāvoklī, un absolūtās nepieciešamības formu, lai izmērītu visu vienības un vienkāršības stāvoklī, tāpat kā to dara dievs, un saistības nepieciešamības formu, lai visu izmērītu tā savdabībā, visbeidzot, gars aizgūst determinētās potencialitātes formu, lai izmērītu visu attieksmē pret savu eksistenci. Taču gars izmēra arī simboliski, salīdzinot, izmantodams skaitļus un ģeometriskas figūras un atsaukdamies uz tām kā uz līdzībām." Starp citu, šīs nav vienīgās Kuzanska domas, kas, liktos, norāda uz mūsu Spēli; citiem vārdiem sakot, iztēles novirziens, kas radījis Spēles domu rotaļas, rod ne mazumu paralēļu Kuzanska darbos. Visai tuva Spēles mentalitātei ir arī viņa aizraušanās ar matemātiku, māka, pat vājība izmantot Eiklīda ģeometrijas aksiomas kā līdzības, lai izskaidrotu teoloģiski filozofiskus jēdzienus; un brīžiem arī viņa latīņu valoda (vokābuli nereti ir paša izdomāti, tomēr katram saprotami) atgādina Spēles valodas neierobežoto plastiskumu.

Tikpat dibināti, kā liecina mūsu studijas epigrāfs, Spēles priekštečiem var pieskaitīt Albertu Otro. Kaut gan mūsu rīcībā nav attiecīgu citātu, mēs nešaubāmies, ka Spēles ideja nodarbināja arī tos mācītos sešpadsmitā, septiņpadsmitā un astoņpadsmitā gadsimta mūziķus, kas komponējot balstījās uz matemātiskiem aprēķiniem. Pagātnes literatūrā nereti sastopamas leģendas par viedām un maģiskām spēlēm, kas izgudrotas spēlētas mācītu vīru un mūku aprindās vai kāda apgaismota valdnieka galmā, piemēram, par īpašu šaha spēli, kurā figūrām un lauciņiem bez ierastās nozīmes bijusi vēl cita — slepena.

---

[1] Abelārs — P. Abelārs (1079—1142), franču filozofs sholasts, nozīmīgu loģiski metodisku un ētikas apceru autors.
[2] ...Nikolaja Kuzanska rakstos — N. Kuzanskis (1401—1464), kardināls, teologs un filozofs, izcils vēlo viduslaiku zinātnieks. Viņa filozofiskās sistēmas centrā ir ideja par pretstatu vienību. Savus dialektiskos uzskatus mēdza izklāstīt matemātisku simbolu valodā.

Plaši pazīstamas ir alegorijas, teiksmas un sāgas, kas radušās vienas vai otras kultūras agrīnajās attīstības stadijās, kad mūzikai bez tīri mākslinieciskās nozīmības piedēvēja maģisku varu pār cilvēku dvēselēm un veselām tautām, iztēloja to par slepenu valdnieci vai likumdevēju ļaudīm un viņu valstīm. Gan senajā Ķīnā, gan grieķu teiku pasaulē sava nozīme bijusi domai par ideālu paradīzes dzīvi, pastāvot mūzikas kundzībai. Ar šo mūzikas kultu ("mūžam mainīgā dziesmas slepenā vara sveic šajā saulē mūs" — Novaliss) tad arī cieši saistīta Stikla pērlīšu spēle.

Lai gan mēs atzīstam, ka Spēles ideja ir mūžīga, tātad iedīglī pastāvējusi ilgi pirms sava īstenojuma, tās realizācijai mums pazīstamajā formā tomēr ir sava vēsture, kuras galvenos posmus centīsimies īsi raksturot.

Garīgā strāva, kas līdzās daudz kam citam radījusi Ordeni un Stikla pērlīšu spēli, aizsākās vēstures periodā, kuru kopš literatūras zinātnieka Plīnija Cīgenhalsa fundamentālajiem pētījumiem, izmantojot viņa ieviestu terminu, dēvē par "feļetonisma laikmetu". Tādi termini, lai arī trāpīgi, tomēr ir bīstami, jo rosina netaisni novērtēt vienu vai otru pagājušu stadiju cilvēces attīstības vēsturē, — tā šai gadījumā nebūt nav jāsecina, ka feļetonisma laikmets bijis neapgarots vai pat garīgi nabags. Tomēr, ja ticētu Cīgenhalsam, tas nav pratis īsti likt lietā savus garīgos resursus, pareizāk sakot, nav pratis tos pienācīgi izmantot ekonomiskajā un politiskajā dzīvē. Jāatzīstas, mēs maz ko zinām par šo laikmetu, lai gan tas bijis par barotni gandrīz visam, kas raksturo tagadnes gara dzīvi. Pēc Cīgenhalsa, tas bijis īpaši "pilsonisks" laiks, kurš maksājis meslus tālejošam individuālismam, un, ja mēs, cenzdamies ieskicēt laikmeta ainu un pieminēdami dažus tā vaibstus, atsaucamies uz minēto autoru, tad darām to pārliecībā, ka šie vaibsti nav viņa izdomāti, nav kariķēti vai izkropļoti, jo izcilais pētnieks pamato savus spriedumus ar neskaitāmiem gan literāra, gan cita rakstura dokumentiem. Mēs pievienojamies vērtējumam, ko devis zinātnieks, kurš pagaidām vienīgais nopietni analizējis feļetonisma laikmetu, taču paturam prātā, ka nekas nav vieglāk un aplamāk kā raukt degunu par pagājušu gadsimtu maldiem un netikumiem.

Sākot ar vēlajiem viduslaikiem, Eiropas garīgās dzīves attīstībā, šķiet, iezīmējas divas galvenās tendences: domas un ticības atbrīvošanās no jebkuras autoritatīvas ietekmes, tātad savu briedumu un neatkarību atskārtušā saprāta cīņa pret Romas baznīcas kundzību, un — no otras puses — slēpta, bet dedzīga censhanās leģitimēt izcīnīto brīvību, rast jaunu — sevī pašā iedibinātu, sev adekvātu autoritāti.

Vispārinot laikam gan var teikt, ka galvenajos vilcienos gars uzvarējis šajā bieži vien ērmoti pretrunīgajā cīņā par diviem būtībā pretmetīgiem mērķiem. Vai guvums atsver neskaitāmos upurus, vai mūsdienu garīgās dzīves kārtība ir tik pilnīga un pastāvēs tik ilgi, lai attaisnotu visas šīs ciešanas, konvulsijas un anomālijas — no ķeceru prāvām un sārtiem līdz daudzo "ģēniju" liktenim, kuri kļuva ārprātīgi vai izdarīja pašnāvību, — tāds jautājums mums ir liegts. Vēsture gājusi savu gaitu; vai tā bijusi "pareiza", vai arī būtu labāk, ja šo norišu nebūtu bijis, vai mēs atzīstam vai neatzīstam notikušā "jēgu" — tam visam nav nozīmes. Aizritējušas cīņas par gara "brīvību"; pilnīgi atbrīvojies no baznīcas un daļēji no valsts aizbildnības, gars jau pieminētajā vēlīnajā feļetonisma laikmetā gan ieguva nepieredzētu, pašam nepanesamu brīvību, taču vēl aizvien nebija atradis īstu, paša formulētu un respektētu likumu, jaunu, patiesu autoritāti un leģitimitāti. Gara pazemošanas, pērkamības, pašnolieguma piemēri, kurus min Cīgenhalss, raksturodams šo laikmetu, tik tiešām ir pārsteidzoši.

Mums jāatzīstas, ka nespējam viennozīmīgi definēt gara produktu, kura — proti, "feļetona" — vārdā saucam visu laikmetu. Rodas iespaids, ka feļetoni, kā jau īpaši iecienīta paveida publikācijas periodiskajā presē, saražoti miljoniem eksemplāros, bija galvenā garīgā barība izglītoties kārajiem lasītājiem un vēstīja — vai drīzāk "tērzēja" — par dažnedažādām zināšanu nozarēm; turklāt gudrākie feļetonisti, liekas, nereti paši uzjautrinājās par savu veikumu, — vismaz Cīgenhalss atzīst, ka lasījis ne mazumu sacerējumu, kurus, nespēdams rast citu izskaidrojumu, sliecas uzskatīt par to autoru pašpersiflāžu. Nav izslēgts, ka šajos industriāli fabricētajos rakstos slēpjas sava tiesa ironijas un pašironijas, kuras patiesais saturs vēl būtu atšifrējams. Šo blēņu sacerētāji bija laikrakstu redakciju līdzstrādnieki vai "neatkarīgi" rakstnieki, nereti viņus pat dēvēja par dzejniekiem; rādās, viņu vidū bijuši daudzi zinātnieki, arī ievērojami augstskolu profesori. Iemīļota sacerējumu tēma bija anekdotiski atgadījumi no slavenu cilvēku dzīves, kā arī viņu sarakste, un virsraksti bija aptuveni šādi: "Frīdrihs Nīče un sieviešu modes deviņpadsmitā gadsimta septiņdesmitajos gados" vai "Komponista Rosīni iecienītie ēdieni", vai "Klēpja sunīšu loma slavenu kurtizāņu dzīvē" utt. Tikpat populāras bija vēsturiskas apceres par mantīgo aprindu aktuālām sarunas tēmām, piemēram, "Sapnis par mākslīgā zelta izgatavošanu gadsimtu gaitā" vai "Mēģinājumi fizikāli ķīmiskā ceļā ietekmēt klimatu" un simtiem citu — līdzīgu. Lasot Cīgenhalsa pieminēto spriedelējumu virsrakstus, mazāk pārsteidz fakts, ka eksistējuši cilvēki, kas diendienā pārtikuši no tik nožēlojamas lasāmvielas, — dīvaināk liekas tas, ka ievērojami, kvalificēti, labu izglītību guvuši autori, lietojot tiem laikiem zīmīgu teicienu, palīdzējuši "apkalpot" masu pieprasījumu pēc izklaidējošām blēņām; šis teiciens, starp citu, raksturo arī tā laika cilvēka attieksmi pret mašīnām. Laiku pa laikam sevišķi iecienītas kļuva pazīstamu personību aptaujas par aktuāliem jautājumiem — tā ir tēma, kurai Cīgenhalss veltījis atsevišķu nodaļu. Izcilu ķīmiķi vai pianistu, piemēram, lūdza izteikties par politiku, populārus aktierus, dejotājus, vingrotājus, lidotājus vai arī dzejniekus — par vecpuiša dzīves priekšrocībām un neērtībām, par finanšu krīžu varbūtējiem cēloņiem utt. Svarīgi bija tikai viens: saistīt pazīstamu vārdu ar tobrīd aktuālu tēmu — Cīgenhalsa pētījumā netrūkst pārsteidzošu piemēru, to ir simtiem. Kā jau teicām, visai šai rosībai, jādomā, bija piejaukta krietna deva ironijas, iespējams, tā bija dēmoniska ironija, izmisuma ironija; mums grūti iejusties tajā, bet plašā publika, kas toreiz, šķiet, bijusi apbrīnojami lasītkāra, neapšaubāmi ņēmusi par pilnu visas šīs groteskās publikācijas. Ja slavena glezna nonāca cita īpašnieka rokās, ja vairāksolīšanā pārdeva vērtīgu rokrakstu, ja nodega sena pils, ja izrādījās, ka aristokrātiskas dzimtas atvase iepīta skandalozā notikumā, tūkstoši feļetonu informēja lasītāju ne tikai par šiem faktiem, bet vēl tai pašā vai nākamajā dienā sniedza neskaitāmas anekdotiska, vēsturiska, psiholoģiska, erotiska vai tamlīdzīga rakstura ziņas par attiecīgo tēmu; jebkurš aktuāls notikums izraisīja īstus skribelējumu plūdus, turklāt visas šīs informācijas pasniegumam, izkārtojumam un noformējumam bija uzspiests bez jebkādas atbildības steigā izgatavotas masu produkcijas zīmogs. Feļetonam, mūsuprāt, pieskaitāmas arī zināmas spēles, kurās aicināja piedalīties jau tā ar izziņas materiālu pārbaroto lasītāju saimi; par to vēstī Cīgenhalsa plašā zemsvītras piezīme par dīvaino tēmu "Krustvārdu mīklas". Tūkstošiem cilvēku, kam lielākoties bija smags darbs un sūra dzīve, tolaik aizvadīja savus brīvos brīžus, nolīkuši pār kvadrātiem un krustiem, kurus atbilstoši spēles noteikumiem aizpildīja ar burtiem. Būsim tomēr piesardzīgi un, neizceļot šīs parādības smieklīgo vai bezprātīgo aspektu, atturēsimies no zobgalībām. Cilvēki, kas aizrāvās ar bērnišķīgām rotaļām — minēja mīklas vai lasīja feļetonus — nebūt nebija bērni vai izklaidēties kāri feāni, gluži otrādi, viņi dzīvoja nemitīgās bailēs no politiskām, ekonomiskām vai morālām jukām un katastrofām, viņi izcīnīja vairākus briesmīgus karus, arī pilsoņu karus, un viņu izziņas rotaļas nebija tikai līksma, bērnišķīga izklaidēšanās, tās, gluži otrādi, atbilda dziļajai nepieciešamībai aizvērt acis neatrisinātu problēmu priekšā, no biedējošām bojāejas nojautām paglābties iespējami nevainīga šķituma pasaulē. Viņi cītīgi mācījās vadīt automašīnas, spēlēja sarežģītas kāršu spēles un aizsapņojušies risināja krustvārdu mīklas, jo jutās bezgala neaizsargāti, tiekoties ar nāvi, ciešanām, badu; ne baznīca sniedza viņiem mierinājumu, ne gara dzīve — padomu. Viņiem, kas lasīja tik daudzus feļetonus un noklausījās tik daudzus priekšlasījumus, neatlika ne laika, ne spēka, lai pārvarētu bailes, uzveiktu nāves biedus, viņi dzīvoja kā agonijā, bez ticības rītdienai.

Lasītas tika arī publiskas lekcijas, un mums jāapcer arī šis nedaudz cildenākais feļetonisma paveids. Tā laika pilsoņiem, kas vēl aizvien bija ļoti piekērušies agrāko nozīmi zaudējušam izglītības jēdzienam, gan speciālisti, gan intelektuāli lielceļa laupītāji bez avīžu rakstiem lielā skaitā piedāvāja arī lekcijas un ne tikai svētku runas īpaši svinīgos gadījumos — priekšlasījumiem mums gandrīz neizprotamā kārtā piemita masveida raksturs, turklāt runātāji nikni apkaroja cits citu. Katrā vidēji lielā pilsētā reizi nedēļā, bet lielpilsētās turpat vai ik vakaru kurš katrs pilsonis viens vai kopā ar sievu varēja noklausīties lekcijas par teorētiskiem jautājumiem, mākslas darbiem, dzejniekiem, zinātniekiem, pētniekiem, ceļojumiem apkārt zemeslodei — lekcijas, kurās auditorija bija pasīva klausītāja lomā, vienlaikus valdot uzskatam, ka klātesošajiem ir kaut kāds sakars ar lekcijas tematiku, ka viņiem ir kādas priekšzināšanas, ka viņi, gatavojušies lekcijai un spēj uztvert tās saturu, lai gan parasti tā nebija. Lasītas tika izklaidējošas, jūsmīgas vai asprātīgas lekcijas, piemēram, par Gēti, par to, kā viņš zilā frakā izkāpj no pasta karietes, lai pavestu Štrāsburgas vai Veclaras meičas, vai par arābu kultūru, svaidoties ar modes vārdiņiem kā ar metamiem kauliņiem, tā ka klausītājs jutās gaužām ielīksmots, ja kaut aptuveni saprata, par ko ir runa. Ļaudis klausījās priekšlasījumus par dzejniekiem, kuru darbus nekad nebija lasījuši un ir nedomāja lasīt, skatījās diapozitīvus un, tāpat kā lasot feļetonus, lauzās cauri jēgu zaudējušu zināšanu drumslu un zinātnes lausku grēdām. Īsi izsakoties, nebija vairs tālu līdz tai drausmajai vārda devalvācijai, kas — vispirms klusībā un šaurā lokā — izraisīja heroiski askētisku pretstrāvu, kura drīzumā ar varenu spēku izlauzās atklātībā, kļūdama par sākotni jaunai gara pašdisciplīnai un pašcieņai.

Tā laika garīgās dzīves nestabilitātē un neīstumā, kaut dažā ziņā tai enerģijas un dižuma netrūka, mēs, tagadnes cilvēki, saskatām ko simptomātisku izmisumam, kurš pārņēma garu, kad tas, beidzoties šķietamu uzvaru un šķietamas plauksmes laikmetam, pēkšņi uzdūrās tukšumam: dziļa ekonomiska posta, politisku un militāru vētru joslai, spēji uzdīgušai neticībai sev, saviem spēkiem un savai cieņai, pat paša eksistencei. Tiesa, arī šajā bojāejas noskaņu periodā bija ne mazums visai ievērojamu garīgu sasniegumu, starp citu, tajā likti pamati mūzikas zinātnei, kuras pateicīgie mantinieki mēs esam. Bet, lai cik viegli, lai cik jauki un saskanīgi pasaules vēsturē iekļaujas pagātnes norises, tagadne nespēj pati noteikt savu vietu tajā, un tā arī toreiz, intelekta prasībām un sasniegumiem strauji krītoties līdz visai pieticīgam līmenim, tieši gara darbiniekus pārņēma briesmīga nedrošība un izmisums. Nupat, proti, bija izdarīts atklājums[1] (viens otrs jau Nīčes laikā to bija nojautis), ka beidzies mūsu kultūras radošās jaunības periods, ka pienācis vecums, norieta mijkrēslis, un, pamatojoties uz šo pēkšņi visu noskārsto un daudzu asi formulēto atziņu, tika iztulkotas neskaitāmās biedīgās laikmeta iezīmes: nomācoša dzīves mehanizācija, dziļais morālais pagrimums, tautu neticība, mākslas neīstums. Tāpat kā brīnumskaistajā ķīniešu pasakā, visapkārt uzreiz ieskanējās "bojāejas mūzika", it kā varens ērģeļu bass tā dunot vibrēja cauri gadu desmitiem, ielauzās korupcijas skartajās skolās, laikrakstu redakcijās, akadēmijās, darīja grūtsirdīgus vai garīgi slimus jo daudzus vēl nopietni ņemamus māksliniekus un sava laika kritiķus, pavēra ceļu nekontrolētai un diletantiskai pārprodukcijai visās mākslas nozarēs. Pret šo ienaidnieku, kurš bija ielauzies un vairs nebija padzenams, varēja attiekties dažādi. Varēja klusuciešot atzīt rūgto patiesību un stoiski paciest grūtības — tā rīkojās daudzi krietnākie —, varēja arī meklēt glābiņu melos — it īpaši tādēļ, ka literātu — bojāejas sludinātāju — mācībās daudz kas bija diskutējams, turklāt ikviens, kas uzsāka cīņu pret draudīgajiem bojāejas praviešiem, guva atzinību un ietekmi pilsonībā, jo apgalvojumi, ka šī kultūra, kuru tā vēl vakar uzskatīja par savu īpašumu un ar kuru tik ļoti lepojās, vairs nepastāv, ka tai tik mīļā māksla un izglītība vairs nav īsta māksla un izglītība, pilsonībai likās tikpat nekaunīgi un neciešami kā negaidīta inflācija vai revolūcija, kas apdraud tās īpašumus. Pret valdošo norieta noskaņu varēja izturēties arī ciniski: iet dejot, paziņojot, ka jebkuras rūpes par nākotni ir vēču muļķība. Žurnālisti izjustos feļetonos apdziedāja mākslas, zinātnes, valodas tuvo bojāeju, uz papīra uzburtajā feļetona pasaulē tādā kā pašnāvnieka saldkaislē sludināja totālu gara demoralizāciju, visu jēdzienu inflāciju un liekuļoti ciniskā vienaldzībā vai bakhantiskā aizgrābtībā apcerēja ne tikai mākslas, gara dzīves, ētikas un goda jūtu, bet arī Eiropas un "pasaules" galu. Krietno vidū valdīja klusināti drūms, nekrietno vidū — dzēlīgs pesimisms, un vispirms vajadzēja nojaukt to, kas bija novecojis, radīt jaunu morāli, pārkārtot

---

[1] Nupat, proti, bija izdarīts atklājums — norāde uz vācu filozofa O. Špenglera (1880—1936) darbu "Vakarzemes bojāeja" (1918/1922) un viņa pesimistisko kultūras ciklu teorija.

pasauli politisku un militāru sadursmju ceļā, lai arī kultūra spētu reāli novērtēt sevi un no jauna iekļautos dzīvē.

Pati kultūra šajos pārejas gadu desmitos tomēr nebija gulējusi letarģiskā miegā, gluži otrādi, tieši panīkuma un šķietama pašnolieguma stāvoklī, ko tai piedēvēja mākslinieki, profesori un feļetonisti, kultūra atsevišķu indivīdu sirdsapziņa kļuva īpaši modra un paškritiska. Pat feļetonisma ziedu laikos itin visur eksistēja nelielas, izolētas grupas, kas bija cieši apņēmušās palikt uzticamas garam un darīt visu iespējamo, lai neskartu saglabātu patiesas tradīcijas, disciplīnas, metodikas un intelektuālas godprātības drusciņu. Mēģinot šodien izprast šīs norises, jānonāk pie secinājuma, ka pašpārbaudes un apceres process, apzināta pretošanās panīkumam galvenām kārtām noritējusi divos virzienos. Zinātnieki, apzinādamies savu atbildību par kultūras likteni, meklēja garīgu patvērumu mūzikas vēstures pētniecībā un metodikā, jo šī zinātnes nozare uzplauka tieši toreiz, un feļetonisma ziedu laikā divi slavu iemantojuši semināri izstrādāja zinātniski nevainojamu, objektīvu darba metodi. Un tad, it kā liktenis tiektos atalgot nelielo, toties vīrišķīgo kohortu par tās pūliņiem, visdrūmākās bezcerības dienās, notika ielīksmojošs lūzums, būtībā nejaušība, kas tomēr atgādina debesu zīmi: tika atrasti vienpadsmit Johana Sebastiāna Baha manuskripti, kuri agrāk bija piederējuši viņa dēlam Frīdemanim! Otru virzienu, kurš vērsās pret pagrimumu, pārstāvēja Austrumzemes meklētāju brālība[1], tās biedriem mazāk rūpēja intelekta izkopšana, vairāk uzmanības viņi veltīja jūtu dzīves pilnveidošanai, svētbijības un cēlsirdības nostiprināšanai, — arī no šīs puses mūsdienu gara dzīves un Stikla pērlīšu spēles formas guva nozīmīgas ierosas, it īpaši kontemplācijas jomā. Austrumzemes meklētāji tāpat deva savu ieguldījumu, palīdzot gūt jaunas atziņas par mūsu kultūras būtību un tās attīstības iespējām — ne tik ļoti ar zinātniski analītisko veikumu, cik ar senu, slepenu vingrinājumu ceļā attīstīto spēju maģiski iejusties pagājušu gadsimtu kultūras dzīvē. Viņu vidū, piemēram, bija mūziķi un dziedoņi, par kuriem stāsta, ka tie pratuši atskaņot agrāko gadsimtu mūziku, nevainojami atdarinot seno izpildījuma manieri, tātad, teiksim, spēlēt vai dziedāt septiņpadsmitā gadsimta sākuma vai vidusposma komponistu darbus tā, it kā tiem nekas nebūtu zināms par vēlāko gadsimtu izpildījuma gaumi, izsmalcinājumiem, virtuozitāti. Tas notika dienās, kad mūziķu vidū valdīja dinamikas un ekspresijas

---

[1] Austrumzemes meklētāju brālība — viena no daudzajām norādēm uz romāna tuvību stāstam "Ceļotājiem uz Austrumzemi", kurā H. Hese aizsāka jaunas humānisma aizstāvības koncepcijas meklējumus.

mānija un diriģenta traktējuma vai "lasījuma" vārdā, lai cik tas neticami, bezmaz aizmirsa pašu skaņdarbu. Laikabiedri liecina, ka daļa klausītāju palikusi pilnīgā neizpratnē, toties citiem ieklausoties šķitis, ka pirmo reizi mūžā dzird mūziku, kādam Austrumzemes meklētāju orķestrim atskaņojot Hendeļa svītu bez *crescendo* un *decrescendo* — tai naivitātē un nevainībā, kas raksturīga citam laikam un citai pasaulei. Kāds šīs brālības biedrs tās sanāksmju zālē — kaut kur starp Brēmgarteni un Morbio[1] — uzbūvējis Baha ērģeles tieši tādas, kādas tas būtu licis izveidot pats Johans Sebastiāns Bahs, ja vien viņam būtu bijušas attiecīgās iespējas. Pēc paraduma, kas jau tolaik ieviesies brālībā, ērģeļu meistars nav izpaudis savu vārdu, nosaukdams sevi par Zilbermani, kā sauca viņa priekšteci astoņpadsmitajā gadsimtā.

Mēs tuvojamies pirmavotiem, no kuriem cēlusies mūsdienu kultūras jēdziena izpratne. Viens tāds pirmavots, turklāt visai nozīmīgs, ir abas visjaunākās zinātnes nozares — mūzikas vēsture un mūzikas estētika, otrs — matemātikas uzplaukums, kas sākās drīz pēc tam; klāt nāca piliens Austrumzemes meklētāju svētās gudrības eļļas un tad vēl ciešā sakarā ar jauno mūzikas uztveri un izpratni — tikpat možā, cik rezignēti drosmīgā attieksmē pret kultūru novecošanās problēmu. Plašāk par to runāt šeit būtu lieki, šie fakti visiem labi zināmi. Galvenais, ko deva jaunā nostādne, pareizāk sakot, jaunā iekļaušanās kultūras attīstības procesā, bija visai radikālā atteikšanās no daiļrades, pakāpeniskā gara darbinieku novēršanās no praktiskās dzīves un — kas ne mazāk svarīgi un vainago visu — Stikla pērlīšu spēles rašanās.

Spēles aizsākumus visdziļāk ietekmēja mūzikas zinātnes pastiprinātā attīstība tūliņ pēc tūkstoš deviņsimtā gada, pašos feļetonisma ziedu laikos. Mēs, šīs zinātnes mantinieki, uzskatām, ka labāk pazīstam lielo, radošo laikmetu — septiņpadsmitā un astoņpadsmitā gadsimta mūziku un savā ziņā pat labāk izprotam to nekā agrāko laiku cilvēki (ieskaitot pašus klasiskās mūzikas radītājus). Mēs, pēcteči, protams, attiecamies pavisam citādi pret klasisko mūziku nekā radošo laikmetu cilvēki; mūsu apgarotā un no rezignējošas melanholijas ne vienmēr pietiekami brīvā jūsma par īstu mūziku būtiski atšķiras no to laiku naivi līksmā muzicēšanas prieka, kurus tiecamies iztēlot par apskaužami laimīgiem, līdzko šīs mūzikas iespaidā aizmirstam apstākļus, kādos

---

[1] ...kaut kur starp Brēmgarteni un Morbio — Brēmgartene, pils Šveicē, kuras īpašnieks Makss Vasmers bija Heses draugs. Morbio Inferiore — dzija kalnu ieplaka starp Komo un Lugano ezeriem Šveicē, viena no stāsta "Ceļotājiem uz Austrumzemi" darbības vietām.

tā radusies, un pašu skaņražu likteņus. Kopš vairākām paaudzēm mēs uzskatām matemātiku un mūziku, nevis filozofiju un dzeju, kā sprieda gandrīz viss divdesmitais gadsimts, par tā kultūras perioda dižajām, paliekamajām vērtībām, kurš sniedzas no viduslaiku beigām līdz mūsdienām. Kopš — vismaz galvenajos vilcienos — atteicāmies no radošas sacensības ar pagātni, kopš mūzikas izpildījumā atsacījāmies no harmonijas prioritātes kulta un jutekliskas dinamikas, kas turpat divus gadsimtus, sākot ar Bēthovenu un romantiķu pirmajiem soļiem, valdīja atskaņotājā mākslā, mēs nešaubāmies, ka labāk un pareizāk — protams, no sev, epigoņiem, raksturīgā neradošā, toties bijīgā redzes viedokļa! — izprotam to kultūru, kuras mantinieki esam. Mums, kam kļuvis svešs to dienu jūsmīgais daiļrades prieks, grūti saprast, ka mūzikas stili piecpadsmitajā un sešpadsmitajā gadsimtā varēja tik ilgi pastāvēt nemainīgi tīri, ka neskaitāmo toreiz sacerēto darbu vidū, šķiet, vispār nav neviena vāja sacerējuma, ka pat astoņpadsmitais gadsimts — deģenerācijas sākuma gadsimts — vēl radījis neskaitāmus stilus, modes virzienus, tiesa, īslaicīgi spožus un pašpārliecinātus. Mēs tomēr ticam, ka mūzikā, ko saucam par klasisku, esam atklājuši tā laika paaudžu noslēpumu, garu, morāli un ticību, un tas viss kļuvis mums par paraugu. Mēs, piemēram, šodien zemu vērtējam astoņpadsmitā gadsimta teoloģisko domu un baznīcas kultūru vai arī apgaismības laikmeta filozofiju, toties Baha kantātēs, pasijās un prelīdēs saskatām kristietības kultūras augstāko izpausmi.

Mūsu kultūras attieksmei pret mūziku, starp citu, ir vēl kāds sens visai cienījams paraugs, kam Stikla pērlīšu spēlē parādīts pienācīgais gods. Atcerēsimies, ka teiksmainajā seno imperatoru Ķīnā mūzikai valsts un galma dzīvē bija izcila nozīme; mūzikas sazelsmi tur bieži identificēja ar kultūras un morāles uzplaukumu, pat valsts labklājību, un mūzikas meistariem bija stingri jāraugās, lai "senās tonalitātes" tiktu saglabātas tīras. Mūzikas panīkumu uzskatīja par drošu valsts un valdības pagrimuma zīmi. Dzejnieki stāstīja šausmu pasakas par aizliegtām, velnišķām, debesu varām naidīgām toņkārtām, piemēram, par Ciņ Šaņa un Cin Czi toņkārtu, par "bojājejas mūziku"; pietika ieskanēties šai noziedzīgajai mūzikai, lai debesis pār valdnieka pili tūdaļ apmāktos, lai sagrīļotos un gāztos mūri un valdnieks un valsts ietu bojā. Atturoties citēt daudzus citus seno autoru izteikumus, sniedzam tikai dažus fragmentus no nodaļas par mūziku Li Bu-ve grāmatā "Pavasaris un rudens".

"Mūzikas aizsākumi iesniedzas tālu pagātnē. Rada to mērs, un tās pamats ir lielais Viens. Lielais Viens rada divus polus; divi poli rada tumsas un gaismas spēkus.

Ja pasaulē valda miers, ja visas lietas ir miera stāvoklī, ja savās pārvērtībās viss pakļaujas savai augstākajai instancei, mūzika var kļūt pabeigta. Ja dziņas un kaislības nestaigā maldu ceļus, mūzika var kļūt pilnīga. Pilnīgai mūzikai ir savs cēlonis. Tā rodas no līdzsvara. Līdzsvars rodas no patiesā, patiesais rodas no visuma jēgas. Tādēļ runāt par mūziku var tikai ar cilvēku, kurš izpratis Visuma jēgu. Mūzikas pamats ir debesu un zemes harmonija, tumsas un gaismas samērība.

Tiesa, arī panīkstošām valstīm un bojāejai nobriedušiem cilvēkiem ir sava mūzika, bet viņu mūzika nav skaidrota. Tādēļ, jo mazāk apvaldīta ir mūzika, jo grūtsirdīgāki top cilvēki, jo vairāk apdraudēta ir valsts un jo vairāk pagrimst valdnieks. Tā zūd mūzikas jēga.

Visi svētie valdnieki cienījuši mūzikā tās skaidrotību. Tirāni Gie un Čžou Sins rakstīja neapvaldītu mūziku. Viņiem patika stipras skaņas un pievilcīgi likās sabiezināta skanējuma efekti. Viņi tiecās pēc jauniem, neparastiem skaņu efektiem, pēc skaņām, ko neviens vēl nav dzirdējis; viņi centās pārspēt viens otru un zaudēja mēra un mērķa izjūtu.

Čžou valsta aizgāja bojā tādēļ, ka pavalstnieki izgudroja burvju mūziku. Tāda mūzika tik tiešām ir skurba, taču patiesībā tā attālinājusies no mūzikas būtības, tāpēc ka šī mūzika attālinājusies no īstās mūzikas būtības, tā nav skaidrota. Ja mūzika nav skaidrota, tauta kurn un dzīvei tiek nodarīts posts. Tas rodas tāpēc, ka pārprot mūzikas būtību un tiecas pēc neapvaldītiem skaņu efektiem.

Kārtības laikmeta mūzika tāpēc ir rāma un skaidrota un valdība ir līdzsvarota. Nemierpilna laikmeta mūzika ir satraukta un neganta, un valdība ir ačgārna. Pagrimstošas valsts mūzika ir sentimentāla un sērīga, un tās valdība ir apdraudēta."

Šā ķīnieša izteikumi diezgan uzskatāmi raksturo mūzikas izcelsmi un tās patieso, pa pusei aizmirsto būtību. Tāpat kā deja un jebkurš cits mākslas veids, mūzika aizvēsturiskos laikos bija buramais līdzeklis; tā ir viens no izsenis atzītajiem maģijas atribūtiem. Sākot ar ritmu (plaukšķināšanu, kāju pieciršanu, koka vālīšu sišanu, pirmatnējo bungu rībināšanu), tā bija iedarbīgs un pārbaudīts līdzeklis, lai "noskaņotu" vienādi vairākus vai daudzus cilvēkus, liktu vienotā ritmā plūst elpai, pukstēt sirdīm, mudinātu ļaudis piesaukt un pielūgt debesu varas, griezties dejā, sacensties savā starpā, doties karā, piedalīties rituāla ceremonijā. Un šo sākotnējo, tīro, elementāro, spēkpilno raksturu — burvības raksturu — mūzika saglabājusi nesalīdzināmi ilgāk nekā citas mākslas nozares — pietiek atcerēties daudzu vēsturnieku un dzejnieku izteikumus par mūziku, sākot ar senajiem grieķiem un beidzot ar Gēti un viņa "Noveli". Praktiski ne maršs, ne deja nekad nav zaudējuši savu nozīmi... Bet atgriezīsimies pie šeit apceramās tēmas.

Par Stikla pērlīšu spēles rašanos īsi pastāstīsim pašu svarīgāko. Radās tā, šķiet, vienā un tai pašā laikā Vācijā un Anglijā — abās valstīs kā atjautības rotaļa, ar kuru šaurā lokā izklaidējās muzikologi un mūziķi, kas strādāja vai mācījās jaundibinātajos mūzikas teorijas semināros. Spēles sākotnējo izveidu ne salīdzināt nevar ar tās vēlāko vai tagadējo formu, tāpat kā tūkstoš piecsimtā gada nošu raksts ar primitīvajām nošu zīmēm, starp kurām trūkst pat takts svītras, nav ne salīdzināms ar astoņpadsmitā gadsimta, kur nu vēl ar deviņpadsmitā gadsimta nošu pierakstiem, kas mulsina ar neskaitāmajiem saīsinājumiem — dinamikas, tempa, frāzējuma apzīmējumiem, kuru dēļ iespiest šādu partitūru nereti kļuva par sarežģītu tehnisku problēmu.

Pirmajā laikā Spēle bija tikai asprātīgs atmiņas un kombināciju spējas vingrinājums, iecienīts studentu un mūziķu vidū, un to spēlēja, kā jau minēts, gan Anglijā, gan Vācijā, vēl iekams tā tika "izgudrota" Ķelnes mūzikas augstskolā un ieguva nosaukumu, ko lieto arī šodien, pēc tik daudzām paaudzēm, kaut gan tai sen vairs nav nekāda sakara ar stikla pērlītēm. Stikla pērlītes ieviesa Spēles izgudrotājs Bastians Pero no Kalvas[1], mazliet ērmots, taču gudrs, sabiedriski rosīgs un humāni noskaņots mūzikas teorētiķis, kurš ar tām aizstāja burtus, ciparus, notis un citas grafiskas zīmes. Pero — starp citu, viņš uzrakstījis traktātu "Kontrapunkta uzplaukums un bojāeja" — Ķelnes seminārā iepazina jau diezgan izkoptu Spēles tehniku: semināra dalībnieki nosauca cits citam savas zinātnes nozares saīsinātajā formulu valodā kādas klasiskas kompozīcijas tēmu vai sākuma motīvu, un uzrunātajam vajadzēja dot turpinājumu vai — vēl jo labāk — atbildēt augstākā vai zemākā tonalitātē vai arī ar kontrastējošu antitēmu. Ar līdzīgiem atmiņas un improvizācijas vingrinājumiem (gan ne teorētisku formulu valodā, bet praksē — spēlējot cimboli, lautu, fleitu vai dziedot), iespējams, labprāt izklaidējās centīgi mūzikas un kontrapunkta apguvēji Šica, Pahelbela un Baha laikā. Kā jau liels amatniecības mīļotājs, kurš, ņemdams par pamatu senos paraugus, pats savām rokām izgatavojis vairākus pianīnus un klavihordus, turklāt, ļoti iespējams, bijis Austrumzemes meklētājs un, kā stāsta, pratis spēlēt vijoli senajā, pēc tūkstoš astoņsimtā gada aizmirstajā manierē, ar augsti izliektu lociņu un ar roku regulējamu stīgu sasprieguma, Bastiāns Pero pēc primitīvu, bērniem

---

[1] Bastiāns Pero no Kalvas — amatnieks, pulksteņu darbnīcas īpašnieks, pie kura H. Hese vairākus mēnešus bija par mācekli.

domātu skaitīkļu parauga konstruēja rāmi ar vairākiem desmitiem stieplīšu, uz kurām savēra dažāda lieluma, formas un krāsas pērlītes. Stieplītes atbilda nošu līnijām, pērlītes — notīm, un ar šīm stikla pērlītēm Pero atveidoja veselas muzikālas frāzes vai paša sacerētas tēmas, pārmainīja, transponēja, attīstīja, pārveidoja tās vai pretstatīja citu citai. Tehnisko iespēju ziņā tā bija tikai rotaļa, laika kavēklis, taču audzēkņiem rotaļa iepatikās, tai radās atdarinātāji, tā nāca modē — arī Anglijā, un kādu laiku šo mūzikas vingrinājumu — rotaļu praktizēja šajā tik primitīvi pievilcīgajā veidā. Un arī šoreiz, kā nereti mēdz atgadīties, nozīmīgs jaunieviesums, kam lemts ilgs mūžs, nosaukumu aizguva no mazsvarīgas blakuslietas. Tas, par ko vēlāk izvērtās semināra audzēkņu rotaļa, Pero pērlīšu skaitīkļi, vēl šodien saucas visiem zināmajā vārdā par Stikla pērlīšu spēli.

Pēc nepilniem diviem vai trim gadu desmitiem Spēle, šķiet, konservatoristu aprindās kļuva mazāk populāra, toties tai pievērsās matemātiķi, un ilgāku laiku Spēles vēsturei raksturīgs bija fakts, ka allaž to izmantoja savām vajadzībām un attīstīja tālāk zinātne, kas tobrīd pieredzēja uzplaukumu vai renesansi. Matemātiķu rokās Spēle kļuva sevišķi lokana un izsmalcināta, iemantoja pat ko līdzīgu sevis un savu iespēju apziņai, un šis process norisa paralēli toreizējam vispārējam kultūras pašapģiedas procesam; kultūra pārvarēja dziļo krīzi, kurā bija nonākusi, un, izsakoties Plīnija Cīgenhalsa vārdiem, "pieticīgā lepnumā samierinājās ar to, ka ir norieta kultūra un pārstāv laikmetu, kas aptuveni atbilst vēlīnam antīkās kultūras, proti, aleksandrīniskā hellēnisma periodam".

Tā sprieda Cīgenhalss. Mēs, tiecoties pabeigt īso Spēles vēstures apskatu, konstatējam: no mūzikas semināriem pārgājusi matemātikas semināru ziņā (šī pāreja Francijā un Anglijā, šķiet, norisa straujāk nekā Vācijā), Spēle bija tiktāl attīstījusies, ka ar īpašu zīmju un abreviatūru palīdzību spēja izteikt matemātiskus procesus; spēlētāji, izkopdami šo zīmju valodu, apmainījās ar abstraktām formulām, iepazīstināja cits citu ar savas zinātnes nozares attīstības ievirzēm un variantiem. Šī rotaļa ar matemātiski astronomiskām formulām prasīja lielu uzmanību, modrību un koncentrēšanos; laba Spēles pratēja slavu matemātiķu aprindās jau toreiz vērtēja visai augstu, tā atbilda teicama matemātiķa reputācijai.

Gandrīz visas zinātņu nozares cita pēc citas dažādos periodos pārņēma un apguva Spēli, t.i., piemēroja to savai specifikai; pierādīts tas ir attiecībā uz loģikas un klasiskās filoloģijas jomām. Mūzikas vērtību analīze deva iespēju mūzikas norises izteikt fizikas un matemātikas formulu valodā. Nedaudz vēlāk šo metodi lietoja filologi, izmērīdami valodas veidojumus tāpat, kā fiziķi mēra matērijas kustības formas; pēc tam šo metodi attiecināja uz tēlotāju mākslu, nozari, kurā arhitektūra jau sen bija saistīta ar matemātiku. Starp šādi iegūtajām abstraktajām izteiksmēm atklāja arvien jaunas sakarības, analoģijas un atbilstības. Katra zinātņu nozare, piemērodama Spēli savām vajadzībām, radīja savu Spēles valodu, kurā iekļāva formulas, abreviatūras un abu šo elementu kombinācijas. Intelektuālās jaunatnes elite iecienīja rotaļu ar formulu rindām un dialogiem. Spēle bija ne tikai vingrināšanās, ne tikai vaļasprieks, tā radīja koncentrētu garīgas disciplīnas apziņu; ar īpaši askētisku un sportisku virtuozitāti, kā arī formas stingrību izcēlās matemātiķi, razdami Spēlē baudu, kas tiem atviegloja gara darbinieku vidū jau toreiz konsekventi īstenoto atteikšanos no pasaulīgiem priekiem un centieniem. Stikla pērlīšu spēle lielā mērā palīdzēja līdz galam pārvarēt feļetonisma reliktus, no jauna modinot patiku uz eksaktiem intelekta vingrinājumiem, kuriem mums jāpateicas par jaunas — askētiski stingras gara disciplīnas rašanos. Pasaule pārmainījās. Feļetonisma laikmeta gara dzīvi var salīdzināt ar deģenerētu augu, kas izšķiež spēkus hipertrofētiem izaugumiem, bet turpmākos labojumus — ar auga nogriešanu pie pašas saknes. Jaunieši, kas dzīrās pievērsties garīgam darbam, vairs neuzskatīja studijas par iespēju panāškēties gar zinātņu drupatām augstskolās, kur ievērojami un runātkāri profesori, kam trūka autoritātes, sniedza saviem klausītājiem kādreizējās augstākās izglītības atliekas; viņiem tagad bija jāmācās tikpat neatlaidīgi, ja ne vēl neatlaidīgāk un metodiskāk, kā to agrāk darīja nākamie inženieri politehniskajos institūtos. Viņiem bija jāveic kraujš zināšanu apguves ceļš, jāizkopj un jāattīsta domāšanas spējas, vingrinoties matemātikā un Aristoteļa sholastikā, turklāt jāpierod atteikties no labumiem, kas vilinājuši daudzas zinātnieku paaudzes, — ātras un vieglas peļņas, slavas un publiskiem godinājumiem, cildinošām atsauksmēm presē, laulībām ar baņķieru un fabrikantu meitām, izlutuma un materiālās greznības. Dzejnieki, kuru darbus izdeva lielos metienos, Nobela prēmijas laureāti ar skaistajām ārpilsētas villām, lielie mediķi ar ordeņiem un livrejās tērptajiem sulaiņiem, ķīmiķi ar posteņiem rūpniecības uzraudzības padomēs, filozofi — feļetona fabriku īpašnieki, kas pārpildītās zālēs lasīja aizraujošas lekcijas, izpelnīdamies aplausus un ziedu veltes, — tie visi piederēja pagātnei un bija zuduši uz neatgriešanos. Tiesa, arī pēc tam netrūka apdāvinātu jauniešu, kam nule pieminētie darboņi likās apskaužams ideāls, bet sabiedrības atzinību, bagātību, slavu un greznību vairs nenodrošināja auditorijas, semināri un doktora disertācijas: izvirtušās intelektuālās profesijas bija cietušas bankrotu visas pasaules acīs, atgūta toties bija askētiski fanātiska uzticība garam. Talantīgiem ļaudīm, kas tiecās pēc atzinības un ārēja spožuma, atlika tikai novērsties no agrāko pievilcību zaudējušā garīgā darba un izvēlēties profesiju, kurā varēja sapelnīt naudu un tikt pie pārticības. Mēs aizmaldītos par tālu, ja mēģinātu pastāstīt sīkāk, kā gars, šķīstījis sevi, panāca atzīšanu valsts mērogā. Sabiedrība bija pārliecinājusies, ka pietiek dažu paaudžu izlaidības un negodīguma gara sfērā, lai jūtamus zaudējumus ciestu arī prakse, lai arvien retāka parādība visās vadošajās profesijās, arī tehniskajās, kļūtu darba prasme un atbildības sajūta, tādēļ gara dzīves aprūpi valstī un tautas vidū, it īpaši izglītības jomā, pakāpeniski monopolizēja intelektuālā elite. Vēl šodien skola, ja vien nav palikusi Romas baznīcas pārziņā, itin visur Eiropā atrodas anonīmu ordeņu rokās, kuri komplektējas no intelektuālās elites pārstāvjiem. Lai cik netīkama sabiedriskajai domai dažkārt liktos šīs kastas stingrība un tā dēvētā augstprātība, lai cik bieži atsevišķās personas pret to saceltos, tās virsvadība vēl aizvien ir nesatricināma, tās pastāvēšanu nodrošina ne vien pašas integritāte, atteikšanās no jebkurām vērtībām un priekšrocībām, atskaitot garīgās, bet arī sen plaši izplatītais atzinums vai apjautums, ka bez stingras skolas civilizācija lemta bojāejai. To zina vai noprot visi: ja tīra un modra nebūs doma, ja cienīts netiks gars, arī automašīnas vairs nedarbosies un kuģi nomaldīsies no kursa, inženiera logaritmiskais lineāls vairs nebūs lietojams, banku un biržu aprēķini zaudēs jebkuru nozīmi un autoritāti, sāksies haoss. Pagāja tomēr ilgs laiks, līdz sev ceļu izlauza atziņa, ka arī civilizācijas ārējām izpausmēm, arī tehnikai, rūpniecībai, tirdzniecībai utt., nepieciešams kopīgs intelektuālas morāles un godprātības pamats.

Vienīgais, kā Stikla pērlīšu spēlei tolaik vēl pietrūka, bija universālisms, spēja pacelties pāri atsevišķām fakultātēm. Astronomi, hellēnisti, latīnisti, sholastiķi, konservatoristi spēlēja savas atjautīgi reglamentētās spēles, bet katrai fakultātei, katrai disciplīnai un tās atzarojumiem bija sava Spēles valoda, savs Spēles reglaments. Pagāja turpat gadsimts, kamēr tika nojauktas barjeras. Šādai neizdarībai bija drīzāk morāla nekā formāla vai tehniska rakstura cēloņi; veids, kā nojaukt barjeras, tiktu atrasts, taču atdzimušās intelektualitātes bargajai morālei piemita puritāniskas bailes no *allotria*[1], no disciplīnu un kategoriju sajaukuma, dziļas un pamatotas bažas no jauna krist feļetonisma paviršības grēkā.

Tas bija viena cilvēka veikums, kas bezmaz uzreiz lika atskārst Stikla pērlīšu spēles iespējas, tās universālismu, un arī šoreiz tā bija

---

[1] Niekošanās, blēņas (*grieķu val.*).

Spēles tuvība mūzikai, kurai jāpateicas par gūto progresu. Kāds šveiciešu mūzikas zinātnieks, starp citu, dedzīgs matemātikas mīļotājs, deva Spēlei gluži jaunu pavērsienu, reizē pavērdams tai augstākās attīstības iespējas. Šā cilvēka vārds nav noskaidrojams, viņa dzīves laikā lielu personību kults gara sfērā vairs nepastāvēja; Spēles annālēs viņš dēvēts par *Lusor* (vai *Joculator*) *Basiliensis*[1]. Viņa atklājums, tāpat kā jebkurš cits, bez šaubām, visnotaļ ir viņa paša guvums un nopelns, taču impulsi, kas atklājumu izraisīja, bija nesalīdzināmi stiprāki par viena cilvēka gribu un vēlmēm. Tai laikā visu zemju gara darbinieki neatlaidīgi meklēja izteiksmes līdzekļus jaunajiem domas saturiem, valdīja ilgas pēc filozofijas, pēc sintēzes, nevienu vairs neapmierināja līdz šim par laimi uzskatītā iespēja norobežoties vienā disciplīnā, te viens, te otrs zinātnieks, pārvarējis speciālo zinātņu šaurību, centās rast ceļus uz vispārnozīmīgo; zinātnieki sapņoja par jaunu alfabētu, par jaunu zīmju valodu, kurā varētu izteikt un nodot cits citam jauno domas pieredzi. Sevišķi spilgti šo tendenci pauž kāds tā laika zinātnisks raksts, kurš iznācis Parīzē ar nosaukumu "Ķīnas pamācība". Raksta autors, dzīves laikā bieži vien izsmiets par donkihotismu, starp citu, ievērojams speciālists savā nozarē — filoloģijā, norāda uz briesmām, kuras, par spīti lielajai noturībai, draud zinātnei un kultūrai, ja tās vairīsies izstrādāt starptautisku zīmju valodu, kas līdzīgi ķīniešu hieroglifiem ļautu ideogrāfiski izteikt viskomplicētāko saturu, neizslēdzot individuālo fantāziju un jaunradi, un būtu saprotama visas pasaules zinātniekiem. Pašu svarīgāko soli, īstenojot šo prasību, spēra *Joculator Basiliensis.* Viņš radīja Stikla pērlīšu spēlei jaunu valodas bāzi, proti, zīmju un formulu valodu, kurā līdzdalīgas bija mūzika un matemātika un kurā kļuva iespējams saliedēt astronomijas un mūzikas simbolus, vienādojot, tā sakot, matemātikas un mūzikas kopsaucējus. Lai arī attīstības process ar to nebeidzās, pamatu visām turpmākajām norisēm mums tik dārgās Spēles vēsturē jau toreiz lika anonīmais bāzelietis.

Stikla pērlīšu spēle, šis agrāk tik specifiskais matemātiķu, filologu vai mūziķu vaļasprieks, tagad savaldzināja visus īstenos gara darbiniekus. Tai pievērsās ne viena vien sena akadēmija, ne viena vien loža — pirmām kārtām mūžvecā Austrumzemes meklētāju brālība. Ar Spēli aizrāvās arī daži katoļu ordeņi, sajauzdami tajā jauna laikmeta elpu, it īpaši viens otrs benediktiešu klosteris veltīja tai tik lielu uzmanību, ka jau toreiz — tāpat kā nereti arī vēlāk — akūts kļuva jautājums, vai baznīcai un pāvesta kūrijai Spēle jāpacieš, jāatbalsta vai jāaizliedz.

---

[1] Spēles meistars (vai Žonglieris) no Bāzeles (*latīņu val.*).

Pēc bāzelieša dižā veikuma Spēle, strauji pilnveidojusies, kļuva par to, kas tā ir vēl tagad, proti, par visa garīgā un mākslinieciskā iemiesojumu, par cildenu kultu, par itin visu *universitas litterarum* atsevišķo locekļu *unio mystica*[1]. Mūsu dienās tā aizstājusi gan mākslu, gan spekulatīvo filozofiju un Plīnija Cīgenhalsa laikā, piemēram, nereti tika saukta vārdā, kas, patapināts no feļetonisma ēras literatūras, toreiz apzīmēja ne viena vien noģiedīga prāta ilgu mērķi, proti, tika dēvēta par maģisko teātri[2].

Stikla pērlīšu spēle kā tehniski, tā tematiski bija bezgala pilnveidojusies un intelektuālo prasību ziņā, kuras tā izvirzīja spēlētājiem, kļuvusi par augsti attīstītu mākslu un zinātni, tomēr tai bāzelieša dzīves laikā piemita kāds būtisks trūkums: proti, ik partija tolaik bija vienīgi dažādu domas un dailes jomu koncentrētu priekšstatu virknējums, izkārtojums, grupējums vai pretstatījums, naiva atmiņas rotaļa ar laika varai nepakļautām vērtībām un formām, īss, virtuozs lidojums gara valstībā. Tikai krietni vēlāk Spēlē pakāpeniski tika ieviests kontemplācijas jēdziens, aizgūts no audzināšanas sistēmas garīgā inventāra, it īpaši no Austrumzemes meklētāju parašām un tradīcijām. Jūtams bija kļuvis trūkums, ka veikli mnemotehniķi, jebkurā citā ziņā neapdāvināti ļaudis, virtuozi risinādami spožas partijas, izbrīnīja un samulsināja partnerus ar neskaitāmu priekšstatu zibenīgo miju. Ar laiku šāda tipa virtuozitāti stingri aizliedza un kontemplācija kļuva par visai svarīgu, pat noteicošu Spēles elementu katras partijas klausītājiem un skatītājiem. Tas bija pavērsiens uz reliģisko pusi. Tagad vajadzēja ne vien ar prātu uztvert Spēles ideju secību un garīgo mozaīku, apliecinot elastīgu uzmanību un trenētu atmiņu, — radās prasība arī pēc dziļākas dvēseliskas pašatdeves. Katra zīme, ko nosauca Spēles vadītājs, katra ideogramma, tās saturs, izcelsme un nozīme, proti, tika pakļauta stingrai, klusai apcerei, liekot ikvienam spēlētājam intensīvi apdomāt un ar visu savu būtību apgūt tās saturu. Kontemplācijas tehniku un iemaņas Ordeņa un Spēles apvienību biedri apguva elites skolās, kur kontemplācijas un meditācijas prasmei veltīja lielu uzmanību. Tā izdevās novērst briesmas, ka Spēles hieroglifi degradētos par vienkāršām rakstu zīmēm.

Lai gan Stikla pērlīšu spēle bija populāra zinātnieku aprindās, starp citu, tā aizvien vēl bija tīri privāta izklaidēšanās. To spēlēja gan

---

[1] Mistiska kopība (*latīņu val.*).

[2] Maģiskais teātris — iztēles sfēra H. Heses romānā "Stepes vilks" (1927), plaši izvērsta alegorija, ar kuras palīdzību autors analizē sabiedrības un romāna varoņa gara dzīvi.

vienatnē, gan divatā vai plašākā lokā; tiesa, sevišķi saturīgas, izcili komponētas un veiksmīgas partijas dažkārt pierakstīja, tās kļuva pazīstamas citās valstīs un pilsētās, tika apbrīnotas vai kritizētas. Bet tad Spēle pakāpeniski iemantoja jaunu funkciju — bagātinājusi sevi, tā kļuva par publiskiem svētkiem. Vēl mūsdienās katrs var nodoties Spēlei pats uz savu roku, un sevišķi aizrautīgi to dara jaunieši. Bet, pieminot Stikla pērlīšu spēli, tagad kurš katrs pirmām kārtām iztēlojas svinīgas, publiskas Spēles. Tās vada nedaudzi izcili meistari, kas ikvienā valstī padoti Spēles maģistram, un Spēļu norisi, bijīgi klusējot, vēro lūgti viesi un saspringti noklausās ļaudis visā pasaulē; dažkārt Spēles ilgst vairākas dienas vai nedēļas, un svinību laikā visi Spēļu dalībnieki un arī klausītāji pakļaujas stingriem priekšrakstiem, kas noteic pat miega ilgumu, gremdējas sevī, dzīvo atturīgu, pat asketisku dzīvi, salīdzināmu ar svētā Ignācija garīgo vingrinājumu dalībnieku stingri reglamentēto askēzi.

Šķiet, pateikts turpat viss. Kalpodama te vienai, te otrai zinātnes vai mākslas nozarei, visu spēļu spēle attīstījās par sava veida universālu valodu, kurā ideogrāfiski var izteikt jebkurus jēdzienus, kā arī attiecināt tos citu pret citu. Visos laikos Spēle bija cieši saistīta ar mūziku un parasti norisa pēc mūzikas un matemātikas likumiem. Spēlētāji izraudzījās vienu tēmu, divas, trīs tēmas un izstrādāja, variēja un attīstīja tās kā fūgas vai koncerta daļas vadmotīvus. Partija, piemēram, varēja sākties ar astronomisku konfigurāciju vai Baha fūgas tēmu, ar kādu Leibnica izteikumu vai Upanišadu frāzi, un izraudzītais vadmotīvs atkarībā no spēlētāja vēlmēm vai spējām varēja attīstīties un iet plašumā vai arī kļūt bagātāks izteiksmē, pamatojoties uz radniecīgu priekšstatu asociācijām. Iesācējam, piemēram, bija pa spēkam ar Spēles zīmēm izteikt līdzību starp klasiskās mūzikas sacerējumu un kāda dabas likuma formulu, toties prasmīga meistara partijā pamattēma raisījās brīvi, veidojot neierobežotu kombināciju skaitu. Visai iecienīti kādas Spēles skolas pārstāvju vidū ilgu laiku bija tēlaini salīdzinājumi, pretsalikumi un, visbeidzot, divu kontrastējošu tēmu vai ideju harmoniski savienojumi, piemēram: likums un brīvība, indivīds un sabiedrība; turklāt īpašu vērību veltīja tam, lai šādās partijās abu tēmu vai tēžu izvedumi būtu visnotaļ objektīvi un līdzvērtīgi, lai tēze un antitēze veidotu iespējami tīru sintēzi. Vispār, atskaitot ģeniālus izņēmuma gadījumus, partijas ar negatīvu vai skeptisku, disharmonisku izskaņu nebija cieņā, laiku pa laikam tās pat tika aizliegtas — tas atbilda dziļajai nozīmei, kādu Spēle savā augstākajā attīstības fāzē bija ieguvusi spēlētāju acīs. Tā kļuva par izsmalcinātu, simbolisku pilnības meklējumu izpausmi, par cildenu alķīmiju, tuvošanos sevī

31

vienotajam, visam tēlainajam un daudzveidīgajam pāri stāvošajam garam, tātad — dievam. Apmēram tāpat, kā seno laiku dievbijīgie prātnieki zemes dzīvi uzskatīja par tiekšanos pretī dievam, bet ārējo parādību pasaules daudzveidību pabeigtu un līdz galam izdomātu redzēja tikai dievišķajā vienībā, Stikla pērlīšu spēles ideogrammas un formulas, veidodamas salikumus, muzicēdamas un filozofēdamas universālā valodā, kurā sakļāvās visas mākslas un zinātnes, rotaļīgi tiecās pretī pilnībai, tīrajai esmei, līdz galam īstenotajai tiešamībai. "Realizēt" bija spēlētāju aprindās iecienīts teiciens, un savu darbošanos viņi uzskatīja par ceļu no tapšanas uz esamību, no iespējamā uz esošo. Šeit lai mums atļauts vēlreiz atsaukt atmiņā jau citētos Nikolaja Kuzanska izteikumus.

Starp citu, kristīgās teoloģijas termini, ja vien bija klasiski formulēti un šķita vispārējs kultūras īpašums, tika iekļauti Spēles valodā; ticības postulātus un Bībeles teicienus, sena baznīcas autora prātulu vai mesas teksta fragmentu latīņu valodā varēja izteikt tikpat eksakti un tikpat viegli ietvert Spēles sistēmā kā ģeometrijas aksiomu vai Mocarta melodiju. Mēs, liekas, nepārspīlēsim, uzdrīkstēdamies apgalvot, ka šauram Stikla pērlīšu spēles meistaru lokam Spēle bija kas līdzīgs rituālam, lai gan radīt savu teoloģiju tas atturējās.

Cīņā par eksistenci garam naidīgu laicīgu varu pasaulē Stikla pērlīšu spēle un Romas baznīca pārāk bieži bija spiestas rēķināties viena ar otru, lai pieļautu sadursmi, kaut iemeslu domstarpībām netrūka, — intelektuāla godprātība un neviltota cenšanās precīzi un nepārprotami formulēt savu nostāju mudināja pārtraukt sakarus. Tas tomēr nenotika; baznīca izturējās pret Spēli te labvēlīgāk, te neiecietīgāk, apzinādamās, ka spēlētāju vidū kā nekā sastopams ne viens vien izcils kongregāciju un augstākā klēra pārstāvis. Turklāt Stikla pērlīšu spēle, kopš tika rīkotas publiskas Spēles un iecēla Spēles maģistrus, atradās Ordeņa un Audzināšanas kolēģijas aizbildnībā, bet Ordeņa un Kolēģijas attieksme pret baznīcu bija nevainojami bruņinieciska un laipna. Pijs XXV, kas kardināla amata gados pats aizrāvās ar Stikla pērlīšu spēli, kļuvis par pāvestu, ne tikai atteicās no tās uz visiem laikiem, tāpat kā bija darījuši viņa priekšteči, bet centās to iznīdēt; toreiz katoļiem tik tikko neaizliedza piedalīties Spēlē. Taču pāvests nomira, pirms tika pieņemts attiecīgs lēmums, un kādā plaši pazīstamā biogrāfijā, kas veltīta šim, bez šaubām, izcilajam cilvēkam, viņa attieksme pret Stikla pērlīšu spēli notēlota kā kvēla mīlestība, kuru viņš, ievēlēts par pāvestu, centies pārvarēt, apkarodams Spēli. Stikla pērlīšu spēle, ko agrāk brīvi kultivēja vienīgi atsevišķas personas vai grupas, turklāt jau sen labvēlīgi atbalstīja Audzināšanas kolēģija, par sabiedrisku iestādījumu kļuva vispirms Francijā un Anglijā, pēc tam arī cituviet. Katrā valstī nodibināja Spēles komisiju un iecēla augstāko vadītāju, kam piešķīra Spēles maģistra titulu, bet oficiālās Spēles, kuras notika Maģistru vadībā, pasludināja par garīgām svinībām. Tāpat kā visi pārējie augstie un visaugstākie Spēles aparāta darbinieki, Maģistri, protams, palika nezināmi; atskaitot dažas tuvākās personas, neviens nezināja viņu īsto vārdu. Lielās, oficiālās Spēles, par kurām atbildīgi bija Spēles maģistri, pārraidīja pa radio un citiem starptautiskiem sakaru līdzekļiem. Bez publisko Spēļu vadības Maģistru pienākums bija rūpēties par spēlētājiem un Spēles skolām, bet, galvenais, jo stingri pārraudzīt Spēles attīstību. Tikai Vispasaules maģistru padome bija pilntiesīga lemt par jaunu zīmju vai formulu ietveršanu Spēles izteiksmes līdzekļu arsenālā (mūsdienās tas ir rets gadījums), par varbūtējiem grozījumiem Spēles noteikumos, par to, vai vēlams iekļaut Spēlē jaunas zināšanu nozares. Ja Spēli uzskata par sava veida starptautisku intelektuāļu valodu, tad atsevišķo valstu Spēles komisijas savu Maģistru vadībā visas kopā veido it kā akadēmiju, kas pārzina šīs valodas resursus, attīstību, atbild par tās tīrību. Katrā valstī komisijas rīcībā ir Spēles arhīvi, tajos apkopoti visi līdz šim pārbaudītie un apstiprinātie simboli un kodi, kuru skaits sen pārsniedzis seno ķīniešu rakstu zīmju skaitu. Par pietiekami sagatavotu parasti uzskata spēlētāju, kas beidzis kādu augstāko mācību iestādi, it īpaši elites skolu, taču — tā tas bija agrāk, un tāpat tas klusībā pieņemts arī tagad — nepieciešamas turklāt teicamas zināšanas kādā vadošā zinātnes nozarē vai mūzikā. Kļūt par Spēles komisijas locekli vai pat par Spēles maģistru ir gandrīz vai katra padsmitnieka — elites skolnieka ideāls. Bet jau doktorandu vidū vairs tikai retais lolo godkāro sapni, ka spēs aktīvi kalpot Stikla pērlīšu spēles tālākajai attīstībai. Minētie Spēles entuziasti toties cītīgi vingrinās teorijā un meditācijā, bet "lielo" Spēļu laikā veido šauro bijīgu un aizrautīgu dalībnieku loku, kas publiskajām Spēlēm piešķir svinīgu raksturu un liedz tām pārvērsties par tīri dekoratīvu aktu. Šo īsteno Spēles cienītāju un lietpratēju acīs Maģistrs ir valdnieks un augstais priesteris, bezmaz dievība.

Bet katra patstāvīga meistara, jo sevišķi Maģistra uztverē Stikla pērlīšu spēle pirmām kārtām ir muzicēšana aptuveni tādā nozīmē, kā par klasiskās mūzikas būtību izteicies Jozefs Knehts:

"Klasisko mūziku mēs uzskatām par mūsu kultūras ekstraktu un kvintesenci, tāpēc ka tā ir šīs kultūras tīrākā, zīmīgākā manifestācija un izpausme. Klasiskā mūzika mums ir antīkās kultūras un kristietības mantojums, līksma un drosma svētbijības gara, nepārspējami bruņinieciskas morāles nesēja. Jo galu galā jebkura klasiska kultūras pašizaugsme ir morāles apliecinājums, plastiskā veidolā koncentrēts cilvēka rīcības pirmtēls. No tūkstoš piecsimtā līdz tūkstoš astoņsimtajam gadam radīta dažāda mūzika, visai atšķirīgi bijuši stili un izteiksmes līdzekļi, bet mūzikas gars, pareizāk sakot, morālais satvars, allaž bijis tas pats. Cilvēka nostāja, kuras izpausmes forma ir klasiskā mūzika, allaž bijusi tā pati, pamatā tai allaž bijis viens un tas pats īstenības izziņas veids, un arī uzvarai pār nejaušību, pēc kuras tā tiecas, allaž bijusi viena un tā pati seja. Klasiskās mūzikas būtība pauž cilvēka esmes traģisma apziņu, samierināšanos ar likteni, vīrišķību, apskaidrotu līksmi. Lai tā būtu Hendeļa vai Kuperēna menuetu grācija, līdz maigam žestam kāpināta juteklība daudzu itāliešu vai Mocarta mūzikā, klusa, savaldīga gatavība mirt Baha skaņdarbos — vienalga, arvien tajā skan pretošanās liktenim, bezbailība nāves priekšā, bruņinieciskums, arvien tajā sadzirdama pārcilvēcisku smieklu, nemirstīgas līksmes atbalss. Tai jāskan arī mūsu Spēlē, visā mūsu dzīvē, mūsu darbā un ciešanās."

Šos vārdus pierakstījis kāds Knehta māceklis. Ar tiem mēs beidzam savu apceri par Stikla pērlīšu spēli.

SPĒLES MAĢISTRA JOZEFA KNEHTA
DZĪVES APRAKSTS

AICINĀJUMS

Jozefa Knehta izcelsmi mums nav izdevies noskaidrot. Līdzīgi daudziem citiem elites skolu audzēkņiem viņš vai nu agri zaudējis vecākus, vai arī viņu nošķīrusi no nelabvēlīgas vides un adoptējusi Audzināšanas kolēģija. Kā vienā, tā otrā gadījumā viņam bijis aiztaupīts konflikts starp skolu un vecāku mājām, kurš dažu labu nomācis jaunības gados, apgrūtinot iestāšanos Ordenī, un ne vienu vien izcili apdāvinātu jaunekli apveltījis ar sarežģītu, pretrunīgu raksturu. Knehts pieskaitāms tiem laimīgajiem, kas it kā dzimuši un izraudzīti Kastālijai, Ordenim, darbam Audzināšanas kolēģijā, un, ja viņam arī nav bijusi sveša gara dzīves problemātika, tad traģismu, kuru lemts iepazīt katram, kas mūžu veltījis kalpošanai garam, viņš izcietis bez personiska sarūgtinājuma. Starp citu, ne jau šis traģisms vilinājis mūs veltīt tik plašu apceri Jozefa Knehta personībai — drīzāk jau tā klusā, pat līksmā apskaidrība, ar kādu viņš īstenojis savu likteni, savu talantu, savu aicinājumu. Kā jau ikvienam izcilam cilvēkam, viņam bijis savs *daimonion*[1] un savs *amor fati*[2], bet šis viņa *amor fati* mums nešķiet drūms vai fanātisks. Protams, mums nav zināms, kas slēpjas cilvēka dvēselē, un mēs nedrīkstam aizmirst, ka vēsturisks apcerējums, lai cik tas lietišķs un objektīvs pēc savas ieceres, tomēr ir poēzija un trešā dimensija tam — izdomājums. Mēs, piemēram, īsti nezinām, vai Johana Sebastiāna Baha vai arī Volfganga Amadeja Mocarta dzīve — ja izraugāmies dižus vārdus — bijusi līksma vai sūra. Mocartā mūs valdzina un aizkustina agri nobrieduša ģēnija savdabīgā pievilcība, Bahā mēs saskatām pacilājoši priecējošu samierināšanos ar ciešanām un nāvi kā Dieva tēvišķās gribas izpausmi. Bet šādas atziņas mums taču nesniedz nedz viņu biogrāfijas, nedz intīmās dzīves fakti, tās

---

[1] *Daimonion* — dēmons (*grieķu val.*), sengrieķu filozofa Sokrāta izpratnē — personificētais cilvēka liktenis, kurš izšķīrējos mirkļos mudina darboties neapzināti, iracionāli.

[2] *Amor fati* — mīlestība uz (paša) likteni (*latīņu val.*), sengrieķu stoiķu un F. Nīčes iecienīts termins, kurš pauž vīrišķīgu apņēmību dzīvot dzīvi, neprasot nekādus solījumus, nekādas garantijas un būt gatavam uz visļaunāko ("varonīgais pesimisms").

mēs rodam viņu daiļradē, viņu mūzikā. Mūsu priekšstatus par Bahu, kura biogrāfija mums zināma un kuru iztēlojoties par pamatu ņemam viņa mūziku, neapzināti papildina viņa pēcnāves liktenis: mūsu iztēlē viņš, vēl dzīvs būdams, it kā jau zinājis un klusi pasmaidījis par to, ka tūdaļ pēc viņa nāves visus viņa darbus aizmirsīs, viņa rokraksti, kļuvuši par makulatūru, tiks nozaudēti, ka viņa vietā viens no viņa dēliem kļūs par "dižo Bahu" un gūs slavu, ka atdzimusi viņa mūzika kļūs par feļetonisma laikmeta barbarisko pārpratumu objektu utt. Tāpat mēs sliecamies piedēvēt vai piedzejot vēl dzīvajam, plaukstošajam Mocartam viņa bagātās, veselīgās daiļrades pilnbriedā nojausmu par drīzo patveršanos nāves rokās, savas nolemtības atskārsmi. Katru reizi, kad vēsturniekam jāsaskaras ar radoša gara veikumu, tas citādi rīkoties nemaz nespēj — kopumā ar paša veicēja mūžu tas saskata tajā divas veselas viena dzīva nedalāmā puses. Tā mēs iztulkojam Mocartu vai Bahu, tā mēs izprotam arī Knehtu, lai gan viņš pieder pie mūsu laikmeta, kas būtībā nav radošs, un nav atstājis "mūža darbu", kā darījuši pieminētie dižgari.

Cenzdamies atainot Jozefa Knehta dzīvi, mēs reizē tiecamies interpretēt to, un, ja mums, vēsturniekiem, dziļi jānožēlo, ka par šīs dzīves beigu posmu tikpat kā nav drošu ziņu, tad tieši tas apstāklis, ka Knehta mūža pēdējais posms kļuvis par leģendu, iedrošina mūs darbam. Mēs pārņemam šo leģendu un akceptējam to, vienalga, vai tā ir vai nav tikai bijīgas iztēles produkts. Tāpat kā trūkst ziņu par Knehta piedzimšanu un izcelsmi, mums nav zināms, kāds bijis viņa mūža gals. Nav tomēr ne mazākā pamata uzskatīt, ka tam bijis gadījuma raksturs. Knehta dzīve, ciktāl tā mums zināma, atgādina skaidri pārredzamas kāpnes, un, ja, izsakot minējumus par viņa pēdējām dienām, labprāt pievienojamies leģendai un nešauboties to pārņemam, tad rīkojamies tā vienīgi tādēļ, ka tas, ko vēstī leģenda, mūsu acīs ir šā mūža pēdējais pakāpiens, kurš pilnīgi atbilst iepriekšējiem. Mēs pat atzīstam, ka šīs dzīves pagaisums leģendā mums izliekas organisks un likumsakarīgs, tāpat kā ne mirkli nešaubāmies par mūsu skatienam pagaisuša, mums "norietējuša" spīdekļa tālāko pastāvēšanu. Pasaulē, kurā mītam mēs — gan šo piezīmju autors, gan to lasītājs —, Jozefs Knehts sasniedzis un paveicis visaugstāko: Spēles maģistra postenī viņš bijis paraugs un vadonis gara kultūras pārstāvjiem un censoņiem, viņš priekšzīmīgi pārvaldījis un vairojis gara mantojumu, būdams augstais priesteris templī, kas mums visiem svēts. Bet viņš ne tikai aizsniedzis augsto Maģistra darbības sfēru, ieņēmis vietu mūsu hierarhijas pašā virsotnē, — viņš pacēlies pāri tai, pāraudzis to, ietiekdamies dimensijā, ko bijībā spējam vienīgi apjaust, un tieši tādēļ mums šķiet visnotaļ pareizi un atbilstoši viņa dzīvei, ka arī viņa biogrāfija pārsniegusi ierastās robežas un galu galā kļuvusi par leģendu. Mēs samierināmies ar šā fakta brīnumaino raksturu un priecājamies par to, necenšoties to īpaši izskaidrot. Toties, ciktāl Knehta dzīve ir vēsturiski pierādāma — un tāda tā ir līdz kādai noteiktai dienai —, mēs to šajā aspektā arī aplūkosim, cenšoties darīt zināmus saglabātos datus tā, lai tie precīzi atbilstu mūsu pētījumu rezultātiem.

Par Jozefa Knehta bērnību, t. i., par laiku pirms nokļūšanas elites skolā, mums zināms viens vienīgs notikums, toties būtisks, ar simbolisku nozīmi, jo tas pauž pirmo gara pasaules aicinājumu, ievada pirmo cēlienu viņa sūtībā, un raksturīgi ir tas, ka pirmā aicinātāja bija mūzika, nevis zinātne. Par šo biogrāfijas fragmentu, kā arī gandrīz visām atmiņām, kas skar Knehta personisko dzīvi, mums jāpateicas kādam Stikla pērlīšu spēles adeptam, uzticamam Knehta pielūdzējam, kurš pierakstījis daudzus sava dižā skolotāja izteikumus un stāstījumus.

Knehtam tolaik bija divpadsmit vai trīspadsmit gadi, viņš mācījās proģimnāzijā Berolfingenes pilsētiņā Cābervaldes kalnu pakājē, kur viņš, šķiet, arī dzimis. Zēns gan ilgāku laiku jau bija skolas stipendiāts, un skolotāju kolēģija, pirmām kārtām mūzikas skolotājs, jau divas vai trīs reizes bija ieteikusi uzņemt viņu kādā elites skolā, taču puisēnam pašam par to nekas nebija zināms, un viņš vēl ne reizi nebija ticies ar elites pārstāvjiem, ir nerunājot par Audzināšanas kolēģijas Maģistriem. Te negaidot mūzikas skolotājs (Jozefs toreiz mācījās spēlēt vijoli un lautu) pastāstīja viņam, ka drīzumā Berolfingenē varbūt ieradīšoties Mūzikas maģistrs, lai pārbaudītu mūzikas nodarbības skolā, — lai Jozefs cītīgi vingrinoties un nedarot kaunu savam skolotājam. Vēsts dziļi satrauca puisēnu, jo viņš, protams, zināja, kas ir Mūzikas maģistrs, zināja, ka tas nav vienkārši augstāks Audzināšanas kolēģijas pārstāvis, piemēram, viens no tiem skolu inspektoriem, kas atbrauca reizes divas gadā. Nē, šis ir viens no divpadsmit pusdieviem, viens no divpadsmit visaugstākajiem šīs tik cienījamās iestādes vadītājiem un visas valsts mērogā augstākā instance jautājumos, kas skar mūziku. Pats Mūzikas maģistrs, pats *Magister musicae*, tātad ieradīsies Berolfingenē. Pasaulē bija tikai viens cilvēks, kas mazajam Jozefam, iespējams, liktos vēl teiksmaināks un noslēpumaināks, — tas bija Stikla pērlīšu spēles maģistrs. Pret gaidāmo Mūzikas maģistru Jozefs jau aizlaikus izjuta dziļu, biklu bijību, viņš iztēlojās šo cilvēku gan par karali, gan par burvi, gan par vienu no divpadsmit apustuļiem vai leģendāru klasisko laikmetu dižgaru, piemēram, par Mihaelu Pretoriju, Klaudio Monteverdi, J. J. Frobergeru vai Johanu Sebastiānu Bahu, un vienlīdz alka un baidījās mirkļa, kad savām acīm ieraudzīs šo spīdekli.

Kā viens no pusdieviem vai erceņģeļiem, viens no šiem nos!ēpumaina-
jiem un visuvarenajiem gara pasaules pārstāvjiem patiešām ieradīsies
šeit, pilsētiņā un proģimnāzijā, ka Jozefam būs lemts to redzēt, ka
Maģistrs, iespējams, uzrunās, eksaminēs, pels vai uzslavēs viņu, tas
bija kas ārkārtīgs, kas līdzīgs brīnumam vai pārsteidzošai debesu pa-
rādībai, turklāt, kā liecināja skolotāji, tā vairāku gadu desmitu laikā
bija pirmā reize, kad Mūzikas maģistrs apciemoja Berolfingeni un
šo mazo proģimnāziju. Puisēns iztēlojās dažādas gaidāmā notikuma
ainas, pirmām kārtām lielas publiskas svinības un pieņemšanu, kādu
bija redzējis, stājoties amatā jaunajam birģermeistaram, — ar pūtēju
orķestri un karogiem ielās, varbūt pat ar uguņošanu, un arī Knehta
biedriem bija līdzīgi priekšstati un līdzīgas cerības. Jozefa līksmās
gaidas nedaudz aptumšoja vienīgi doma, ka pats var nonākt pārlieku
ciešā saskarē ar dižo cilvēku un viņa — šā izcilā lietpratēja acīs vēl
krist kaunā ar savu muzicēšanu un savām atbildēm. Bet šīs bailes bija
ne tikai mokošas, tās bija arī saldas, un klusībā, neatzīdamies pats sev
šajā domā, viņš tomēr nosprieda, ka gaidāmie svētki ar karogiem un
uguņošanu ne tuvu nav tik skaisti, tik satraucoši, tik svarīgi un, par spīti
visam, tik brīnumaini līksmi kā tas apstāklis, ka viņš, mazais Jozefs
Knehts, pavisam līdzās skatīs šo cilvēku, un tas apciemos Berolfingeni
mazdrusciņ arī viņa — Jozefa dēļ, jo ieradīsies, lai pārbaudītu mūzikas
mācīšanu, un mūzikas skolotājs acīmredzot uzskatīja par iespējamu,
ka eksaminēts tiks arī viņš, Jozefs Knehts.

Bet varbūt... ak, tas droši vien tomēr nenotiks, vai kas tāds maz
iespējams, Maģistram, bez šaubām, būs svarīgākas darīšanas nekā
klausīties, kā mazs puišelis spēlē vijoli, viņš, jādomā, vēlēsies redzēt
un dzirdēt vecāko klašu audzēkņus. Kavēdamies šādās domās, zēns
gaidīja apsolīto dienu, un šī diena pienāca un vispirms atnesa vilšanos:
ieliņās neatbalsojās mūzika, mājas nerotāja karogi un ziedu vītnes
— tāpat kā katru dienu, vajadzēja ņemt grāmatas un burtnīcas un
doties uz ierastajām mācībām, un pat klasē nebija ne vēsts no svētku
rotājuma un noskaņas, viss bija kā vienmēr. Sākās stundas, skolotājam
bija mugurā tas pats uzvalks, kas katru dienu, viņš ir neieminējās par
dižā goda viesa ierašanos.

Bet otrajā vai trešajā stundā gaidītais tomēr notika: pie durvīm kāds
pieklauvēja, ienāca skolas apkalpotājs, sveicināja skolotāju un ziņoja,
ka skolniekam Jozefam Knehtam pēc stundas ceturkšņa jāierodas pie
mūzikas skolotāja, bet vispirms lai tas kārtīgi sasukājot matus un parau-
goties, vai rokas un nagi esot tīri. Nobālis aiz izbīļa, Knehts nedrošiem
soļiem atstāja klasi, aizsteidzās uz internāta ēku iepretī skolai, nolika
grāmatas, nomazgājās un sasukāja matus, drebošām rokām paņēma

vijoles futrāli un nošu burtnīcu un aiz satraukuma aizžņaugtu kaklu devās uz ēkas piebūvi, kurā atradās mūzikas klases. Uz kāpnēm viņu sagaidīja satraukts klasesbiedrs, norādīja uz kādu mūzikas klasi un teica:

— Pagaidi tur, kamēr tevi pasauks.

Nepagāja ilgs laiks, kaut Jozefam likās, ka pagājusi vesela mūžība, un gaidām pienāca gals. Neviens viņu nesauca, klases telpā ienāca vecs jo vecs vīrs, kā likās iesākumā, — ne visai liela auguma sirmgalvis ar skaistiem, apgarotiem vaibstiem un pētošām, gaišzilām acīm, no kuru skatiena varētu nobīties, taču tās bija ne tikai pētošas, bet arī līksmas, tās nesmaidīja un nesmējās jautri, bet klusi staroja rāmā līksmē. Viņš sniedza zēnam roku, pamāja, pēc tam apdomīgi apsēdās uz taburetes pie vecajām skolas klavierēm un teica:

— Tevi sauc par Jozefu Knehtu? Tavs skolotājs, liekas, ir apmierināts ar tevi, man šķiet, viņš tevi ieredz. Nāc, pamuzicēsim mazliet kopā!

Knehts jau bija paguvis izņemt vijoli no futrāļa; vecais vīrs piesita "la", puisēns noskaņoja instrumentu un uzmeta Mūzikas maģistram vaicājošu, biklu skatienu.

— Ko tu vēlētos spēlēt? — jautāja sirmgalvis. Puisēns nespēja izteikt ne vārda, runāt liedza dziļā godbijība pret veco vīru; tādu cilvēku viņš nekad agrāk nebija sastapis. Nedroši paņēmis nošu burtnīcu, viņš sniedza to Maģistram.

— Nevajag, — teica Maģistrs, — man gribētos, lai tu nospēlē kaut ko pēc atmiņas, ne jau vingrinājumu — kaut ko vienkāršu, ko zini no galvas, varbūt kādu dziesmu, kas tev patīk.

Jozefs bija apmulsis: viņu apbūra šī seja, šīs acis, viņš palika atbildi parādā; viņš bezgala kaunējās par savu apjukumu, bet runāt nespēja. Maģistrs nesteidzināja puisēnu. Ar vienu pirkstu viņš nospēlēja kādas melodijas sākuma motīvu un vaicājoši uzlūkoja puisēnu, tas pamāja un tūdaļ līksmi spēlēja līdzi melodiju — šī bija viena no tām dziesmām, ko bieži dziedāja skolā.

— Vēlreiz! — teica Maģistrs. Knehts atkārtoja melodiju, un sirmgalvis atskaņoja vēl otru balsi. Tagad nelielajā klasē senā dziesma skanēja divbalsīgi.

— Vēlreiz!

Knehts spēlēja, un Maģistrs pavadījumam atskaņoja otro un vēl trešo balsi. Nu vecā, jaukā dziesma skanēja trīsbalsīgi.

— Vēlreiz! — Un Maģistrs spēlēja trīs balsis reizē.

— Skaista dziesma, — viņš klusi bilda. — Spēlē to tagad altā!

Knehts paklausīja un sāka spēlēt, Maģistrs bija piesitis pirmo noti un tagad atskaņoja trīs pārējās balsis. Atkal un atkal sirmgalvis teica: "Vēlreiz!" Un ar katru jaunu reizi šie vārdi skanēja līksmāk. Knehts spēlēja melodiju tenorā, pavadījumā visu laiku skanot divām vai trim balsīm pretsalikumā. Vēl daudzas reizes abi spēlēja dziesmu; sazināšanās bija kļuvusi lieka — ar katru jaunu atkārtojumu dziesma gluži nemanot iemantoja jaunus izrotājumus un melismus. Skaņas svinīgi atbalsojās mazajā, tukšajā istabā, kurā gaiši iespīdēja rīta saule.

Pēc brīža vecais vīrs mitējās spēlēt. — Varbūt pietiks? — viņš vaicāja.

Knehts papurināja galvu un atkal sāka spēlēt, Maģistrs līksmi pievienojās viņam, atskaņodams trīs balsis, un visas četras balsis vija savas smalkās, dzidrās līnijas, sarunājās cita ar citu, balstīja cita citu, krustojās, rotājās cita ap citu, veidodamas rotaļīgus lokus un figūras, un sirmgalvis un puisēns, aizmirsuši visu pasauli, ar sirdi un dvēseli nodevās šīm brīnišķajām, sabrālīgajām līnijām un figūrām, ko līnijas tiekoties veidoja, abi muzicēja, it kā līniju tīklā sagūstīti, viegli šūpodamies līdzi mūzikai, paklausīdami neredzamam diriģentam. Beidzot, kad melodija atkal bija izskanējusi, Maģistrs atskatījās uz puisēnu un jautāja:

— Vai tev patika, Jozef?

Pateicībā mirdzošām acīm puisēns uzlūkoja Maģistru. Viņš staroja, bet nespēja izteikt ne vārda.

— Varbūt tu jau zini, kas ir fūga? — jautāja Maģistrs.

Knehta seja pauda neziņu. Viņš gan tika dzirdējis fūgas, bet mācījies par tām vēl nebija.

— Nekas, — teica Maģistrs, — es nospēlēšu tev fūgu. Visdrīzāk tu sapratīsi, kas tā tāda, ja paši to sacerēsim. Tad klausies: fūgai vispirms vajadzīga tēma, bet tēmu mēs meklēt neiesim, mēs aizgūsim to no mūsu dziesmas.

Viņš piesita dažas notis, dziesmas melodijas fragmentu, un tās izskanēja visai neparasti — it kā aprauti, bez sākuma un beigām. Viņš nospēlēja tēmu vēlreiz, un tā jau attīstījās tālāk, jau ieskanējās pirmā introdukcija, tai sekoja otrā, kas kvintu pārveidoja par kvartu, trešā atkārtoja pirmo, tikai par oktāvu augstāk, tāpat ceturtā — otro, un ekspozīcija beidzās ar klauzulu dominantes tonalitātē. Otrais izstrādājums brīvāk pārgāja citās tonalitātēs, trešais, nosliekdamies uz subdominanti, beidzās ar pāreju uz pamattoni. Puisēns vēroja spēlētāja prasmīgos, baltos pirkstus, redzēja saspringtajā sejā liegi atspulgojam mūzikas plūdumu, acīm tikmēr slēpjoties aiz puspievērtajiem plakstiem. Zēnam strauji pukstēja sirds aiz godbijības, aiz mīlestības uz Maģistru, viņš ieklausījās fūgas skaņās, viņam šķita, ka šodien pirmo reizi dzird mūziku; skaņdarbā, kurš te raisījās, jautās likuma un brīvības, kalpošanas un varas gars un aplaimojošā harmonija, viņš pakļāvās un apsolījās šim garam un šim Maģistram — šajos mirkļos viņš redzēja, ka viņu pašu, viņa dzīvi, visu pasauli vada, kārto un skaidro mūzikas gars, un, kad muzicēšana bija beigusies, viņš vēl brīdi vēroja godājamo sirmgalvi, skaņu burvi un valdnieku, viegli noliecamies pār taustiņiem — puspievērtām acīm, iekšējas gaismas apskaidrotu seju — un nezināja, vai gavilēt par šo mirkļu svētlaimi vai raudāt, ka tie jau garām. Vecais vīrs lēnām piecēlās no taburetes, pētoši un tomēr neizsakāmi maigi ar savām līksmajām, zilajām acīm uzlūkoja viņu un teica:

— Nekad cilvēki tik viegli nesadraudzējas kā muzicējot. Tas ir brīnišķīgi. Es ceru, ka paliksim draugi arī turpmāk — tu un es. Varbūt arī tu iemācīsies sacerēt fūgas, Jozef.

Pateicis šos vārdus, sirmgalvis sniedza viņam roku un devās prom, bet durvīs atskatījās un atvadījās no Jozefa ar skatienu, pieklājīgi pieliecis galvu.

Daudzus gadus vēlāk Knehts pastāstīja kādam savam skolniekam, ka, iznākot no mūzikas klases, pilsēta, visa pasaule viņam likusies citāda — pārvērtusies, daudz pievilcīgāka nekā tad, ja to rotātu karogi un vainagi, ziedu vītnes un svētku ugunis. Viņš bija atskārtis savu aicinājumu, piedalījies norisē, ko ar pilnām tiesībām varēja saukt par sakrālu: skatienam bija pavērusies un atklājusies gara pasaule, ko bērna dvēsele līdz šim bija pazinusi no nostāstiem vai redzējusi kvēlos sapņos. Šī pasaule ne tikai eksistēja kaut kur — tālu pagātnē vai nākotnē —, ai, nē, tā atradās tepat līdzās un izstaroja darbīgu gaismu, sūtīja savus vēstnešus, apustuļus, sūtņus — tādus, kāds bija šis sirmais Maģistrs, kurš, starp citu, kā likās Jozefam, nemaz nerādījās tik ļoti vecs. Arī pie viņa, pie mazā ģimnāzista, šī pasaule atsūtījusi vienu no saviem godājamiem sūtņiem, lai aicinātu un uzmudinātu viņu. Tāda nozīme viņa acīs bija šim notikumam, un pagāja vairākas nedēļas, līdz viņš tiešām uzzināja un nešaubīgi saprata, ka šīs svētsvinīgās stundas maģiskajai norisei atbilda arī noteikta reālās dzīves norise, ka aicinājums bija ne tikai aplaimojums un uzmudinājums paša sirdī un dvēselē, bet arī pasaulīgu varu velte un paskubinājums. Jo ar laiku nāca gaismā, ka Mūzikas maģistra vizītei nav bijis gadījuma raksturs, ka tā nav arī bijusi skolas pārbaude. Knehta vārds, pamatojoties uz skolotāju ziņojumiem, jau ilgāku laiku bija iekļauts to skolēnu sarakstos, kuri likās piemēroti mācībām elites skolās vai šajā nolūkā vismaz tika ieteikti Audzināšanas kolēģijai. Tā kā Knehtu cildināja ne vien par panākumiem latīņu valodas apguvē un par labo raksturu, bet jo sevišķi viņu ieteica un slavēja mūzikas skolotājs, Maģistrs bija dienesta izbraukuma laikā uz dažām stundām iegriezies Berolfingenē, lai pavērotu šo audzēkni. Ne jau panākumi latīņu valodā un zēna pirkstu veiklība viņam bija galvenais (šai ziņā viņš pilnīgi paļāvās uz atzīmēm, ko bija izlikuši skolotāji, kaut atrada brīvu brīdi, lai pārlūkotu arī tās), bet gan jautājums, vai puisēnam piemīt mūziķa dotības šā vārda augstākajā nozīmē, spēja iedvesmoties, pakļauties, godbijīgi kalpot kultam. Vispār skolotāji bez iemesla nebūt nesvaidījās ar ieteikumiem pārcelt skolniekus elites skolās, lai gan dažkārt atgadījās, ka viens otrs skolnieks tika protežēts aiz vairāk vai mazāk savtīgiem apsvērumiem, nereti arī kāds skolotājs aiz vērīga skatiena trūkuma ietiepīgi rekomendēja savu mīluli, kura vienīgie tikumi bija uzcītība, godkāre un prasme izpatikt skolotājiem. Tieši šos Maģistrs necieta ne acu galā, viņš ātri vien saskatīja, vai pārbaudāmais apzinās, ka runa ir par viņa nākamību un likteni, un slikti klājās tam skolniekam, kurš izturējās pārlieku izmanīgi, pašapzinīgi un gudri vai pat mēģināja viņam pieglaimoties, — tādus Maģistrs dažkārt noraidīja, nemaz nesācis pārbaudi.

Knehts vecajam Maģistram bija iepaticies, pat ļoti iepaticies, viņš ar tīksmi atcerējās puisēnu arī tad vēl, kad bija atstājis Berolfingeni; savā burtnīcā viņš nepierakstīja un neatzīmēja neko, toties paturēja atmiņā žirgto, vienkāršo puišeli un atgriezies pats ierakstīja viņa vārdu to skolnieku sarakstā, kurus bija pārbaudījis un atzinis par piemērotiem kāds Audzināšanas koleģijas pārstāvis.

Par šo sarakstu — ģimnāzisti dēvēja to par "Zelta grāmatu", reizēm arī nievīgi par "Godkāro katalogu" — Jozefs skolā bija dzirdējis runājam, turklāt visai dažādi. Ja sarakstu pieminēja skolotājs — kaut vai tādēļ vien, lai pārmestu skolniekam, ka tādam resgalim, kāds esot viņš, neesot ne mazāko cerību iekļūt tajā, — balss noskaņā jautās svinīgums, cieņa, pat uzpūtība. Ja "Godkāro katalogu" turpretī pieminēja skolnieki, tas parasti tika darīts vīzīgi, nedaudz pārspīlētā vienaldzībā. Reiz Jozefs bija dzirdējis kādu audzēkni sakām: "Ko tur tik daudz, man nospļauties par šo stulbo listi! Īsts puika tajā neiekļūs, par to šaubu nav! Tajā skolotāji ieraksta tikai pašus lielākos zubrītājus un pielīdējus."

Pēc jaukās tikšanās ar Maģistru Jozefam sākās savādas dienas. Sākumā viņš vēl nezināja, ka kļuvis par vienu no *electi*[1], par *flos juventutis*[2] pārstāvi, kā Ordenī dēvē elites skolniekus; viņš ir nedomāja par to, kādas praktiskas sekas, cik jūtama ietekme uz viņa likteni un ikdienu būs šim notikumam, un, kaut skolotāju acīs jau bija izredzētais,

---

[7] Izredzētie *(lat.)*.
[8] Jaunatnes zieds *(lat.)*.

44

no kura lemts atvadīties, pats izjuta savu aicinājumu gandrīz vai tikai kā iekšēju norisi. Un arī šai ziņā tas bija ass pavērsiens viņa mūžā. Ja stundā, aizvadītā kopā ar burvi, bija piepildījies vai kļuvis tuvāk aizsniedzams sirds dziļumos sen nojaustais, tad tieši šī stunda tomēr skaidri norobežoja pagātni no tagadnes, vakarējo no šodienas un rītdienas. Tā jūtas cilvēks, kurš arī tad, ja pamodies atrodas tajā pašā vidē, ko redzējis sapnī, tomēr nešaubās, ka ir nomodā. Aicinājuma veidi un formas var atšķirties, bet notiekošā jēga un būtība nemainīgi paliek tā pati: tā ir garīga atmoda, pārvērtība, pacēlums; sapņu un nojausmu vietā, kas nāk no iekšienes, pēkšņi atskan un iejaucas tiešamības balss, sauciens no ārienes. Šoreiz īstenības paudējs bija Mūzikas maģistrs, ko zēns tika iztēlojies par neaizsniedzamu; godājamu dievību; it kā erceņģelis no pašas augstākās debesu sfēras tas piepeši bija parādījies cilvēka izskatā, uzlūkojis viņu visu zinošām zilām acīm, apsēdies uz taburetes pie klavierēm, muzicējis kopā ar viņu, muzicējis brīnumaini, gandrīz bez vārdiem parādīdams, kas īsti ir mūzika, svētījis viņu un tad izgaisis. Ko tas viss, iespējams, varētu nozīmēt, kādas tam varētu būt sekas, par to Knehts sākumā domāt nespēja, viņu pārāk aizņēma un nodarbināja šā notikuma tiešā atbalss paša sirdī. Līdzīgi jaunam dēstam, kas — līdz šim attīstījies bikli un nedroši — piepeši sāk straujāk elpot un augt, it kā tas, notiekot brīnumam, uzreiz būtu atklājis sava veidola likumības un tagad kvēli tiektos tās piepildīt, tā arī puisēns, kam bija pieskārusies burvja roka, sāka ātri un alkatīgi apkopot spēkus, sasprindzināja tos, jutās pārvērties, manīja, ka aug, atskārta jaunas pretrunas, jaunu harmoniju saskarē ar pasauli, dažbrīd spēja mūzikā, latīņu valodā, matemātikā veikt uzdevumus, kas viņa vecuma biedriem vēl nebija izprotami, un nešaubījās, ka jebkurš veikums viņam pa spēkam, bet citubrīd aizmirsa itin visu un agrāk nepazītā maigumā un atdevībā ļāvās sapņiem, ieklausījās vēja vai lietus šalkoņā, stingi lūkojās upes ūdeņu plūsmā vai vēroja kādu ziedu, neko neizprazdams, visu apjauzdams, simpātiju un zinātkāres pārņemts, alkdams saprast, tiekdamies no sava "es" uz otru, uz pasauli, uz noslēpumu un sakramentu, uz ārējo parādību mokoši skaisto rotaļu.

Tā, razdamies iekšienē un nobriezdams līdz iekšējā un ārējā saskarsmei un savstarpējam apstiprinājumam, viscaur dzidrots norisa Knehta aicinājums. Viņš iepazina to posmu pa posmam, izbaudīja visu tā laimi, izcieta visus tā biedus. Cildeno norisi neiztraucēja nedz spēji atklājumi, nedz netaktiska iejaukšanās no malas, tā bija jebkurai cildenai dvēselei raksturīgā jaunības priekšvēsture, saskanīgi un samērīgi veidojās un attīstījās viens otram pretī gan tas, kas mita iekšienē, gan ārienē topošais. Kad šīs attīstības beigu fāzē skolnieks atskārta savu stāvokli un likteni, kad pamanīja, ka skolotāji izturas pret viņu kā pret kolēģi, pat goda viesi, kas kuru katru brīdi var aiziet, un redzēja, ka skolasbiedri brīžam apbrīno vai apskauž viņu, brīžam vairās no viņa, pat neuzticas viņam, bet viens otrs nedraugs izsmej un ienīst viņu, ka līdzšinējie draugi arvien vairāk nošķiras un cits pēc cita pamet viņu, — tad tāds pats atraisīšanās un izolēšanās process viņa dvēselē jau sen bija norisis; iekšēji, spriežot pēc paša izjūtām, skolotāji, viņa priekšnieki, arvien vairāk kļuva par biedriem, kādreizējie draugi — par atpalicējiem ceļabiedriem, skolā un pilsētā viņš vairs neatrada sev līdzīgus, jutās nevietā, itin visu piesātināja kaut kas līdzīgs neredzamai atmiršanai, nerealitātes, jau pagājušā fluīdam, viss bija kļuvis provizorisks, atgādināja novalkātu apģērbu, kurš viscaur kļuvis par šauru. Un šī izaugšana no līdz šim tik saskanīgās un mīļās dzimtenes, šīs atvadas no eksistences veida, kas kļuvis svešs un viņam vairs neatbilst, šī ardievu teicēja, jau projām aizsaukta cilvēka dzīve, ko pārtrauca augstākās svētlaimes un starojošas pašizjūtas mirkļi, galu galā kļuva bezgala, mokoša, neciešami nomāca un sāpināja, jo viss pameta viņu, bet viņš pats nezināja, vai tik tas nav viņš, kas visu pamet, vai šajā atmiršanā, atsvešinātībā no sirdij tik mīļās, ierastās vides nav vainojama paša godkāre, iedomība, augstprātība, paša neuzticība un mīlestības trūkums. To moku vidū, ko sev līdzi nes patiess aicinājums, šīs ir visrūgtākās. Tas, kurš izjūt aicinājumu, saņem ne tikai dāvanu un pavēli, tas uzņemas arī ko līdzīgu vainai — tāpat kā karavīrs, kuru pasauc no ierindas un iecel par virsnieku, jo cienīgāks ir saņemt paaugstinājumu, jo lielāka viņa vainas apziņa un jo netīrāka biedru priekšā viņa sirdsapziņa.

Knehtam bija lemts pārdzīvot šo procesu netraucēti un pilnīgā neziņā: kad pedagogu padome beidzot paziņoja viņam par pagodinājumu, par drīzo uzņemšanu elites skola, viņš pirmajā brīdī jutās dziļi pārsteigts, bet jau nākamajā mirklī šis jaunums viņam šķita sen zināms un gaidīts. Tikai tobrīd viņš atcerējās, ka jau vairākas nedēļas dažkārt dzirdējis aiz muguras zobgalīgo apsaucienu *electus* vai "elites puišelis". Viņš bija to dzirdējis, kaut tikai pa ausu galam, un allaž uzskatījis par tīru izsmieklu. Ne jau par *"electus"* gribējuši viņu nosaukt; kā pašam likās, sauciens it kā pauda: "Ei tu, kas aiz augstprātības iztēlojies sevi par *electus!*" Nereti viņš bija dziļi cietis, pastiprinoties atsvešinātības sajūtai starp viņu un viņa biedriem, bet pats sevi ne reizi netika pa īstam uzskatījis par *electus:* aicinājumā viņš saskatīja vienīgi iekšēju atgādinājumu un pamudinājumu, nevis paaugstinājumu. Tomēr vai par spīti visam tam, viņš to nebija zinājis, allaž nojautis, simtiem reižu jutis. Tagad apjautums bija nobriedis, aplaimojošās atskārtas bija apstiprinājušās, kļuvušas likumīgas, viņa mokām bija bijusi jēga, viņš drīkstēja nomest vecās drānas, kas kļuvušas neciešami šauras, — viņu gaidīja jaunas.

Ar uzņemšanu elitē Knehta dzīve tika pārcelta citā plaknē, savā attīstībā viņš bija spēris pirmo — izšķirošo soli. Nebūt ne visiem elites skolniekiem uzņemšana izlasē noris vienlaikus ar iekšēja aicinājuma atskārsmi. Tā ir žēlastība vai, izsakoties banāli, laimīga sagadīšanās. Tiem, ar kuriem tas atgadās, dzīvē ir priekšrocības, tāpat kā tiem, ko laimīgs gadījums apveltījis ar īpašām fiziskām un garīgām dotībām. Tiesa, vairums elites skolnieku, varbūt pat visi, uzskata savu izraudzījumu par lielu laimi, par apbalvojumu, ar kuru lepojas, un ļoti daudzi dedzīgi pēc tā arī tiekušies. Bet pāreja no parastās, dzimtās skolas uz Kastālijas mācību iestādēm vairumam izredzēto tomēr rada lielākas grūtības, nekā viņi var iedomāties, un vienam otram liek negaidīti vilties. It īpaši tiem, kas vecāku mājās jutušies laimīgi un aprūpēti, šī pāreja nozīmē sāpīgas atvadas, sava veida atteikšanos, tādēļ jo sevišķi pirmajos divos mācību gados prāvs elites skolnieku skaits spiests atgriezties dzimtajā skolā, kam par iemeslu nav vis apdāvinātības vai uzcītības trūkums, bet gan viņu nespēja samierināties ar dzīvi internātā un jo vairāk ar domu, ka nākotnē būs jāsarauj visas saites ar ģimeni un dzimto pusi un galu galā paliks tikai piederība un paklausība Ordenim. Gadās arī pa skolniekam, kam, iekļūstot elites skolā, galvenais bija izrauties no vecāku paspārnes un apnikušās skolas; šādi skolnieki gan atviegloti uzelpo, atbrīvojušies no barga tēva vai netīkama skolotāja, taču pēc tam gaida tik lielas un neiedomājamas pārmaiņas visā turpmākajā dzīvē, ka drīz vien jūtas vīlušies. Arī pedantiski censoņi un paraugskolnieki ne vienmēr noturas Kastālijā; nav jau tā, ka viņi atpaliktu mācībās, taču elites skolās nozīmīgas ne tikai studijas un speciālās zināšanas, šeit cenšas arī audzināt un izkopt mākslinieciskās spējas, un tas vienam otram nav pa spēkam. Kā nekā četrās lielajās elites skolās nodaļu un novirzienu gana, lai varētu attīstīties jebkurš talants, un centīgam matemātiķim vai filologam, ja tam tiešām ir zinātnieka dotumi, nav jāraizējas par iespēju trūkumu mūzikā vai filozofijā. Palaikam Kastālijā pat visai jūtami jautusies tendence kultivēt tīras praktiskio zinātņu nozares, un šo tendenču aizstāvji ne tikai bija kritiski un zobgalīgi noskaņoti pret "fantastiem", t. i., pret mūzikas un mūzu draugiem, bet dažkārt savējo vidū vārda tiešā nozīmē noliedza visu, kam sakars ar mākslu, it īpaši ar Stikla pērlīšu spēli.

Tā kā Knehts, cik mums zināms, augu mūžu pavadījis Kastālijā, klusākajā un pievilcīgākajā mūsu kalnu zemes nostūrī, kurš agrāk, izsakoties dzejnieka Gētes vārdiem, nereti dēvēts par Pedagoģisko provinci[1], mēs, riskēdami garlaikot lasītāju ar stāstu par to, kas tam sen zināms, tomēr mēģināsim īsi raksturot šo tik slaveno provinci un tās skolu struktūru. Minētās skolas, saīsināti sauktas par elitārām, veido atjautīgu un elastīgu atlases sistēmu, ar kuras palīdzību vadība (tā saucamā Zinātniskā padome — divdesmit padomnieki, proti, desmit Audzināšanas kolēģijas un desmit Ordeņa pārstāvji) visās valsts provincēs un skolās atsijā apdāvinātākos skolniekus Ordeņa jaunajai maiņai, kā arī visiem augstākajiem amatiem audzināšanas un mācību darbā. Daudzajās parasta tipa skolās, ģimnāzijās un citās — vienalga, vai tām humanitārs vai dabaszinātniski tehnisks novirziens —, vairāk nekā deviņas desmitās daļas mūsu jaunatnes tiek gatavotas darbam tā dēvētajās brīvajās profesijās. Beidzot skolu, jākārto gatavības pārbaudījums, kas dod tiesības iestāties augstskolā, kur studenti apgūst noteiktu kursu izraudzītajā specialitātē. Tāds ir ierastais, visiem zināmais mācību process; šīs mācību iestādes izvirza saviem audzēkņiem vidēji stingras prasības un pēc iespējas atskaita neapdāvinātos. Līdzās šīm skolām vai augstāk par tām pastāv elites skolas, tajās izmēģinājuma kārtā uzņem vienīgi ar izcilām dotībām un stingru raksturu apveltītus audzēkņus. Atlase nenotiek pārbaudījumu ceļā, nākamos elites skolniekus izraugās pēc pašu ieskata un ieteic Kastālijas iestādēm viņu skolotāji. Skolniekam, kurš sasniedzis divpadsmit vai trīspadsmit gadu vecumu, skolotājs kādudien dara zināmu, ka nākamajā mācību pusgadā viņš var iestāties vienā no Kastālijas skolām un ka viņam jāapsver, vai jūtas šādam solim aicināts un sagatavots. Ja skolnieks, beidzoties apdomas laikam, atbild apstiprinoši un arī vecāki bez ierunām tam piekrīt, viņš tiek uzņemts vienā no elites skolām izmēģināšanai. Šo elites skolu vadītāji un vecākie skolotāji (nevis augstskolu pasniedzēji) ir pārstāvēti tā sauktajā Audzināšanas kolēģijā, kas vada pedagoģiskās un intelektuālās organizācijas visā valstī. Tam, kas kļuvis par elites skolas audzēkni, vairs nav jādomā par specialitātes apguvi un savas eksistences nodrošināšanu, ja vien tas mācību gaitā neizrādās nepiemērots un nav jānosūta atpakaļ uz parasta tipa skolu. No elites skolu beidzējiem komplektējas Ordenis un zinātnisko iestāžu hierarhija — sākot ar ierindas skolotāju un beidzot ar augstākajām amatpersonām, divpadsmit direktoriem jeb Maģistriem

---

[1] Pedagoģiskā province — H. Hese atkārtoti norādījis, ka viņa Kastālijai tuva ir Gētes radītā Pedagoģiskā province romānā "Vilhelma Meistara klejojumu gadi" (1821). Abām daudz kopīgu iezīmju, taču pretēji Gētes Pedagoģiskas provinces adeptiem, kam pavērtas visplašākās darbības iespējas, Heses kastālieši mīt pasaulei sveša "intelektuāla artistisma dzidrajā, retinātajā atmosfērā".

un Spēles maģistru — Stikla pērlīšu spēles vadītāju. Parasti elites skolu beidz divdesmit divu līdz divdesmit piecu gadu vecumā un pēc tam absolventi tiek uzņemti Ordenī. No šā brīža agrākajam elites skolniekam atvērtas visas Ordeņa un Audzināšanas kolēģijas mācību iestādes un pētniecības institūti: viņa rīcībā ir elites augstskolas, bibliotēkas, arhīvi, laboratorijas utt., kā arī vesels štats pasniedzēju un Stikla pērlīšu spēles lietpratēji. Ja skolas gados atklājas, ka skolniekam ir īpašas dotības kādā nozarē — valodniecībā, filozofijā, matemātikā vai citā disciplīnā, viņu jau vienā no vecākajām elites skolu klasēm pārceļ kursā, kas viņa spējām vispiemērotākais; vairums šo audzēkņu kļūst par speciālo priekšmetu pasniedzējiem vispārpieejamās skolās un augstskolās un, pat atstājuši Kastāliju, augu mūžu paliek Ordeņa biedri, t. i., stingri ievēro distanci attiecībās ar "parastajiem" (tiem, kas nav mācījušies elites skolās) un nekad — ja vien neizstājas no Ordeņa — nekļūst par "brīvo profesiju" pārstāvjiem, piemēram, ārstiem, advokātiem, inženieriem u. c., bet gan visu mūžu pakļaujas Ordeņa reglamentam, kurā, starp citu, prasīta atteikšanās no laulības un īpašuma; pa pusei ar cieņu, pa pusei zobgalīgi tauta iesaukusi viņus par "mandarīniem". Šādā ceļā vairums bijušo elites skolnieku atrod savu vietu dzīvē. Pavisam nedaudziem visizcilākajiem Kastālijas skolu beidzējiem ļauts veltīt neierobežotu laiku brīvām studijām, centīgi apcerīgai gara dzīvei. Viens otrs izcilnieks, kas nenosvērtā rakstura vai cita iemesla, piemēram, fiziska trūkuma dēļ nav piemērots pedagoga darbam un atbildīgiem amatiem Audzināšanas kolēģijas augstākajās vai zemākajās instancēs, turpina studēt, pētīt vai vākt materiālus, saņemot kolēģijas piešķirtu pensiju; viņa uzdevums kolektīvā parasti ir zinātniskais darbs. Dažus ieceļ par konsultantiem vārdnīcu komisijās, arhīvos, bibliotēkās un citur, citi veic pētījumus, vadoties pēc devīzes *l'art pour l'art,*[1] un ne viens vien kastālietis veltījis mūžu gaužām abstraktām, nereti pat ērmotām iecerēm, piemēram, kāds *Lodovicus Crudelis*[2] trīsdesmit mūža gados pārtulkojis sengrieķu valodā un arī sanskritā visus līdz mūsdienām saglabātos seno ēģiptiešu tekstus, bet savādnieks *Chatus Calvensis II*[3] atstājis četrus biezus rokraksta foliantus

---

[1] Māksla mākslas dēļ *(franc.).*

[2] *Lodovicus Crudelis* — Ludoviks Nežēlīgais *(latīņu val.)*, humoristiska iesauka, ar kuru Hese apveltīja savu draugu — gleznotāju Luiju Muljē stāstā "Klingzora pēdējā vasara" (1920).

[3] *Chatus Calvensis II* — Hats II no Kalvas *(latīņu val.)*. Vietvārds Hesene, kā arī attiecīgie uzvārdi Hess, Hese, Hesens cēlušies no latinizēta senas ģermāņu cilts nosaukuma. Par *Chatus* Hesi iesauca viņa ģimnāzijas skolotājs. Kalva ir Heses dzimtā pilsēta.

par "Latīņu valodas izrunas īpatnībām Dienviditālijas augstskolās divpadsmitā gadsimta beigās".

Darbs pēc ieceres bijis pirmā daļa pētījumam par "Latīņu valodas izrunas vēsturi no divpadsmitā līdz sešpadsmitajam gadsimtam", kas, par spīti apjomam — tūkstoš manuskripta lappušu —, palicis nepabeigts un nav arī atradis turpinātāju. Labi saprotams, ka šāda rakstura tīri zinātniski darbi dažkārt izraisa zobgalības; to patiesā nozīme nākotnes zinātnei un visai tautai nekādi nav nosakāma. Kā nekā zinātnei, tāpat kā senos laikos mākslai, nepieciešams kas līdzīgs plašām ganībām, un palaikam pētnieks, pievērsdamies tēmai, kura, ja neskaita viņu, nevienu nesaista, spēj uzkrāt zināšanas, kas mācītiem laikabiedriem lieti noder it kā vārdnīca vai arhīvs. Iespēju robežās tamlīdzīgi darbi pat iespiesti. Zinātniekiem deva gandrīz neierobežotu brīvību pētījumiem un intelektuālām rotaļām, neraizējoties par to, ka viens otrs pētījums tautai un sabiedrībai acīmredzot tiešu labumu nedos un nezinātniekam pat liksies dārga izprieca. Ne viens vien mācīts vīrs par šādām studijām izpelnījies smaidu, taču ne reizi nav pelts vai pat bijis spiests atvadīties no savām privilēģijām. Tas, ka arī tauta ne tikai pacieta, bet cienīja šos mācītos ļaudis, lai gan bieži uzjautrinājās par viņiem, bija saistīts ar upuri, ko visi zinātnieku saimes pārstāvji nesa savas garīgās brīvības vārdā. Viņiem netrūka ērtību: viņus apgādāja ar pārtiku, apģērbu, apdzīvojamo platību, viņu rīcībā bija lieliskas bibliotēkas, dažādas kolekcijas un laboratorijas, toties viņi atteicās ne vien no pārticības, no laulības un ģimenes, bet līdzīgi mūku kopienai nepazina godkārus centienus, īpašumu, titulus, apbalvojumus un, kas attiecas uz materiālo labklājību, dzīvoja gaužām pieticīgi. Ja kāds izlēma veltīt visu mūžu tam, lai atšifrētu vienu vienīgu senu uzrakstu, tas viņam netika liegts, viņu pat atbalstīja; bet, sadomājis tiekties pēc ērtas dzīves, grezniem tērpiem, naudas un tituliem, viņš tūdaļ sastapās ar bargiem aizliegumiem; tie, kas iekāroja šādus labumus, parasti jau jaunībā atgriezās "pasaulē", kļuva par algotiem pasniedzējiem, privātskolotājiem, žurnālistiem, apprecējās un veidoja savu dzīvi pēc pašu ieskatiem.

Kad Jozefam Knehtam pienāca laiks atvadīties no Berolfingenes, viņu līdz stacijai pavadīja mūzikas skolotājs. Atvadas mazliet sāpināja puisēnu, un sirds viņam viegli iesmeldzās aiz pamestības un nedrošības sajūtas, līdzko, vilcienam attālinoties no Berolfingenes, vecās pils torņa gaišais, balsinātais frontons pagaisa un vairs nebija saskatāms. Citi skolnieki šajā pirmajā ceļojumā dodas daudz satrauktāki, baiļodamies, ar asarām acīs. Jozefs sirds dziļumos jau atradās jaunajā dzīvesvietā, šķirties no vecās nelikās grūti. Ceļojums turklāt nebija nekāds garais.

Viņš bija ieskaitīts Ešholcas skolā. Šīs skolas attēlus Jozefs tika redzējis rektora kabinetā. Ešholca bija pati lielākā un jaunākā internātskola Kastālijā: ēkas celtas nesen, tuvumā nevienas pilsētas, tikai neliels ciemats, ko cieši ieskāva koku puduris, aiz tā līdzenā vietā pacēlās plašas un gaišas skolas ēkas, novietotas apkārt taisnstūra laukumam, kura vidū, izvietojuma ziņā atgādinot spēļu kauliņa piecnieku, tumši zaļo lapotņu konusus slēja augšup piecas varenas sekvojas. Lielo laukumu klāja zālājs, vietumis arī smiltis, turpat bija divi peldbaseini ar tekošu ūdeni, uz tiem veda platas, zemas kāpnes. Blakus ieejai šajā saulainajā laukumā atradās skolas ēka — vienīgā augstā celtne kompleksā ar diviem spārniem, katram spārnam bija portiks ar piecām kolonnām. Pārējās celtnes, kas no trim pusēm ciešā lokā ieskāva laukumu, ne ar ko neatšķīrās cita no citas — tās bija zemas, ar lēzeniem jumtiem, bez rotājumiem; katras ēkas priekšā bija lapenei līdzīgs lievenis, no kura daži pakāpieni veda lejup laukumā, un turpat vai katru lieveni rotāja puķes podos.

Pēc kastāliešu paraduma puisēnu nesagaidīja skolas apkalpotājs, lai aizvestu viņu pie rektora vai skolotājiem, — sagaidītājs bija skolnieks, glīts gara auguma zēns zilā audekla uzvalkā, dažus gadus vecāks par Jozefu. Zēns sniedza viņam roku un teica:

— Es esmu Oskars, vecākais "Hellādas" korpusā, kurā tu dzīvosi, man uzdots apsveikt tevi un iepazīstināt ar šejienes kārtību. Skolā tevi gaida tikai rīt, mums laika pietiks, lai visu kaut cik apskatītu, tu apradīsi itin drīz. Turklāt lūdzu tevi pirmajā laikā, kamēr tu iedzīvosies, uzskatīt mani par savu draugu un mentoru, arī par aizstāvi, ja kāds klasesbiedrs sadomātu nodarīt tev pāri, jo dažiem liekas, ka jaunatnācēji mazliet jāpamazē. Nekas briesmīgs tas nebūs, to varu tev apsolīt. Vispirms aizvedīšu tevi uz "Hellādu", mūsu korpusu, lai tu redzētu, kur turpmāk dzīvosi.

Tā jaunatnācēju pēc tradīcijas sveica Oskars, kuru korpusa padome bija izraudzījusi Jozefam par mentoru, un viņš no tiesas centās labi veikt savu uzdevumu, turklāt vecāko klašu skolniekiem parasti patīk šādi pienākumi, un piecpadsmit gadus vecam zēnam, kurš vēlas savaldzināt trīspadsmit gadus vecu, uzrunādams to laipni un biedriski, mazliet aizbildnieciskā tonī, tas lielākoties arī izdodas. Pirmajās dienās Oskars izturējās pret Jozefu kā pret ciemiņu, kam gadījumā, ja tas rīt atkal aizbrauktu, jāpatur labā atmiņā gan māja, kurā viesojies, gan namatēvs.

Jozefam parādīja guļamtelpu, kurā mitinājās vēl divi zēni, viņu pacienāja ar sausiņiem un glāzi augļu sulas, viņam izrādīja "Hellādas" korpusu — vienu no dzīvojamām ēkām plašajā taisnstūrī, parādīja vietu, kur dušas telpās pakārt savu dvieli, parādīja arī, kurā stūrī novietot podus ar puķēm, ja viņš sadomātu tās audzēt; pievakarē viņu aizveda uz mazgātavu pie veļas pārziņa, tur viņam izraudzījās un pielaikoja zila audekla uzvalku. Jozefs uzreiz jutās Ešholcā kā mājās un labprāt atsaucās Oskara draudzīgajam tonim; par īpašu mulsumu viņa izturēšanās neliecināja, lai arī gados vecākais, ar Kastāliju sen apradušais viņa uztverē, protams, bija kas līdzīgs pusdievam. Viņam patika arī Oskara cenšanās izdevīgā brīdī mazliet padižoties un pozēt, iestarpinot sarunā pa sarežģītam grieķu citātam, lai tūdaļ pieklājīgi atgādātos, ka jauniņajam tas, protams, vēl nevarot būt zināms — kā tad, vai ko tādu maz varot no viņa prasīt!

Dzīve internātā Knehtam nebija nekas jauns; viņš iekļāvās tajā bez grūtībām. Par gadiem, ko Knehts pavadījis Ešholcā, acīmredzot trūkst daudzu svarīgu ziņu; briesmīgais ugunsgrēks, jādomā, noticis vēlāk. Atzīmju ieraksti, ciktāl tos izdevies atrast, liecina par teicamām sekmēm mūzikā un latīņu valodā — matemātikā un grieķu valodā atzīmes ir nedaudz augstākas par viduvējām; "Hellādas" žurnālā atrodams viens otrs ieraksts par Knehtu, piemēram, *"ingenium valde capax, studia non angusta, mores probantur"*[1] vai *"ingenium felix et profectuum avidissimum, moribus placet officiosis"*[2]. Kādi sodi viņam uzlikti Ešholcā, vairs nav noskaidrojams, sodu reģistri līdz ar daudziem citiem dokumentiem gājuši bojā ugunsgrēkā.

Trūkstot rakstveida ziņām par Knehta pirmajiem mācību gadiem elites skolā, mēs izmantojam citātu no viņa vēlāko gadu priekšlasījumiem par Stikla pērlīšu spēli. Diemžēl iesācējiem lasīto lekciju manuskriptu Knehta uzmetumā nav izdevies atrast; viņa brīvo stāstījumu stenografējis kāds skolnieks. Citātā Knehts runā par analoģijām un asociācijām Stikla pērlīšu spēlē, iedalīdams pēdējās "likumīgajās", t. i., vispārsaprotamajās, un "personiskajās" vai subjektīvajās. Stenogrammā sacīts: "Lai jums ilustrētu personiskās asociācijas, kas indivīdam tādēļ nekļūst mazāk svarīgas, ka Stikla pērlīšu spēlē jo stingri aizliegtas, pastāstīšu par kādu asociāciju, kura man radās, mācoties skolā. Biju apmēram četrpadsmit gadu vecs, un atgadījās tas

---

[1] Ļoti labas iegaumēšanas spējas, interešu loks plašs, uzvedība slavējama *(lat.)*.
[2] Prāts darbīgs un visai kārs gūt panākumus, noskaņo labvēlīgi, ar uzticību pienākumam *(lat.)*.

agrā pavasarī, februārī vai martā: kāds klasesbiedrs aicināja mani pēc pusdienām doties pastaigā, lai nogrieztu dažus plūškoka zarus, tos viņš bija nodomājis izlietot par caurulītēm, ceļot rotaļu ūdensdzirnaviņas. Mēs tātad devāmies ceļā, un laiks, domājams, bija sevišķi labs vai arī man bija sevišķi labi ap sirdi, jo šī diena, pateicoties kādam sīkam, bet zīmīgam notikumam, man palikusi spilgtā atmiņā. Valgo zemi vairs neklāja sniegs, šur tur gar tērcēm jau zaļoja zāle, kailajiem krūmiem raisījās pumpuri un spurdzes, un gaisā vēdīja dažādas smaržas, dzī-vību vēstošas un pretrunīgas; oda pēc miklas zemes, pūstošām lapām un svaigiem dzietiem, likās, teju, teju iesmaržosies pirmās vijolītes, lai gan vijolītes vēl nebija uzplaukušas. Mēs nonācām pie plūškoku audzes, zariem jau metās pumpuri, bet lapas vēl neraisījās, un, kad es nogriezu kādu zaru, man sejā iesitās asa, rūgteni salda smarža, kas, likās, ietvēra, apkopoja sevī un pastiprināja visas pavasara smaržas. Es jutos pavisam noreibis, es ostīju savu nazi, roku, ostīju nogriezto zaru; tā bija plūškoka sula, kas tik stipri un neatvairāmi smaržoja. Mēs nebildām viens otram ne vārda, bet arī biedrs, nogrimis domās, ilgi ostīja kādu zaru, arī viņam šī smarža kaut ko pauda. Katram pārdzīvo-jumam piemīt sava maģija; šoreiz pārdzīvojumu izraisīja pastaiga pa slapjajām pļavām, pie katra soļa zem kājām žļurkstot dubļiem, zemes un pumpuru smaržas, kurās aplaimots saklausīju pavasara tuvošanos, un šī izjūta, guvusi kāpinājumu, koncentrējusies plūškoka smaržas *fortissimo,* manā uztverē kļuva par juteklisku līdzību un burvestību. Pat tad, ja tik maznozīmīgais pārdzīvojums paliktu bez turpinājuma, es, iespējams, nekad neaizmirstu šo smaržu; drīzāk jau katra jauna tikšanās ar to līdz mūža galam modinātu atmiņas par šo pirmo reizi, kad apzināti izbaudīju plūškoka smaržu. Bet klāt nāca vēl kas cits. Todien sava klavieru skolotāja istabā ieraudzīju vecu nošu burtnīcu ar Franča Šūberta dziesmām, un šī burtnīca mani ļoti ieinteresēja. Reiz, kavējoties stundas sākumam, es pāršķirstīju burtnīciņu, un skolotājs par atbildi uz manu lūgumu atļāva man uz dažām dienām paņemt to līdzi. Brīvos mirkļos es izjutu jaunatklājuma svētlaimi, jo vēl ne reizi nedzirdētā Šūberta mūzika mani dziļi saviļņoja. Todien, kad devāmies pēc plūškoka zariem, vai arī nākamdien uzdūros Šūberta pavasara dziesmai "Pavasara atmoda", un pirmie klavieru pavadījuma akordi negaidot atsauca atmiņā nule izjusto: tie smaržoja tāpat, kā bija smar-žojis plaukstošais plūškoka zars, — tikpat rūgteni saldi, tikpat stipri un koncentrēti, tikpat pavasarīgi. No tās reizes asociācija "agrs pavasaris — plūškoka smarža — Šūberta akordi" man ir nemainīga un visnotaļ iedarbīga; piesizdams attiecīgos akordus, es tūdaļ nešaubīgi saožu aso plūškoka smaržu, un abi — gan akords, gan smarža — man izsaka agru pavasari. Ar šo personisko asociāciju esmu iemantojis kaut ko ļoti skaistu, ko neatdotu ne par kādiem pasaules labumiem. Bet šai asociācijai — ikreizējam divu juteklisku pārdzīvojumu uzliesmojumam, domājot par pavasari, ir personisks raksturs. Protams, pastāstīt par to citiem var, tāpat kā nupat pastāstīju par to jums. Bet nododama tālāk tā nav. Es varu jums izskaidrot asociāciju, kas man radusies, bet nespēju izdarīt tā, lai kaut vienam no jums mana personiskā asociācija kļūtu par iedarbīgu signālu, par sava veida mehānismu, kurš nekļūdīgi atsauktos uz ierosu un allaž darbotos vienādi."

Cits Knehta skolasbiedrs, kas vēlāk kļuva par Stikla pērlīšu spēles galveno arhivāru, zināja stāstīt, ka Knehts visumā bijis iekšējas līksmes apgarots puisēns un muzicējot viņam nereti bijusi sapņaina un aplaimota sejas izteiksme — uzbudinātu vai dedzīgu viņu reti gadījies redzēt —, visbiežāk ritmisku bumbas spēļu brīžos — tās viņš ļoti cienījis. Bet reizēm šis laipnais, veselīgais puisēns tomēr pievērsis sev īpašu uzmanību, izraisījis zobgalīgu attieksmi vai bažas, proti, ja kāds skolnieks izraidīts no elites skolas, kas bieži vien ir nepieciešams, it īpaši zemākās pakāpes elites skolās. Kad pirmo reizi atgadījās, ka viens no klasesbiedriem neieradās uz mācībām, nepiedalījās arī rotaļās un neatgriezās nākamajās dienās, turklāt kļuva zināms, ka viņš nav vis saslimis, bet ir atskaitīts un aizbraucis, lai vairs neatgrieztos, Knehts ne tikai noskumis, viņš dienām ilgi licies dziļi satraukts. Pats viņš daudzus gadus vēlāk izteicies par to šādi: "Katru reizi, kad kāds skolnieks tika atskaitīts un pameta Ešholcu, man šķita, ka viņš ir miris. Ja man jautātu, par ko skumstu, es atbildētu, ka jūtu līdzi nelaimīgajam, kurš aiz vieglprātības un laiskuma izpostījis savu nākotni, un šīm jūtām pievienojās bailes, ka mani var piemeklēt līdzīgs liktenis. Tikai pēc tam, kad to pašu biju pieredzējis vairākkārt un būtībā vairs neticēju iespējai, ka ar mani kas tāds var notikt, sāku dziļāk izprast notiekošo. Elites skolnieka izslēgšanu vairs neuzskatīju tikai par neveiksmi un sodu, biju uzzinājis, ka atskaitītie nereti itin labprāt atgriežas mājās. Es tagad nopratu, ka eksistē ne tikai tiesa un sods, kam par upuri var krist vieglprātis, bet, ka "pasaule" aiz Kastālijas robežām, tā pati, no kuras reiz visi bijām ieradušies, nebūt nav pārstājusi eksistēt, kā man pašam līdz šim bija licies, ka tā, gluži otrādi, vienam otram palikusi liela, valdzinoša realitāte, kas galu galā mudināja atgriezties. Un varbūt tā bija tāda ne tikai vienam otram, bet gan visiem; iespējams, nebija jāsecina, ka tie ir vājie un mazāk attīstītie, kurus tik ļoti vilina tālā "pasaule", varbūt šķietamā krišana, atgriešanās "pasaulē" nemaz nav krišana, nav padošanās, bet ir lēciens, drosmīgs solis, un varbūt tieši mēs, kas rātni paliekam Ešholcā, esam vāji un gļēvi. " Mēs vēl redzēsim, ka tamlīdzīgas domas nodarbināja viņu visai intensīvi arī vēlāk.

Knehtu ļoti iepriecināja katra tikšanās ar Mūzikas maģistru. Vismaz reizi divos trijos mēnešos tas ieradās Ešholcā, lai pārbaudītu mūzikas stundas, nereti vairākas dienas viesodamies pie viena no turienes pedagogiem, ar kuru draudzējās. Reiz viņš pats vadīja pēdējos mēģinājumus kādas Monteverdi svētceres atskaņojumam. Galvenais, viņš paturēja acīs apdāvinātākos skolniekus, un Knehts bija viens no tiem, kurus meistars pagodināja ar savu lietišķo labvēlību. Ieradies Ešholcā, viņš ikreiz pasēdēja ar Knehtu kādu stundu pie klavierēm, analizēdams kopā ar viņu savu iemīļoto komponistu darbus vai senu kompozīcijas mācību vingrinājumus. "Nekas cits nenoskaņoja mani tik svinīgi vai pat līksmi kā iespēja kopā ar Mūzikas maģistru veidot kanonu vai paklausīties, kā viņš noved *ad absurdum*[1] kompozicionāli vāju kanonu, dažkārt grūti bija valdīt asaras, citkārt gala nebija smiekliem. Atgriezdamies no privātas mūzikas stundas, ko viņš bija pasniedzis, klausītājs jutās kā pēc pirts vai masāžas."

Knehta mācību laikam Ešholcā tuvojoties beigām — kopā ar kādu desmitu citu skolnieku viņu gaidīja uzņemšana augstākas pakāpes skolā —, rektors šiem kandidātiem teica tradicionālo uzrunu, kurā abiturientiem vēlreiz izskaidroja Kastālijas skolu nozīmi un likumus un Ordeņa vadības vārdā norādīja ceļu, kas tiem ejams, lai reiz iegūtu tiesības iestāties Ordenī.

Svinīgā uzruna ietilpst svētku programmā, kurus skola rīko saviem beidzējiem un kuros skolotāji un audzēkņi izturas pret viņiem kā pret viesiem. Šajā dienā allaž tiek atskaņoti rūpīgi sagatavoti koncerti — šoreiz koris dziedāja plašu septiņpadsmitā gadsimta kantāti, un noklausīties to bija ieradies pats Mūzikas maģistrs. Pēc rektora runas, visiem dodoties uz ziediem rotāto ēdamzāli, Knehts griezās pie Maģistra ar kādu jautājumu.

— Rektors, — viņš teica, — pastāstīja mums par kārtību, kas valda parastajās skolās un augstskolās aiz Kastālijas robežām. Pēc viņa vārdiem, turienes skolnieki, iestājoties universitātē, izraugās "brīvu" profesiju. Ja nekļūdos, tās ir profesijas, kas mums, kastāliešiem, lielākoties svešas. Kādēļ šīs profesijas sauc par "brīvām"? Kā tas jāsaprot? Un kādēļ tieši mums, kastāliešiem, tās liegtas?

Magister musicae aizveda jaunekli sāņus un apstājās kopā ar viņu zem kādas sekvojas. Sejai savelkoties gandrīz viltīgā smaidā un ap acīm iezīmējoties sīkām krunciņām, viņš atbildēja:

---

[1] Līdz absurdam *(lat.)*.

— Tevi, mīļais, sauc par Knehtu, varbūt tieši tādēļ vārdiņš "brīvs" tev liekas tik pievilcīgs. Tikai neņem to šajā gadījumā pārāk nopietni. Nekastālietim, runājot par "brīvām" profesijām, varbūt šķiet, ka šim vārdiņam ir dziļi nopietna, pat patētiska pieskaņa. Mēs lietojam to ironiskā nozīmē. Tiesa, šīs profesijas ir brīvas tiktāl, ciktāl tās izraugās paši studenti. Tā rodas brīvības ilūzija, lai gan parasti ne jau students, bet viņa vecāki izvēlas profesiju, un dažs tēvs drīzāk nokostu sev mēli nekā tiešām atļautu dēlam izvēles brīvību. Bet tas var būt apmelojums, tādēļ atmetīsim šo ierunu. Pieņemsim, ka brīvība pastāv, taču tādā gadījumā tā aprobežojas ar profesijas izvēli. Vēlāk brīvības vairs nav. Jau studiju gados augstskolā nākamais ārsts, jurists, inženieris apgūst visai šauru obligāto programmu, kura beidzas ar vairākiem eksāmeniem. Izturējis pārbaudījumus, students saņem diplomu un šķietami brīvi var darboties savā profesijā. Patiesībā viņš nokļūst zemisku varu kalpībā, top atkarīgs no panākumiem, no naudas, no paša godkāres un slavaskāres, no tā, vai viņš tīk vai netīk sabiedrībai. Viņš ir spiests pakļauties vēlēšanām, pelnīt iztiku, viņš tiek ierauts kastu, dzimtu, partiju, laikrakstu nežēlīgajā konkurences cīņā. Toties viņam dota brīvība gūt panākumus, kļūt pārtikušam, iemantot neveiksminieku naidu vai pašam nīst neveiksminiekus. Elites skolnieku un nākamo Ordeņa biedru turpretī gaida gluži cits liktenis. Viņš "neizvēlas" profesiju. Viņš nedomā, ka pazīst paša dotības labāk nekā viņa skolotāji. Hierarhijā viņš allaž ieņem vietu un veic darbu, ko viņam noteikuši vecākie, ja vien, protams, viss nenoris otrādi un paša skolnieka īpašības, talanti vai trūkumi nespiež skolotājus piešķirt viņam šo vai citu posteni. Sājā šķietamajā nebrīvībā katrs *electus* pēc pirmo kursu beigšanas bauda galēju brīvību. Ja "brīvās" profesijas pārstāvim jāapgūst šaura obligātā programma un jākārto obligāti eksāmeni, lai kļūtu par speciālistu savā nozarē, tad *electus* brīvība, līdzko sākas patstāvīgas studijas, sniedzas tiktāl, ka dažs augu mūžu pēc paša ieskatiem studē gluži neiedomājamus un pat aušīgus jautājumus, un neviens viņam to neliedz, ja vien netiek pārkāptas morāles normas. Pedagoģiskam darbam piemērotais kļūst par pedagogu, audzinātājs pēc aicinājuma — par audzinātāju, tulkotājs — par tulkotāju, katrs pats atrod vietu un var kalpot un kalpojot justies brīvs. Uz visu mūžu viņš atpestīts no tās profesionālās "brīvības", kas būtībā ir briesmīga verdzība. Viņam sveša ir dzīšanās pēc naudas, pēc slavas, pēc stāvokļa, svešas viņam ir partiju cīņas, nesaskaņa starp indivīdu un amatu, personisko un sabiedrisko, nepieciešamība gūt panākumus. Raugi, dēls: ja runa par brīvām profesijām, vārdiņam "brīvs" ir itin jokaina pieskaņa.

Atvadas no Ešholcas ievadīja pavērsienu Knehta dzīvē. Viņam, kas līdz šim bija mitis laimīgā bērnībā, labprātīgā, šaubu neapmāktā pakļautībā un harmonijā, tagad sākās iekšēju cīņu, šaubu un izaugsmes laiks. Jozefam bija gadu septiņpadsmit, kad viņam darīja zināmu, ka viņš kopā ar vairākiem klasesbiedriem tiks pārcelts augstākas pakāpes skolā, un, sākot ar šo brīdi, izredzētajiem, protams, nebija svarīgāka un biežāk cilājama jautājuma par to, uz kurieni katru pārcels. Pēc tradīcijas pārcelšanas vietu darīja zināmu tikai dažas dienas pirms došanās ceļā, bet periods starp izlaiduma svinībām un aizbraukšanu bija brīvdienas. Šajās brīvdienās Knehtam atgadījās skaists, nozīmīgs piedzīvojums: Mūzikas maģistrs uzlūdza jaunekli pārgājiena laikā apciemot viņu un paviesoties viņa mājā. Tas bija visai rets un liels pagodinājums. Kopā ar kādu citu absolventu — Knehts vēl skaitījās Ešholcas skolnieks, un šīs pakāpes skolu audzēkņiem nebija atļauts ceļot pa vienam — viņš agrā rīta stundā devās pretī mežiem un kalniem, un, kad pēc triju stundu kāpiena abi ceļinieki no krēslainā meža izkļuva klajā vietā apaļa kalna virsotnē, viņi sev pie kājām skaidri saskatīja jau sarukušo Ešholcu, tālu saredzamu, pateicoties augsto koku tumšajam pudurim un taisnstūra zālienam ar baseinu spoguļiem, staltajai skolas ēkai, saimniecības ēkām, ciematam un izslavētajai ošu birzij. Abi jaunekļi ilgi raudzījās lejup; daudzi atceras skaisto ainavu, tā tolaik bija apmēram tāda pati kā šodien, jo celtnes pēc lielā ugunsgrēka atjaunotas gandrīz bez pārmaiņām un trīs no piecām sekvojām palikušas neskartas. Tur, lejā, atradās viņu skola, kurā abi mituši gadiem ilgi, drīz no tās būs jāatvadās pavisam; vērojot šo ainavu, zēniem iesmeldzās sirds.

— Man liekas, nekad neesmu īsti atskārtis, cik skaista šī vieta, — teica Jozefa ceļabiedrs.

— Varbūt tas tikai tādēļ tā, ka pirmo reizi skatu ainavu tāda cilvēka acīm, kam lemts aiziet, lemts atvadīties?

— Tev taisnība, — sacīja Knehts, — tā tas ir, es jūtos tāpat. Bet arī tad, kad būsim aizgājuši no šejienes, mēs, manuprāt, neatstāsim Ešholcu pa īstam. Pa īstam atstāja skolu tikai tie, kas aizgāja uz visiem laikiem, piemēram, Oto, kurš mēdza sacerēt tik jocīgus pantiņus latīņu valodā, vai arī mūsu Šarlemans, kurš tik ilgi spēja noturēties zem ūdens, un visi pārējie. Viņi patiešām atvadījās un sarāva visas saites. Biju viņus pavisam aizmirsis, bet tagad atcerējos no jauna. Smejies vien, ja tev tīk, bet šie atkritēji, par spīti visam, man tomēr iedveš cieņu — tāpat kā dumpīgajam erceņģelim Lūciferam, tiem piemīt kas dižs. Viņi varbūt rīkojās aplam, pareizāk sakot, neapšaubāmi kļūdījās, tomēr viņi kaut ko darīja, kaut ko paveica, viņi uzdrīkstējās lēkt, bet lēciens

57

prasa drosmi. Mums, palicējiem, pieticis uzcītības un pacietības, arī saprāta, bet paveikuši mēs neesam neko — mēs nelēcām.

— Nezinu, — ieminējās biedrs, — viens otrs no viņiem neko nedarīja un nebija arī drosmīgs, daži gluži vienkārši slinkoja, kamēr tika atskaitīti. Varbūt es pārpratu tevi? Ko tu domāji, runādams par lēkšanu?

— Spēju atraisīties, paveikt ko nopietnu — saproti pats, izdarīt lēcienu. Es nebūt nevēlos atgriezties savā dzimtenē, savā agrākajā dzīvē, bijušais mani nevilina, esmu to puslīdz aizmirsis. Bet, ja reiz pienāktu stunda, kad jāspēj atraisīties un lēkt, es vēlētos lēkt ne jau atpakaļ, lejup, bet uz priekšu, augšup.

— Nu, to jau mēs arī darām. Ešholca bija pirmais pakāpiens, nākamais ved augstāk, un pašā virsotnē mūs gaida Ordenis.

— Jā, tas tiesa, tikai man padomā bija kas cits. Ejam, *amice*[1], ceļot kājām ir jauki, es atgūšu jautru omu. Mēs esam kļuvuši grūtsirdīgi.

Šajā noskaņā, šajos vārdos, ko mums notēlojis ceļabiedrs, jau jūtama Knehta vētrainās jaunības ieskaņa.

Divas dienas abi gājēji bija ceļā, līdz nokļuva Mūzikas maģistra toreizējā dzīvesvietā Monporā, augstu kalnos, kur Maģistrs bijušā klostera telpās tieši tolaik vadīja diriģentu kursus. Ceļabiedram ierādīja istabu viesu namā, bet Knehtam — mazu celli Maģistra miteklī. Viņš tikko bija paguvis nolikt mugursomu un nomazgāties, kad istabiņā ienāca saimnieks. Cienījamais meistars sniedza jauneklim roku, viegli nopūtās, apsēdās, uz pāris mirkļiem pievēra acis, kā mēdza darīt, kad jutās ļoti noguris, un tad, laipni uzlūkojis Jozefu, teica:

— Atvaino mani, esmu slikts namatēvs. Tu nupat kā ieradies un droši vien esi noguris, atklāti sakot, arī mani māc nogurums — diena man nedaudz pārslogota —, bet, ja tev vēl nenāk miegs, es labprāt aicinātu tevi pakavēties kādu stundu manā istabā. Tev atļauts palikt šeit divas dienas; rīt ataicini uz pusdienām arī savu ceļabiedru; daudz laika diemžēl nevarēšu tev veltīt, tādēļ palūkosim, kur ņemt tās pāris stundas, kas mums nepieciešamas. Kā tev liekas, varbūt sākam tūlīt? Viņš ieveda Knehtu paprāvā cellē ar velvētiem griestiem, tajā nebija gandrīz nekādu mēbeļu, vienīgi vecas klavieres un divi krēsli. Abi apsēdās.

— Drīz tu nokļūsi augstākas pakāpes skolā, — teica Maģistrs.

— Tur tu uzzināsi daudz jauna, tam piemīt sava pievilcība, un arī Stikla pērlīšu spēli tu, domājams, sāksi drīz apgūt. Tas ir labi un

---

[1] Draugs *(itāl.).*

svarīgi, bet pats svarīgākais ir tas, ka tu mācīsies meditēt. Varētu likties, ka to iemācās visi, bet ne vienmēr tas ir pārbaudāms. Kas attiecas uz tevi, es gribētu, lai, tu iemācies pareizi un teicami meditēt — tikpat labi kā muzicēt; viss cits tad nāks pats no sevis. Tādēļ esmu nodomājis pirmās divas trīs stundas pasniegt tev pats; tas ir iemesls, kādēļ aicināju tevi ciemos. Veltīsim tātad šodien, rīt un parīt pa stundai meditēšanai un meditēsim par mūziku. Tūlīt tev atnesīs krūzīti piena, lai netraucētu slāpes un izsalkums. Vakariņas mēs ēdīsim vēlāk.

Pie durvīm klauvēja. Kāds atnesa krūzīti piena.

— Dzer lēnītēm, malku pa malkam, — brīdināja sirmgalvis, — nesteidzies un klusē.

Knehts lēnām malkoja vēso pienu, bet godājamais meistars sēdēja iepretim: acis viņš atkal bija pievēris, seja šķita vecīga, taču laipna, vaibsti pauda dziļu mieru, viņš smaidīja, ielūkodamies sevī, gremdēdamies domās kā gurds ceļinieks, kas iebridis strautā, lai nomazgātu kājas. Viņš izstaroja mieru. Knehts juta to un arī pats nomierinājās.

Tad Maģistrs pagriezās uz sava krēsla un nolaida rokas uz taustiņiem. Atskaņojis kādu tēmu, viņš attīstīja to, veidodams variācijas, — šķiet, tas bija kāda itāliešu meistara skaņdarbs. Viņš norādīja viesim, lai tas iztēlojoties mūzikas risumu par deju, par nebeidzamu līdzsvara vingrinājumu rindu, par platāku vai sīkāku soļu secību no kādas iedomātas simetrijas ass centra, un visu uzmanību veltījot figūrām, ko veido soļi. Viņš atkārtoja tās pašas taktis, apklusa, it kā apcerētu dzirdēto, nospēlēja tās vēlreiz un palika sēžam, nolaidis rokas uz ceļgaliem, acis pa pusei pievēris, bez mazākās kustības, domās atkārtodams un apcerēdams ik skaņu. Arī skolnieks klusēdams ieklausījās sevī, redzēja acu priekšā nošu līniju fragmentus, redzēja kaut ko kustamies, soļojam, speram dejas soļus, lidināmies, centās izprast šo kustību, izlasīt to it kā līčloču līniju, ko lidojumā izzīmē putns. Figūras sajuka un pagaisa, bija atkal jāsāk no jauna, uz mirkli zuda spēja koncentrēties; viņš juta, ka slīgst tukšumā, mulsi palūkojas apkārt un ieraudzīja mijkrēslī blāvojam meistara kluso, pašapcerē iegrimušo seju, juta, ka atgriežas tai garīgajā sfērā, no kuras bija izslīdējis, atkal saklausīja mūzikas skaņas, redzēja skaņas soļojam, saskatīja līniju, ko tās kustoties veidoja, vēroja neredzamu dejotāju soļus, domās apcerēja tos...

Viņam šķita, ka pagājis ilgs laiks, iekams atkal izslīdēja no šīs sfēras, iekams atkal samanīja zem sevis krēslu, ar salmu pīteni klāto akmens grīdu, gaistošās dienas atblāzmu logā. Viņš juta, ka tiek vērots, pacēla skatienu un ielūkojās acīs Mūzikas maģistram, kurš uzmanīgi pētīja viņu. Maģistrs tikko manāmi pamāja; ar vienu pirkstu *pianissimo* nospēlēja viņam priekšā pēdējo variāciju par itāliešu meistara skaņdarbu un piecēlās no krēsla.

— Paliec te, — viņš sacīja, — es drīz atgriezīšos. Atrod vēlreiz sevī šo tēmu, uzmanīgi seko figūrām. Bet dari to nepiespiesti, tā ir tikai rotaļa. Ja tu pa starpām iesnaudīsies, tas neko nekaitēs.

Viņš aizgāja: paveicams bija vēl kāds darbs, kam dienas steigā pietrūcis laika, — grūts un netīkams pienākums, ne jau tāds, kādu viņš būtu vēlējies veikt. Kursantu vidū bija kāds apdāvināts, bet godkārs un augstprātīgs jauns diriģents, ar kuru jāparunā, kuram jāpalīdz pārvarēt sliktus ieradumus, kuram jāpierāda, ka viņam nav taisnība, apliecinot gan gādību un garīgu pārākumu, gan mīlestību un autoritāti. Viņš nopūtās. Kādēļ neizdodas reizi par visām reizēm ieviest kārtību, novērst sen izprastus maldus? Kādēļ aizvien no jauna jākaro ar tām pašām kļūdām, jāravē tās pašas nezāles? Talants bez rakstura, virtuozitāte bez hierarhijas, tā pati, kas sendienās, feļetonisma laikmetā, valdīja mūzikas pasaulē un ko mūzikas renesanse bija izskaudusi un pārvarējusi, — še tā zēla atkal, atkal dzina asnus.

Kad Maģistrs atgriezās, lai vakariņotu kopā ar Jozefu, tas sagaidīja viņu kluss, bet līksms, nemaz vairs nelikdamies noguris.

— Tas bija bezgala skaisti! — zēns sapņaini bilda. — Meditējot mūzika izgaisa pavisam, tā ieguva citu veidu.

— Neliedz tai izskanēt sevī, — sacīja Maģistrs, aizvezdams viņu uz nelielo istabu, kur uz galda atradās augļi un maize. Viņi paēda kopā, un Maģistrs uzaicināja viesi rīt uz brīdi piebiedroties diriģentu kursu klausītājiem. Iekams atvadījās, viņš pavadīja Jozefu līdz viņa cellei un teica:

— Meditācijas gaitā tev radās redzes priekšstati, mūzika veidoja ko līdzīgu figūrām. Pacenties, ja rastos patika, uzzīmēt tās.

Cellē Knehts atrada uz galda papīra lapu un zīmuļus un, pirms devās pie miera, mēģināja uzskicēt figūru, par kuru bija pārvērtusies mūzika. Viņš novilka līniju un, ievērodams ritmiskas atstarpes, pievienoja tai slīpas, īsas sānlīnijas; veidojums atgādināja lapu izkārtojumu ap zaru. Uzzīmētais neapmierināja viņu, viņš juta vēlēšanos pamēģināt vēl un vēl un galu galā aizrāvies uzvilka apli, no kura līdzīgi stariem uz visām pusēm sniedzās sānu līnijas kā ziedi vainagā. Pēc tam viņš apgūlās un drīz vien iemiga. Sapnī viņš atkal uzkāpa apaļajā kalnā, kura virsotne pacēlās pāri mežiem, tajā pašā, uz kura bija atpūties kopā ar biedru, sev pie kājām ieraudzīja sirdij tik dārgo Ešholcu un, vērdamies lejup, redzēja, ka skolas ēku taisnstūris pārvēršas par elipsi, pēc tam par apli, vainagu, un vainags sāk lēnām griezties, griežas arvien ašāk un ašāk, beidzot griežas neprātīgā steigā, līdz pārtrūkst un izkaisās mirdzošās zvaigznēs.

Pamodies Jozefs neko neatcerējās, bet, kad rīta pastaigas laikā Maģistrs jautāja, vai viņš ko redzējis sapnī, nodomāja, ka būs redzējis ko ļaunu vai satraucošu. Pēc brīža viņš atcerējās sapni un, stāstīdams to, pabrīnījās, cik nenozīmīgs tas bijis. Maģistrs tikmēr uzmanīgi klausījās.

— Vai sapņiem jāpievērš uzmanība? — jautāja Jozefs. — Vai tos var iztulkot?

Palūkojies viņam acīs, Maģistrs īsi attrauca:

— Visam jāpievērš uzmanība, jo iztulkojams ir viss. — Brīdi klusējis, viņš tēviškīgi pavaicāja: — Kādā skolā tu vēlētos nokļūt?

Jozefs nosarka.

— Esmu domājis par Valdcellu, — viņš nekavējoties atbildēja klusā balsī.

Maģistrs pamāja.

— Tā jau domāju. Tu taču zini seno teicienu: *gignit autem artificiosam...*

— *Gignit autem artificiosam lusorum gentem Cella Silvestris,* — vēl aizvien sarkdams, Knehts noskaitīja līdz galam katram skolniekam labi zināmo teicienu: Valdcella dzemdina Spēles pratēju cilti.

Vecais vīrs uzmeta viņam sirsnīgu skatienu.

— Laikam gan šis ir tavs, ceļš, Jozef. Tu zini, ne visi atzīst Stikla pērlīšu spēli. Runā, tā esot mākslas surogāts un spēlētāji esot beletristi, par īstiem gara pārstāvjiem tos nevarot uzskatīt, tie esot mākslinieki — sapņotāji un diletanti. Gan jau tu redzēsi, vai tas tiesa. Varbūt tu Stikla pērlīšu spēlē saskati ko vairāk, nekā tā spēj dot, varbūt arī otrādi. Pati Spēle, tas tiesa, ne vienā vien ziņā ir bīstama. Tieši tādēļ mēs to mīlam — ceļā, kurā briesmas nedraud, sūta tikai vārguļus. Ne mirkli tu nedrīksti aizmirst to, ko tik bieži tev esmu teicis: mūsu aicinājums ir pareizi izprast pretrunas, proti, pirmām kārtām kā pretrunas, bet pēc tam kā vienota veselā polus. Tas attiecas arī uz Stikla pērlīšu spēli. Mākslinieka iedabai tā tīkama tādēļ, ka rosina iztēli; toties nopietni speciālo zinātņu pārstāvji un arī viens otrs mūziķis nicina to — tai trūkstot tās stingrības pakāpes, kas aizsniedzama speciālo zinātņu sfērā. Gan tu pats iepazīsi šīs pretrunas un ar laiku atklāsi, ka tās iemājo subjektā, nevis objektā, ka, piemēram, sapņotājs mākslinieks ne jau tādēļ vairās no tīrās matemātikas vai loģikas, ka daļēji izpratis tās un spēj par tām spriest, bet gan tādēļ, ka instinktīvi tiecas pretējā virzienā. Šādas spilgti izteiktas simpātijas vai antipātijas ir droša liecība tam, ka darīšana ar sīku dvēseli. Īstenībā, t. i., dižai dvēselei

61

un izcilam intelektam šīs pretrunas neeksistē. Mēs esam tikai cilvēki, tikai eksperiments, mēs esam ceļā. Bet ceļā mums jābūt uz turieni, kur mājo pilnība, mums jātiecas uz centru, nevis uz periferiju. Iegaumē: cilvēks var būt stingrs loģiķis vai gramatiķis, tomēr būt iztēles un mūzikas pārpilns; cilvēks var būt mūziķis vai Stikla pērlīšu spēles pratējs, dedzīgi kalpodams likumam un kārtībai. Cilvēkam mūsu izpratnē, pēc mūsu ieceres, cilvēkam, par kādu tiecamies kļūt, ik brīdi jāspēj apmainīt savu zinātkāri vai prasmi pret jebkuru citu; Stikla pērlīšu spēlei tāds liktu zaigot kristāltīras loģikas, bet gramatikai — radošas fantāzijas gaismā. Tādiem mums būtu jābūt, lai mēs kuru katru brīdi bez pretošanās un apjukuma spētu stāties jebkurā postenī.

— Man liekas, es sapratu, — teica Knehts. — Bet vai cilvēki ar tik spilgti izteiktām simpātijām vai antipātijām gluži vienkārši nav kaislākas dabas par citiem, kas rāmāki, iecietīgāki?

— Tā tas var likties, un tomēr tas tā nav, — iesmējies atbildēja Maģistrs. — Lai spētu visu, lai atbilstu jebkurām prasībām, vajag, protams, garīga spēka, temperamenta, kvēles pārpilnības, nevis tās trūkuma. Tas, ko tu dēvē par kaismi, nav vis garīgs spēks, tā ir berze starp garu un ārējo pasauli. Tur, kur valda kaisle, trūkst gribasspēka un alku pārpilnības, tā vērsta uz šauru viltus mērķi, tādēļ atmosfēra kļūst saspīlēta un smacīga. Tas, kurš ar visu gribasspēku tiecas uz centru, uz patieso esmi, uz pilnību, liekas rāmāks par kaislo; iekšējā ugunts, kas liesmo viņā, ne vienmēr ir saredzama, piemēram, tādēļ ka diskutējot viņš nekliedz un nesvaidās rokām. Bet es atkārtoju: viņam jākvēlo, viņam jādeg.

— Ak, ja izdotos kļūt zinošam! — iesaucās Knehts. — Ja eksistētu kāda mācība, kaut kas, kam varētu ticēt! Visur tikai pretrunas, nekur nav saskares punktu, nav īstas drošības. Visu var iztulkot gan šādi, gan gluži otrādi. Visu pasaules vēsturi var iztulkot par attīstību un progresu, tikpat labi tajā var saskatīt tikai pagrimumu un bezjēdzību. Vai patiesība tiešām nepastāv? Vai nav nevienas patiesas un neapgāžamas mācības?

Maģistrs vēl nekad nebija dzirdējis, ka Jozefs runātu tik dedzīgi. Viņš brīdi soļoja klusēdams, pēc tam teica:

— Patiesība pastāv, mīļais. Bet "mācība", pēc kuras tu ilgojies, absolūtā, pilnīgā, vienīgā, kas dara viedu, — tāda nepastāv. Tev, draugs, nav arī jāilgojas pēc pilnīgas mācības, tev jācenšas pilnveidot sevi. Dievišķais ir tevī, nevis jēdzienos vai grāmatās. Patiesība tiek dzīvota, nevis mācīta. Gatavojies cīņām, Jozef Kneht, es redzu gan — tās jau sākušas.

Tajās dienās Jozefs pirmo reizi vēroja mīļoto Maģistru darbā un ikdienā un juta pret viņu dziļu cieņu, lai gan redzēt izdevās tikai nelielu daļu no viņa dienas veikuma. Bet visvairāk Maģistrs savaldzināja Jozefu ar to, ka tik ļoti rūpējās par viņu, ka bija viņu uzaicinājis pie sevis, ka šis ar darbu pārslogotais cilvēks, kurš nereti izskatījās tik saguris, vēl atlicināja pa stundai — un ne tikai pa stundai! — arī viņam. Ja šis ievadījums meditēšanas mākā atstāja uz viņu tik dziļu un paliekamu iespaidu, tad, kā viņš vēlāk mācījās izprast, tas radās ne jau īpaši smalkas vai oriģinālas tehnikas, bet gan Maģistra personības, viņa piemēra dēļ. Skolotāji, kas turpmākajos gados mācīja viņam prasmi meditēt, deva vairāk norādījumu, pamācīja precīzāk, pārbaudīja prasīgāk, biežāk jautāja, saskatīja vairāk kļūdu. Mūzikas maģistrs, apzinādamies savu varu pār jaunekli, nerunāja un nemācīja gandrīz nemaz, būtībā norādīja tikai tēmas, bija par paraugu. Knehts ievēroja, cik vecīgs un paguris bieži izskatījās viņa Maģistrs, kā tas, pievēris acis, gremdējas sevī un pēc tam atkal spēj raudzīties tik rāmi, tik paļāvīgi, tik līksmi un vēlīgi, — nekas cits nepārliecinātu Jozefu tik dziji, ka šis ir īstais ceļš uz pirmavotiem, no nemiera uz mieru. To, kas Maģistram par šo jautājumu bija sakāms, Knehts uzzināja it kā starp citu īsas pastaigas vai kādas maltītes laikā.

Mums zināms, ka Maģistrs toreiz devis Knehtam pirmos norādījumus un mājienus par Stikla pērlīšu spēli, taču teiktais nav saglabājies. Iespaidoja Jozefu arī tas, ka namatēvs vienlīdz parūpējās par viņa ceļabiedru, lai tas nejustos gluži lieks. Šis cilvēks, šķiet, atcerējās visu.

Īsā uzturēšanās Monporā, trīs mācību stundas meditācijā, vērojumi diriģentu kursos, nedaudzās sarunas ar Maģistru nozīmēja Knehtam visai daudz; meistars neklūdīgi bija izvēlējies īsto mirkli, lai kaut īsu brīdi ietekmētu viņu. Uzaicinādams jaunekli, Maģistrs galvenām kārtām bija gribējis panākt, lai viņš iemīl meditācijas, taču ne mazāk nozīmīgs bija pats ielūgums — tas bija apbalvojums, apliecinājums, ka viņu atceras, ka ar viņu saista cerības. Šī bija jauna — augstāka aicinājuma pakāpe. Knehtam it kā atļāva ielūkoties dziļāk; tā nebija tikai personiska labvēlība, ja viens no divpadsmit Maģistriem tik ļoti tuvināja sev kādu skolnieku jau šajā mācību posmā. Tam, ko dara Maģistrs, nekad nav šauri personiska nozīmē vien.

Uz atvadām abi skolnieki saņēma mazas dāvanas: Jozefs nošu burtnīcu ar divām Baha korāļu prelūdijām, biedrs — glītu kabatas formāta Horācija izdevumu. Atvadīdamies no Knehta, Maģistrs teica:

— Pēc dažām dienam tu uzzināsi, uz kuru skolu tevi pārceļ. Tur es apciemošu tevi retāk nekā Ešholcā, bet tikties mēs, jādomā, tomēr tiksimies, ja vien būšu vesels. Ja vēlies, vari man rakstīt reizi gadā, galvenokārt par savām mūzikas studijām. Kritizēt skolotājus tev nav liegts, tomēr tas, manuprāt, nav būtiski. Darba tev būs daudz, es ceru, tu attaisnosi manas cerības. Mūsu Kastālijai nav jābūt tikai elitei, tai pirmām kārtām jābūt hierarhijai, celtnei, kurā katram akmenim jēgu piešķir vienīgi veselais, kopums; šai celtnei nav durvju, kas vestu uz ārpasauli, un tas, kas šajā celtnē kāpj arvien augstāk un saņem arvien lielākus uzdevumus, nekļūst brīvāks, aug vienīgi viņa atbildība. Uz redzēšanos, jaunais draugs, man bija prieks šeit tikties ar tevi.

Ceļabiedri devās mājup, atpakaļceļā abi bija jautrāki un runātīgāki, nekā dodoties šurp; pāris dienu, aizvadītas citā gaisotnē, citā pusē, saskare ar citu vidi abus bija atsvaidzinājusi, likusi aizmirst Ešholcu un turienes atvadu noskaņas, pastiprinājusi interesi par gaidāmām pārmaiņām, par nākotni. Apmetoties uz īsu atpūtu meža vidū vai stāvas kraujas malā Monporas apkaimē, viņi izvilka no kabatas savas koka stabules un divbalsīgi spēlēja kādu dziesmiņu. Atkal aizsnieguši augstieni, no kuras pavērās skats uz Ešholcu, tās celtnēm un kokiem, abi jutās tā, it kā saruna, kas te bija norisusi, piederētu tālai pagājībai; viss bija ieguvis citu nokrāsu, ne viens, ne otrs nebilda ne vārda, it kā abi kaunētos no savām toreizējām izjūtām un vārdiem, kas tik ātri zaudējuši agrāko jēgu un saturu.

Ešholcā viņi uzzināja jau nākamajā dienā, uz kurieni tiek pārcelti. Knehtam bija jādodas uz Valdcellu.

VALDCELLĀ

"Bet Valdcella dzemdina Spēles pratēju cilti," vēstī sens teiciens par šo slaveno skolu. Salīdzinājumā ar citām Kastālijas otrās un trešās pakāpes skolām Valdcellas skolā lielāks īpatsvars bija mākslām, proti, pārējās skolās uzmanību galvenokārt veltīja kādai noteiktai zinātnes nozarei, piemēram, Keiperheimā — klasiskajai filoloģijai, Portā — Aristoteļa un sholastu loģikai, Planvastē — matemātikai, bet Valdcellā — gluži pretēji — valdīja tradicionāla universālisma tendence, centieni savienot zinātni un mākslu, un šīs tendences augstākā izpausme bija Stikla pērlīšu spēle. Tiesa, arī šeit, tāpat kā visās citās skolās, Spēli nebūt nemācīja oficiāli, tā nebija obligāts mācību priekšmets, toties turpat visi skolnieki ziedoja tai savu brīvo laiku, turklāt pati Valdcellas pilsētiņa bija Stikla pērlīšu spēles oficiālā galvaspilsēta: šeit atradās slavenā Spēļu zāle, kurā notika Svētku spēles, šeit bija izvietots plašais Spēles arhīvs ar saviem ierēdņu štatiem un bibliotēkām, šeit bija Spēles maģistra rezidence. Lai gan visi šie institūti bija pilnīgi patstāvīgi un skola ar tiem nebija saistīta, Valdcellā kā nekā tomēr valdīja Stikla pērlīšu spēles gars un lielo publisko Spēļu svētsvinīgā atmosfēra. Pilsētiņa lepojās ar to, ka tās sienās atrodas ne tikai skola, bet arī Spēles vadība; skolas audzēkņus iedzīvotāji godāja par "studentiem", bet Spēles kursu dalībniekus un viesus par "luzeriem", sagrozot latīņu terminu *lusores*[1]. Starp citu, Valdcellas skola bija pati mazākā Kastālijā: skolnieku skaits reti pārsniedza sešdesmit, un arī šis apstāklis, protams, piešķīra skolai īpašu aristokrātisku raksturu, radot iespaidu, ka tā ir kas sevišķs, kas līdzīgs izlases izlasei; un tik tiešām, pēdējos gadu desmitos no šīs cienījamās mācību iestādes beidzēju vidus bija nākuši daudzi Maģistri un itin visi Stikla pērlīšu spēles maģistri. Jāpiebilst tomēr, ka ne jau visu acīs Valdcellas skolai bija tik laba slava: šur tur valdīja uzskats, ka valdcellieši ir iedomīgi estēti, izlutuši prinči, kas, atskaitot Stikla pērlīšu spēli, nekam nav derīgi; laiku pa laikam vienā otrā citā skolā par valdcelliešiem tika izteikti visai bargi un rūgti spriedumi, bet

---

[1] Spēlētāji *(lat.)*.

tieši šo zobgalību un kritisko piezīmju asais tonis tačū liecina, ka nav trūcis iemeslu skaudībai un nenovīdībai. Vispārīgi pārcelšana uz Valdcellu bija uzskatāma par sava veida pagodinājumu; to zināja arī Jozefs Knehts un, kaut nebija godkārs vārda vulgārajā nozīmē, tomēr priecājās par šo pagodinājumu un lepojās ar to.

Kopā ar vairākiem biedriem viņš kājām ieradās Valdcellā. Cildenu gaidu un iekšējas gatavības noskaņā viņš ienāca Valdcellā pa dienvidpuses vārtiem, un tūdaļ viņu savaldzināja un apbūra senatnīgā pilsētiņa un agrākā cisterciešu klostera plaši izvietotās ēkas, kurās bija iekārtota skola. Pat nepaguvis saņemt un uzvilkt jauno formas tērpu, vienīgi mazliet iestiprinājies skolas vārtnieka telpā, viņš viens devās pastaigā, lai iepazītu jauno dzīvesvietu, un atrada taciņu, kas aizvijās gar upes krastu pa senā pilsētas vaļņa drupām, pakavējās uz tilta arkas un ieklausījās dzirnavu aizsprosta šalkoņā, devās lejup pa liepu aleju garām kapsētai un aiz augsta dzīvžoga ieraudzīja un uzreiz pazina *Vicus lusorum,* Stikla pērlīšu spēles spēlētāju mazo, nošķirto ciematu: Svētku zāli, Arhīvu, auditorijas, mītni viesiem un mācību spēku dzīvojamās mājas. Viņš redzēja no kādas ēkas iznākam vīrieti Stikla pērlīšu spēles adepta tērpā un klusībā nosprieda, ka šis, domājams, ir viens no teiksmainajiem *lusores,* iespējams, pats Spēles maģistrs. Viņš dziļi izjuta šīs vietas burvību: itin viss te likās sens, godājams, cildenu tradīciju apdvests, šeit cilvēks bija tuvāk parādību centram nekā Ešholcā. Atgriezdamies skolā no Stikla pērlīšu spēles ciemata, Jozefs izjuta vēl citu valdzinājumu, varbūt ne tik cildenu, toties ne mazāk satraucošu. Valdzināja pati pilsētiņa, pasaulīgās dzīves drumsla, ar savu ikdienu, ar suņiem un bērniem, veikalu un darbnīcu smārdiem, bārdainiem mazpilsētniekiem un resnām sievām aiz letēm, bērneļiem, kas rotaļājās un auroja, meičām, kas raidīja zobgalīgus skatienus. Daudz kas atgādināja tālu pagātni, Berolfingeni, — Jozefam jau bija šķitis, ka pavisam to aizmirsis. Tagad dziļi dvēselē kaut kas atsaucās visam apkārtējam — ainām, skaņām, smaržām. Šeit, liekas, viņu gaidīja ne tik klusa, toties raibāka un dāsnāka pasaule nekā tā, kurā viņš bija mitis Ešholcā.

Nodarbības skolā, tiesa gan, pirmajā laikā bija tiešs turpinājums agrāk iepazītajām, lai gan klāt nāca vairāki mācību priekšmeti. Vienīgais jaunums bija meditācijas vingrinājumi, un arī tos Jozefs jau tika mazliet iepazinis Mūzikas maģistra vadībā. Meditēt viņš mācījās labprāt, pagaidām nesaskatīdams šajās nodarbībās neko citu kā vien patīkamu rotaļu, garīgu atslodzi. Tikai nedaudz vēlāk — par to vēl būs runa — viņš īsti izprata tās patieso un cildeno nozīmi. Skolas direktors Valdcellā bija Oto Cbindens, toreiz gadus sešdesmit vecs savādnieks, no kura skolnieki mazliet baidījās; viņa temperamentīgajā, glītajā rokrakstā par skolnieku Jozefu Knehtu saglabājušies atsevišķi ieraksti, kuros mums izdevies ielūkoties. Starp citu, pirmajā laikā jauno audzēkni vairāk interesēja skolnieki nekā skolotāji. Ciešāk viņš sagājās ar diviem, šī saskare un domu apmaiņa bija visai rosinoša — par to saglabājies ne mazums liecību. Viens no šiem diviem, Karlo Feromonte[1], ar kuru Jozefs sadraudzējās jau pirmajos mēnešos (vēlākos gados, izvirzījies par Mūzikas maģistra vietnieku, viņš kļuva par otru ievērojamāko amatpersonu Kolēģijā), bija vienos gados ar Knehtu; Feromontem — līdzās citiem darbiem — mums jāpateicas par sešpadsmitā gadsimta lautas spēles stilu vēsturi. Skolā viņu iesauca par "Rīsa ēdāju" un cienīja kā labu rotaļu biedru. Viņu draudzība sākās ar sarunām par mūziku un turpinājās gadiem ilgi, kopā studējot mūziku un veicot vingrinājumus, par ko mums liecību sniedz Knehta retās, bet saturīgās vēstules Mūzikas maģistram. Pašā pirmajā vēstulē Knehts rakstdro Feromonti "kā speciālistu un lietpratēju krāšņas ornamentikas, izrotājumu un trilleru mūzikā"; kopā ar draugu viņš spēlēja Kuperēna, Persela un citu septiņpadsmitā un astoņpadsmitā gadsimta mijas meistaru darbus. Kādā vēstulē Knehts plašāk izsakās par šiem vingrinājumiem un par šo mūziku, "kur dažos darbos turpat katru noti rotā kāds melisms". Knehts turpina: "Ja pāris stundu to vien esi darījis kā apguvis divkāršus priekšskaņus, grupēto un mordentus, piriksti liekas it kā elektrizēti."

Mūzikā Knehts tik tiešām guva lielus panākumus, jau otrajā vai trešajā mācību gadā viņš itin veikli spēlēja un lasīja no lapas visdažādāko gadsimtu un stilu nošu rakstus, alterācijas zīmes, abreviatūras, basa apzīmējumus un iejutās Rietumeiropas mūzikā; ciktāl tā bija saglabājusies līdz mūsu dienām, īpašu uzmanību pievērsdams savai spēles prasmei un rūpīgi izkopdams atskaņojumu juteklistā un tehniskā ziņā, lai iedziļinātos šīs mūzikas garā. Tieši cenšanās uztvert juteklisko, mēģinājumi saskatīt jutekliskajā, skaniskajā, neparastos skaņu savienojumos dažādo mūzikas stilu garu liedza viņam pārsteidzoši ilgi pievērsties Stikla pērlīšu spēles pamatiem. Vēlāk lasītās lekcijās Knehts izteicies šādi: "Kas mūziku iepazinis tikai izvilkumos, kurus no tās ieguvusi Stikla pērlīšu spēle, varbūt ir labs Spēles pratējs, bet nepavisam nav mūziķis un, jādomā, nav arī vēsturnieks. Mūziku

---

[1] Karlo Feromonte — Karls Īzenbergs, vācu muzikologs un folklorists, Heses draugs, tuvs radinieks no mātes puses, pazudis bez vēsts otrā pasaules kara gados. Šim tēlam, kā liecina autors, romānā visspilgtākās portretiskās iezīmes.

veido ne tikai tīri garīgās svārstības un figūras, kas abstrahētas Spēlē, — gadsimtu ritumā tā pirmām kārtām paudusi emociju prieku, līksmi, ko jūtam izelpojot, sitot takti, prieku par skanējuma nokrāsām, disonansēm, valdzinājumu, saplūstot kopā balsīm, saliedējoties ansamblī instrumentiem. Galvenais neapšaubāmi ir gars, tāpat jaunu instrumentu izgudrošana un veco pilnveidošana, jaunu tonalitāšu, jaunu kompozīcijas un harmonijas likumu ieviešana, vienlīdz arī veco noliegums, bez šaubām, allaž ir tikai izpausme, ārēja parādība, tāpat kā āriškība ir tautu tērpi un modes; bet šīs ārējās, juteliskās iezīmes jāuztver un jāizbauda jutekliski un intensīvi, lai, pamatojoties uz tām, izprastu laikmetus un stilus. Mūziku rada ne vien ar smadzenēm, bet arī ar rokām un pirkstiem, ar balseni un elpu, un tas, kas gan prot lasīt notis, bet pilnībā nepārvalda kādu instrumentu, lai nespriež par mūziku. Un arī mūzikas vēsturi neizprast, pamatojoties vienīgi uz abstraktu stilu vēsturi, tā, piemēram, mūzikas pagrimuma periodi liktos visnotaļ neizprotami, ja mēs tajos ikreiz nesaskatītu jutekliskā un kvantitatīvā pārsvaru pār garīgo."

Kādu laiku šķita, ka Knehts izlēmis kļūt tikai par mūziķi: visas fakultatīvās nodarbības, arī ievadu Stikla pērlīšu spēlē, viņš tik bieži kavēja mūzikas dēļ, ka pirmā mācību semestra nogalē skolas direktors uzaicināja viņu pie sevis. Bet skolnieks Knehts nebija iebiedējams, viņš nepiekāpīgi atsaucās uz savām tiesībām. Direktoram viņš esot teicis: "Ja es atpaliktu kādā no obligātajiem mācību priekšmetiem, jums būtu pamats izteikt man rājienu; bet tam es neesmu devis iemeslu. Gluži otrādi, man ir tiesības izmantot savu brīvo laiku pēc paša ieskatiem un trīs ceturtās daļas šā laika vai pat visas četras veltīt mūzikai. Es atsaucos uz skolas statūtiem." Direktors Cbindens bijis tik saprātīgs, ka piekāpies; protams, viņš iegaumējis šo skolnieku un, kā stāsta, ilgu laiku izturējies pret to salti un stingri.

Knehtam, mācoties skolā, šis savdabīgais posms ilga vairāk nekā gadu, jādomā, turpat pusotra gada: labas, bet ne izcilas atzīmes, klusa un pēc sadursmes ar direktoru nedaudz iespītīga ieraušanās sevī, nekādu kaut cik manāmu draudzīgu sakaru, toties šī neparasti kvēlā aizraušanās ar mūziku, atteikšanās gandrīz no visām fakultatīvajām nodarbībām, pat Stikla pērlīšu spēles apguves. Atsevišķus vaibstus šajā jaunības gadu portretā neapšaubāmi ievilcis pārejas vecums; ar pretējā dzimuma pārstāvēm viņš tolaik būs ticies tikai nejauši, juzdams dziļu neuzticību; līdzīgi daudziem ešholciešiem, kam ģimenē nebija māsu, viņš, jādomā, bija visai bikls. Lasīja viņš daudz, sevišķi aizraudamies ar vācu filozofiem — Leibnicu, Kantu, romantiķiem, kuru vidū visvairāk viņu saistīja Hēgelis.

Šeit mums nedaudz sīkāk jāraksturo otrs Knehta skolasbiedrs, kam Valdcellas periodā viņa dzīvē bijusi noteicoša loma, proti, hospitants Plīnio Deziņori. Šis skolnieks bija brīvklausītājs, t. i., mācījās elites skolā kā viesis, bez nolūka iestāties Ordenī un palikt Pedagoģiskajā provincē. Šādi hospitanti laiku pa laikam bija sastopami elites skolās, tiesa, ne visai bieži, jo Audzināšanas kolēģija nekad nav centusies dot izglītību skolniekiem, kas pēc elites skolas beigšanas dzīrās doties mājup, pasaulē. Bet valstī mita vairākas senas patriciešu dzimtas, kas ne mazumu darījušas Kastālijas labā tās dibināšanas laikā. Šajās dzimtās pastāvēja vēl šodien ne gluži izzudusī paraža sūtīt vienu dēlu, ja tas pietiekami apdāvināts, par brīvklausītāju uz elites skolām; šīs tiesības minētajās pāris dzimtās bija kļuvušas par tradīciju. Brīvklausītāji visnotaļ bija pakļauti tiem pašiem noteikumiem kā pārējie elites skolnieki, tomēr atšķīrās no tiem kaut vai tai ziņā, ka gadu ritumā neatsvešinājās no dzimtenes un ģimenes, jo brīvdienas allaž pavadīja mājās un skolasbiedru vidū palika viesi un svešinieki tādēļ, ka neatmeta dzimtās puses tikumus un uzskatus. Viņus gaidīja atgriešanās vecāku mājās, laicīga karjera, profesija, laulības dzīve, un visai reti atgadījās, ka šāds brīvklausītājs, aizrāvies ar Provincē valdošajiem uzskatiem, ģimenei piekrītot, galu galā tomēr palika Kastālijā un iestājās Ordenī. Toties vairāki mūsu zemes vēsturē pazīstami valstsvīri jaunībā bijuši brīvklausītāji un laikā, kad šāda vai tāda iemesla dēļ sabiedriskās domas ievirze kļuvusi kritiska, enerģiski aizstāvējuši elites skolas un Ordeni.

Tāds brīvklausītājs bija arī Plīnio Deziņori, ar kuru gados nedaudz jaunākais Jozefs Knehts iepazinās Valdcellā. Tas bija izcili talantīgs jauneklis, spožs runātājs un disputētājs, dedzīgs un mazliet nesavaldīgs cilvēks, kurš skolas direktoram Cbindenam darīja daudz raižu, jo, lai gan mācījās labi un šai ziņā pārmetumus neizpelnījās, tomēr nebūt necentās aizmirst savu hospitanta stāvokli, izturēties neuzkrītoši un pakļauties citiem. Gluži otrādi — viņš atklāti un kareivīgi pauda savus pasaulīgos nekastālieša uzskatus. Nenovēršami starp šiem diviem — Deziņori un Knehtu — veidojās īpaša attieksme: abi bija izcili apdāvināti, abi jutās aicināti, un tas viņus tuvināja, kaut gan jebkurā citā ziņā abi bija pilnīgi pretstati. Vien neparasti sapratīgam un prasmīgam pedagogam būtu pa spēkam tikt galā ar radušos uzdevumu, saskatīt būtisko un, pamatojoties uz dialektikas likumiem, arvien no jauna pavērt ceļu sintēzei, augstākā pakāpē atrisinot iepriekšējās pakāpes pretrunas. Direktoram Cbindenam netrūka spēju un labas gribas, lai to paveiktu — viņš nebija viens no tiem skolotājiem, kas necieš ģēnijus, — bet šajā gadījumā viņam pietrūka paša svarīgākā priekšnosacījuma

— abu skolnieku uzticēšanās. Plīnio, kurš lieliski jutās vienpatņa un nemiernieka lomā, pret direktoru izturējās visai piesardzīgi; un ar Jozefu Knehtu direktoram diemžēl bija radusies nesaprašanās fakultatīvo nodarbību dēļ — arī viņš negriezās pie Cbindena pēc padoma. Par laimi, dzīvs vēl bija Mūzikas maģistrs. Viņam Knehts lūdza palīdzību un padomu, un viedais sirmgalvis, visai nopietni attiecies pret šo lūgumu, kā vēl varēsim pārliecināties, ar meistara roku vadīja spēli. Pateicoties šim cilvēku pazinējam, lielākais kārdinājums jaunā Knehta mūžā, briesmas, kas viņam draudēja, kļuva par pagodinošu uzdevumu, un jauneklis, izrādījās, bija šā uzdevuma cienīgs. Jozefa un Plīnio draudzības un ienaida iekšējā norise, šī kompozīcija par divām tēmām vai divu prātu dialektiskā rotāja, veidojās aptuveni šādi.

Deziņori, protams, bija tas, kurš pirmais dūrās acīs savam nākamajam pretspēlētājam un radīja interesi par sevi. Viņš bija ne tikai vecāks, ne tikai izskatīgs, dedzīgs un daiļrunīgs jauneklis, galvenais, viņš nāca no "turienes", no ārpasaules, bija nekastālietis, cilvēks, kam ir tēvs un māte, tēvoči, tēvamāsas un mātesmāsas, brāļi un māsas, viens no tiem, kam Kastālija ar visiem tās likumiem, tradīcijām un ideāliem ir tikai etaps, ceļa posms, īslaicīga mājvieta. Šim baltajam zvirbulim Kastālija nebūt nešķita pasaule, viņa acīs Valdcella bija tāda pati skola kā citas, atgriezties "pasaulē" viņam nebija kauns un negods, viņu gaidīja ne jau iestāšanās Ordenī, bet karjera, laulība, politika, vārdu sakot, tā "reālā dzīve", par kuru ikviens kastālietis slepenībā alka uzzināt ko vairāk, jo kastāliešu izpratnē "pasaule" bija tas pats, kas tā reiz šķita grēku nožēlniekam mūkam, — kas nepilnvērtīgs un aizliegts, toties jo noslēpumaināks, pavedinošāks, valdzinošāks. Un Plīnio nudien neslēpa savu piederību "pasaulei", viņš nekaunējās atzīties, ka pieder tai, viņš lepojās ar to. Vēl daļēji puieciskā un tēlotā, daļēji jau apzinātā, par programmatisku uzskatītā dedzībā viņš uzsvēra savu atšķirību un izmantoja jebkuru izdevību, lai savus "pasaulīgos" spriedumus un kritērijus pretstatītu Kastālijā valdošajiem, iztēlojot tos par labākiem, pareizākiem, dabiskākiem, cilvēciskākiem. Šai sakarā viņš bieži atsaucās uz "dabu" un cilvēka "veselo saprātu", konfrontēja pēdējo ar kroplo, dzīves īstenībai svešo "skolas garu" un neskopojās ar saukļiem un skaļām frāzēm, taču gudrības un gaumes pašam pietika, lai neaprobežotos ar rupjām provokācijām un puslīdz ievērotu Valdcella ierastos disputa noteikumus. Viņš tiecās aizstāvēt "pasauli" un nemākslotu dzīvi pret Kastālijas "augstprātīgi sholastisko garīgumu", tomēr centās pierādīt, ka spēj gūt uzvaru ar pretinieka ieročiem; nekādā gadījumā viņš negribēja būt barbars, kas akli izbradā intelektuālās izglītības puķu dobes.

Jau vairākkārt Jozefs Knehts kā kluss, bet uzmanīgs klausītājs aiz citu mugurām bija kavējies skolnieku pulciņā, kam Deziņori klāstīja savus uzskatus. Ziņkāre, izbrīns, bailes pārņēma viņu, dzirdot, ka Plīnio iznīcinoši kritizē visu, kam Kastālija svēti tic, ka tas apšauba, iztēlo par apšaubāmu, padara smieklīgu visu, kam tic arī viņš, Jozefs Knehts. Viņš noprata gan, ka ne jau visi klausītāji pret šīm valodām izturas nopietni, viens otrs acīm redzami klausījās tikai joka pēc — kā mēdz uzklausīt gadatirgu ākstu —, gadījās arī dzirdēt, ka tiek iebilsts, ironizējot par Plīnio uzbrukumiem vai nopietni atvairot tos. Bet allaž ap Plīnio pulcējās biedri, allaž viņš bija uzmanības degpunktā un, vienalga, vai pa rokai gadījās vai negadījās pretinieks, nemitīgi piesaistīja sev citus, bezmaz apbūra tos. Un Jozefam klājās tāpat kā pārējiem, kas lasījās bariņos ap dedzīgo runātāju, ar izbrīnu vai smiekliem uzklausīdami viņa tirādes: par spīti biklumam, pat bailēm, kas pārņēma Jozefu, dzirdot šīs valodas, viņš jutās bīstami savaldzināts, turklāt ne jau tādēļ vien, ka valodas bija saistošas, nē, tās nopietni satrauca viņu. Nebija tā, ka viņš klusībā piekristu pārdrošajam oratoram, tomēr šaubas radās, turklāt pietika apzināties, ka tās radušās vai var rasties, lai ciestu. Sākotnēji šaubas nebija bīstamas, kaut kas aizskāra, darīja nemierīgu, raisot izjūtas, kurās jautās kas vidējs starp spējām alkām un netīru sirdsapziņu.

Bija jānāk brīdim, un tas pienāca, kad Deziņori ievēroja, ka klausītāju vidū ir kāds, kam viņa vārdi nozīmē ko vairāk par rosinošu vai mazliet piedauzīgu izklaidēšanos un iespēju remdēt kāri uz disputiem, — kāds nerunīgs, gaišmatains zēns, pēc izskata glīts un smalks, bet pabikls, un šis zēns tik tiešām nosarka un atbildēja mulsi un aprauti, kad Deziņori viņu laipni uzrunāja. "Acīmredzot puisēns jau ilgi vēro mani," nosprieda Plīnio, grasīdamies aplaimot zēnu ar draudzīgu žestu un tad galīgi iekarot to; viņš uzaicināja Knehtu pēcpusdienā ciemos pie sevis, savā istabā. Bet tik viegli šis biklais un nepieejamais puisēns nebija iekarojams. Sev par pārsteigumu, Plīnio pieredzēja to, ka Jozefs no viņa vairās, nevēlas ielaisties sarunā, noraida arī ielūgumu; tas savukārt iekvēlināja gados vecāko — sākot ar šo dienu, viņš centās iemantot nerunīgā Jozefa simpātijas — sākumā, domājams, tikai aiz patmīlības, bet vēlāk pavisam nopietni, juzdams, ka sastapis īstu pretinieku, varbūt nākamo draugu, varbūt arī ienaidnieku. Aizvien no jauna viņš tuvumā ieraudzīja Jozefu, noprata, ka tas saspringti klausās, un aizvien no jauna zēns aizgāja, līdzko Plīnio dzīrās viņam tuvoties.

Tādai rīcībai bija savi iemesli. Jau sen Jozefs bija atskārtis, ka, sastopoties ar šo hospitantu, viņu gaida kas svarīgs, kas tāds, kurš paplašinās viņa redzesloku, varbūt arī kas skaists, kāda atziņa, kāds atklājums, iespējams, kārdinājums un briesmas, katrā ziņā kas tāds, kura priekšā vajadzēs pastāvēt. Par pirmajām šaubām un kritiskajām noskaņām, kuras izraisīja Plīnio valodas, viņš pastāstīja savam draugam Feromontem, bet Karlo nelikās par tām īpaši zinis, paskaidroja, ka Plīnio ir iedomīgs un vīzdegunīgs tips, ko uzklausīt nav vērts, un tūdaļ no jauna pievērsās saviem mūzikas vingrinājumiem. Nojauta vedināja Jozefu domāt, ka direktors ir tā instance, pie kuras viņam būtu jāgriežas ar savām šaubām un savu nemieru, bet pēc jau pieminētās sarunas abu attiecības vairs nebija atklātas un sirsnīgas: Jozefs baidījās, ka direktors viņu nesapratīs, baiļojās pat, ka atklātā sarunā par dumpīgo Plīnio direktors vēl saskatīs sava veida denunciāciju. Šajā tik netīkamajā situācijā, ko Plīnio draudzības piedāvājumi darīja arvien neērtāku, Jozefs griezās pēc padoma pie sava labā gara un labvēļa — Mūzikas maģistra un aizsūtīja tam visai garu vēstuli, kas saglabājusies līdz mūsu dienām. Sājā vēstulē viņš starp citu raksta: "Man vēl nav skaidrs, vai Plīnio cer manī iegūt viendomnieku vai tikai sarunu biedru. Ceru, ka sarunu biedru, jo mēģinājums pievērst mani saviem uzskatiem nozīmētu cenšanos padarīt mani par nodevēju un izpostīt manu dzīvi, kas nesaraujami saistīta ar Kastāliju; aiz tās robežām man nav ne draugu, ne vecāku, pie kuriem es varētu atgriezties, ja tāda vēlēšanās man tiešām reiz rastos. Bet arī tad, ja Plīnio izaicinošo valodu mērķis nemaz nav mani iespaidot un pievērst savai pārliecībai, tas tomēr mulsina mani. Būšu ar Jums, godātais Maģistr, pavisam atklāts: Plīnio uzskatos sastopos ar ko tādu, ko nevaru noraidīt ar vienkāršu "nē"; viņš apelē pie kādas balss manī, kura brīžam visai sliecas piekrist viņam. Jādomā, tā ir dabas balss, un šī balss ir krasā pretrunā ar manu audzināšanu un mums ierastajiem uzskatiem. Kad Plīnio mūsu skolotājus un Maģistrus dēvē par priesteru kastu, bet mūs, skolniekus, par pavadā ejošu kastrētu aunu baru, tad tas, protams, ir rupjš pārspīlējums, tomēr šajos vārdos varbūt slēpjas kas patiess, citādi taču tie tik ļoti nesatrauktu mani. Plīnio spēj pateikt gaužām pārsteidzošas lietas, kas atņem paļāvību. Stikla pērlīšu spēle, piemēram, esot feļetonisma laikmeta recidīvs, tukša, bezatbildīga rotaļa ar zīmēm, līdz kurām mēs esot vienkāršojuši dažādu mākslas un zinātnes nozaru valodu; tā sastāvot tikai no asociācijām, tā esot tikai rotaļāšanās ar analoģijām. Cits piemērs: visas mūsu garīgās izglītības un nostājas nevērtību pierādot mūsu rezignētā neauglība. Jūs, viņš, piemēram, saka, analizējat visu mūzikas ēru stilus. likumus un tehniku, bet paši jaunu mūziku neradāt. Jūs lasāt un komentējat Pindaru vai Gēti, viņš saka, bet paši dzejot kaunaties. Tie ir pārmetumi, kurus pasmejoties nevaru noraidīt. Un šie vēl nav paši smagākie, nav tie, kas mani ievaino vissāpīgāk. Skumji, ja viņš, piemēram, apgalvo, ka mēs, kastālieši, dzīvojot it kā mākslīgi izaudzēti dziedātājputni, nepelnīdami paši sev iztiku, nepazīdami cīņu par eksistenci un dzīves postu, neko nezinādami un nevēlēdamies zināt par to cilvēces daļu, kuras darbs un nabadzība esot mūsu ērtās dzīves pamats." Vēstule beidzas ar vārdiem: *"Reverendlissime*[1], varbūt es nelietīgi izmantoju Jūsu laipnību un labvēlību — esmu gatavs uzklausīt bārienu. Rājiet vien mani, uzlieciet man sodu, būšu Jums tikai pateicīgs. Bet padoms man ļoti vajadzīgs. Kādu brīdi vēl spēju to izturēt. Taču panākt patie-su, auglīgu notikumu attīstību es nespēju, tam es esmu pārāk vājš un nepieredzējis un — kas varbūt pats ļaunākais — skolas direktoram nevaru uzticēt savas bēdas, darītu to tikai tad, ja Jūs to man kategoriski liktu. Tādēļ apgrūtinu Jūs, lūgdams padomu jautājumā, kas man rada arvien lielākas grūtības."

Maģistra atbilde uz šo palīgā saucienu, saglabājusies melns uz balta, būtu mums visai vērtīgs ieguvums. Diemžēl atbilde tika dota mutvārdiem. Drīz pēc vēstules saņemšanas Mūzikas maģistrs ieradās Valdcellā, lai pieņemtu pārbaudījumus mūzikā, un dienās, ko pavadīja tur, iespējams, parūpējās par savu jauno draugu. Tas mums zināms no paša Knehta vēlāko gadu nostāstiem. Vieglāks viņa uzdevums tādēļ nekļuva. Vispirms Maģistrs jo sīki pārbaudīja Knehta atzīmes, bet it īpaši viņa patstāvīgās studijas, kuras atzina par pārāk vienpusīgām; šai ziņā viņš bija vienis prātis ar Valdcellas skolas direktoru un uzstāja arī, lai Knehts to atzīst sarunā ar direktoru. Viņš deva Knehtam precīzus norādījumus, kā jāizturas pret Deziņori, un neaizbrauca, nepārrunājis arī šo jautājumu ar skolas direktoru Cbindenu. Sekas bija tās, ka sākās ne vien klātesošajiem neaizmirstamā cīņas rotaļa starp Deziņori un Knehtu, bet arī gluži jauns posms Knehta attiecībās ar direktoru. Tām, tāpat kā līdz šim, gan trūka sirsnības un noslēpumainības, kas valdīja attiecībās ar Mūzikas maģistru, taču tās bija noskaidrojušās un agrākā saspīlētība bija zudusi.

Jaunais pienākums, ko uzdeva Knehtam, ilgāku laiku noteica viņa dzīvi. Viņam bija atļauts pieņemt Deziņori draudzības piedāvājumu, patstāvīgi atvairīt drauga ietekmi un uzbrukumus, skolotājiem neiejaucoties un neuzraugot viņa rīcību. Uzdevums, ko viņam izvirzīja Maģistrs, bija šāds: Knehtam jāaizstāv Kastālija pret tās kritizētājiem, bet uzskatu cīņa jāizcīna visaugstākajā līmenī; tas nozīmēja, starp citu, ka viņam intensīvi jāapgūst Kastālijā un Ordenī valdošās kārtības

---

[1] Godājamais *(lat.)*.

73

pamati un aizvien tie jāpatur prātā. Abu draudzīgo pretinieku disputi drīz vien ieguva plašu popularitāti, allaž ap viņiem drūzmējās klausītāji. Agresīvais, ironiskais Deziņori tonis kļuva smalkāks, viņa formulējumi — piesardzīgāki un rūpīgāk pārdomāti, viņa kritika — lietišķāka. Agrāk priekšrocības šajā cīņā bija Deziņori pusē: viņš nāca no "pasaules", pārzināja tās pieredzi, metodes, uzbrukuma ieročus, viņam piemita arī tās nekautrība, mājas sarunās ar pieaugušajiem viņš bija iepazinis itin visu, kas "pasaulei" iebilstams pret Kastāliju. Tagad Knehta replikas spieda viņu atzīt, ka viņš gan it labi pazīst pasauli, vismaz labāk par jebkuru kastālieti, tomēr nebūt nepazīst Provinci un tās garu tikpat labi kā tie, kam šeit ir dzimtene, kam Kastālija ir dzimtā zeme un likteņa noteicēja. Viņš mācījās saprast un pamazām arī atzīt, ka pats šeit ir viesis, nevis savējais un ka ne tikai tur, ārpusē, bet arī šeit, Pedagoģiskajā provincē, pastāv simtiem gadu veca pieredze un sen zināmas patiesības, ka arī šai pusei ir savas tradīcijas, pat sava "iedaba", ko viņš pazīst tikai daļēji un kas ar sava aizstāvja Jozefa Knehta starpniecību prasa, lai to cienītu. Knehts turpretī studiju, meditācijas un pašaudzināšanas ceļā bija spiests aizvien skaidrāk un dziļāk izprast un apzināties to, ko aizstāvēt pats bija uzņēmies, lai veiktu savu apoloģēta pienākumu. Runas mākslā Deziņori bija un palika pārākais, temperamentam un iedzimtajai godkārei talka nāca zināma dzīves pieredze un atjauta, pat sakāves brīdī viņš iedomāja par klausītājiem un nodrošināja sev godpilnu vai vismaz asprātīgu atkāpšanos, kamēr Knehts, piespiests pie sienas, piemēram, varēja pateikt: "Par to man vēl jāpadomā, Plīnio. Pagaidi pāris dienu, es atgādināšu tev mūsu sarunu."

Abu jauniešu savstarpējās attiecības tagad ieguva pienācīgu izpausmi, bet abu disputi to dalībniekiem un klausītājiem tolaik kļuva par neatņemamu Valdcellas skolas dzīves sastāvdaļu, taču Knehtam nedz paša posts, nedz pats konflikts netika atvieglots. Apziņa, ka viņam ļoti uzticas un līdz ar to uzliek lielu atbildību, palīdzēja veikt uzdevumu, un apstāklis, ka viņš to paveica, jūtami neiedragājis sevi, liecina par viņa garīgo spēku un veselību. Bet klusībā viņš ļoti cieta. Draudzība, ko Jozefs juta pret Plīnio, taču attiecās ne tikai uz simpātisko un atjautīgo biedru, izveicīgo un daiļrunīgo cilvēku — ne mazāk tā attiecās uz to svešo pasauli, ko pārstāvēja viņa draugs un pretinieks, uz pasauli, ko viņš apjauta un mācījās pazīt no sava drauga, no tā vārdiem un žestiem, uz tā saucamo "reālo" pasauli, kurā bija mīlošas mātes un bērni, bada cietēji un nabagmājas, avīzes un vēlēšanu cīņas, uz to vienlīdz primitīvo un rafinēto pasauli, kurā Plīnio allaž atgriezās brīvdienās, lai apciemotu vecākus, brāļus un māsas, lai lakstotos ar meitenēm, piedalītos strādnieku sapulcēs vai viesotos aristokrātiskos klubos, Knehtam tikmēr paliekot Kastālijā, dodoties pārgājienos, peldoties kopā par biedriem, studējot Frobergera ričerkarus vai lasot Hēgeli. Jozefs ne mirkli nešaubījās, ka viņa vieta ir Kastālijā, ka viņam jādzīvo kastālieša dzīve — bez ģimenes, bez greznām izpriecām, bez laikrakstiem, bet arī bez nabadzības un posta; starp citu, tas pats Plīnio, kurš tik neatlaidīgi mēdza pārmest skolniekiem tranu eksistenci, ne reizi nebija cietis badu vai pats sev nopelnījis iztiku. Nē, Plīnio pasaule nebūt nebija labāka vai pareizāk iekārtota. Bet tā pastāvēja, tā bija līdzās, tā pastāvējusi vienmēr, kā liecināja pasaules vēsture, un vienmēr bijusi aptuveni tāda pati kā šodien, un daudzas tautas nekādu citu pasauli nav pazinušas, tām ne jausmas nav bijis par elites skolām un Pedagoģisko provinci, par Ordeni, par Maģistriem, par Stikla pērlīšu spēli. Vairums cilvēku visā pasaulē dzīvoja citādu dzīvi nekā kastālieši, dzīvoja vienkāršāku, primitīvāku, bīstamāku, ne tik apsargātu, ne tik labiekārtotu dzīvi. Un šī primitīvā pasaule ikvienam bija iedzimta, tās atbalss jautās pašā sirdī — kaut kas līdzīgs ziņkārei par to, ilgām pēc tās, līdzcietībai pret to. Jozefa pienākums bija pienācīgi novērtēt šo pasauli, ierādīt tai stūrīti paša sirdī, tomēr neieslīgt atpakaļ tajā. Jo līdzās tai, pāri tai pastāvēja otra pasaule, Kastālijas pasaule, gara pasaule, mākslīgi radīta, labāk iekārtota, labāk apsargāta, bet mūždien uzraugāma un no jauna radāma — hierarhijas pasaule. Kalpojot tai, nenodarīt pāri tai otrai, vēl jo vairāk — nenicināt to, turklāt paslepus nevērot to kārām acīm, jūtot nenoteiktas alkas vai ilgas pēc dzimtenes, — tas būtu pareizais ceļš. Jo mazā Kastālija taču kalpo šai lielajai, svešajai pasaulei, gatavo tai skolotājus, izdod grāmatas, izstrādā metodes, rūpējas par gara funkciju un morāles tīrību un it kā skola un patvēruma vieta ver durvis tiem nedaudzajiem, kas par savu aicinājumu atzinuši kalpošanu garam un patiesībai. Kādēļ gan abas pasaules nepastāv viena otrai blakus saskaņā un brālībā, nepastāv viena otrā, kādēļ nav iespējams apvienot un kopt sevī abas?

Reiz Mūzikas maģistrs ieradās Valdcellā brīdī, kad Jozefs, veikdams savu uzdevumu, jutās tik saguris un izmocīts, ka tikai ar milzu piepūli saglabāja garīgo līdzsvaru. Maģistrs noskārta to, padzirdis dažus jaunekļa izteikumus, bet vēl jo skaidrāk to pauda viņa pārpūlētais izskats, šaudīgās acis, mazliet izklaidīgā izturēšanās. Maģistrs uzdeva Jozefam dažus pētījošus jautājumus, bet, sastapies ar nepatiku un nevēlēšanos atbildēt, mitējās taujāt un, ne pa jokam noraizējies, aizveda viņu uz klavieru klasi, teikdams, ka vēlas pastāstīt par jaunu atklājumu mūzikas vēsturē. Viņš palūdza Knehtu atnest klavihordu, noskaņot to un pamazām zem četrām acīm iesaistīja viņu sarunā par sonātes izcelsmi, līdz skolnieks puslīdz aizmirsa savas raizes, aizrāvās un atraisījies pateicīgi klausījās meistara stāstījumu un spēli. Pacietīgi, nežēlodams laiku, Maģistrs nogaidīja, kamēr Jozefs atgūs spēju uztvert teikto, jo sarunas sākumā, viņaprāt, Knehtam tās bija trūcis. Kad tā bija atgūta, Maģistrs, beidzis savu stāstījumu un piedevām atskaņojis Gabriēli sonāti, piecēlās un, lēnām staigādams šurpu turpu mazajā istabā, teica:

— Reiz, pirms daudziem gadiem, šī sonāte mani ļoti nodarbināja. Tas bija vēl manos brīvo studiju gados, iekams tiku iecelts par skolotāju, bet pēc tam par Mūzikas maģistru. Toreiz man radās godkārā ideja no jauniem redzes viedokļiem uzrakstīt sonātes vēsturi, taču tad nāca laiks, kad darbs ne tikai nevirzījās uz priekšu, bet, gluži otrādi, arvien vairāk sāku šaubīties, vai šādiem mūzikas zinātnes un vēstures pētījumiem vispār ir jēga, vai tie tiešām ir kas vairāk par tukšu laika kavēkli dīkdieņiem, par mānīgu, intelektuāli mākslinieciski īstās dzīves surogātu. Vārdu sakot, man bija lemts piedzīvot vienu no tām krīzēm, kuru laikā it visas studijas, jebkuri garīgi centieni, ikviena ideja liekas mums apšaubāma, vērtību zaudējusi un mēs sliecamies apskaust kuru katru arāju, mīlas pārīti, kas klaiņo vakara nokrēslī, putnu, kas dzied koka galotnē, katru siseni, kas sisina zaļā pļavā, jo mums liekas, ka tie dzīvo pilnskanīgu dzīvi, tik dabisku un tik laimīgu, — par viņu dzīves postu un grūtībām, briesmām un ciešanām mums taču nekas nav zināms. Vārdu sakot, es puslīdz biju zaudējis garīgo līdzsvaru, un nekāds jaukais šis stāvoklis vis nebija, tas bija pat diezgan neciešams. Es apsvēru visneparastākās bēgšanas un atbrīvošanās iespējas, es dzīros kļūt par klejojošu muzikantu, kas spēlē dejot kāriem kāziniekiem, un, ja tobrīd kā senā romānā uzrastos svešzemju vervētājs un liktu man priekšā uzvilkt mundieri un jebkuras armijas rindās piedalīties jebkurā karā, es būtu devies viņam līdzi. Kā jau tādos gadījumos mēdz atgadīties, es tiktāl sapinos pretrunās, ka paša spēkiem vairs netiku galā un biju spiests lūgt palīdzību.

Uz mirkli apstājies, Maģistrs klusi iesmējās. Tad viņš turpināja:

— Man, protams, bija padomdevējs mācību darbā, kā noteikts priekšrakstos, un es, bez šaubām, būtu rīkojies saprātīgi un pareizi, lūgdams viņam padomu, — tas pat bija mans pienākums. Bet tā jau tas, Jozef, mēdz būt: tieši tad, kad cilvēkam rodas grūtības, kad viņš nomaldījies no ceļa un palīdzība viņam visvairāk vajadzīga, visdziļāko nepatiku rada doma, ka jāatgriežas uz ierastā ceļa un jālūdz ierastā palīdzība. Mans padomdevējs bija nokritizējis manu ceturkšņa atskaiti, viņš bija izteicis nopietnus iebildumus, bet man bija licies, ka esmu

76

ceļā uz jauniem atklājumiem vai atziņām, un šis nosodījums mani mazliet aizvainoja. Tā sakot, man nepatika griezties pie viņa, zemoties viņa priekšā un atzīt, ka viņam bijusi taisnība. Arī biedriem es nevēlējos uzticēties, bet kaimiņos dzīvoja kāds savādnieks, ko pazinu tikai pēc izskata un nostāstiem, — sanskrita speciālists ar iesauku Jogs. Reiz, kad mans stāvoklis bija kļuvis neciešams, es apciemoju šo cilvēku, par kura nedaudz vienatnīgo un ērmīgo ārieni tikpat bieži biju pasmīnējis, cik bieži biju jutis slēptu apbrīnu. Es ierados viņa cellē un dzīros uzrunāt viņu, bet viņš gremdējās pašapcerē, sēdēdams rituālā indiešu pozā, un šķita nepieejams; klusi smaidīdams, viņš kavējās pavisam citā pasaulē, un man neatlika nekas cits kā gaidīt pie durvīm, līdz viņš atmodīsies no transa. Jāgaida bija ilgi: pagāja stunda, pagāja divas stundas, man uznāca nogurums, es apsēdos uz grīdas un, atslējies pret sienu, turpināju gaidīt. Galu galā redzēju viņu lēni mostamies: viņš viegli pakustināja galvu, pagrozīja plecus, lēnām iztaisnoja sakrustotās kājas un, grasīdamies pietrausties kājās, ieraudzīja mani. "Ko tu vēlies?" viņš jautāja. Es piecēlos un teicu, neapdomādams un īsti neatskārzdams, ko saku: "Runa ir par Andrea Gabriēli sonātēm." Viņš izslējās, nosēdināja mani uz vienīgā krēsla, pats atmetās uz galda malas un pavaicāja: "Gabriēli? Ko šis tev nodarījis ar savām sonātēm?" Es sāku stāstīt, kā man gājis, un izsūdzēju viņam savas bēdas. Viņš izprašņāja mani tik sīki, ka noturēju viņu par tīro pedantu, apprasījās par manām studijām, par Gabriēli un tā sonātēm, viņš vēlējās zināt, cikos es ceļos, cik ilgi lasu, cik muzicēju, cikos ēdu un cikos eju gulēt. Es biju viņam uzticējies, pat uzplijies — man atlika vien pacietīgi atbildēt uz viņa jautājumiem; tie apkaunoja mani, tie aizvien nepielūdzamāk skāra vispēdējos sīkumus, analizēta tika mana garīgā un tikumiskā dzīve pēdējo nedēļu un mēnešu laikā. Pēkšņi viņš, šis Jogs, apklusa, un, kad es vēl aizvien neko nesapratu, viņš, paraustījis plecus, pavaicāja: "Vai tad tu pats neredzi, kur tava kļūda?" Nē, es nespēju to saskatīt. Tad viņš pārsteidzoši precīzi atstāstīja visu, ko nupat bija izdibinājis, sākot ar pirmajām noguruma, netīksmes, garīgas stagnācijas pazīmēm, un pierādīja man, ka tas viss varējis atgadīties tikai cilvēkam, kurš strādājis pārlieku neapdomīgi un brīvi, un ka man pēdējais laiks ar cita palīdzību atgūt kontroli pār sevi un atjaunot savus spēkus. Reiz jau es, tā viņš man aizrādīja, esot atļāvies atteikties no regulārās meditācijas, man tomēr vajadzējis tūdaļ attapties un izlabot nokavēto, līdzko parādījušās pirmās nevēlamās sekas. Un viņam visnotaļ bija taisnība. Es tik tiešām jau sen nebiju meditējis, nerazdams tam laiku, allaž juzdamies pārāk noguris un izklaidīgs vai pārāk aizrautīgi un satraukti nododamies studijām; ar laiku pat neapzinājos vairs, ka grēkoju, un tagad, kad bezmaz biju cietis neveiksmi, kad biju izmisis, kādam citam vajadzēja man atgādināt, ka esmu bijis nolaidīgs. Man vēlāk patiešām bija ļoti jānopūlas, lai uzveiktu savu izlaidību, man bija jāatsāk meditēt, veicot skolnieciskus vingrinājumus, lai pakāpeniski atgūtu spēju koncentrēties un gremdēties sevī.

Maģistrs, pārstājis staigāt pa istabu, ar vieglu nopūtu piemetināja:
— Tā, lūk, man toreiz izgāja, vēl šodien mazliet kaunos par to runāt. Bet tā tas ir, Jozef, — jo vairāk prasām paši no sevis, jo vairāk prasa uzdevums, kas mums izvirzīts, jo nepieciešamāks mums spēks, kuru sniedz meditācija, arvien no jauna samierinot sirdi ar prātu. Un — piemēru tam netrūkst —, jo intensīvāk mūs nodarbina kāds uzdevums, te satraukdams mūs, kāpinādams mūsu spējas, te nogurdinādams un nomākdams mūs, jo drīzāk var atgadīties, ka aizmirstam šo spēka avotu, tāpat kā, aizrāvušies ar garīgu darbu, sliecamies aizmirst, ka jākopj arī miesa. Itin visi patiesie cilvēces dižgari pratuši meditēt vai neapzināti atraduši ceļu uz turieni, kurp ved meditācija. Pārējie, lai cik apdāvināti un stipri tie bijuši, galu galā visi cietuši neveiksmi un sakāvi tādēļ, ka pašu sūtība vai godkārais sapnis tos tik ļoti nodarbinājis, padarījis tik apsēstus, ka tie zaudējuši spēju arvien no jauna atrauties no tobrīd aktuālā, ievērot distanci. Nu, tev taču tas zināms, pietiek pirmo vingrinājumu, lai to iemācītos. Tā ir barga patiesība. Par to pārliecinās tikai tas, kas nomaldījies no ceļa.

Maģistra vārdi tiktāl iespaidoja Jozefu, ka viņš atskārta briesmas, kas draud pašam, un atkal dedzīgi nodevās meditācijas vingrinājumiem. Viņš jutās dziļi saviļņots: Maģistrs pirmo reizi bija atļāvis viņam mazliet ielūkoties savā personiskajā dzīvē, savos jaunības un studiju gados; pirmoreiz viņš saprata, ka viņa pusdievs, Maģistrs, arī reiz bijis jauns un staigājis maldu ceļus. Viņš jutās pateicīgs par uzticību, ko godājamais sirmgalvis ar savu atzīšanos viņam apliecinājis. Cilvēks var maldīties, pagurt, kļūdīties, noziegties pret priekšrakstiem, tomēr, pārvarējis visu, atgriezties uz taisnā ceļa, pat kļūt par Maģistru. Un Jozefs pārvarēja krīzi.

Divos trijos Valdcellas posma gados, kamēr Jozefs draudzējās ar Plīnio, visa skola dzīvoja līdzi šai kaujinieciskajai draudzībai it kā dramatiskai izrādei, kurā katram, sākot ar direktoru un beidzot ar pašu jaunāko skolnieku, bija kaut neliela loma. Divas pretējas pasaules, divus pretējus principus pārstāvēja Knehts un Deziņori, viens guva spēku no otra, ik disputs vērtās par svinīgu un iespaidīgu divkauju, kas nevienu neatstāja vienaldzīgu. Tāpat kā Plīnio katrās brīvdienās, katrā saskarē ar dzimto pusi guva jaunus spēkus, tā arī Jozefs jaunus spēkus smēlās ik apcerē, ik izlasītā grāmatā, ik meditācijas vingrinājumā, ik tikšanās reizē ar Mūzikas maģistru, kļuva arvien piemērotāks Kastālijas pārstāvja un aizstāvja lomai. Reiz, būdams vēl bērns, viņš bija izjutis pirmo aicinājumu. Tagad viņš jutās aicināts otru reizi, un tieši Valdcellā aizvadītie gadi veidoja viņu par īstenu kastālieti. Jau sen viņš bija apguvis Stikla pērlīšu spēles pamatus un tagad brīvdienās pieredzējuša meistara vadībā sāka sacerēt pirmās patstāvīgās partijas. Šeit viņam atklājās viens no dāsnākajiem prieka un iekšējas atraisītības avotiem; kopš tām dienām, kad viņš kopā ar Karlo Feromonti nerimtīgi bija vingrinājies čembalo un klavihorda spēlē, nekas cits nebija atstājis uz viņu tik labvēlīgu iespaidu, tā atsvaidzinājis, spēcinājis un aplaimojis viņu, tā apstiprinājis paša iekšējo satvaru kā pirmie lidojumi Stikla pērlīšu spēles zvaigžņotajās tālēs.

Tieši tajos gados radās Jozefa Knehta jaunības dzejoļi, kas saglabājušies Karlo Feromontes pierakstā; nav izslēgts, ka to bijis vairāk, un jādomā, ka šie dzejoļi, vismaz paši agrākie, kas tapuši vēl pirms Knehta pievēršanās Stikla pērlīšu spēlei, palīdzējuši viņam veikt savu uzdevumu un pārciest garīgās krīzes periodu. Šajos daļēji mākslinieciski pilnvērtīgajos, daļēji acīm redzami pavirši uzmestajos pantos katrs lasītājs vietumis saskatīs tā dziļā satricinājuma, tās garīgās krīzes pēdas, kuru Knehts tolaik pārdzīvoja Plīnio iespaidā. Vienā otrā dzejas rindā ieskanas dziļš nemiers, principiālas šaubas par sevi un savas eksistences jēgu, līdz beidzot dzejolī "Stikla pērlīšu spēle" autoram, šķiet, izdevies bijīgā atdevībā rast izlīdzinājumu. Starp citu, zināmu piekāpšanos Plīnio pasaulei, dumpīgu noskaņu, vērstu pret Kastālijas iekšējiem likumiem, pauž pats fakts, ka viņš šos dzejoļus uzrakstījis un izdevīgā brīdī pat rādījis vienam otram skolasbiedram. Ja jau Kastālijā vispār atteicās radīt mākslas darbus (arī mūzikas jomā, atzīstot vienīgi stilistiski stingri komponētus vingrinājumus), tad jo sevišķi dzejošanu uzskatīja par neiedomājamu, smieklīgu, nosodāmu darbošanos. Par rotaļu, vaļasprieka niciņiem šie dzejoļi tātad nav uzskatāmi; bija jāizjūt dziļa nepieciešamība, lai raisītos dzeja, bija vajadzīga zināma spītīga drosme, lai uzrakstītu šos pantus un atzītu tos par saviem.

Nevar atstāt nepieminētu, ka arī Plīnio Deziņori sava nesamierināmā pretinieka ietekmē jūtami pārmainījās un izauga, turklāt ne tai ziņā vien, ka apguva cienījamākas, godīgākas cīņas metodes. Ritot abu skolas gadiem, abiem draudzīgā cīņā apmainoties domām, Plīnio pārliecinājās, ka pretinieks, nemitīgi attīstīdams savas spējas, veidojas par priekšzīmīgu kastālieti; draugs viņam arvien spilgtāk un redzamāk personificēja pašas provinces garu. Un tāpat kā viņš, Plīnio, savā ziņā bija sakūdījis Jozefu, iepazīstinādams to ar savas pasaules garīgo atmosfēru, arī pats, elpodams Kastālijas gaisu, pakļāvās tā vilinājumam un ietekmei. Pienāca pēdējais mācību gads. Pēc divu stundu disputa par klostera dzīves ideāliem un briesmām, kurš norisa Stikla pērlīšu spēles vecākā kursa klātbūtnē, Plīnio uzaicināja Jozefu doties pastaigā un šīs pastaigas laikā atzinās domās, kuras mēs citējam no kādas Feromontes vēstules: "Es, Jozef, protams, jau sen zinu, ka Tu neesi tas pārliecinātais Stikla pērlīšu spēles adepts, savas Provinces svētais, kura lomu tu tik lieliski tēlo. Mēs abi — katrs savā frontes pusē — cīnāmies pirmajās rindās, un mēs abi itin labi zinām, ka tam, pret ko cīnāmies, ir eksistences tiesības un savas neapstrīdamās priekšrocības. Tu stāvi augstākās gara kultūras pusē, es aizstāvu dabisko dzīvi. Mūsu cīņas gaitā Tu iemanījies saredzēt briesmas, kas apdraud šo dabisko dzīvi, un ņemt tās uz grauda; Tavs uzdevums ir parādīt, kā dabiskā, naivā dzīve, pietrūkstot gara disciplīnai, mūs neizbēgami noved purvā — līdz dzīvnieciskai eksistencei, ja ne vēl zemāk. Man savukārt arvien no jauna jāatgādina, cik pārdroša, bīstama un būtībā neauglīga ir dzīve, kas atzīst vienīgi garu. Labi, lai katrs aizstāv to, kā primātam tic: Tu — garu, es — dabu. Bet dažreiz, lūdzu, neņem ļaunā, man radās iespaids, ka Tu aiz naivitātes patiešām uzskati mani par tādu kā Jūsu Kastālijas ienaidnieku, par cilvēku, kam Jūsu studijas, meditēšana un rotaļas būtībā liekas tīras blēņas, kaut arī viņš šāda vai tāda iemesla dēļ kādu brīdi piedalās tajās. Mīļais draugs, Tu dziļi maldies, ja tiešām tam tici. Atzīšos Tev, ka aušīgi mīlu Jūsu hierarhiju, ka tā nereti iejūsmina un vilina mani kā pati laime. Atzīšos Tev arī, ka pirms dažiem mēnešiem, atrazdamies mājās, sarunā ar tēvu izkaroju sev atļauju palikt Kastālijā un iestāties Ordenī, ja, beidzot skolu, tāds būtu mans lēmums; un es biju laimīgs, kad viņš galu galā man to atļāva. Nē, es neizmantošu šo atļauju — kopš neilga laika tas man skaidrs. Nav jau tā, ka man būtu zudusi vēlēšanās to darīt. Es tikai pārliecinos arvien vairāk: palikt šeit pati acīs būtu bēgšana, iespējams, visnotaļ cienījama, pat cildena, tomēr bēgšana. Es atgriezīšos mājās un kļūšu par pasaulīgās dzīves cilvēku, tiesa gan, par tādu, kurš vienmēr būs pateicīgs Jūsu Kastālijai un arī turpmāk neatmetīs vienu otru Jūsu vingrinājumu un gadu no gada piedalīsies lielajās Svētku spēlēs."

Dziļi saviļņots, Knehts pastāstīja par Plīnio atzīšanos savam draugam Feromontem. Un tas nule citēto vēstuli beidz ar vārdiem: "Man, mūziķim, kas ne vienmēr pareizi novērtēja Plīnio, šī atzīšanās bija kas līdzīgs muzikālam pārdzīvojumam. Pretmeti — pasaule un gars vai Plīnio un Jozefs — divu nesamierināmu principu cīņa manās acīs kļuva par izsmalcinātu koncertu."

Kad Plīnio pēc četriem mācību gadiem pienāca laiks atgriezties dzimtenē, viņš nodeva direktoram tēva vēstuli, kurā tas aicināja Knehtu pavadīt brīvdienas viņa mājā. Tas bija ārkārtējs gadījums. Atvaļinājumus ceļojumiem un apciemojumiem ārpus Pedagoģiskās provinces robežām gan mēdza piešķirt — galvenokārt studiju nolūkos, turklāt itin bieži, taču tikai izņēmuma kārtā, un šādas atļaujas deva vienīgi vecāko kursu studentiem, pārbaudītiem ļaudīm, ne jau skolniekiem. Kā nekā direktors Cbindens tik ievērojamas dzimtas pārstāvja ielūgumu uzskatīja par pārāk svarīgu, lai pats uz savu roku to noraidītu; viņš iesniedza lūgumu Audzināšanas kolēģijas komisijai, kas to visai drīz lakoniski noraidīja.

Abiem draugiem pienāca laiks atvadīties.

— Pēc kāda brīža pamēģināsim atkārtot ielūgumu, —, teica Plīnio, — gan jau ar laiku atļauju saņemsim. Tev jāredz mana tēva mājas, jāiepazīstas ar manējiem, jāpārliecinās savām acīm, ka arī mēs esam cilvēki, nevis šādi tādi dīkdieņi vai šauri praktiķi. Es ļoti skumšu pēc tevis. Bet tu, Jozef, skaties, ka labi drīz tiec uz augšu šajā tik komplicētajā Kastālijā; tu nudien esi piemērots kļūt par hierarhijas locekli, tiesa gan, drīzāk par bonzu, manuprāt, nekā par kalpu, nevērojot uzvārdu. Es pareģoju tev lielu nākotni, kādu dienu tu kļūsi par Maģistru un tiksi dēvēts par gaišību.

Jozefs skumji uzlūkoja viņu.

— Zobojies vien, — viņš teica, cenzdamies neizrādīt atvadu aizkustinājumu. — Es neesmu tik godkārs kā tu, — ja arī reiz kļūšu par augstu amatpersonu, tu jau sen būsi prezidents vai pilsētas galva, augstskolas profesors vai federālais padomnieks. Paturi mūs labā atmiņā, Plīnio, un Kastāliju arī, neatsvešinies no mums pavisam. Arī pie jums, pasaulē, taču jābūt ļaudīm, kas par Kastāliju zina ko vairāk nekā anekdotes, kuras tur par mums stāstot.

Viņi spieda viens otram roku, un Plīnio aizbrauca. Jozefam pēdējais gads Valdcellā pagāja ļoti klusu, nogurdinošais uzdevums atklātības priekšā it kā pārstāvēt sabiedrību pēkšņi bija galā; Kastālijai aizstāvis vairs nebija vajadzīgs. Brīvo laiku viņš tagad pirmām kārtām veltīja Stikla pērlīšu spēlei, kas valdzināja viņu arvien vairāk. Pieraksti par Spēles teoriju un nozīmi kādā tā laika piezīmju burtnīcā sākas ar teikumu: "Visa dzīve — kā fiziskā, tā garīgā — ir dinamisks fenomens; Stikla pērlīšu spēle būtībā atspoguļo tikai tā estētisko pusi, turklāt galvenām kārtām ritmisku procesu veidā."

STUDIJU GADI

Jozefam Knehtam tagad bija apmēram divdesmit četri gadi. Ar izlaidumu beidzās viņa Valdcellas skolas gadi un sākās patstāvīgu studiju posms; ja neskaita bezrūpīgās bērnu dienas Ešholcā, tas, liekas, bijis gaišākais un laimīgākais viņa mūžā. Tik tiešām, aizkustinoši, brīnumaini skaists ir meklējumu laiks, kad jaunietis, beidzot atbrīvojies no skolas žņaugiem, traucas pretī bezgala plašajiem gara apvāršņiem, līksmi cenzdamies atklāt un iekarot visu, vēl nezaudējis nevienu ilūziju, vēl nešaubīdamies nedz par paša spējām neierobežoti ziedot sevi, nedz par gara pasaules bezgalību. Tieši tādiem talantiem, kāds bija Jozefs Knehts, kurus īpašas spējas nemudina jau agri pievērsties kādai speciālai nozarei, bet kuri atbilstoši pašu iekšējam satvaram tiecas pēc veselā, pēc sintēzes un universalitātes, brīvo studiju gadu pavasaris nereti ir lielas, pat skurbas laimes laiks; bez elites skolā apgūtās disciplīnas, bez meditācijas vingrinājumu garīgās higiēnas un Audzināšanas kolēģijas neuzmācīgās kontroles tāda brīvība šiem talantiem būtu visai bīstama un daudziem kļūtu tikpat liktenīga kā neskaitāmiem izcili apdāvinātiem cilvēkiem pirms mūsu iekārtas nodibināšanās — nekastāliskajos gadsimtos. Veco laiku augstskolas atsevišķos periodos mudžējušas no faustiska tipa cilvēkiem, kas pilnās burās traukušies zinātņu un akadēmisko brīvību jūras plašumos, neizbēgami ciezdami visas neapvaldītam diletantismam raksturīgās avārijas; pats Fausts taču ir ģeniāla diletanta un tam piemītošā traģisma prototips. Kastālijā toties studenta garīgā brīvība ir nesalīdzināmi lielāka nekā jebkurā agrāko laikmetu augstākajā mācību iestādē, daudzkārt plašākas ir pētnieciskā darba iespējas, turklāt Kastālijā studējošo neietekmē un neiegrožo nekādi materiāli apsvērumi, nedz arī godkāre, bažas par nākotni, vecāku nabadzība, studējošā peļņas un karjeras izredzes. Pedagoģiskās provinces akadēmijās, semināros, bibliotēkās, arhīvos un laboratorijās visiem studējošiem ir vienādas tiesības un nākotnes izredzes neatkarīgi no viņu izcelsmes; cilvēka stāvokli hierarhijas celtnē nosaka vienīgi viņa intelektuālās spējas un rakstura dotumi. Tās brīvības, vilinājumi un briesmas, kas daudzus apdāvinātus jauniešus sagaida pasaulīgajās augstskolās gan materiālā, gan garīgā ziņā, Kastālijā turpretī lielākoties nepastāv; protams, arī šeit netrūkst briesmu, apsēstības un apmātības — kur gan tas viss neapdraud cilvēces eksistenci? — tomēr kastāliešu studentam aiztaupīta ne viena vien iespēja pievilties, paklīst, iet bojā. Viņš, piemēram, nevar nodoties dzeršanai, nevar izšķērdēt jaunības gadus, maksājot meslus zināmu agrāko paaudžu studentu dižmanīgajām vai sazvērnieciskajām paražām, nevar pēkšņi atklāt, ka diplomu saņēmis aiz pārpratuma, tikai studiju gados atklāt paša skolas izglītībā vairs neaizpildāmus robus; no šādām nebūšanām viņu pasargā Kastālijā valdošā kārtība. Tāpat viņam nedraud pārliecīga aizraušanās ar sievietēm vai sportu. Runājot par sievietēm, jāatgādina, ka kastāliešu studentam sveša tiklab laulības dzīve ar tās vilinājumiem un briesmām, kā arī agrāko laikmetu liekulība, kas viņu piespieda vai nu atturēties no dzimumdzīves, vai pīties ar lielākā vai mazākā mērā pērkamām sievietēm, pat ielasmeitām. Tā kā kastālietim laulības dzīve neeksistē, viņam sveša arī mīlas ētika, kuras mērķis ir laulība. Tā kā kastālietim neeksistē nauda un tikpat kā nav īpašuma, viņam sveša arī pērkamā mīla. Pedagoģiskajā provincē ieviesies paradums, ka pilsoņu meitas apprecas samērā vēlu, tādēļ līdz laulībām students vai zinātnieks viņām liekas īpaši piemērots mīlnieks; tāds neinteresējas par mīļotās izcelsmi un tās vecāku materiālo stāvokli, garīgās spējas viņš vērtē vismaz tikpat augstu kā vitālās, parasti viņam netrūkst iztēles un humora, un, tā kā naudas viņam nav, viņš vairāk nekā citi spiests likt lietā personiskās spējas. Kastāliešu studenta mīļoto nenodarbina jautājums: vai viņš apprecēs mani? Nē, neapprecēs. Tiesa, dažkārt atgadījies arī pretējais; šad tad, lai arī reti, kāds students precību dēļ atgriezies pilsoniskajā dzīvē, tā atteikdamies no Kastālijas un piederības Ordenim. Bet šādu atkritēju skolu un Ordeņa vēsturē bijis tik maz, ka ikviens atkrišanas gadījums uzskatāms gandrīz vai par kuriozitāti.

Brīvība un patstāvība, kas elites skolniekam tiek piešķirta itin visās zināšanu un pētniecības jomās, tik tiešām ir ļoti liela. To ierobežo, ciktāl pats dotību un interešu loks jau sākumā nav pašaurs, tikai studentam uzliktais pienākums iesniegt nodarbību plānu katram mācību semestrim, taču pret tā izpildi Kolēģija izturas visai iecietīgi. Daudzpusīgi apdāvinātam studentam ar plašu interešu loku — tādam, kāds bija arī Knehts, — divi pirmie studiju gadi, ņemot vērā šo lielo brīvību, liekas gaužām vilinoši un līksmi. Taisni tiem studentiem, kam daudz dažādu interešu, Kolēģija dod gandrīz pilnīgu brīvību, ja vien viņi nepalaižas slinkumā; students pēc paša ieskata var ielūkoties jebkurā zināšanu jomā, savienot visdažādākos mācību priekšmetus, aizrauties vienlaikus ar sešām vai astoņām zinātnes nozarēm vai arī no

83

sākta gala pievērsties šaurākam priekšmetu lokam. Ja students ievēro vispārējās morāles un uzvedības normas, kas noteiktas Provincei un Ordenim, no viņa neprasa neko citu kā vien reizi gadā uzrādīt atskaiti par lekciju apmeklējumu, izlasītajām grāmatām un dažādos institūtos veikto darbu. Ciešāk studentu kontrolē un pārbauda tikai vēlāk, kad viņš sāk piedalīties speciālos kursos un semināros, kuriem pieskaitāmi arī Stikla pērlīšu spēles kursi un nodarbības mūzikas augstskolā; šajā mācību posmā katram studentam, tiesa, jākārto oficiālie eksāmeni un jāveic semināru vadītāju uzdotie darbi — tas ir pats par sevi saprotams. Bet neviens nespiež viņu piedalīties šajos kursos; semestriem, gadiem ilgi viņš, ja vēlas, var uzkavēties bibliotēkās un klausīties lekcijas. Šādiem studentiem, kas nesteidzas pievērsties noteiktai zināšanu jomai, tā novilcinādami savu iestāšanos Ordenī, neviens tomēr iecietīgi neliedz doties sirojumos pa visdažādākajām zinātņu un studiju jomām, gluži otrādi, viņus pat atbalsta. Atskaitot morāles normu ievērošanu, no viņiem prasa tikai vienu — katru gadu sacerēt kādu "dzīves stāstu". Šai senajai un nereti izzobotajai tradīcijai mums jāpateicas par trim "dzīves stāstiem", kurus Knehts uzrakstījis studiju laikā. Te tātad nav darīšana ar brīvprātīgu un neoficiālu, pat slepenu un puslīdz aizliegtu literāras darbības paveidu, kā tas, piemēram, ir ar Valdcellā sacerētajiem dzejoļiem, bet gan ar gluži parastu, oficiāli atzītu darbību. Jau Pedagoģiskās provinces agrīnajā periodā bija ieviesies paradums, ka pirmo kursu studentiem, t. i., tiem, kas vēl nav uzņemti Ordenī, laiku pa laikam jāuzraksta īpašs sava veida sacerējums vai stilistisks vingrinājums, proti, tā saucamais "dzīves stāsts" — fiktīva, uz jebkuru gadsimtu attiecināta autobiogrāfija. Studenta pienākums bija iejusties pagājuša laikmeta vidē un kultūrā, tās garīgajā atmosfērā un atbilstoši tam iztēloties sev radniecīgu dzīves gājumu; ņemot vērā laiku un modi, priekšroka tika dota Romas impērijai, septiņpadsmitā gadsimta Francijai vai piecpadsmitā gadsimta Itālijai, Perikla Atēnām vai Mocarta laika Austrijai; filologiem turklāt kļuva par ieradumu rakstīt savas dzīves romānu tās zemes un tā laikmeta valodā un stilā, kur risinājās darbība; saglabājušies virtuozi uzrakstīti dzīves stāsti 1200. gada pāvestu Romas klerikālajā stilā, viduslaiku latīņu valodā, "Simts noveļu"[1] itāliešu valodā, Monteņa franču un Boberfeldes gulbja[2] — Martina Opica

---

[1] "Simts noveles" — *Cento novelle antiche* vai *Novellino*, 13. un 14. gs. mijā nezināma toskāniešu autora sastādīts bībeles nostāstu, senatnes teiku, viduslaiku leģendu krājums, pirmais itāliešu daiļprozas paraugs.

[2] ...Boberfeldes gulbis — Martins Opics no Boberfeldes (1597—1639), vācu dzejnieks un mākslas teorētiķis, antīkās un romāņu dzejas principu ieviesējs vācu literatūrā.

barokālajā vācu valodā. Šajā tik brīvajā un rotaļīgajā daiļrades formā jaušama seno Āzijas tautu reinkarnācijas un metempsihozes ticējumu atbalss; pedagogu un studentu vidū bija izplatīts priekšstats, ka pirms viņu tagadējās eksistences, iespējams, bijušas citas — citā izskatā, citā laikā, citos apstākļos. Tā, protams, nebija ticība šā vārda tiešajā nozīmē, vēl jo mazāk tā bija mācība; runa ir par iztēles vingrinājumiem, fantāzijas rotaļu, mēģinājumiem iedomāties savu "es" citā vidē un citos apstākļos. Tāpat kā daudzos stila analīzei veltītos semināros, nereti arī Stikla pērlīšu spēlē studenti šādā veidā apguva prasmi vērīgi ielūkoties seno laiku kultūrās un valsts formācijās, mācījās uzskatīt sevi par sava veida masku, zudīgu entelehijas iemiesojumu. Tradīcijai sacerēt šādus dzīves stāstus ir sava pievilcība, savas priekšrocības, citādi tā tik ilgi nebūtu pastāvējusi. Starp citu, bija ne mazums studentu, kas ne tikai vairāk vai mazāk ticēja reinkarnācijas idejai, bet arī pašu sacerēto autobiogrāfiju patiesumam. Jo vairums šo iedomāto dzīves gājumu, protams, bija ne vien stila vingrinājumi un vēsturiski ekskursi, bet arī vēlamā iztēlojumi un idealizēti pašportreti: dzīves stāstu autori parasti ietērpa sevi tādās drānās un piešķīra sev tādu raksturu, ar kādu vēlējās spīdēt un kādu izveidot bija viņu ideāls. Arī pedagoģiskā ziņā dzīves stāsti bija veiksmīga iecere, likumīga iespēja gandarīt daiļrades alkas, kas tik raksturīgas jaunatnei. Īsta, nopietna pievēršanās dzejai kopš daudzām paaudzēm tika uzskatīta par nosodāmu, daļēji to aizstāja zinātne, daļēji arī Stikla pērlīšu spēle. Jaunības gadu daiļrades dziņa tomēr nebija izskausta; atļauta darbības sfēra tai pavērās dzīves stāstu sacerēšanā — nereti tie izauga līdz neliela apjoma romānam. Dažam labam autoram tas, iespējams, bija pirmais solis ceļā uz pašizziņu. Bieži gadījās arī — un skolotāji parasti izturējās pret to labvēlīgi, ar izpratni —, ka studenti izmantoja šos dzīves stāstus kritiskiem un dumpīgiem izteikumiem par mūsdienu pasauli un Kastāliju. Bez tam tieši laikā, kad studentiem piešķīra maksimālu brīvību un tie netika rūpīgi kontrolēti, šādi sacerējumi bija ļoti pamācoši un pārsteidzoši skaidri atklāja skolotājiem autoru garīgo un morālo pašsajūtu.

Saglabājušies trīs dzīves stāsti, kurus sacerējis Jozefs Knehts, — mēs nesaīsinātā veidā sniegsim visus trīs, jo uzskatām tos par šīs grāmatas vērtīgāko daļu. Vai Knehts uzrakstījis tikai trīs stāstus, vai daži nav gājuši zudumā — par to var izteikt dažādus minējumus. Noteikti zināms tikai viens: pēc tam kad Knehts iesniedzis trešo, proti, indieša dzīves stāstu, Audzināšanas kolēģijas kanceleja izteikusi vēlējumu, lai viņš varbūtējam nākamajam stāstam izraugoties vēlāku laikmetu, par kuru saglabājies vairāk rakstisku ziņu, un lielāku uzmanību pievēršot vēsturiskajām detaļām. No mutvārdu liecībām un vēstulēm mums zināms, ka Knehts tik tiešām sācis vākt materiālus jaunam dzīves stāstam[1], kura darbība būtu risinājusies astoņpadsmitajā gadsimtā. Viņš gatavojies parādīt tajā sevi švābu teologa lomā, kurš pamet baznīcas amatu, lai pievērstos mūzikai; šis teologs kļūtu par Johana Albrehta Bengela[2] skolnieku, tas būtu Etingera draugs un kādu laiku viesotos Cincendorfa[3] draudzē. Tāpat mums zināms, ka Knehts tolaik lasījis un konspektējis daudzus senus, daļēji šim jautājumam patālus darbus par baznīcas likumiem, par piētismu un Cincendorfu, par liturģijām un tā laika garīgo mūziku. Zināms mums vēl tas, ka Knehtam ļoti simpātisks licies maga un prelāta Etingera[4] tēls un arī pret maģistru Bengelu viņš jutis dziļu cieņu un mīlestību, licis pat izgatavot maģistra attēla fotokopiju un kādu laiku turējis to uz sava rakstāmgalda, tāpat arī centies objektīvi novērtēt Cincendorfu, kura personība viņu vienlīdz saistījusi un atbaidījusi. Galu galā darbs palicis nepabeigts; viņš tomēr juties apmierināts par zināšanām, ko darba gaitā guvis, un atzinis, ka nespēj šo vielu pārkausēt dzīves stāstā tādēļ, ka pārāk aizrāvies ar atsevišķu jautājumu pētīšanu un detaļu vākšanu. Šāds atzinums vēl jo vairāk dod tiesības uzskatīt trīs pabeigtos dzīves stāstus drīzāk par dzejiskas un cildenas personības veikumu un pašatklāsmi nekā par zinātnieka pētījumiem, ar to, mūsuprāt, nebūt nenoniecinot minētos darbus.

Bet bez tās brīvības, ko izjūt skolnieks, kam atļauts pašam izraudzīties studiju virzienu, Knehts iemantoja vēl citu brīvību un atslodzi. Viņš taču nebija bijis tikai audzēknis kā pārējie, nebija bijis pakļauts

---

[1] Knehts tik tiešām sācis vākt materiālus jaunam dzīves stāstam — H. Hese patiešām daļēji uzrakstīja vēl vienu dzīves stāstu (trīsdesmitajos gados), tas atsevišķi izdots pēc rakstnieka nāves (1965). Stāsts vēstī par muzikāli apdāvinātu amatnieka dēlu Knehtu, kurš studē teoloģiju, pakļaujas piētistu teologa J. Bengela iespaidam, bet ilgojas pēc necilas, darbīgas mūziķa dzīves.

[2] Bengels — Johans Albrehts Bengels (1667—1752), švābu teologs piētists, ar savām mistiskajām vēstures dialektikas nojausmām ietekmējis Hāmaņa, Sellinga, Hēģeļa filozofiskās koncepcijas; izcils filologs, kura darbos spožas zinātniskas analīzes elementi dīvaini sajaukti ar fantastiskiem "pasaules gala" paredzējumiem. Viņa uzskatus H. Hese iepazina jau vecāku mājās, kur valdīja piētisma un čiliānisma atmosfēra.

[3] Cincendorfs — Nikolajs Ludvigs Cincendorfs, piētistu teologs, dzejnieks, hernhūtiešu draudžu dibinātājs.

[4] Etingers — Frīdrihs Kristiāns Etingers (1702—1782), teologs, mistiķis, luterāņu baznīcas darbinieks, Svēdenborga draugs; kā filozofs centās rast dabas un gara pasaules sintēzi.

vienīgi bargajai mācību darba disciplīnai, stingrajai skolas dienas kārtībai, skolotāju rūpīgajai uzraudzībai un kontrolei, veicot itin visus elites skolnieka pienākumus. Tā kā viņam bija īpaša attieksme pret Deziņori, viņš bija uzņēmies pienākumu un atbildību, kas prasīja maksimālu prāta un gribas piepūli, gan iedvesmojot, gan smagi nomācot viņu; tā bija vienlīdz aktīva un reprezentatīva loma, tā bija atbildība, kas faktiski pārsniedza jauna cilvēka spēkus, neatbilda viņa vecumam. Tikt galā ar šo uzdevumu palīdzēja tikai izcils gribasspēks un apdāvinātība, turklāt bez lielā atbalsta no tālienes — bez Mūzikas maģistra viņš savu uzdevumu nebūtu veicis. Apmēram divdesmit četrus gadus vecais Jozefs Knehts, beidzoties mācību laikam Valdcellā, mums rādās vecāks par saviem gadiem un nedaudz pārpūlējies, lai gan pārsteidzošā kārtā garīgi nebija cietis. Cik lielu piepūli prasījis šis uzdevums, cik smaga bijusi viņam uzkrautā nasta, kas noveda gandrīz līdz pilnīgam spēku izsīkumam, liecina — lai arī tiešu pierādījumu tam trūkst — tas, kā skolu beigušais pirmajos gados izmantojis sūri izcīnīto un, bez šaubām, nereti kvēli kāroto brīvību. Lai gan pēdējo mācību gadu laikā Knehts bija guvis tik plašu ievērību un zināmā mērā jau piederējis atklātībai, viņš nekavējoties un pavisam pameta sabiedrību — jā gan, pasekojot, kā viņš tolaik dzīvojis, rodas pat iespaids, ka viņš gaužām labprāt būtu kļuvis neredzams: neviena vide, neviena sabiedrība viņam nelikās pietiekami klusa, neviens eksistences veids — pietiekami nošķirts. Uz vairākām garām un dedzīgām Deziņori vēstulēm viņš atsaucās īsi un negribīgi, pēc tam vispār pārstāja atbildēt. Slavenais skolnieks Knehts pazuda un nekur vairs nebija atrodams; tikai Valdcellā viņa slava nepagaisa, gluži otrādi, ar laiku kļuva gandrīz leģendāra.

Minēto iemeslu dēļ Knehts pirmajos studiju gados vairījās uzturēties Valdcellā; tas tad arī bija iemesls, kāpēc viņš uz laiku atlika mācības Stikla pērlīšu spēles vecākajos un augstākajos kursos. Un tomēr — kaut paviršam vērotājam toreiz varēja rasties iespaids, ka Knehts uzkrītoša kārtā atmetis ar roku Stikla pērlīšu spēlei, — mēs zinām, ka viņa šķietami svaidīgo un juceklīgo, katrā ziņā diezgan savdabīgo brīvo studiju gaitu, gluži otrādi, dziļi ietekmēja Spēle, pie kuras viņš vēlāk atgriezās, lai kalpotu tai. Mēs aplūkojam šo jautājumu mazliet plašāk tādēļ, ka tāda rīcība ir viņam visai raksturīga. Savu studiju brīvību Knehts izmantoja gaužām neparasti un nepiekāpīgi, pat pārsteidzoši īpatnēji, jauneklīgi ģeniāli. Mācīdamies Valdcellā, Knehts, tāpat kā citi, bija noklausījies ievadu Stikla pērlīšu spēlē, kā arī atkārtojuma kursu; pēc tam viņš, kaut arī pēdējā mācību gadā draugu vidū jau bija iemantojis laba Spēles pratēja slavu, tā aizrāvās ar visu spēļu spēli, ka, pabeidzis vēl vienus kursus un būdams tikai elites skolnieks, tika ieskaitīts otrās kategorijas spēlētāju grupā, kas jāuzskata par retu pagodinājumu.

Kādam oficiālā atkārtojuma kursa biedram, savam draugam un vēlākajam palīgam Fricam Tegularijam, Knehts dažus gadus vēlāk pastāstīja par kādu atgadījumu, kas ne tikai padarīja viņu par Stikla pērlīšu spēles adeptu, bet dziļi iespaidoja viņa turpmāko studiju ievirzi. Vēstule ir saglabājusies. Tajā Knehts raksta:

"Gribu Tev atsaukt atmiņā kādu to dienu partiju, kad mēs abi, iedalīti vienā grupā, tik cītīgi izstrādājām savu pirmo spēļu atklātnes. Grupas vadītājs mums bija devis dažus ierosinājumus un ieteicis vairākas tēmas; tieši tobrīd mūs nodarbināja āķīgā pāreja no astronomijas, matemātikas un fizikas uz valodniecību un vēsturi, un vadītājs prata mums, nepacietīgiem iesācējiem, virtuozi izlikt lamatas, mūs aizvilināt uz neatļautu abstrakciju un analoģiju slidenā ceļa, viņš "piespēlēja" mums vilinošus etimoloģijas un salīdzinošās valodniecības nieciņus un jutās uzjautrināts, ja viens no mums iekrita izliktajās lamatās. Mēs līdz pagurumam rakstījām sengrieķu pantmēra pēdas, līdz negaidot izrādījās, ka pamats zem kājām zūd, jo atklājās, ka metrisko skandējumu var, pat nepieciešams aizstāt ar akcentēto un tā tālāk, un tā joprojām. Formāli viņš savu uzdevumu veica spoži un visnotaļ korekti, lai arī pati mācīšanas maniere man nelikās tīkama; viņš aprādīja mums kļūdainus gājienus, vilināja mūs izdarīt maldīgus secinājumus, tiesa, ar slavējamo nolūku norādīt tās briesmas, kas mums draud, bet mazdrusciņ arī tādēļ, lai pasmietos par mums, muļķa zēniem, un pašus jūsmīgākos noskaņotu pēc iespējas skeptiski. Bet tieši kādā viņa stundā, noņemdamies ar komplicētu, izāzēšanai domātu eksperimentu, kad nedroši, bailīgi taustoties, centos ieskicēt puslīdz izmantojamu Spēles problēmu, pēkšņi, līdz sirds dziļumiem saviļņots, atskārtu mūsu Spēles nozīmi un dižumu. Mēs tobrīd analizējām kādu valodas vēstures problēmu un it kā tuvplānā skatījām kādas valodas ziedu laiku spožās virsotnes, nostaigādami līdz ar šo valodu dažās minūtēs ceļu, ko tā veikusi gadu simtos, un mani bezgala saviļņoja skatītā iznīcības aina: mūsu acu priekšā šis tik sarežģītais, senais, cienījamais, daudzu paaudžu maiņā pamazām tapušais organisms vispirms aizsniedza pilnību, jau nesdams sevī savas bojāejas iedīgli, un tad visa šī tik saprātīgi izveidotā celtne sāka pagrimt, deģenerēties, saļodzījusies lēnām izira, bet tai pašā brīdī es priecīgi izbiedēts atskārtu, ka apcerētās valodas nāve un bojāeja tomēr nav bijusi galīga, ka tās jaunība, tās ziedu laiki un bojāeja saglabājas mūsu atmiņā, mūsu šīs valodas un tās vēstures zināšanās, ka tā turpina eksistēt tiklab zinātnes simbolos un formulās, kā arī Stikla pērlīšu spēles slepenrakstā, tādēļ kuru katru brīdi var tikt

88

atjaunota. Es pēkšņi sapratu, ka Stikla pērlīšu spēles valodā, vismaz tās garā, itin visam patiešām ir universāla nozīme, ka katrs simbols un katra simbolu kombinācija ved nevis uz kaut ko vienu, uz atsevišķu piemēru, eksperimentu vai pierādījumu, bet gan uz Visuma centru, noslēpumu, dziļāko būtību, uz visu zināšanu pirmpamatu. Katra pāreja no mažora uz minoru sonātē, katra mīta vai kulta pārveidība, katra klasiska formula, katrs mākslinieciski formulējums — man tobrīd pēkšņi atausa gaisma — patiesi meditatīvā skatījumā nav nekas cits kā vien tiešs ceļš uz Visuma noslēpuma būtību, kur starp ieelpu un izelpu, starp debesīm un zemi, starp Iņ un Jan[1] mūžam top svētums. Tiesa, kā klausītājs jau tolaik biju piedalījies vienā otrā teicami komponētā un izpildītā spēlē, ne vienu reizi vien juties īpaši pacilāti, guvis ne vienu vien aplaimojošu atziņu, tomēr vēl arvien sliecos apšaubīt Spēles patieso vērtību un nozīmību. Galu galā garīgu baudījumu spēj sniegt jebkurš veiksmīgi atrisināts matemātikas uzdevums; jebkurš labs skaņdarbs, ko noklausāmies vai, vēl jo labāk, paši izpildām, spēj pacilāt dvēseli, darīt to cildenāku, jebkura izjusta meditācija — nomierināt sirdi, likt tai sisties unisonā ar Visumu. Tieši tādēļ, čukstēja šaubu balss, Stikla pērlīšu spēle varbūt ir tikai formāla māka, izveicība, prasme atjautīgi kombinēt, un tādā gadījumā prātīgāk nodarboties ar tīro matemātiku vai labu mūziku, nevis spēlēt šo spēli. Bet tobrīd es pirmo reizi sadzirdēju pašas Spēles iekšējo balsi, izpratu tās jēgu, šī balss aizsniedza mani, tā ieskanējās manī, un kopš šā brīža es ticu, ka mūsu karaliskā Spēle patiesi ir sava veida *lingua sacra,* svēta, dievišķa valoda. Tu vēl atcerēsies šo mirkli, jo toreiz pats pamanīji, ka es iekšēji pārmainos, ka esmu izdzirdis aicinājumu. Salīdzināt to varu tikai ar neaizmirstamo aicinājumu, kas reiz pārvērta un pacilātu darīja manu sirdi un dzīvi, — tai reizē, kad mani, mazu puisēnu, pārbaudīja un sauca uz Kastāliju Mūzikas maģistrs. Tu to pamanīji, to es tobrīd skaidri jutu, kaut Tu nebildi ne vārda; nerunāsim par to vairs arī šodien. Bet tagad griežos pie Tevis ar lūgumu, un, lai Tev to izskaidrotu, man jāpastāsta kas tāds, ko neviens cits vēl nezina un kas nevienam citam arī turpmāk nav jāzina: manas pašreizējās studijas, proti, nav mirkļa iedoma, tām, gluži pretēji, ir pavisam noteikts mērķis. Tu atcerēsies, vismaz galvenajos vilcienos, mācību partiju, kuru toreiz, mācoties trešajā kursā, sacerējām skolotāja vadībā un kuras laikā es izdzirdu

---

[1] Iņ un Jan — cieši saistīti polaritātes simboli seno ķīniešu rakstos, kalna nogāžu — saules un ēnas puses apzīmējumi. Dabas filozofijā un mitoloģijā — divi principi, kas ietver viens otru: pozitīvais (gaisma, debess, siltums, vīrietība), negatīvais (tumsa, zeme, aukstums, sievietība).

pieminēto balsi un apzinājos savu aicinājumu. Šo mācību partiju — tā sākās ar ritmisku fūgas tēmas analīzi, bet tās centrā bija izteikums, ko piedēvē Konfūcijam, — visu šo partiju no sākuma līdz galam es studēju tagad, t. i., izstrādāju no jauna katru tās frāzi, pārtulkodams to no Spēles valodas oriģinālā — matemātikas, ornamentikas, ķīniešu, grieķu u. c. valodās. Gribu vismaz šo vienu reizi mūžā pa īstam izstudēt un pārbaudīt vienas partijas saturu; ar pirmo daļu jau esmu ticis galā — tam bija nepieciešami divi gadi. Protams, darbs prasīs vēl ne vienu vien gadu. Bet, ja jau mums Kastālijā piešķirta studiju brīvība, gribu to izmantot tieši šādā veidā. Varbūtējie iebildumi man ir zināmi. Vairums mūsu skolotāju teiktu: bija vajadzīgi gadi, lai radītu un pilnveidotu Stikla pērlīšu spēli, līdz tā kļuva par universālu valodu un metodi jebkuru garīgu un mākslinieciskusu nozīmju un jēdzienu izteikšanai un iekļaušanai vienotā sistēmā. Te uzrodies tu un tiecies pārbaudīt, vai tik tā pareiza. Tas prasīs visu mūžu, un tu to nožēlosi. Nav tiesa, mūžu tas neprasīs, ceru arī, ka man to nevajadzēs nožēlot. Es atgriežos pie sava lūguma: tā kā Tu pašlaik strādā Spēles arhīvā, bet es īpašu iemeslu dēļ vēl labu brīdi nevēlos rādīties Valdcellā, lūdzu Tevi reizi pa reizei atbildēt uz dažiem jautājumiem, t. i., vajadzības gadījumā atsūtīt man dažādu tēmu nesaīsinātos oficiālos kodus un apzīmējumus, kas glabājas Arhīvā. Es paļaujos uz Tavu palīdzību, tāpat arī uz to, ka Tu izmantosi manus pakalpojumus, līdzko tas Tev būs vajadzīgs."

Varbūt šeit īstā vieta sniegt vēl kādu citātu no Knehta vēstulēm; arī tajā runa par Stikla pērlīšu spēli, lai gan pati vēstule, kas adresēta Mūzikas maģistram, rakstīta vismaz gadu vai gadus divus vēlāk.

"Es domāju," raksta Knehts savam labvēlim, "ka var būt gluži labs, pat virtuozs Stikla pērlīšu spēles pratējs, var būt pat it prasmīgs Spēles maģistrs, neapjaušot Spēles patieso noslēpumu, tās dziļāko būtību. Nav pat izslēgts, ka tieši tas, kurš apjautis vai izpratis Spēles būtību, kļūdams par Stikla pērlīšu spēles lietpratēju vai vadītāju, nodarītu tai lielāku ļaunumu nekā nezinošais. Jo Spēles iekšējā — ezotēriskā puse, tāpat kā viss ezotēriskais, ietiecas visvienībā, dzīlēs, kur, pastāvēdama pati par sevi, nebeidzamā ieelpas un izelpas mijā valda mūžības dvaša. Spēles būtību līdz galam izpratušais vairs nebūtu spēlētājs šā vārda šaurākā nozīmē, viņš būtu pārkāpis daudzveidības robežu — rast jaunu risinājumu, konstruēt un kombinēt vairs nepriecētu viņu, jo viņš būtu iepazinis pavisam citu prieku un līksmi. Tā kā es, manuprāt, esmu tuvu Spēles būtības izpratnei, būs labāk gan man, gan citiem, ja neizraudzīšos Spēli par savu profesiju, bet pievērsīšos mūzikai."

Mūzikas maģistru, parasti visai kūtru vēstuļu rakstītāju, šī atzīšanās acīmredzot satraukusi; saglabājusies vēstule, kurā tas draudzīgi brīdina Knehtu: "Tas ir labi, ka Tu pat no Spēles vadītāja neprasi, lai viņš būtu "ezotēriķis" Tavā šā vārda izpratnē, jo es ceru, ka Tavos vārdos nav slēptas ironijas. Spēles vadītājs vai skolotājs, kurš galvenām kārtām raizētos, vai tik viņš pietiekami dziļi izpratis Spēles "iekšējo satvaru", būtu nekam nederīgs pedagogs. Atzīšos vaļsirdīgi, es, piemēram, ne reizi mūžā neesmu ieminējies saviem skolniekiem par mūzikas "būtību"; ja tāda pastāv, tā iztikusi bez manis. Toties man allaž licies ļoti svarīgi, lai mani audzēkņi nejauktu astotdaļnotis ar sešpadsmitdaļnotīm. Neatkarīgi no tā, vai kļūsi par skolotāju, zinātnieku vai mūziķi, izturies bijīgi pret "būtību", bet nedomā, ka tā iemācāma. Tīkodami iemācīt "būtību", vēstures filozofi reiz izmaitāja turpat pusi pasaules vēstures, ievadīja feļetonisma laikmetu un kļuva līdzatbildīgi par asins straumēm, kas tika izlietas. Arī tad, ja mans uzdevums būtu iepazīstināt skolniekus ar Homēru vai grieķu traģēdiju autoriem, es nemēģinātu viņiem iestāstīt, ka dzeja ir dievišķā izpausmes veids, bet gan censtos viņiem mācīt dzejas izpratni, liekot rūpīgi iepazīt tās leksiku un metriku. Skolotāja un zinātnieka uzdevums ir pētīt līdzekļus, saglabāt tradīcijas un izkopt metodes, nevis izraisīt un paātrināt tos vārdiem neizsakāmos pārdzīvojumus, kas lemti izredzētajiem, kuri nereti ir arī mocekļi un upuri."

Knehta sarakstē, kas tajos gados, šķiet, nav bijusi plaša vai daļēji gājusi zudumā, nekur, starp citu, vairs nav runas par Stikla pērlīšu spēli, nedz arī par tās "ezotērisku" skaidrojumu; pati plašākā korespondence, kas vislabāk saglabājusies, proti, Feromontem adresētās vēstules, turpat visa veltīta mūzikas problēmām un mūzikas stilu analīzei.

Tādā kārtā tai savdabīgi lauzītajā līnijā, ko veido Knehta studiju gaitas, mēs saskatām vienas vienīgas spēles shēmas precīzu kopiju un gadiem ilgus pūliņus, tātad visai noteiktas ieceres mērķtiecīgu izpausmi. Lai apgūtu vienas spēles shēmas saturu, proti, tās pašas, ko viņi, vingrinādamies reiz skolas gados, bija sacerējuši dažu dienu laikā un ko Spēles valodā varēja izlasīt stundas ceturksnī, Knehts upurēja gadus, lieca muguru auditorijās un lasītavās, pētīja Frobergera un Alesandro Skarlati darbus, fūgas un sonātes uzbūvi, atkārtoja matemātiku, apguva ķīniešu valodu, izstudēja kādu skaņu tēlu sistēmu, kā arī Feistela teoriju par krāsu skalas atbilstību toņkārtām. Rodas jautājums, kālab viņš izvēlējās šo tik grūto, patvarīgo un, galvenais, vientuļo ceļu, reiz viņa mērķis (aiz Kastālijas robežām teiktu: izraudzītā profesija) neapšaubāmi bija Stikla pērlīšu spēle. Ja viņš, neuzņemdamies pirmajā laikā nekādas saistības, būtu iestājies par brīvklausītāju kādā *Vicus lusorum* — Spēles ciemata institūtā Valdcellā, viņam daudz vieglāk būtu izdevies apgūt visus speciālos, ar Spēli saistītos priekšmetus, jebkuru brīdi viņš būtu varējis rast padomu un gūt informāciju kurā katrā jautājumā, turklāt nodoties studijām draugu un domubiedru vidū, nevis nopūlēties vienatnē, it kā brīvprātīgā trimdā. Lai nu kā, viņš gāja savu ceļu. Pēc mūsu domām, viņš vairījās uzturēties Valdcellā ne tikai tādēļ, lai aizmirstu pats un arī citiem liktu aizmirst, kāds uzdevums viņam tur bijis skolas gados, bet arī aiz nevēlēšanās no jauna nokļūt līdzīgā situācijā Spēles adeptu saimē. Jo jau toreiz viņš, domājams, juta, ka pašam lemts vadoņa, augsta pārstāvja liktenis, un darīja visu iespējamo, lai izvairītos no uzspiestā pienākuma. Viņš noģida, cik smaga būs atbildības nasta, jau tagad juzdams atbildību pret Valdcellas skolasbiedriem, kas sajūsminājās par viņu, kaut pats centās ar tiem netikties, un jo sevišķi pret Tegulariju, klusībā noprazdams, ka tas viņa dēļ ar mieru iet caur uguni un ūdeni. Viņš tiecās rast vientulību, nodoties apcerei, bet liktenis virzīja viņu pretī sabiedriskai darbībai. Aptuveni tā mēs iztēlojamies viņa toreizējo stāvokli. Bet bija vēl kāds cits svarīgs iemesls vai dzinulis, kas viņu biedēja, liedzot izraudzīties ierasto zināšanu apguves ceļu kādā Stikla pērlīšu spēles augstskolā, liekot kļūt par savrupi, proti, nepārvaramas izziņas alkas, kuru apslēptais izraisītājs bija kādreizējās šaubas par Stikla pērlīšu spēli. Tiesa, viņš bija pieredzējis un izjutis, ka Spēlei patiešām iespējams piešķirt augstāku un svētu nozīmi, taču vienlaikus pārliecinājies, ka vairums spēlētāju un skolnieku, pat daudzi vadītāji un skolotāji nebūt nav Spēles adepti šai augstajā un svētajā nozīmē un Spēles valodu uzskata ne jau par sava veida *lingua sacra,* bet gan par atjautīgu stenogrāfijas paveidu, ka pati Spēle viņu izpratnē ir interesanta un uzjautrinoša specialitāte, intelektuāls sports vai godkāro sacensība. Kā liecina Mūzikas maģistram rakstītā vēstule, viņš jau atskārta, ka, iespējams, ne vienmēr spēlētāja kvalitāti noteic dziļākās jēgas meklējumi, ka Spēlei nepieciešams savs ezoteriskums, ka tā ir arī tehnika, zinātne, sabiedrisks iestādījums. Vārdu sakot, šaubu un pretrunu netrūka, Spēle bija dzīvības un nāves jautājums, tobrīd tā bija kļuvusi par viņa dzīves galveno problēmu, un viņš nebūt nevēlējās, lai vēlīgi dvēseļu gani viņam atvieglotu cīņu vai laipni pamācīgā tonī liktu noprast, ka tās ir blēņas.

Par objektu saviem pētījumiem viņš tūkstošiem jau spēlētu partiju un miljoniem iespējamo variantu vidū, protams, varētu izvēlēties jebkuru. Saprazdams to, viņš uz labu laimi izraudzījās shēmu, kuru kopā ar skolasbiedriem reiz pats bija uzmetis. Tā bija partija, kuru risinot viņš pirmo reizi apjauta Stikla pērlīšu spēles dziļāko būtību, saprata, ka aicināts kļūt par Spēles adeptu. Tais gados viņš ne mirkli nešķīrās no minētās partijas shēmas, ko tika uzmetis parastajā īsrakstā. Spēles valodas apzīmējumos, kodos, signatūrās un saīsinājumos viņš bija ietvēris astronomiskās matemātikas formulas, senu sonātes uzbūves principu, Konfūcija sentenci u. c. elementus. Lasītājs, kam Stikla pērlīšu spēle, iespējams, sveša, lai iztēlojas šādu shēmu par šaha partijas pierakstu, tikai figūru nozīmes un to savstarpējo attiecību varianti, kā arī iespējas iedarboties citai uz citu domās vairākkārt jāpareizina un katrai figūrai, katrai pozīcijai, katram gājienam jāpiedēvē noteikts simbolisks saturs, kuru izteic tieši šis gājiens, tieši šī pozīcija utt. Savus studiju gadus Knehts veltīja ne tikai tam, lai sīki izpētītu Spēles shēmā iekļautos saturus, principus, sacerējumus un sistēmas, kā arī mācību gaitā iepazītu dažādas kultūras, zinātnes nozares un valodas, dažādus mākslas veidus un gadsimtus, — īpaši svarīgs viņam šķita nevienam skolotājam neizpaustais uzdevums, ko bija sev izvēlējies, proti, pētot minētos objektus, rūpīgi pārbaudīt Stikla pērlīšu spēles sistēmas un izteiksmes iespējas.

Aizsteigdamies priekšā stāstījumam, pavēstīsim šo pētījumu rezultātu: šur tur viņš uzgāja pa robam, pa nepilnībai, bet visumā mūsu Stikla pērlīšu spēle, šķiet, izturēja bargo pārbaudi, — vai gan citādi viņš vēlāk būtu pie tās atgriezies?

Ja mēs rakstītu kultūrvēsturisku apcerējumu, viens otrs atgadījums Knehta studiju gados, viena otra vieta, ko viņš tolaik apmeklējis, pelnītu, lai to notēlo sīkāk. Iespēju robežās viņš priekšroku deva vietām, kur varēja strādāt viens vai kopā ar nedaudziem biedriem, un vairākām tādām vietām viņš piekērās uz mūžu. Bieži viņš uzturējās Monporā — gan viesodamies Mūzikas maģistra mājā, gan piedalīdamies kādā mūzikas vēstures seminārā. Divreiz sastopam viņu Hirslandē, Ordeņa vadības mītnē, "lielā nomoda" — divpadsmit gavēņa un meditāciju dienu dalībnieku vidū. Ar īpašu prieku, pat maigumu Knehts draugu lokā vēlāk pieminēja "Bambuskoku birzi", šo jauko, savrupo mājokli, kur viņš bija studējis "I-czin". Tur viņš ne tikai piedzīvoja un iepazina ko izšķiroši svarīgu, bet, brīnumainas nojautas vai neredzamas rokas vadīts, tikās ar pavisam neredzētu vidi un neparastu cilvēku, proti, ar tā saukto Vecāko Brāli, vientuļā ķīniešu mājokļa un Bambuskoku birzs radītāju un iemītnieku. Mēs uzskatām par nepieciešamu mazliet plašāk atainot šo visai savdabīgo Knehta studiju gadu epizodi.

Ķīniešu valodu un klasisko literatūru Knehts sāka apgūt slavenajā Austrumāzijas institūtā, kas kopš vairākām paaudzēm atradās Sanurbānā, klasiskas filoloģijas mācību pilsētiņā. Tur viņš īsā laikā apguva ķīniešu rakstību, sadraudzējās arī ar vienu otru institūtā nodarbinātu ķīnieti, jau iemācījās no galvas atsevišķus "Si-czin"[1] dziedājumus, taču otrajā mācību gadā sāka interesēties par "I-czin"[2] — "Pārvērtību grāmatu". Atbildot uz viņa neatlaidīgajiem jautājumiem, ķīnieši, tiesa gan, sniedza viņam dažādus paskaidrojumus, tomēr neapņēmās nolasīt attiecīgu ievada kursu, jo šāda speciālista institūtā nebija, un tikai pēc tam, kad Knehts atkārtoti bija lūdzis, lai viņam ieteic skolotāju padziļinātai grāmatas apguvei, kāds pastāstīja par Vecāko Brāli un tā vientuļo dzīvi. Knehts jau bija ievērojis, ka, interesēdamies par šo grāmatu, viņš skar jautājumus, no kuriem institūtā cenšas atkratīties; viņš kļuva piesardzīgāks, vācot informāciju, un tad, mēģinādams iegūt papildu ziņas par noslēpumaino Vecāko Brāli, nomanīja, ka šis vientuļnieks savā ziņā iemantojis cieņu, pat slavu, taču tiek uzskatīts drīzāk par savrupu savādnieku nekā par zinātnieku. Nopratis, ka šajā lietā jāpaļaujas pašam uz sevi, viņš pēc iespējas ātrāk pabeidza aizsāktu semināra darbu un atvadījās no Sanurbānas. Kājām viņš devās uz apvidu, kur noslēpumainais vientuļnieks bija iestādījis savu Bambuskoku birzi, izpelnīdamies gan nelgas, gan vieda meistara slavu. Uzzinājis par viņu Knehts bija aptuveni sekojošo: pirms gadiem divdesmit pieciem šis cilvēks bijis pats apdāvinātākais institūta ķīniešu nodaļas students, šķitis, ka viņa dzīves aicinājums ir studēt ķīniešu valodu un literatūru, visai drīz viņš pārspējis labākos skolotājus — kā eiropiešus, tā ķīniešus — otas raksta tehnikā un prasmē atšifrēt senus manuskriptus, toties netīkami dūrusies acīs viņa cenšanās arī tīri ārēji atdarināt ķīnieti. Tā, piemēram, visus skolotājus no semināra vadītāja līdz Maģistram viņš ietiepīgi nav vis uzrunājis ar "jūs", minot arī titulu, kā darījuši citi studenti, bet gan ar "mans vecākais brāli", līdz pats uz laiku laikiem ticis pie šādas palamas, īpašu uzmanību viņš veltījis "I-czin" orākula spēlei, ko spēlējis meistarīgi, lietodams tradicionālos pelašķu stiebriņus. Bez senajiem komentāriem orākulu grāmatai viņa mīļākā lasāmviela bijusi

---

[1] "Ši-czin" — "Dziesmu krājums" (1100—600 pr. m. ē.), ietver epus, politiski satīrisku dzeju, mīlas liriku, tautasdziesmas.

[2] "I-czin" — "Pārvērtību grāmata" (1. gadu tūkstotis pr. m. ē.), orākula tipa seno ķīniešu prozas piemineklis. Metafizisku minējumu un nākotnes pareģojumu pamats ir pārtrauktu (— —) un nepārtrauktu (——) svītru sakārtojums 64 heksagrammās, katrai heksagrammai atbilst vairāk vai mazāk aizplīvurota satura, brīvi interpretējama vārdiska formula vai aforisms. Diagrammās un to skaidrojumos šveiciešu psihologs K. G. Jungs (1875—1962) tiecās saskatīt tā saucamo arhetipu fiksāciju. Nav grūti pamanīt "I-czin" principa tuvību Heses Stikla pērlīšu spēlei.

Cžuan Czi[1] grāmata. Acīmredzot jau toreiz institūtā valdījis racionālistiskais, visumā pret mītiem vērstais barga konfuciānisma gars, ko šeit bija iepazinis Knehts, jo kādu dienu Vecākais Brālis pametis augstskolu, kur labprāt būtu paturēts par kāda speciāla priekšmeta pasniedzēju, un devies pasaulē, paņemdams līdzi otiņu, tušas trauciņu un divas trīs grāmatas. Viņš uzturējies valsts dienvidos, paciemojies te vienā, te otrā Ordeņa biedru mītnē, pameklējis un atradis piemērotu vietu iecerētajam vientuļnieka mājoklim, rakstveidā un mutvārdiem neatlaidīgi tik ilgi lūdzis pasaulīgās un Ordeņa varas iestādes, līdz saņēmis atļauju apmesties šajā vietā un iestādīt birzi; kopš tā laika viņš dzīvoja idillisku dzīvi seno ķīniešu stilā, apmierināts ar sevi un pasauli, brīžiem apsmiets par savādnieku, brīžiem godāts it kā svētais, un vadīja savas dienas, meditēdams vai pārrakstīdams senus tīstokļus, ja vien nebija aizņemts, kopjot Bambuskoku birzi, kas pasargāja no ziemeļu vēja viņa mazo, rūpīgi izkārtoto ķīniešu dārziņu.

Turp tātad devās Jozefs Knehts, bieži ceļā pūtinādams kājas un jūsmodams par apkārtējo ainavu, kas, pēc tam kad aiz muguras palika kalnu pārejas, dienvidu pusē vērās pretī zilā, smaržīgā dūmakā tīta, ar saules pielijušām vīnogulāju terasēm, brūnām klinšu grēdām, pa kurām lodāja ķirzakas, un majestātiskiem kastaņu puduriem, — spilgts dienvidzemes un augstkalnes dabas mistrojums. Vēlu pēcpusdienā Knehts aizsniedza Bambuskoku birzi un tur ērmota dārza vidū pārsteigts ieraudzīja ķīniešu stilā celtu namiņu: plūzdams no koka renes, čaloja strautiņš un pa sīkiem oļiem izlikto gultni ietecēja izmūrētā baseinā, kura spraugās kuploja dažādi zaļumi un rāmajā, dzidrajā ūdenī peldēja zelta karūsas. Liegi un lēnīgi vējā šūpojās bambuskoku lapu slotas uz smuidrajiem, stiprajiem stumbriem, zālienā vietumis bija izliktas akmens plātnes ar seno klasiķu izteikumiem. Kalsns vīrietis, tērpies pelēcīgi dzeltenās audekla drānās[2], ar acenēm, aiz kurām nogaidoši raudzījās zilas acis, piecēlās no puķu dobes, pār kuru bija nolīcis, un lēnām nāca pretī viesim — viņa izturēšanās nebija nelaipna, drīzāk mazdrusciņ neveikla un bikla, kā jau dažkārt noslēgtam, vientuļam cilvēkam. Viņš it kā vaicājot uzlūkoja Knehtu, nogaidīdams, kas tam

---

[1] Cžuan Czi — senās Ķīnas prātnieks Cžuan Čžou (4.—3. gadu tūkstotis pr. m. ē.), paradoksālists, konfuciānisma pretinieks, centās pierādīt patiesības un šķituma, laba un ļauna dialektisko tāpatību. Cžuan Čžou grāmatā attēlots savādnieks filozofs, kurš zobojas par vispārpieņemtām normām, valsts pretenzijām pret cilvēku. Tieši šis tēls saista Heses uzmanību.

[2] ...kalsns vīrietis, tērpies pelēcīgi dzeltenās audekla drānās — Montaņolā Hese mūža nogalē aizrautīgi kopa savu dārzu. Attēli un laikabiedru izteikumi liecina, ka Vecākā Brāļa tēlā ir ne mazums pašpersiflāžas elementu.

sakāms, un viesis ne bez mulsas pateica ķīniešu valodā vārdus, ko bija sagatavojis apsveikumam:

— Jauns skolnieks uzdrīkstas ierasties vizītē pie Vecākā Brāļa.

— Labi audzināts viesis ir laipni gaidīts, — attrauca Vecākais Brālis, — man allaž prieks tikties ar jaunu kolēģi pie tasītes tējas un aizvadīt brīdi tīkamā sarunā, atradīsies arī vieta, kur pārnakšņot, ja viesis to vēlētos.

Knehts pateicās ar zemu "kotao"[1], saimnieks ieveda viesi namiņā un pacienāja ar tēju, pēc tam izrādīja viņam dārzu, akmens plātnes ar uzrakstiem, baseinu, zelta zivtiņas, pateikdams arī, cik tām gadu. Līdz vakariņu laikam saimnieks un viesis pasēdēja kopā zem vējā šalcošajiem bambuskokiem, apmainījās ar laipnībām, ietērptām klasiķu dzejas rindās un aforismos, aplūkoja ziedus un priecājās par saulrieta atblāzmu, kas dzisa aiz kalnu virsotnēm. Pēc tam abi atgriezās namiņā, Vecākais Brālis lika galdā maizi un augļus, uz mazītiņa pavarda izcepa pa gardai pankūkai sev un viesim un, kad abi bija paēduši, pavaicāja Knehtam, kāds mērķis ir viņa apciemojumam, šoreiz runādams vāciski, un vaicātais vāciski pastāstīja, kā nokļuvis šeit un kādēļ ieradies, proti, lai paliktu tik ilgi, cik Vecākais Brālis atļaus, un kļūtu par viņa mācekli.

— Parunāsim par to rīt, — atbildēja eremīts un ierādīja ciemiņam vietu naktsguļai.

No rīta piecēlies, Knehts apsēdās līdzās baseinam ar zelta zivtiņām, ielūkojās šaurajā, vēsajā gaismas un ēnu, maģiskas krāsu rotaļas pasaulē, kur krēslaini zaļganzila vai tintes krāsas tumsā zvīrojās zeltainie radījumi un šad tad, tieši tobrīd, kad visa pasaule likās noburta, aizmigusi, uz laiku laikiem slīgusi sapņa varā, ar maigi vijīgu kustību, kas vērotājam tomēr lika satrūkties, tumsas un miega valstībā meta kristālspožus, zeltainus zibšņus. Knehts raudzījās lejup, ūdenī, gremdēdamies aizvien dziļāk sevī, drīzāk sapņodams nekā nododamies kontemplācijai, un nemaz nemanīja, ka Vecākais Brālis, viegliem, nedzirdamiem soļiem iznācis no namiņa, apstājas līdzās un ilgi vēro aizsapņojušos viesi. Kad Knehts, nokratījis stingumu, beidzot piecēlās, Vecākais Brālis bija nozudis, taču drīz vien Knehts izdzirda namiņā balsi, kas aicināja dzert teju. Viņi aprauti sasveicinājās, padzēra tēju un klausījās, kā klusajā rīta stundā čalo sīkā avota strūkla, šalkojot mūžības melodiju. Tad eremīts piecēlās, piekopa asimetrisko istabu, brīžam, miegdams acis, uzlūkoja Knehtu un negaidīti vaicāja:

---

[1] Kotao — dziļas godbijības un pazemības apliecinājums senajā Ķīnā: izpildot "kotao", bija jānometas ceļos un trīs reizes ar pieri jāpieskaras grīdai.

— Vai tu esi gatavs apaut kājas un atkal doties ceļā?

Brīdi vilcinājies, Knehts atbildēja:

— Ja vajadzīgs, esmu gatavs.

— Ja tev tomēr būtu lemts īsu brīdi palikt šeit, vai esi gatavs paklausīt un klusēt kā zelta zivtiņa?

Students atkārtoja, ka ir gatavs.

— Labi, — attrauca Vecākais Brālis. — Tādā gadījumā es izlikšu stiebriņus un izvaicāšu orākulu.

Kamēr Knehts, palicis sēžam, tikpat godbijīgi, cik ziņkārīgi vēroja Vecāko Brāli, klusēdams kā zelta zivtiņa, tas no koka trauciņa, kurš atgādināja bultu maku, izņēma sauju irbuļu — sīku pelašķu stiebriņu. Rūpīgi saskaitījis stiebriņus, Vecākais Brālis dažus ievietoja atpakaļ trauciņā, vienu irbulīti nolika sāņus, pārējos sadalīja divos vienlīdz lielos kūlīšos, vienu paturēja kreisajā rokā un ar labās rokas trauslajiem, jutīgajiem pirkstiem no otra izņēma dažus sīciņus stiebriņus, saskaitīja tos, atvirzīja iesānis, līdz atlika tikai nedaudzi stiebriņi, kurus tad iesprieda starp diviem kreisās rokas pirkstiem. Kad pēc šādas rituālas skaitīšanas pirmajā kūlītī palika tikai daži stiebriņi, viņš atkārtoja to pašu procedūru, pārcilādams otru kūlīti. Izskaitītos irbulīšus viņš nolika pie malas, no jauna šķirojot pārcilāja abus kūlīšus, saskaitīja stiebriņus un iesprieda starp diviem pirkstiem nedaudzos atlikušos, darīdams to visu ar tik skopām, žigli izmanīgām kustībām, ka norise atgādināja slepenu, stingriem likumiem pakļautu, tūkstošiem reižu atkārtotu un virtuozi apgūtu izveicības rotaļu. Pēc tam, kad rotaļa bija atkārtota vairākkārt, pāri palika trīs nelieli kūlīši; saskaitījis, cik katrā stiebriņu, viņš fiksēja zīmi un ar smailu otiņu uzrakstīja to uz papīra lapiņas. Tad sarežģītā procedūra sākās no jauna, stiebriņi tika sadalīti divos līdzīgos kūļos, tika skaitīti, nolikti pie malas, iespriesti starp diviem pirkstiem, līdz galu galā atkal pāri palika trīs sīki kūlīši un tika noteikta nākamā zīme. Ritmiskā kustībā, klusi un sausi grabot, irbulīši atsitās cits pret citu, mijās vietām, veidoja kūlīšus, tika pārdalīti, no jauna skaitīti — noteiktā ritmā, spokainā nemaldībā rosījās irbulīši. Beidzoties kārtējai manipulācijai, roka ik reizi pierakstīja kādu zīmi, līdz visbeidzot pozitīvās un negatīvās zīmes bija izvietotas sešās rindās cita virs citas. Tad mags savāca stiebriņus un rūpīgi salika tos atpakaļ traukā; sēdēdams uz zemē noklātā meldru pīteņa, viņš ilgi klusēdams aplūkoja orākula atbildi uz savas papīra lapiņas.

— Šī ir "Mon" zīme, — viņš teica. — Tā nozīmē: jaunības neprāts. Augšā — kalns, apakšā — ūdens, augšā — "In", apakšā — "Kan". Kalna pakājē plūst avots — jaunības simbols. Bet iztulkojums ir šāds:

Jaunības neprātam veicas.
Ne es meklēju jauno nelgu,
Jaunais nelga meklē mani.
Vienu reizi orākuls atbild.
Jautāt vēl ir uzmācība.
Kas uzmācīgs, tam neatbildu.
Svētīga ir neatlaidība.

Aiz satraukuma Knehts aizturēja elpu. Klusumā, kas bija iestājies, viņš nevilšus dziļi nopūtās. Viņš neuzdrošinājās neko jautāt. Bet viņam šķita, ka ir sapratis: jaunais nelga ieradies, tas drīkst palikt. Vēl aizvien tik ilgi vērotās, izsmalcinātās pirkstu un stiebriņu marionešu rotaļas savaldzināts un apburts — tā šķita tik pārsteidzoši jēgpilna, lai gan jēga nebija uzminama, — Knehts juta, ka viņa liktenis izlemts. Orākuls bija atbildējis. Spriedums bija viņam labvēlīgs.

Mēs neaprakstītu šo epizodi tik sīki, ja pats Knehts ar labpatiku nebūtu bieži par to stāstījis saviem draugiem un skolniekiem. Tagad turpinām mūsu lietišķo vēstījumu.

Vairākus mēnešus Knehts uzkavējās Bambuskoku birzī un manipulēt ar pelašķu stiebriņiem ievingrinājās gandrīz tikpat labi kā viņa skolotājs. Diendienā tas pa stundai mācīja viņam, kā jāskaita stiebriņi, iepazīstināja viņu ar orākula valodas gramatiku un simboliku, lika viņam iekalt no galvas sešdesmit četras zīmes, kā arī apgūt zīmju rakstību, lasīja viņam priekšā senu komentāru fragmentus un īpaši veiksmīgās dienās pastāstīja pa kādam Cžuan Czi stāstam. Brīvajā laikā māceklis palīdzēja kopt dārzu, mazgāja otas, saberza tušu, iemanījās vārīt tēju un zupu, lasīt žagarus, sekot laika pārmaiņām un lietot ķīniešu kalendāru. Toties retie mēģinājumi aprautā sarunā skart arī Stikla pērlīšu spēli un mūziku beidzās neveiksmīgi; varēja likties, ka sarunas biedrs ir kurls. Citkārt Vecākais Brālis atkratījās ar iecietīgu smaidu vai arī atbildēja ar kādu citātu, piemēram, teikdams: "Ja mākoņi biezi, lietus nav gaidāms, " — vai arī: "Cildenais ir bez vainas." Bet, kad Knehts no Monporas lika atsūtīt nelielu klavihordu un katru dienu pa stundai muzicēja, saimnieks tomēr iebildumus necēla. Reiz Knehts atzinās savam skolotājam, ka vēlētos tiktāl apgūt "I-czin" sistēmu, lai spētu to iekļaut Stikla pērlīšu spēlē. Vecākais Brālis pasmējās.

— Vēlu veiksmi! — viņš iesaucās. — Pamēģini vien, gan jau redzēsi pats. Iedēstīt šajā pasaulē glītu, mazu bambuskoku birzi — tas mums pa spēkam, bet, vai dārzniekam izdotos ietvert pasauli savā birzī, man tomēr liekas apšaubāmi.

Pietiks ar šo epizodi. Atgādināsim vienīgi, ka dažus gadus vēlāk, būdams visai augstu stāvoša persona Valdcellā, Knehts aicināja turp Vecāko Brāli par kāda speciāla priekšmeta pasniedzēju, bet atbildi nesaņēma.

Vēlāk Knehts teicis par Bambuskoku birzī aizvadītajiem mēnešiem, ka tie bijuši ne vien īpaši laimīgs posms viņa mūžā, bet arī viņa "atmodas" sākums; vārdiņš "atmoda", jāsaka, kopš tā laika nereti sastopams viņa izteikumos līdzīgā, lai arī ne gluži tajā pašā nozīmē, kādu agrāk viņš bija piešķīris vārdiņam "aicinājums". Var pieņemt, ka "atmoda" apzīmējusi ikreizēju sevis un savas vietas apzināšanu kā Kastālijas, tā vispārcilvēcisko attiecību ietvaros; mums tomēr šķiet, ka akcents šajā terminā pakāpeniski aizvien vairāk nosvēries uz pašizziņas pusi, proti, tajā nozīmē, ka Knehts, sākoties "atmodas" procesam, arvien dziļāk apzinājies savu īpašo, ārkārtējo stāvokli un sūtību, bet tradicionālie vispārējās un specifiski kastāliskās hierarhijas jēdzieni un kategorijas viņa acīs kļuvuši relatīvi.

Atvadas no Bambuskoku birzs nebūt nenozīmēja, ka Knehts beidzis savas ķīniešu valodas un kultūras studijas; viņš turpināja tās, it īpaši viņš centās iepazīt seno ķīniešu mūziku. Seno ķīniešu rakstos viņš itin visur sastapās ar mūzikas slavinājumiem — tā tika atzīta par vienu no jebkuras kārtības, morāles, dailes un veselības pirmavotiem, un šī tik plašā un tikumiski cildenā mūzikas nozīmes izpratne viņam jau sen bija tuva, pateicoties Mūzikas maģistram, ko varēja uzskatīt par šādas izpratnes personificējumu. Ne mirkli neizlaizdams no acīm savu studiju galveno mērķi, kas mums jau zināms no citētās vēstules Tegularijam, Knehts enerģiski un vērienīgi pievērsās jebkurai jomai, ja vien juta, ka uzdūries kam būtiskam, t. i., saskatīja tajā iespēju pavirzīties uz priekšu paša aizsāktajā "atmodas" ceļā. Viens no pozitīvajiem guvumiem, mācoties Vecākā Brāļa pajumtē, bija atzinums, ka nav jābaidās atgriezties Valdcellā; katru gadu viņš atkal piedalījās turienes augstākajos kursos un, pats īsti neizprazdams, kā tas noticis, *Vicus lusorum* aprindās jau tika uzskatīts par cilvēku, kas izraisa interesi, pelnījis atzinību un ir uzņemts šaurajā izsmalcinātu Spēles lietpratēju lokā, tajā anonīmajā pārbaudītu spēlētāju grupā, kas nosaka spēles likteņus vai vismaz pašreizējās attīstības virzienu un stilu. Šīs grupas pārstāvjus, kuru vidū, tiesa, nelielā skaitā bija Spēles iestāžu darbinieki, parasti varēja sastapt klusos Spēles arhīva nostūros, kur tie analizēja atsevišķas partijas, cīnījās par vai pret jaunu nozaru iekļaušanu Spēlē, debatējot te piekrita, te pretojās nemitīgajām gaumes maiņām gan formas, gan ārējā pielietojuma, gan sportiskā elementa jautājumos; itin visi šajā lokā iesaistītie bija virtuozi Spēles pratēji, visi jo sīki zināja cits cita spējas un īpatnības, tāpat kā tas mēdz būt ministrijai tuvu darbinieku vai aristokrātiska kluba biedru aprindās, kur tiekas un sapazīstas tie, kas valdīs, kļūs par atbildīgām personām rīt vai aizparīt. Šeit sarunājās izsmalcināti klusinātā tonī; šeit visi bija godkāri, bet slēpa to un izturējās pārspīlēti piesardzīgi un kritiski. Šī *Vicus lusorum* jaunās paaudzes elite daudziem kastāliešiem, kā arī vienam otram pasaules pārstāvim aiz Provinces robežām šķita kastāliskās tradīcijas vispēdējais zieds, noslēgtas gara aristokrātijas krējums, un dažs godkārs jauns cilvēks gadiem ilgi par to vien sapņoja, ka reiz iekļūs šajā vidē. Citiem turpretī šī izlase, kas pretendēja uz visaugstākajiem amatiem Stikla pērlīšu spēles hierarhijā, likās nīstama un nīkulīga — vienīgi vīzdegunīgu dīkdieņu, atjautīgu, gaisīgu ģēniju kliķe bez dzīves īstenības izpratnes, pašpārliecinātu, būtībā parazītisku frantu un karjeristu kopa, kuru profesija un dzīves saturs — tīrās blēņas, neauglīga intelektuāla pašizbauda.

Knehtu neietekmēja ne vienu, ne otru uzskati; viņam bija vienalga, vai studentu valodās tiek izdaudzināts par fenomenāli apdāvinātu vai zobgalīgi dēvēts par iznireli un karjeristu. Svarīgas viņam likās tikai paša studijas, un tās visnotaļ tagad bijā pakļautas Spēles apguvei. Bez studijām svarīgs viņam šķita varbūt viens vienīgs jautājums, proti, vai Spēle tiešām ir pati augstākā Kastālijas gara izpausme un vai vērts tai ziedot mūžu. Jo iedziļināšanās arvien apslēptākos Spēles likumu un iespēju noslēpumos, iepazīšanās ar Spēles arhīva līčloču labirintiem un tās simbolu valodas sarežģīto iekšējo struktūru nebūt nebija pavisam apklusinājusi šaubu balsi; paša garīgās dzīves pieredze liecināja, ka ticība nav šķirama no šaubām, ka tās ir savstarpēji nosacītas parādības, tāpat kā ieelpa un izelpa, un līdz ar panākumiem itin visās Spēles mikrokosma jomās viņš, protams, kļuva arvien redzīgāks, arvien jutīgāks pret visu, kas Spēlē likās apšaubāms. Idille Bambuskoku birzī, iespējams, uz brīdi nomierināja vai maldināja viņu; Vecākā Brāļa piemērs it kā liecināja, ka no šā problēmu loka var kā nekā rast izeju. Var, piemēram, kļūt par ķīnieti, norobežoties no pasaules ar dārza dzīvžogu un dzīvot skaistā, pieticīgā pilnībā. Varbūt var arī kļūt par pitagorieti vai mūku un sholastiķi, bet tā ir bēgšana, kas iespējama un atļauta tikai retajam, — atteikšanās no universālisma, atteikšanās no šodienas un rītdienas kaut kā pilnīga, bet pagājuša vārdā. Tā ir izsmalcināta paveida bēgšana, un Knehts laikus atskārta, ka šis nav viņa ceļš. Bet kāds bija viņa ceļš? Viņš apzinājās, ka bez izcilām dotībām mūzikā un Stikla pērlīšu spēlē viņā mājo kāds apslēpts spēks, kāda iekšēja neatkarība, kāds cildens spīts, kas, tiesa gan, nemaz arī neliedz un neapgrūtina kalpot, toties prasa, lai kalpo visaugstākajam.

Un šis spēks, šī neatkarība, šī spīts bija ne tikai rakstura iezīme, ne tikai iekšup vērsts ietekmīgs faktors — tas iedarbojās arī uz apkārtējiem. Jau skolas gados, it īpaši sāncensības periodā, kad viņa pretinieks bija Plīnio Deziņori, Jozefs Knehts ne vienu reizi vien bija pārliecinājies, ka daudzi vienaudži, un vēl jo vairāk gados jaunākie biedri, ne tikai ieredz viņu, ne tikai cenšas iedraudzēties ar viņu, bet gatavi paklausīt viņam, lūgt padomu, pakļauties viņa ietekmei, un pārliecināties par to arī vēlāk gadījās bieži. Šādai pieredzei piemita kaut kas jauks un tīkams, tā glaimoja godkārei un stiprināja pašapziņu. Taču tai piemita arī kas cits — drūms un baisms, kaut kas aizliegts un neglīts jautās jau pašā tieksmē nolūkoties no augšas uz biedriem, kas aiz vājuma, trūkstot pašapziņai un pašcieņai, alka padoma, vadības, parauga, un vēl jo vairāk slēptajā velmē, kas uzradās laiku pa laikam, vismaz domas padarīt visus par klausīgiem vergiem. Disputu laikā ar Plīnio viņš bija izbaudījis, ar kādu atbildību, piepūli un garīgu slodzi saistīts jebkurš spožs sabiedrisks postenis, zināja arī, cik grūti dažkārt klājies Mūzikas maģistram savā amatā. Valdīt pār cilvēkiem, izcelties citu vidū ir patīkami, pat vilinoši, bet varai piemīt arī savs dēmoniskums, savas briesmas, un pasaules vēsture taču mudž no valdniekiem un vadoņiem, avantūristiem un karavadoņiem, kas — vienīgi ar bezgala retiem izņēmumiem — visi labi sākuši, bet slikti beiguši, — itin visi kaut vai vārdos tiekušies pēc varas, lai darītu labu, bet pēc tam, varas apsēsti un apreibināti, mīlējuši varu pašas varas dēļ. To varu, kas viņam bija dabas dota, vajadzēja padarīt tīru un svētīgu, kalpojot hierarhijai; tas viņam allaž bija licies pats par sevi saprotams. Bet kur, kādā vietā likt lietā savus spēkus, lai tie vislabāk kalpotu un nestu augļus? Spējas valdzināt, vairāk vai mazāk ietekmēt citus, it īpaši gados jaunākus, būtu noderīgas karavīram vai politiķim; šeit Kastālijā, tādas spējas varēja noderēt vienīgi skolotājam un audzinātājam, un tieši šīs profesijas Knehtu sevišķi nevilināja. Ja viss notiktu pēc viņa gribas, viņš priekšroku dotu neatkarīgai zinātnieka vai Stikla pērlīšu spēles meistara eksistencei. Bet arī šādā gadījumā atkal izvirzījās tas pats vecais, mokošais jautājums: vai Spēle tiešām ir augstākā virsotne, vai tā ir gara valstības valdniece? Vai tā, par spīti visam, galu galā tomēr nav tikai rotaļa? Vai tā pelnījusi, ka tai ziedojas bez atlikuma, ka tai kalpo augu mūžu? Šī tik slavenā Spēle pirms daudzām paaudzēm savā pirmsākumā gluži vienkārši aizstāja mākslu, bet tad pamazām — vismaz daudzu acīs — kļuva par sava veida reliģiju, par koncentrēšanās, pacilājošas apceres līdzekļi augstu attīstītiem prātiem. Kā redzams, Knehta dvēselē risinājās sensenā cīņa starp estētisko un ētisko. Ne reizi līdz galam neizteiktais, bet ne reizi arī nenoklusušais jautājums, kurš tik neskaidri un draudīgi ieskanas Valdcellas skolas gadu dzejoļos, vēl aizvien bija tas pats — runa bija ne tikai par Stikla pērlīšu spēli, runa bija par visu Kastāliju.

Tieši tolaik, kad šī problemātika tik ļoti nodarbināja viņu un sapnī viņš bieži diskutēja ar Deziņori, Knehts, šķērsodams vienu no plašajiem Valdcellas Spēles ciemata laukumiem, izdzirda balsi, ko uzreiz nepazina, bet kas tomēr likās labi pazīstama un sauca viņu vārdā. Atskatījies viņš ieraudzīja, ka šurp skriešus dodas jauns gara auguma cilvēks ar bārdiņu. Tas bija Plīnio, un atmiņu un maiguma uzplūdā Jozefs sirsnīgi atņēma sveicienu. Abi norunāja satikties vakarā. Plīnio, kurš jau sen bija beidzis kādu pasaulīgu augstskolu un strādāja par ierēdni, izmantoja īso atvaļinājumu, lai kā brīvklausītājs piedalītos Stikla pērlīšu spēles kursos — līdzīgus kursus viņš jau bija beidzis pirms vairākiem gadiem. Satikušies vakarā, abi draugi sākumā jutās neveikli. Plīnio šeit bija viesis, pret kuru izturējās iecietīgi kā jau pret diletantu no ārienes; viņš, tiesa gan, kursu apguva visai uzcītīgi, taču tas bija brīvklausītājiem un amatieriem domāts kurss; distance bija par lielu; viņš sēdēja līdzās lietpratējam, kas, cenzdamies saudzīgi un pieklājīgi gandarīt drauga interesi par Stikla pērlīšu spēli, tomēr nespēja apslēpt, ka uzskata viņu ne jau par kolēģi, bet par bērnu, kurš izklaidējas, pavirši iepazīdams zinātni, ko otrs apguvis līdz pašiem pamatiem. Knehts centās novirzīt sarunu uz citu pusi, viņš lūdza Plīnio, lai tas pastāsta par savu darbu un dzīvi aiz Kastālijas robežām. Šajā sfērā bērns un atpalikušais bija Knehts: viņš uzdeva naivus jautājumus, un draugs saudzīgi pamācīja viņu. Plīnio bija jurists, tiecās iegūt politiska darbinieka autoritāti, taisījās saderināties ar kādas partijas līdera meitu — viņš runāja valodu, ko Jozefs īsti nesaprata; daudzi vārdi, kurus Plīnio atkārtoti lietoja, Jozefam bija tukša skaņa, tie viņam neko neizteica. Kā nekā tomēr bija noprotams, ka tur, ārpus Kastālijas, Plīnio savā ziņā iemantojis ievērību, ka viņš orientējas savā vidē un viņam ir godkāri mērķi. Taču tās divas pasaules, kas abos jauniešos reiz pirms desmit gadiem ziņkāri un ne bez savstarpējām simpātijām saskārās un tiecās iepazīt viena otru, tagad bija kļuvušas nesavienojamas un svešas — tās šķīra bezdibenis. Tiesa, nebija noliedzams, ka sabiedrības cilvēks un politiķis Plīnio Deziņori saglabājis zināmas simpātijas pret Kastāliju un jau otru reizi savu atvaļinājumu veltī Stikla pērlīšu spēles apguvei; bet, nosprieda Jozefs, liela starpība tomēr galu galā nebūtu, ja viņš, Knehts, kādu dienu ierastos Plīnio valstībā un viesa zinātkārē lūgtu atļauju pabūt pāris tiesas sēdēs, fabrikās vai sociālās apgādes iestādēs. Vīlušies bija abi. Knehtam šķita, ka viņa kādreizējais draugs kļuvis it kā parupjāks, āriškīgāks, Deziņori turpretī seno dienu biedrs likās tāds kā augstprātīgāks aiz ārkārtējas intelektualitātes un ezoteriskuma — īsts tīrā gara pārstāvis, kas iemīlējies pats sevī un savā sporta disciplīnā. Abi tomēr centās pārvarēt plaisu; Deziņori jaunumu netrūka, viņš stāstīja par savām studijām, par eksāmeniem, par ceļojumiem uz Angliju un dienvidiem, par politiskām sanāksmēm, par parlamenta darbu. Reiz viņam paspruka vārdi, kas izklausījās pēc draudiem vai brīdinājuma.

— Tu redzēsi, — viņš teica, — drīz pienāks nemierīgi laiki, varbūt izcelsies karš, un nav izslēgts, ka jūsu kastāliskās eksistences nepieciešamība lieku reizi tiks apšaubīta.

Jozefs neuztvēra to pārāk nopietni, viņš vienīgi pavaicāja:

— Un tu, Plīnio? Vai tu būsi par vai pret Kastāliju?

— Ko nu par mani, — attrauca Plīnio, piespiesti smaidīdams.

— Manas domas neviens neņems vērā. Es, protams, esmu par Kastāliju, par tās netraucētu pastāvēšanu, citādi jau es neatrastos šeit. Tomēr, lai cik pieticīgas materiālā ziņā jūsu prasības, Kastālija maksā valstij gadā itin prāvu summu.

— Jā, — iesmējās Jozefs, — šī summa, kā man gadījies dzirdēt, esot reizes desmit mazāka par to, ko mūsu valsts karu gadsimtā katru gadu izdevusi ieroču un munīcijas iegādei.

Viņi tikās vēl dažas reizes, un, jo tuvāk nāca Plīnio atvadu diena, jo laipnāk viņi centās izturēties viens pret otru. Abi atvieglFoti uzelpoja, kad Plīnio pēc divām vai trim nedēļām aizceļoja.

Stikla pērlīšu spēles maģistrs toreiz bija Tomass fon der Trāve[1], plaši pazīstams, daudz ceļojis un pieredzējis sabiedrības cilvēks — laipni vēlīgs, bezgala pieklājīgs un atsaucīgs pret kuru katru, toties Spēles jautājumos modri piesardzīgs un askētiski stingrs, īsts darbarūķis; par to ne jausmas nebija tiem, kas pazina Maģistru tikai no reprezentablās puses, vērojot viņu, piemēram, svētku ornātā tērptu lielo Spēļu vadītāja lomā vai ārzemju delegāciju pieņemšanās. Runāja, ka viņš esot salts, pat ledaini salts prāta cilvēks, kas pret mākslām izturoties visai atturīgi, un gados jaunu Stikla pērlīšu spēles entuziastu aprindās nereti dzirdēja par viņu negatīvus spriedumus — maldīgus spriedumus, jo, ja viņš arī nebija entuziasts un lielajās publiskajās Spēlēs vairījās risināt lielas un satraucošas tēmas, tad viņa spoži komponētās, formas ziņā nevainojamās partijas lietpratējam tomēr liecina par Spēles dziļāko problēmu labu pazīšanu.

---

[1] Tomass fon der Trāve — stilizēts vācu rakstnieka un Heses drauga Tomasa Manna portrets (T. Manns dzimis Lībekā, Trāves upes krastos).

Kādu dienu Maģistrs lika ataicināt Knehtu; viņš pieņēma viesi savā dzīvoklī, ģērbies mājas tērpā, un apvaicājās, vai Knehtam tuvākajās dienās atrastos brīvs brīdis un būtu patīkami ap šo pašu laiku uz pusstundu apciemot viņu. Knehts vēl ne reizi nebija viens apciemojis Maģistru; izbrīnījies viņš uzklausīja rīkojumu. Todien Maģistrs nolika viņam priekšā biezu manuskriptu, ko bija iesūtījis kāds ērģelnieks, — tas bija viens no tiem neskaitāmajiem priekšlikumiem, kuru izskatīšana ietilpst Spēles augstākās vadības kompetencē. Parasti tie bija lūgumi uzņemt Spēles arhīvā jaunus materiālus: kāds, piemēram, sīki jo sīki izpētījis madrigāla vēsturi, tā stila evolūcijā atklāj līkni, ko izteic mūzikas un matemātikas terminu valodā, lai tā būtu iekļaujama Spēles izteiksmes līdzekļu krājumā. Cits izanalizējis Jūlija Cēzara prozas ritma īpatnības un atklājis pārsteidzošu atbilstību rezultātiem, ko devuši plaši pazīstami Bizantijas baznīcas mūzikas intervālu pētījumi. Vai arī kāds apsēstais jau kuru reizi izgudrojis jaunu Kabalu piecpadsmitā gadsimta nošu rakstam, ir nepieminot uzmācīgās vēstules, ko sūtīja maldu ceļos noklīduši eksperimentētāji, kuri, salīdzinot, piemēram, Gētes un Spinozas horoskopus, pratuši izdarīt vispārsteidzošākos secinājumus, nereti pievienojot sūtījumam gaužām pārliecinošus, glīti izkrāsotus ģeometriskus zīmējumus.

Knehts cītīgi iedziļinājās todien saņemtajā priekšlikumā; ne vienu reizi vien arī viņam bija radušās līdzīga rakstura idejas, lai gan ne prātā nebija nācis piesūtīt tās Maģistram; katrs aktīvs Stikla pērlīšu spēles spēlētājs taču nemitīgi tiecas paplašināt Spēles ietvarus, lai tā spētu atspoguļot visu pasauli, pareizāk sakot, nemitīgi paplašina tos iztēlē un paša sacerētajās partijās, klusībā vēlēdamies, lai tās, kas liekas izdevušās, paplašinātu Spēles sfēru ne tikai paša vajadzībām, bet tiktu oficiāli atzītas. Tā jau tieši ir virtuozu Spēles amatieru meistarības visaugstākā, būtiskā izpausme; ka viņi tik brīvi pārvalda Spēles likumus izteiksmes, definīcijas un formdeves iespējas, lai jebkurā partijā līdz ar objektīviem un vēstures dotumiem ietvertu visnotaļ individuālus, vienreizīgus priekšstatus. Kāds cienījams botāniķis jokodamies formulējis to šādi: "Stikla pērlīšu spēlē visam jābūt iespējamam, arī tam, piemēram, ka augs tērzē ar Linneja kungu latīņu valodā."

Knehts tātad palīdzēja Maģistram izskatīt iesūtīto shēmu; pusstunda pagāja nemanot, nākamajā dienā viņš atnāca tieši norādītajā laikā, un turpmākajās divās nedēļās viņš ieradās katru dienu, lai pusstundu pastrādātu kopā ar Spēles maģistru. Jau pirmajās tikšanās reizēs viņš redzēja, ka Maģistrs liek rūpīgi izanalizēt līdz galam arī mazvērtīgus iesniegumus, kuru nederīgums bija uzreiz saskatāms; viņš pabrīnījās, ka Maģistrs atlicina laiku šādiem niekiem, bet palēnām sāka noprast, ka Maģistram nebūt nav nepieciešams, lai tam izpalīdz un atvieglo darbu: šīs nodarbības, kaut arī lietderīgas pašas par sevi, pirmām kārtām tomēr deva iespēju neuzmācīgā veidā visai rūpīgi pārbaudīt viņu, jauno adeptu. Atkārtojās apmēram tas pats, kas bija noticis zēna gados, uzrodoties Mūzikas maģistram; viņš nomanīja to pēkšņi, vērodams biedru izturēšanos, — tā kļuva pabikla, atturīgāka, reizēm ironiski goddevīga; viņš atskārta, ka gaidāmas pārmaiņas, bet šis atskārtums nedarīja viņu tik laimīgu kā toreiz, zēna gados.

Pēdējās nodarbības beigās Stikla pērlīšu spēles maģistrs savā paaugstajā, nedaudz spalgajā, laipnajā balsī, rūpīgi uzsvērdams katru vārdu, bet bez jebkāda svinīguma teica:

— Labi, rīt vari nenākt, mūsu darbs šobrīd ir galā, tiesa, drīzumā tu man atkal būsi vajadzīgs. Paldies par palīdzēšanu, tā man lieti noderēja. Starp citu, uzskatu, ka tev laiks iesniegt lūgumu par uzņemšanu Ordenī; sarežģījumu nebūs, esmu jau informējis vadību. Cerams, tu neiebilsti?

Piecēlies viņš piemetināja:

— Droši vien arī tu, tāpat kā vairums labu Spēles pratēju savā jaunībā, domājams, dažkārt noturi mūsu Spēli par instrumentu filozofēšanai. Manu vārdu nepietiks, lai tu grozītu savus ieskatus, tomēr teikšu tev sekojošo: filozofējot jāizmanto tikai likumīgi līdzekli, proti, pašas filozofijas ieroči. Mūsu Spēle nav ne filozofija, ne reliģija, tā ir patstāvīga disciplīna, kas pēc sava rakstura sevišķi tuva mākslai, tā ir māksla *sui generis*[1]. Tu tiksi tālāk, ja atzīsi to uzreiz, nevis pēc neskaitāmām neveiksmēm. Filozofs Kants — šodien viņš puslīdz aizmirsts, lai gan bija izcils domātājs, — par teoloģisku prātošanu teicis: tā esot "domas murgu burvju lampa". Mēs nedrīkstam padarīt mūsu Spēli par ko līdzīgu tādai lampai.

Jozefs bija pārsteigts; valdīdams uzbudinājumu, viņš gandrīz palaida gar ausīm pēdējo brīdinājumu. Pēkšņi viņam iešāvās prātā: šie vārdi nozīmē, ka beigusies brīvība, beigušies studiju gadi, pienācis laiks iestāties Ordenī, iekļauties hierarhijā. Viņš pateicās, zemu paklanīdamies, un pa ceļam iegriezās Ordeņa Valdcellas kancelejā, kur tik tiešām ieraudzīja savu vārdu jaunuzņemamo Ordeņa biedru sarakstā. Tāpat kā citi šā mācību gada studenti, viņš jau puslīdz bija iepazinis Ordeņa reglamentu un tūdaļ atcerējās paragrāfu, kurā bija teikts, ka ikvienam Ordeņa biedram, kurš ieņem augstu posteni, ir tiesības izdarīt uzņemšanu. Tādēļ viņš lūdza, lai ceremoniju vadītu Mūzikas maģistrs, saņēma personas apliecību, īsu atvaļinājumu un jau nākamajā dienā

---

[1] Savā ziņā *(lat.)*.

devās pie sava drauga un labvēļa uz Monporu. Godājamais sirmgalvis nejutās īsti vesels, tomēr laipni uzņēma viesi.

— Tu nāc kā saukts, — teica vecais vīrs. — Vēl brīdis, un man vairs nebūtu tiesību uzņemt tevi Ordenī. Es gatavojos atstāt savu posteni, atļauju esmu jau saņēmis.

Pati ceremonija bija vienkārša. Nākamajā dienā Mūzikas maģistrs, rīkodamies pēc statūtiem, uzaicināja divus Ordeņa biedrus par lieciniekiem; pirms tam viņš lika Knehtam veikt meditācijas vingrinājumu par kādu Ordeņa reglamenta paragrāfa tēmu. Tajā bija teikts: "Ja Ordeņa vadība iecel tevi kādā amatā, tad zini: katrs nākamais amats nav vis pakāpiens pretī brīvībai, bet gan jauna atkarība. Jo augstāks amats, jo lielāka atkarība. Jo lielāka amata vara, jo smagāka kalpība. Jo stiprāka personība, jo vairāk nosodāma patvaļa."

Viņi sapulcējās Mūzikas maģistra darbistabā, tajā pašā, kur Knehts pirmoreiz iepazina meditēšanas mākslu; par godu svinīgajam brīdim Maģistrs aicināja jaunuznemamo atskaņot prelūdi kādam Baha korālim, tad viens no liecīniekiem nolasīja saīsinātu Ordeņa reglamentu, un pats Mūzikas maģistrs uzdeva rituāla paredzētos jautājumus, kā arī uzklausīja sava jaunā drauga svinīgo solījumu. Pēc ceremonijas viņš veltīja Jozefam vēl kādu stundu, abi pasēdēja kopā dārzā, un Maģistrs laipni pamācīja jaunekli, kā apgūt Ordeņa noteikumus un izmantot tos dzīvē.

— Tas ir jauki, — viņš teica — ka tu iestājies brīdī, kad es aizeju, un aizpildi tukšo vietu, it kā man būtu dēls, kas turpmāk cīnīsies manā vietā.

Redzēdams skumjas Jozefa sejā, viņš piebilda:

— Nesērojies, lūdzu, arī es neesmu sērīgs. Esmu itin noguris un priecājos par pavaļu, kuru taisos izbaudīt, turklāt ceru, ka arī tu bieži palīdzēsi man īsināt laiku. Kad tiksimies nākamreiz, saki man "tu". Nevarēju to lūgt, kamēr biju amatā.

Viņš atvadījās ar to silto, sirdi valdzinošo smaidu, ko Jozefs pazina jau divdesmit gadu.

Knehts drīz atgriezās Valdcellā — atvaļinājumam bija dotas tikai trīs dienas. Tūlīt pēc atgriešanās viņš tika aicināts apciemot Spēles maģistru, kurš izturējās biedriski laipni un apsveica viņu ar uzņemšanu Ordenī.

— Lai mēs pa īstam kļūtu par darbabiedriem un kolēģiem, — viņš turpināja, — atliek vēl norādīt tev tavu vietu mūsu Ordeņa hierarhijā.

Jozefs satrūkās. Brīvībai tātad pienācis gals.

— Es ceru, — viņš nedroši teica, — ka būšu noderīgs kādā necilā postenī. Man jāatzīstas, ka cerēju vēl kādu laiku veltīt brīvām studijām.

Maģistrs cieši nopētīja viņu ar savām gudrajām acīm, nedaudz ironiski smaidīdams.

— Kādu laiku, tu saki... Cik ilgi tas būtu?

— Nudien, nezinu, — Knehts attrauca, mulsi iesmiedamies.

— Tā jau domāju, — piekrita Maģistrs. — Vēl aizvien tu runā un spried kā students, Jozef Kneht, un tas ir saprotams, bet visai drīz tas tā vairs nebūs, jo tu mums esi vajadzīgs. Tev droši vien zināms, ka arī vēlāk, pat tad, ja tu kļūtu par augstu amatpersonu mūsu Koleģijā, tu saņemsi atvaļinājumus studiju nolūkiem, ja vien spēsi pārliecināt Koleģiju par šādu studiju nepieciešamību; mans priekštecis un skolotājs, būdams jau gados un Stikla pērlīšu spēles maģistrs, piemēram, lūdza, lai viņam piešķir veselu gadu pētnieciskam darbam Londonas arhīvā, un šādu atvaļinājumu viņam neliedza. Bet tas tika dots uz tik un tik mēnešiem, nedēļām, dienām, nevis uz "kādu laiku". Ar to tev turpmāk jārēķinās. Un tagad man jāizsaka tev priekšlikums; speciāla uzdevuma veikšanai mums vajadzīgs ar atbildības sajūtu apveltīts cilvēks, kas ārpus mūsu aprindām vēl nav pazīstams.

Uzdevums bija šāds: Mariafelzas benediktiešu klosteris, viens no senākajiem izglītības centriem valstī, kurš uzturēja draudzīgas attiecības ar Kastāliju un kopš vairākiem gadu desmitiem atbalstīja arī Stikla pērlīšu spēli, bija lūdzis atsūtīt uz laiku jaunu skolotāju, kura pienākums būtu vadīt kursus iesācējiem, kā arī sniegt konsultācijas tiem nedaudzajiem mūkiem, kam netrūka priekšzināšanu, un šim uzdevumam Ordeņa vadība bija izraudzījusi Jozefu Knehtu. Tādēļ Maģistrs bija tik rūpīgi viņu pārbaudījis, tādēļ pasteidzinājis viņa uzņemšanu Ordenī.

DIVI ORDEŅI

Dažā ziņā Jozefam Knehtam atkal klājās tāpat kā reiz ģimnāzijā pēc Mūzikas maģistra vizītes. Viņam pašam diezin vai būtu ienācis prātā, ka norīkojums uz Mariafelzu ir īpašs pagodinājums un veiksmīgs pirmais solis, sākot kāpienu augšup pa hierarhijas kāpnēm; bet, kļuvis redzīgāks, nekā bija toreiz, nomanīja to skaidri no komilitoņu izturēšanās un mākslotās uzvedības. Tiesa gan, viņš jau ilgāku laiku bija piederīgs Stikla pērlīšu spēles adeptu izlases šaurajam izredzēto lokam, taču šis tik neparastais uzdevums tagad lika visiem noprast, ka vadība pievērš viņam īpašu uzmanību un nolēmusi izmantot viņa pakalpojumus. Nevarētu teikt, ka nesenie biedri un līdzcensoņi novērstos vai kļūtu nelaipni — tādai rīcībai šā aristokrātiskā loka pārstāvji bija par smalkiem, toties jautās zināms atsalums; nesenais biedrs parīt varēja kļūt par priekšnieku, un uz šādām niansēm un diferencēm pašu attiecībās minētais loks atsaucās visai jutīgi, rodot tam arī piemērotu izpausmi.

Izņēmums bija Frics Tegularijs, ko līdzās Feromontem mums laikam gan pamats atzīt par Knehta labāko draugu. Šis spēju ziņā visaugstākajiem posteņiem piemērotais cilvēks, kuru smagi nomāca veselības, garīga līdzsvara un pašpaļāvības trūkums, bija vienos gados ar Knehtu — laikā, kad Knehtu uzņēma Ordenī, viņam tātad bija trīsdesmit četri gadi. Pirmo reizi viņi satikās pirms gadiem desmit kādos Stikla pērlīšu spēles kursos, un jau toreiz Knehts bija jutis, ka bezgala valdzina šo kluso un mazliet melanholisko jaunekli. Tā kā Knehts bija labs cilvēku pazinējs — šī īpašība, lai arī neapzināti, viņam piemita jau tolaik —, viņš atskārta drauga piekērības rakstu; tā bija draudzība, kas spējīga uz bezierunu pakļāvību, pielūgsme, kurā jautās bezmaz reliģioza rakstura dedzīga jūsma, bet kuru iegrožoja iekšējs cildenums un aptumšoja garīgas traģēdijas nojauta. Toreiz, tikko pārcietis ar Deziņori saistīto satricinājumu, kļuvis slimīgi jutīgs, pat aizdomīgs, Knehts attiecībās ar Tegulariju stingri ievēroja distanci, lai gan pats simpatizēja tik interesantajam un neikdienišķajam biedram. Lai raksturotu šo attieksmi, citējam lappusi no Knehta slepenajiem darba pierakstiem, kurus viņš dažus gadus vēlāk izdarījis Augstākās kolēģijas uzdevumā. Tajos teikts:

"Tegularijs. Referenta personisks draugs. Mācību laikā Keiper-heimā vairākkārt apbalvots, labas zināšanas klasiskajā filoloģijā, liela interese par filozofiju, studējis Leibnicu, Bolcano[1], vēlāk Platonu. Pats apdāvinātākais, pats spožākais Stikla pērlīšu spēles virtuozs, kādu vien zinu. Būtu kā radīts Spēles maģistra amatam, ja vājā veselība nelabvēlīgi neiespaidotu raksturu. T. nekādā gadījumā nav izvirzāms vadošā, pārstāvnieciskā vai organizatoriskā postenī, tas nestu postu kā viņam, tā arī darbam. Viņa vājums rod izpausmi depresijas lēkmēs, periodiskā bezmiegā, neirozēs — garīgā ziņā nereti melanholijā, spējās vientulības ilgās, bailēs no pienākuma un atbildības, varbūt arī domās par pašnāvību. Ar meditācijām un stingru pašdisciplīnu smagi slimais turas tik varonīgi, ka vairums apkārtējo pat nenojauš, cik nopietna viņa slimība, un ievēro vienīgi viņa ārkārtīgo biklumu un noslēgtību. Lai arī T. nav piemērots vadošiem posteņiem, Spēlētāju ciematam viņš ir īsts ieguvums, gluži neatvietojams dārgums. Spēles tehniku viņš pārzina tāpat, kā izcils mūziķis pārvalda savu instrumentu, nešaubīgi viņš noteiks pašu smalkāko niansi un arī kā pedagogs nav peļams. Nespēju iedomāties, kā mēs iztiktu bez viņa vecākajos un augstākajos atkārtojuma kursos, — jaunākajos būtu žēl izmantot viņu; tas, kā viņš analizē iesācēju mācību partijas, neatņemdams tiem drosmi, kā viņš atklāj katru izlocīšanos, nekļūdīgi saskata un skaidri norāda jebkuru tīri atdarinošu vai dekoratīvu risinājumu, kā viņš labi nopamatotā, bet vēl nedroši un juceklīgi komponētā partijā atrod kļūdu cēloņus un demonstrē tos it kā nevainojamus anatomiskus preparātus, — tas viss ir kas gluži ārkārtējs. Tieši šis nemaldīgi asais skatiens, analizējot un labojot citu partijas, pirmām kārtām nodrošina T. skolnieku un darbabiedru cieņu, ko citādi visai problemātisku darītu pša nedrošā un neizlīdzinātā, pabailīgi biklā izturēšanās. Savus vārdus par T. ģenialitāti Stikla pērlīšu spēlē es gribētu ilustrēt ar piemēru. Mūsu draudzības sākumā, kad tehnikas apguves ziņā kursi mums abiem neko daudz vairs nespēja dot, viņš reiz sevišķas atklātības brīdī atļāva man ielūkoties dažās partijās, ko toreiz bija komponējis. No pirmā acu uzmetiena pārliecinājos, ka tās spoži iecerētas, novatoriskas un oriģinālas stila ziņā, un tūdaļ izlūdzos partiju uzmetumus vispusīgai izpētei; šajās kompozīcijās, kas bija īstas poēmas, es atklāju kaut ko tik pārsteidzošu un savdabīgu, ka nevaru šeit par to klusēt. Šīs partijas atgādināja nelielas drāmas, uzbūves ziņā gandrīz monologus, un it kā precīzs pašportrets tās atspoguļoja pša autora tikpat slimīgo, cik

---

[1] Bolcano — Bernhards Bolcano (1781—1848), reliģijas filozofs, izcils matemātiķis.

ģeniālo iekšējo pasauli. Dažādās tēmas un tēmu grupas, kuras veidoja partijas pamatu un kuru secība un pretstatījums bija visai atjautīgi, ne tikai dialektiski sasaucās un disputēja cita ar citu — arī pretējos virzienos ejošo balsu sintēze un harmonizējums nebija atrisināti līdz galam parastajā klasiskajā manierē: harmonizējums, gluži otrādi, pieredzēja veselu rindu pavērsienu, it kā paguris un izmisis ik reizi apstājās atrisinājuma priekšā un izskanēja vaicājot, šauboties. Tas pie-šķīra šīm partijām ne tikai satraucošu un, cik man zināms, nekad agrāk neaizsniegtu hromatismu — pašas partijas kļuva par traģisku šaubu un atteikšanās izpausmi, par tēlainu konstatējumu tam, cik problemātiska ir jebkura garīga piepūle. Turklāt apgarotības, tehniskās kaligrāfijas un pilnības ziņā tās bija tik skaistas, ka spēja izraisīt asaras. Katra partija tik izjusti, tik dziļā nopietnībā tiecās pretī savam atrisinājumam un galu galā atteicās no atrisinājuma tik cildenā rezignācijā, ka likās it kā pilnību aizsniegusi elēģija par iznīcību, kas iemīt itin visā daiļajā, un par problemātiskumu, kurš galu galā raksturo jebkuru augstu garīgu mērķi... *Item*[1] gadījumā, ja Tegularijam lemts dzīvot ilgāk par mani vai turpināt darboties pēc manu amata pilnvaru aprituma, ieteicu izturēties pret viņu kā pret ārkārtīgi smalku un vērtīgu, bet trauslu dārgumu. Viņam jāpiešķir iespējami liela brīvība, viņa padoms jāuzklausa visos svarīgākajos Spēles jautājumos, taču viņam nedrīkst vienam pašam uzticēt skolnieku audzināšanu."

Šis vērā liekamais cilvēks gadu gaitā tik tiešām bija kļuvis par Knehta draugu. Pret Knehtu, kurā Tegularijs bez garaspējām apbrīnoja arī ko līdzīgu valdnieka iedabai, viņš izturējās aizkustinoši padevīgi, un jo daudzām ziņām par Knehtu mums jāpateicas tieši viņam. Ga-dos jaunāku Stikla pērlīšu spēles spēlētāju vidū viņš, iespējams, bija vienīgais, kurš neapskauda draugu par uzticēto uzdevumu, vienīgais, kuram Knehta aizbraukšana uz nezināmu laiku radīja dziļas, gandrīz neciešamas sāpes un likās liels zaudējums.

Pats Jozefs, pārvarējis pirmo izbīli par tik dārgās brīvības pēkšņo zudumu, bija līksmi noskaņots, alka doties ceļā, darboties, iepazīt svešo pasauli, kurp tika sūtīts. Starp citu, jaunajam Ordeņa biedram neatļāva uzreiz doties uz Mariafelzu, vispirms viņu uz trim nedēļām ievietoja "policijā". Tā studentu valodā dēvēja kādu nelielu nodaļu Audzināšanas kolēģijas aparātā, kuru varētu saukt par tās Politisko departamentu vai Ārlietu ministriju, ja vien šādi nosaukumi tik ma-zai iestādei nebūtu par skaļiem. Tajā Jozefu iepazīstināja ar Ordeņa biedru uzvedības normām aiz Kastālijas robežām, un gandrīz katru

---

[1] Tāpat, arī *(lat.)*.

dienu Dibuā kungs, šīs nodaļas vadītājs, pats veltīja viņam kādu stundu. Apzinīgajam darbiniekam, proti, likās riskanti, ka darbam "ārzemēs" izraudzīts tik nepārbaudīts un pasauli neiepazinis cilvēks; viņš neslēpa, ka nav vienis prātis ar Stikla pērlīšu spēles maģistra lēmumu, un netaupīja pūļu, lai laipnā veidā rūpīgi iepazīstinātu jauno Ordeņa brāli ar briesmām, kas viņam draud pasaulē, un iespējām tās efektīvi atvairīt. Dibuā kunga tēvišķās rūpes un godprātība tik teicami sasaucās ar jaunekļa gatavību uzklausīt pamācības, ka šajās stundās, iepazīstinādams skolnieku ar noteikumiem, kas jāievēro, stājoties sakaros ar pasauli, skolotājs no sirds iemīlēja savu audzēkni un nomierinājies pilnā paļāvībā neliedza viņam doties ceļā, lai veiktu uzticēto misiju. Drīzāk aiz labvēlības nekā aiz politiskiem apsvērumiem viņš pat izlēma dot viņam kādu uzdevumu. Būdams viens no nedaudzajiem kastāliešu "politiķiem", Dibuā kungs piederēja pie tās pavisam nelielās ierēdņu grupas, kuru domās un darbi galvenām kārtām bija veltīti turpmākajai Kastālijas valsts tiesiskajai un saimnieciskajai eksistencei, Kastālijas attiecībām ar ārpasauli un atkarībai no tās. Vairums kastāliešu — ierēdņi šai ziņā neatšķīrās no zinātniekiem un studentiem — uzskatīja savu Pedagoģisko provinci un Ordeni par nemainīgu, mūžīgu, pašsaprotamu pasauli, par kuru, tiesa, zināja, ka tā ne vienmēr pastāvējusi, ka tā reiz aizsākusies, turklāt izcīnīta pakāpeniski dziļa posta dienās, niknās sadursmēs, ka tā radusies kareivīgā gadsimta beigās tiklab aiz askētiski heroiskas pašatģiedas un gara darbinieku pūliņu rezultātā, kā arī aiz pagurušo, noasiņojušo, postā pamesto tautu dziļākajām alkām pēc kārtības, normas, saprāta, pēc mēra un likuma. To kastālieši zināja, zināja arī, kāds uzdevums zemes virsū tamlīdzīgiem ordeņiem, tamlīdzīgām "provincēm": atsakoties no varas, no cīņas par varu, nodrošināt jebkura mēra, jebkuru likumu garīgo pamatu kontinuitāti un pastāvību. Toties kastālieši nezināja, ka šāda kārtība nebūt nav pati par sevi saprotama, ka tās priekšnosacījums ir zināma pasaules un gara harmonija, kura arvien no jauna var tikt izjaukta, ka pasaules vēsture galu galā nebūt netiecas īstenot vēlamo, saprātīgo un daiļo, neveicina to, bet gan, augstākais, laiku pa laikam pacieš to izņēmuma kārtā; tikai retais kastālietis būtībā apzinājās savas eksistences apslēpto problemātiskumu, pārdomas par to tika atstātas nedaudzo politiski ievirzīto prātu ziņā — tādu, kāds bija arī Dibuā. Tieši no Dibuā, iemantojis viņa uzticību, Knehts guva pirmos vispārīgos priekšstatus par Kastālijas politiskajiem pamatiem; sākumā tas viss viņam likās drīzāk jau atbaidoši un neinteresanti, tāpat kā vairumam Ordeņa biedru, bet tad atsauca atmiņā Deziņori izteikumu par varbūtējiem draudiem Kastālijas drošībai un līdz ar šo izteikumu šķietami sen pārvarēto un aizmirsto rūgtumu, ko bija atstājuši jaunības gadu strīdi ar Plīnio, — uzreiz viss kļuva ārkārtīgi svarīgs, kļuva par pakāpienu ceļā uz atmodu.

Abiem tiekoties pēdējo reizi, Dibuā sacīja:

— Man liekas, tagad varu tev atļaut doties ceļā. Rīkojies stingri saskaņā ar uzdevumu, ko tev norādījis cienījamais Spēles maģistrs, un ne mazāk stingri ievēro instrukcijas, kuras tev devām mēs. Man bija patīkami palīdzēt tev; tu pārliecināsies, ka šīs trīs nedēļas, kuras pavadīji pie mums, nav bijis veltīgi zaudēts laiks. Ja tev rastos vēlēšanās apliecināt man savu gandarījumu par šeit saņemto informāciju un mūsu pazīšanos, es tev norādīšu, kā tas izdarāms. Tu dosies uz benediktiešu klosteri un, pavadījis tur kādu laiku, domājams, iemantosi svēto tēvu uzticību. Šo godājamo vīru un viņu viesu sabiedrībā tu droši vien dzirdēsi politiska rakstura sarunas un iepazīsi politiskus uzskatus. Es būtu tev pateicīgs, ja tu pie izdevības sniegtu man attiecīgu informāciju. Saproti mani pareizi: tev nebūt nav jāuzskata sevi par ko līdzīgu spiegam vai ļaunprātīgi jāizmanto uzticība, ko tev izrādīs svētie tēvi. Tev nav jāziņo nekas tāds, kas būtu pret tavu sirdsapziņu. Galvoju tev, ka varbūtēju informāciju ņemsim vērā un izmantosim vienīgi Ordeņa un Kastālijas interesēs. Mēs neesam īsti politiķi, un arī varas mums nav, tomēr savuties esam atkarīgi no pasaules, kura jūt vajadzību pēc mums vai mūs pacieš. Zināmos apstākļos noderīga var izrādīties ziņa, ka klosterī viesojies kāds valstsvīrs, ka pāvestu uzskata par slimu, ka ievēlamo kardinālu sarakstā ietverti jauni vārdi. Mēs neesam atkarīgi no informācijas, ko tu varbūt sniegsi, mums avotu netrūkst, taču iegūt vēl vienu, lai arī nelielu, par ļaunu nenāks. Tagad vari iet — es neprasu, lai tu šodien atbildētu uz manu priekšlikumu. Nedomā pirmajā laikā ne par ko citu kā vien par misiju, kas tev uzticēta, un godam pārstāvi mūs svēto tēvu sabiedrībā. Vēlu tev laimīgu ceļu:

"Pārvērtību grāmatā", kurā Knehts ielūkojās pirms došanās ceļā, viņš, paveicis rituālu ar pelašķu stiebriņiem, uzdūrās hieroglifam "Li" ar nozīmi "ceļinieks", kā arī secinājumam — "Mazais nes veiksmi. Ceļiniekam svētīga neatlaidība". Atradis otrajā vietā sešnieku, viņš atšķīra grāmatā skaidrojumu:

Ceļinieks sasniedz mājvietu.
Viss īpašums ir pie viņa.
Viņš iemanto jauna kalpa pieķērību.

Atvadas bija līksmas, tikai pēdējā saruna ar Tegulariju abiem kļuva par grūtu pārbaudījumu. Frics valdījās, cik vien spēja, piespiedis sevi izturēties vēsi, viņš likās pārvērties akmens tēlā; draugam aizbraucot, viņš zaudēja labāko, kas pašam piederēja. Tik dedzīgi pieķerties vienam vienīgam cilvēkam nebija Knehta dabā; vajadzības gadījumā viņš varēja iztikt bez draugiem, varēja arī savas simpātijas nevilcinoties veltīt jaunam objektam, citam cilvēkam. Šāda šķiršanās viņam nebija nelabojams zaudējums; toties draugu viņš jau toreiz pazina pietiekami labi, lai zinātu, cik dziļi to satriec un nomāc atvadas, — pietiekami labi, lai būtu noraizējies. Ne vienu reizi vien viņš bija prātojis par šo draudzību, bija par to stāstījis arī Mūzikas maģistram, līdz zināmai pakāpei bija apguvis māku objektīvi un kritiski vērot paša pārdzīvojumus un izjūtas. Prātodams viņš bija atskārtis, ka būtībā tās nav tikai drauga izcilās spējas, kas viņu saista, pat modina viņā ko līdzīgu mīlestībai — īstenībā viņu saista šo spēju savienojums ar bezgala lieliem trūkumiem, ar bezgala lielu nevarību —, un ka šai vienpusējai un ārkārtējai mīlestībai, ko viņam veltī Tegularijs, piemīt ne vien sava pievilcība, bet arī kaut kas bīstams, proti, kārdinājums spēka, bet ne mīlestības ziņā vājākajam izdevīgā brīdī likt izjust savu varu. Šai draudzībā viņš par savu pienākumu uzskatīja līdz galam ievērot maksimālu atturību un pašdisciplīnu. Knehta dzīvē Tegularijam, lai cik dārgs tas viņam šķita, nebūtu īpašas nozīmes, ja draudzība ar tik maigo cilvēku, ko bija savaldzinājis daudzkārt stiprākais, vairāk pašpārliecinātais draugs, neliktu viņam apzināties paša pievilcību, paša varu pār citiem. Viņš saprata, ka spēja patikt citiem un iespaidot tos ir būtiska skolotāja un audzinātāja iezīme, kas tomēr var kļūt bīstama un uzliek lielu atbildību. Tegularijs taču nebija vienīgais, kas uzlūkoja viņu iztapīgām acīm. Vienlaikus Knehts aizvien skaidrāk juta, cik saspringta atmosfēra valda ap viņu Spēlētāju ciematā. Viņš bija oficiāli neatzīta, tomēr stingri norobežota loka vai kārtas piederīgais, Stikla pērlīšu spēles kandidātu un repetitoru šaurākās izlases pārstāvis; vienu otru šā loka dalībnieku reizēm gan aicināja izpalīdzēt Maģistram, Arhivāram vai Spēles kursu vadībai, taču nevienu neiecēla par zemāku vai vidēju ierēdni vai skolotāju; viņi bija it kā rezerve vakantām vadošu darbinieku vietām. Šajās aprindās labi, pat pārāk labi pazina cits citu, šeit reti kāds kļūdījās, apcerot otra dotības, raksturu, sasniegumu. Un taisni tādēļ, ka šeit, šo Spēles repetitoru vidū, kas pretendēja uz visaugstākajiem amatiem, ikvienam piemita izcilas spējas, ikviens bija ievērības cienīga persona, ikviens sasniegumu, zināšanas, atzīmju ziņā bija labākais no labākajiem, — taisni tādēļ īpaši liela, rūpīgi apsvērta nozīme bija katram rakstura vilcienam, katrai niansei, kas liecināja, ka pretendentam piemīt spēja kļūt par panākumiem bagātu vadošu darbinieku. Pārliekai vai nepietiekamai godkārei, nelielam plusam vai mīnusam iznesības, auguma, ārienes ziņā, personiskās pievilcības pakāpei, prasmei ietekmēt jaunatni vai Kolēģiju, laipnībai šeit bija izšķiroša, varbūt pat noteicoša nozīme konkurentu cīņā. Tegularijs šajā lokā drīzāk bija malā stāvētājs, viesis, kuru pacieš, zināmā mērā uzskatot par videi īsti nepiederīgu, tādēļ ka viņam nepārprotami trūka vadoša darbinieka īpašību, toties Knehts bija pilntiesīgs šīs visšaurākās atlases pārstāvis. Kāds īpašs svaigums, vēl gluži jauneklīga pievilcība, kas likās nepieejama kaislībām, neuzpērkama un vienlaikus bērnišķīgi bezatbildīga, — tātad savā ziņā šķīstība piesaistīja viņam jauniešus un iekaroja piekritējus. Augstāk stāvošajiem savuties patika šīs šķīstības otra puse: gandrīz pilnīgs godkāres un karjerisma trūkums.

Pēdējā laikā paša personības ietekmi — vispirms uz zemāk stāvošajiem un tikai vēlāk palēnām uz tiem, kas stāvēja augstāk, — apjauta arī Knehts, un, atskatīdamies pagātnē redzīga cilvēka acīm, viņš pamanīja, ka abas līnijas stiepjas cauri visam mūžam un veido to, sākot ar zēna gadiem: iztapīgu draudzību viņam veltījuši biedri un gados jaunākie, ar vēlīgu uzmanību pret viņu izturējusies priekšniecība. Tiesa, gadījās arī izņēmumi — tāds, piemēram, bija direktors Cbindens, toties netrūka sevišķas labvēlības apliecinājumu, piemēram, no Mūzikas maģistra un pēdējā laikā no Spēles maģistra un Dibuā kunga. Tas viss bija skaidrāks par skaidru, tomēr Knehts bija vairījies to saskatīt un atzīt. Tāds nepārprotami bija viņam lemtais ceļš — it kā nevilšus, pašam necenšoties, itin visur iekļūt izlasē, rast jūsmīgus draugus un augstu stāvošus labvēļus, — šis ceļš liedza viņam apmesties ēnā, hierarhijas pakājē, tas lika nemitīgi kāpt augšup, pretī virsotnei, ko apspīdēja spoža gaisma. Nē, viņam nekļūt par padoto vai neatkarīgu zinātnieku, viņš aicināts pavēlēt. Un tieši tas, ka viņš to pamanīja vēlāk, nekā līdzīgā situācijā pamanītu cits, piešķīra viņam sevišķu, vārdiem neizsakāmu pievilcību un šķīstības nokrāsu. Kādēļ viņš ievēroja to tik vēlu, tik negribīgi? Tādēļ, ka nebija pēc tā tiecies, nejuta nepieciešamību valdīt, patiku pavēlēt, tādēļ, ka viņš drīzāk ilgojās pēc kontemplatīvas nekā pēc darbīgas dzīves un vēl dažus gadus, ja ne augu mūžu, labprāt paliktu neviena neievērots students, zinātkārs un godbijīgs svētceļnieks pagātnes svētumu valstībā, mūzikas katedrālēs, mitoloģiju, valodu un ideju dārzos un mežos. Tagad, pārliecinājies, ka nepielūdzams liktenis spiež pievērsties *vita acti-va*[1], viņš daudz asāk nekā līdz šim izjuta, cik saspringta karjerisma,

---

[1] Darbīga dzīve *(lat.).*

godkāres cīņa noris visapkārt, juta, ka viņa šķīstība ir apdraudēta, ka tā ilgāk nav nosargājama. Viņš saprata, ka pienācis laiks gribēt un atzīt, pašam negribot, norādīto un lemto, lai pārvarētu gūsta sajūtu un ilgas pēc pēdējo desmit gadu laikā baudītās brīvības, un, tā kā sirds dziļumos viņš vēl nebija īsti gatavs to darīt, tad pagaidu atvadas no Valdcellas un došanos pasaulē uzskatīja par sava veida atpestījumu. Mariafelzas klosteris daudzajos savas pastāvēšanas gadsimtos bija palīdzējis veidot Rietumeiropas vēsturi, cīnīdamies un nīzdams līdz ar kontinentu, bija pieredzējis ziedu laikus un pagrimuma periodus, atkal atdzimis un no jauna panīcis, atsevišķos laika posmos un dažādās nozarēs iemantodams slavu un atzinību. Sendienis mācītu sholastu un disputu mākslas citadele, vēl tagad milzu bibliotēkas, viduslaiku teologu rakstu krātuves glabātājs — klosteris pēc ilgākas nīkuļošanas un paguruma bija atguvis agrāko spožumu, šoreiz pateicoties mūzikai, savam izslavētajam korim, svēto tēvu atskaņotajām un komponētajām mesām un oratorijām; no tā laika klosterī bija saglabājušās jaukas muzicēšanas tradīcijas, piecas sešas riekstkoka lādes ar nošu manuskriptiem, kā arī labākās ērģeles valstī. Pēc tam sākās politiskas aktivitātes periods; arī tas atstāja savas tradīcijas un iemaņas. Mežonīga, kareivīga barbarisma dienās Mariafelza vairākkārt kļuva par saprāta un apziņas patvēruma vietu, kur naidīgo nometņu gaišākie prāti piesardzīgi centās iepazīt cits citu, meklēdami saprašanās ceļus, un reiz — tā bija pēdējā slavas lappuse klostera vēsturē — Mariafelzā tika parakstīts miera līgums, kas uz laiku remdēja izmocīto tautu ilgas pēc miera. Sākoties jaunam laikmetam, nodibinoties Kastālijai, klosteris izturējās nogaidoši, pat noraidoši, jādomā, ne bez Romas ziņas. Audzināšanas kolēģijas lūgums uzņemt kādu zinātnieku, kurš klostera bibliotēkā vēlējās studēt sholastu rokrakstus, pieklājīgi tika noraidīts, tāpat aicinājums atsūtīt pārstāvi uz mūzikas vēstures jautājumiem veltītu kongresu. Tikai abata Pija laikā, kurš mūža otrajā pusē sāka interesēties par Stikla pērlīšu spēli, izraisījās savstarpēji sakari un domu apmaiņa, palīdzot veidoties ne visai rosīgām, taču draudzīgām attiecībām. Notika apmaiņa ar grāmatām, laipni uzņēma pretējās puses viesus, un arī Knehta labvēlis, Mūzikas maģistrs, jaunībā bija pavadījis dažas nedēļas Mariafelzā, pārrakstījis tur retus nošu manuskriptus un spēlējis slavenās ērģeles. Knehtam tas bija zināms, viņš priecājās, ka uzturēsies vietā, par kuru Godājamais dažkārt ar patiku bija stāstījis.

Knehtu uzņēma tik negaidīti svinīgi un atsaucīgi, ka viņš tīri vai apmulsa. Tiesa gan, tas atgadījās pirmo reizi, ka Kastālija uz nenoteiktu laiku nodeva klostera rīcībā Spēles pasniedzēju, turklāt vēl elites pārstāvi. Dibuā kungs bija viņu pamācījis, lai it īpaši pirmajā laikā izturas tikai kā Kastālijas pārstāvis, nevis kā privāta persona un uz laipnībām vai iespējamu atturību reaģē un atsaucas vienīgi kā vēstnieks; tas palīdzēja Knehtam pārvarēt pirmo dienu nebrīvumu. Viņš tika arī galā ar sākotnējo svešatnības un baiļu sajūtu, pirmo nakšu vieglo satraukumu, kas neļāva aizmigt, un, tā kā abats Gervazijs izturējās pret viņu labsirdīgi, ar možu vēlību, Knehts ātri iejutās jaunajā vidē. Viņu priecēja apkārtējās ainavas pirmatnīgais svaigums, varenie kalni, stāvās klinšu sienas, kas mijās ar leknām pļavām, kur ganījās brangi lopi; viņš jutās aplaimots, vērodams smagnējās, plašās senā klostera ēkas, kas glabāja daudzu gadsimtu vēstures pēdas; patika arī paša dzīvoklis — divas jaukas, pieticīgi mēbelētas, ērtas istabas gara, viesiem paredzēta ēkas spārna augšstāvā; tīkamas šķita arī pastaigas, iepazīstot šo labiekārtoto, mazo valstību ar divām baznīcām, krusta ejām, arhīvu, bibliotēku, abata mītni, vairākiem pagalmiem, plašām saimniecības ēkām un kūtīm, kurās netrūka labi barotu lopu, šalcošām strūklakām, milzīgiem, velvētiem vīna un augļu pagrabiem, divām ēdamzālēm, slaveno kapitula zāli, koptajiem dārziem, kā arī strādājošo brāļu — mucinieka, kurpnieka, drēbnieka — darbnīcām un kalvi, kas kopā veidoja it kā atsevišķu ciematu ap pašu lielāko pagalmu. Visai drīz Knehtam atļāva izmantot bibliotēku, bet ērģelnieks izrādīja viņam lielisko instrumentu un atļāva arī to spēlēt; un ne mazāk viņu vilināja nošu lādes, kurās, kā labi zināja, savu atklājēju gaidīja prāvs skaits nepublicētu, daļēji vispār neiepazītu agrāko gadsimtu mūzikas pierakstu.

Klosterī, šķiet, nevienam īpaši nerūpēja, kad Knehts sāks veikt savus amata pienākumus; pagāja dienas, pat nedēļas, iekams mūki nopietni pievērsās jautājumam, kura dēļ viņš būtībā atradās šeit. Tiesa, daži svētie tēvi, it īpaši abats, jau kopš pirmās dienas labprāt valodoja ar Jozefu par Stikla pērlīšu spēli, taču par mācībām vai cita veida sistemātiskām nodarbībām runāts netika. Knehts ievēroja, ka arī mūku manierēs, dzīves stilā un runas veidā valda viņam līdz šim nepazīstams temps — tāds kā cienīgs lēnīgums, nebeidzama, pacietīga labsirdība, kas, liekas, bija raksturīga itin visiem svētajiem tēviem, arī tiem, kam temperamenta nebūt netrūka. Tas bija viņu ordeņa gars, tā bija mūžsenas, priviliģētas, laimē un postā simtkārt pārbaudītas kārtības un kopības tūkstošgadu elpa — tās kopības, ar kuru viņi bija saistīti, tāpat kā katra atsevišķa bite saistīta ar visas saimes likteni, guļ tās miegu, cieš tās sāpes, dreb tās bailēs. Salīdzinot šo benediktiešu dzīves stilu ar dzīvi Kastālijā, tas pirmajā brīdī nelikās ne tik apgarots, ne tik darbīgs un mērķtiecīgs, ne arī tik aktīvs, toties rāmāks, grūtāk iespaidojams, senāks, vairāk pārbaudīts; šeit, šķiet, valdīja gars un jēga, kas jau sen kļuvuši par otru dabu. Ziņkārīgi, ar lielu interesi, pat apbrīnu Knehts vēroja šo klostera dzīvi, kas apmēram tāpat ritējusi jau tolaik, kad Kastālijas nemaz nebija pasaulē, turklāt jau tad bija pastāvējusi pusotru gadu tūkstoti, — dzīvi, kas tik labi atbilda kontemplatīvajai pusei paša raksturā. Viņš bija viesis, viņu godināja — godināja pat vairāk, nekā viņš bija gaidījis un pelnījis, tomēr viņš skaidri sajuta: tā ir šejienes kārtība un ieraža, tam visam nav sakara nedz ar viņu, nedz ar Kastāliju vai Stikla pērlīšu spēli, tā ir tikai laipnība, ko sena dižvara izrāda gados jaunākai. Tādai uzņemšanai viņš nebija īsti sagatavots un pēc kāda laika, par spīti tīkamajai dzīvei Mariafelzā, jutās tik nedroši, ka lūdza Augstāko kolēģiju sniegt sīkākas instrukcijas, kā viņam šeit jāizturas. Par atbildi Spēles maģistrs atsūtīja dažas rindiņas. Tajās bija teikts: "Nežēlo laiku, lai rūpīgi iepazītu turienes dzīvi. Izmanto lietderīgi katru dienu, mācies, pacenties kļūt iemīļots, pakalpo, kur vien tas iespējams, bet neesi uzmācīgs, neizturies nekad nepacietīgāk par saviem saimniekiem, izliecies, ka Tev ne mazāk vaļas brīžu. Pat tad, ja viņi augu gadu turpinātu attiekties pret Tevi tā, it kā Tu pirmo dienu viesotos viņu pajumtē, neliecies par to zinis un izturies tā, it kā tas Tev būtu vienalga, vai jāgaida divus vai desmit gadus. Uzskati to par sacensību pacietības pārbaudē. Rūpīgi meditē. Ja bezdarbība apnīk, strādā diendienā dažas stundas, ne vairāk par četrām, kādu darbu, studē, piemēram, manuskriptus vai pārraksti tos, bet centies radīt iespaidu, ka Tu nestrādā, veltī laiku katram, kam rastos vēlēšanās patērzēt."

Knehts uzklausīja padomu un drīz vien atguva paļāvību. Pirms tam viņu pārlieku nodarbināja domas par uzticēto uzdevumu, par lekciju kursu Spēles amatieriem, kura dēļ bija atsūtīts šurp, turpretī svētie tēvi izturējās pret viņu tā, it kā viņš būtu draudzīgas varas pārstāvis, kuru jācenšas izklaidēt. Kad abats Gervazijs galu galā tomēr atcerējās lekciju ciklu un sākumam iepazīstināja viņu ar dažiem brāļiem, kas jau bija apguvuši Spēles pamatus un kam bija jānolasa nākamais kurss, Knehts ar izbrīnu, pirmajā brīdī dziļi vīlies, konstatēja, ka dižciltīgās Spēles kultūra šajā tik viesmīlīgajā klosterī ir gaužām virspusēja un diletantiska un mūkus, cik noprotams, pilnīgi apmierina visai pieticīga spēles prasme. Nonācis pie šāda secinājuma, viņš ar laiku izdarīja vēl citu: ne jau Spēles un tās mācīšanas dēļ viņš atsūtīts šurp. Viegls, pārlieku jau viegls bija uzdevums sniegt elementāras zināšanas tiem nedaudzajiem mūkiem, kas puslīdz interesējas par Spēli, pacensties gandarīt viņu visai pieticīgo sportisko godkāri; šāds uzdevums būtu pa spēkam jebkuram Spēles pazinējam, arī tādam, kam vēl tālu līdz elitei. Šīs mācību stundas tātad nevarēja būt viņa misijas patiesais mērķis. Knehts sāka noprast, ka drīzāk jau atsūtīts šurp, lai mācītos, nevis mācītu.

Tiesa, taisni tobrīd, kad viņam radās iespaids, ka nomanījis Kolēģijas nodomus, paša ietekme klosterī negaidot pieauga, pastiprinot arī ticību saviem spēkiem, jo brīžam, par spīti pievilcībai un ērtībām, ko sagādāja šāda viesošanās, viņam jau bija licies, ka uzturēšanās šeit pielīdzināma disciplināram sodam. Sagadījās, ka sarunā ar abatu viņš kādu dienu bez īpaša nolūka pieminēja ķīniešu "I-czin"; abats sāka ausīties, uzdeva dažus jautājumus un, pārliecinājies, ka viesis necerēti labi orientējas ķīniešu valodā un "Pārvērtību grāmatā", nespēja noslēpt savu prieku. "I-czin" bija Gervazija vājība; lai arī viņš neprata ķīniešu valodu un viņa zināšanām par orākulu grāmatu un citiem seno ķīniešu noslēpumiem piemita tā pati pieticīgā paviršība, kāda tolaik, šķiet, bija raksturīga klostera iemītnieku zināšanām turpat vai visās zinātņu nozarēs, varēja tomēr nomanīt, ka šim gudrajam un salīdzinājumā ar viesi ļoti erudītajam un daudz pieredzējušam cilvēkam tik tiešām ir kāds sakars ar senās Ķīnas valsts un dzīves gudrību. Izraisījās necerēti dzīva saruna, kurā pirmo reizi tika pārkāptas oficiālās attiecības, kuras līdz šim pastāvēja starp namatēvu un viesi; šī saruna beidzās ar to, ka godājamais abats lūdza Khehtu divas reizes nedēļā lasīt viņam lekcijas par "I-czin".

Laikā, kad Knehta attiecības ar namatēvu — abatu — kļuva rosīgākas un iedarbīgākas, kad nostiprinājās viņa draudzība ar ērģelnieku un viņš arvien labāk iepazina mazo baznīcas valstiņu, kurā uzturējās, piepildījās arī pareģojums, ko tika devis orākuls, pie kura viņš bija griezies pirms aizbraukšanas no Kastālijas. Viņam, ceļiniekam, kas visu īpašumu nesa sev līdzi, apsolīta bija ne tikai pajumte, bet arī "jauna kalpa pieķērība". To, ka paredzējums sāk piepildīties, ceļinieks varēja uzskatīt par labu zīmi, par zīmi tam, ka viņš tik tiešām "nes līdzi savu Īpašumu", ka arī tālu no skolas, skolotājiem, biedriem, labvēļiem un palīgiem, tālu no dzimtās Kastālijas dzīvinošās atmosfēras nes sevī to garīgo spēku, kas spārno darbīgai, lietderīgai dzīvei. Solītais "jaunais kalps" bija klostera skolnieks Antons, un, kaut gan šim jaunajam cilvēkam nav bijusi īpaša nozīme Jozefa Knehta dzīvē, tad savdabīgi pretrunīgu noskaņu iezīmētajā pirmajā klostera dzīves periodā tā parādīšanās tomēr likās it kā mājiens; Knehta uztverē jauneklis bija jaunu — nozīmīgāku norišu vēstnesis, gaidāmu notikumu paudējs. Antons, mazrunīgs, toties dedzīga izskata puisis ar gudru skatienu, bezmaz tajā vecumā, kad klostera skolniekus uzņem mūku kārtā, samērā bieži gadījās ceļā Stikla pērlīšu spēles pasniedzējam, kura izcelsme un māksla likās tik noslēpumaina, kamēr pārējie novici, kas mita nošķirtā, viesiem nepieejamā ēkas spārnā, Knehtam palika pasveši — tiem nepārprotami bija liegts ar viņu tikties un nebija arī atļauts piedalīties Stikla pērlīšu spēles apguvē. Antons vairākas nedēļas strādāja par izpalīgu bibliotēkā; tur Knehts sastapa viņu, reizēm arī pārmija ar viņu pa kādam vārdam un drīz vien nomanīja, ka šis jauneklis ar tumšajām, dedzīgajām acīm un biezajām, melnajām uzacīm piekēries viņam tai jūsmīgajā, dievinošajā jaunības un skolas gadu mīlestībā, ar kuru ne vienu reizi vien jau bija sastapies un kurā jau sen bija saskatījis svarīgu, dzīvinošu Ordeņa dzīves elementu, lai gan ik reizi bija jutis vēlēšanos nemodināt šādas jūtas. Šeit, klosterī, viņš apņēmās būt divtik atturīgs: mēģinot ietekmēt jaunekli, kura reliģiskā audzināšana vēl nebija pabeigta, viņš pats savās acīs noziegtos pret šejieniešu viesmīlību; turklāt viņam bija labi zināms, cik bargs ir šķīstības noteikums, kuram te visi pakļauti, un viņam šķita, ka abpusēja tuvināšanās pusaudža pielūgsmi var vērst jo bīstamāku. Katrā ziņā viņam jāizvairās darīt ko tādu, kas varētu radīt sašutumu, un viņš izturējās atbilstoši šādam savam lēmumam.

Bibliotēkā, vienīgajā vietā, kur Knehts dažkārt tikās ar Antonu, viņš iepazina arī cilvēku, kuram tā neuzkrītošās ārienes dēļ sākumā nepievērsa uzmanību, bet kuru vēlāk, iepazinis tuvāk, iemīlēja no visas sirds, juzdams pret to augu mūžu tikpat dziļu pateicību un cieņu, kādu juta varbūt vēl vienīgi pret veco Mūzikas maģistru. Sis cilvēks bija pāters Jakobs[1], laikam gan pats izcilākais benediktiešu ordeņa vēsturnieks, tolaik gadus sešdesmit vecs, — kalsens sirmgalvis ar garu, dzīslainu kaklu, ērgļa degunu un tādu seju, kas, raugoties no priekšas, likās it kā nedzīva, izdzisusi — it īpaši tādēļ, ka viņš reti uzlūkoja kādu tieši, toties profils ar drosmīgo pieres līniju, dziļo rievu virs asi izliektā, kumpā deguna un ar nedaudz strupo, bet tīro, tīkami pareizi veidoto zodu liecināja, ka darīšana ar spilgtu, savdabīgu personību. Šim nerunīgajam, vecajam vīram — starp citu, iepazīstoties tuvāk, izrādījās, ka viņš spēj būt visai temperamentīgs, — lasītavas mazākajā dibentelpā bija pašam savs darba galds, uz kura allaž atradās grāmatas, manuskripti un kartes. Šajā klosterī ar tik daudzām vērtīgām grāmatām viņš, liekas, bija vienīgais, kurš tiešām strādāja nopietnu, zinātnisku darbu. Starp citu, tas bija novicis Antons, kas

---

[1] Šis cilvēks bija pāters Jakobs — stilizēts un idealizēts šveiciešu vēsturnieka
     Jakoba Burkharda (1818—1897) portrets J. Burkharda darbos Hesi saista
     autora uzticība Gētes un Sillera klasiskajam humānismam, kā arī vēsturiskās
     attīstības traģisma izjūta. Romānā pausto uzskatu ziņā pāters Jakobs tomēr
     nav visnotaļ identisks J. Burkhardam.

nevilšus pievērsa viņam Jozefa Knehta uzmanību. Knehts bija ievērojis, ka bibliotēkas dibentelpā, kurā atradās zinātnieka darba galds, reto bibliotēkas apmeklētāju acīs ir kas līdzīgs privātam kabinetam un tie tikai galējas nepieciešamības gadījumā iegriežas tajā, turklāt dara to klusītēm, bijīgi, iedami uz pirkstgaliem, lai gan nemaz nelikās, ka pāteru, kurš tur strādāja, tik viegli būtu iztraucēt. Arī Knehts, protams, no sākta gala respektēja vecā vīra mieru, un tieši tādēļ viņam ilgi neizdevās pavērot darbīgo sirmgalvi. Taču kādu dienu tas lika Antonam atnest dažas grāmatas, un, kad Antons iznāca no dibenistabas, Knehts ievēroja, ka viņš brīdi uzkavējas pavērtajās durvīs, atskatīdamies uz darbā iegrimušo tādām acīm, kuras pauda jūsmīgu apbrīnu un godbijību līdz ar to gandrīz maigo cieņu un gatavību palīdzēt, ko godprātīgi jaunieši dažkārt izrāda vientuļiem, vārgiem sirmgalvjiem. Pirmajā mirklī šī aina priecēja Knehtu, tā patiešām bija jauka, turklāt viņš varēja kā nekā pārliecināties, ka Antons spēj iejūsmināties par gados vecākiem, apbrīnas cienīgiem cilvēkiem arī bez īpašām mīlestības jūtām. Bet jau nākamajā mirklī viņam radās pa pusei ironiska doma, no kuras pats nokaunējās, proti, doma, ka šajā namā tiešām jāvalda lielai gara nabadzībai, ja vienīgo nopietnā darbā aizņemto zinātnieku jaunieši vēro it kā brīnumainu teiksmu būtni. Kā nekā šis maigais, jūsmīgais apbrīnas pilnais skatiens, ko Antons veltīja vecajam vīram, pievērsa Knehta uzmanību mācītajam pāteram; sākot ar šo brīdi, viņš, šad tad palūkodamies uz veco vīru, pamanīja, ka tam romieša profils, un pamazām ieraudzīja vienu otru vaibstu, kas, šķiet, liecināja par neikdienišķu prātu un raksturu. Ka pāters Jakobs ir vēsturnieks un tiek uzskatīts par vienu no visizcilākajiem benediktiešu ordeņa vēstures pazinējiem, Knehtam tolaik jau bija zināms.

Kādu dienu pāters pats uzrunāja viesi; viņa valodā nebija ne vēsts no tā izplūdušā, uzsvērti vēlīgā, uzsvērti omulīgā, mazdrusciņ pamācīgā runas veida, kas likās raksturīgs šejieniešu sarunu stilam. Viņš aicināja Jozefu pēc vakara dievkalpojuma pasērst viņa cellē.

— Manā personā, — viņš teica klusā, gandrīz biklā balsī, toties apbrīnojami skaidri izrunādams ik vārdu, — jūs, tiesa, nesastapsit Kastālijas vēstures pazinēju un vēl jo mazāk Stikla pērlīšu spēles cienītāju, bet, tā kā attiecības starp mūsu tik atšķirīgajiem ordeņiem, cik noprotu, kļūst arvien draudzīgākas, arī es negribētu palikt malā un vēlētos savuties reizēm izmantot jūsu klātbūtni, lai gūtu kādu labumu sev.

Viņš runāja visnotaļ nopietni, bet paklusā balss un vecīgie, gudrie vaibsti piešķira pārlieku laipnajiem vārdiem to apburošo daudznozīmību, kurā nopietnība jaucas ar ironiju, pazemība ar slēptu zobgalību,

120

patoss ar rotaļīgumu — ko līdzīgu tam, kas vērojams, tiekoties diviem svētajiem vai augstiem garīdzniekiem, kuru nebeidzamā klanīšanās izvēršas par sava veida pieklājības un pacietības rotaļu. Šis pārākuma un izsmiekla, gudrības un ceremoniālas tiepības sajaukums, ko Knehts bija iepazinis, pētot ķīniešu kultūru, likās viņam tīrā veldze; viņš nodomāja, ka šādā tonī — arī Stikla pērlīšu spēles maģistrs Tomass pārvaldīja to pilnība — jau labi sen nav tērzējis; iepriecināts viņš pateicās par ielūgumu. Vakarā, sameklējis pātera nomaļo mītni klusa ēkas sānu spārna viņa galā un apstājies neziņā, pie kurām durvīm jāklauvē, Knehts pārsteigts izdzirda klavieru skaņas. Brīdi viņš klausījās — atskaņota tika Persela sonāte, nepretenciozi un bez virtuozitātes, taču ritmiski tīri; izjusti un laipnīgi pretī skanēja apskaidrotā, sirsnīgi līksmā mūzika, lejoties saldiem trijskaņiem, atsaucot atmiņā Valdcellā aizvadītās dienas, kad viņš un viņa draugs Feromonte mācījās spēlēt šai radniecīgu mūziku katrs uz sava instrumenta. Ar baudu Knehts noklausījās sonāti līdz galam; klusajā, krēslainajā gaitenī tā izskanēja tikpat vientulīgi un atsvešināti, tikpat drosmīgi un nevainīgi, tikpat bērnišķīgi, tomēr ar tādu pašu pārākuma apziņu kā jebkura laba mūzika šajā neatpestīti mēmajā pasaulē. Viņš pieklauvēja, viņu aicināja ienākt, un pāters Jakobs sagaidīja viņu atturīgi un cienīgi, sēdēdams pie nelielām klavierēm, uz kurām vēl dega divas sveces. Jā, atbildēja pāters Jakobs uz Knehta vaicājumu, viņš katru vakaru spēlējot pusstundu vai pat stundu, strādāt viņš beidzot līdz ar tumsu un pirms gulēt iešanas nemēdzot lasīt un rakstīt. Viņi tērzēja par mūziku, par Perselu, par Hendeli, par benediktiešu senajām mūzikas tradīcijām, par šo mūžam tuvo ordeni, kura vēsturi Knehts, kā viņš izteicās, vēlētos iepazīt tuvāk. Saruna kļuva dzīvāka, skāra simt un vienu jautājumu, vecā vīra vēstures zināšanas tik tiešām likās fenomenālas, lai gan tas nenoliedza, ka maz interesējies par Kastālijas, kastāliskās domas un turienes ordeņa vēsturi, neslēpa arī savu kritisko attieksmi pret šo Kastāliju, kuras ordeni uzskatīja par kristīgo kongregāciju atdarinājumu, turklāt ķecerīgu, reiz par pamatu tam nebija nedz reliģija, nedz Dievs vai baznīca. Knehts uzklausīja kritiku, bijīgi klusēdams, lai vēlāk tomēr aizrādītu, ka par reliģiju, Dievu un baznīcu bez benediktiešu un Romas katoļu baznīcas uzskatiem varot pastāvēt un arī pastāvējuši citi uzskati, un neviens nespējot noliegt, ka arī tiem raksturīgi cildeni mērķi un tie dziļi iespaidojuši gara dzīvi.

— Pareizi, — piekrita Jakobs. — Tā runājot, jums padomā protestanti. Reliģiju un baznīcu viņi gan nav nosargājuši, tomēr laiku pa laikam apliecinājuši izcilu drosmi, un arī viņu vidū bijuši cienījami vīri. Ne vienu vien mūža gadu esmu pirmām kārtām pētījis dažādus izlīguma mēģinājumus starp abām naidīgajām konfesijām un baznīcām, it īpaši posmā ap tūkstoš septiņsimto gadu, kad tādi vīri kā filozofs un matemātiķis Leibnics un savādnieks grāfs Cincendorfs no jauna centās apvienot sanaidojušos brāļus. Vispār astoņpadsmitais gadsimts, lai cik paviršs un diletantisks mums dažbrīd liktos tolaik valdošais gars, garīgās kultūras vēstures ziņā ir neparasti interesants un ambivalents, un tieši tā laika protestanti bieži nodarbinājuši mani. Reiz viņu vidū atklāju izcilu filologu, zinātnieku un audzinātāju, starp citu, švābu piētistu, cilvēku, kura morālā ietekme turpinās veselus divus gadsimtus, — bet tā ir cita tēma, atgriezīsimies pie jautājuma par ordeņu leģitimitāti un vēsturisko sūtību.

— Ai nē, — iesaucās Knehts, — pastāstiet, lūdzu, vēl par šo pedagogu, kuru tikko pieminējāt; man rādās, es nojaušu, par ko ir runa.

— Par ko?

— Pirmajā brīdī man šķita, ka tas ir Franke[1] no Halles, bet tad jūs teicāt, viņš esot švābs, un tādā gadījumā runa var būt vienīgi par Johanu Albrehtu Bengelu.

Zinātnieks iesmējās; viņš staroja aiz prieka.

— Tas man ir pārsteigums, dārgais! — viņš moži iesaucās. — Es tik tiešām ieminējos par Bengelu. Kā tad jūs atklājāt viņu? Jeb vai jūsu ērmotajā Provincē tas tā pieņemts — zināt tik senus notikumus un piemirstus vārdus? Ticiet man, jūs varētu iztaujāt visus mūsu klostera mūkus, skolotājus un skolniekus, arī tos, kas dzīvojuši divu iepriekšējo paaudžu laikā, un neviens nemācētu nosaukt šo vārdu.

— Arī Kastālijā tas tikai retajam zināms, varbūt vienīgi man un diviem maniem draugiem. Aiz tīri personiskiem motīviem es kādu laiku pētīju astoņpadsmitā gadsimta un piētisma vēsturi, toreiz es uzdūros dažiem švābu teologiem, kas iemantoja manu apbrīnu un cieņu, pirmām kārtām minētais Bengels; man viņš likās ideāls skolotājs un jaunatnes audzinātājs. Es tā iejūsminājos par šo cilvēku, ka pat liku pārfotografēt viņa attēlu no kādas vecas grāmatas un fotogrāfiju piekāru pie sienas virs sava rakstāmgalda.

Pāters vēl aizvien smējās.

— Tad jau mēs tiekamies zem laimīgas zvaigznes, — viņš teica.

— Pārsteidz kaut tas vien, ka mēs abi savos pētījumos esam uzgājuši šo sen aizmirsto cilvēku. Vēl jo dīvaināk, iespējams, tas, ka šim švābu protestantam izdevies gandrīz vienlaikus ieinteresēt benediktiešu

---

[1] Franke — Augusts Franke (1663—1727), vācu teologs piētists, pievērsās audzināšanas teorijas jautājumiem, dibināja dažādu pakāpju tautas skolas, praksē īstenoja sava laika progresīvās pedagoģijas idejas.

pāteru un kastāliešu Stikla pērlīšu spēles adeptu. Starp citu, jūsu Stikla pērlīšu spēle manās acīs ir māksla, kas prasa spilgtu iztēli, un es brīnos, ka lietišķais Bengels jūs tā savaldzinājis.

Tagad smējās arī Knehts.

— Atcerieties vien, — viņš teica, — ka Bengels garus gadus veltījis Jāņa Parādīšanās grāmatas izpētei un šīs grāmatas pravietojumu iztulkojumam; jums jāpiekrīt man, ka mūsu draugam gluži svešas nav bijušas lietas, kuras par lietišķām vis nenosauksi.

— Piekrītu, — līksmi piekāpās Jakobs. — Un kā jūs izskaidrojat šādu pretrunu?

— Ja man būtu atļauts pajokot, es atbildētu: Bengels, pats to neapzinādamies, dedzīgi meklējis un alcis apgūt Stikla pērlīšu spēli. Proti, uzskatu viņu par netiešu mūsu Spēles pionieri, pirmtēvu.

Atkal kļuvis nopietns, Jakobs piesardzīgi jautāja:

— Ierindot Bengelu jūsu Spēles aizsācējos, manuprāt, ir nedaudz pārdroši. Kā jūs to pamatojat?

— Es pajokoju, bet tas ir joks, ko var argumentēt. Vēl jaunībā, iekams pievērsties mūža darbam ar Bībeli, Bengels reiz pastāstīja saviem draugiem, ka iecerējis enciklopēdisku darbu, kurā grib simetriski un sinoptiski apkopot visas sava laika zināšanas tā, lai tās būtu centrētas uz vienu noteiktu mērķi. Tas ir tieši tas, ko īstenot tiecas Stikla pērlīšu spēle.

— Tā taču ir enciklopēdisma ideja, ar kuru auklējās viss astoņpadsmitais gadsimts! — iesaucās pāters.

— Jā, tā pati, — attrauca Jozefs, — tikai Bengels netiecās vien izkārtot paralēlās rindās itin visas zināšanu un pētniecības jomas, viņš vēlējās tās organiski iekļaut citu citā, viņa meklējumu pamatā bija doma par kopējo saucēju, bet tā ir viena no kardinālajām Stikla pērlīšu spēles idejām. Es pat uzdrošinos apgalvot, ka gadījumā, ja Bengela rīcībā būtu bijis kas līdzīgs mūsu Spēles sistēmai, viņam laikam gan būtu palicis aiztaupīts garais maldu ceļš, pārrēķinot pravietotus skaitļus un pasludinot antikrista parādīšanos un tūkstošgadu miera valstības sākumu. Daudzajiem talantiem, ar kuriem Bengels bija apveltīts, viņš neatrada īsti vēlamo pielietojuma virzienu un kopīgu mērķi, un tā, apvienojoties matemātiķa dotībām ar filologa atjautu, radās šis ērmīgais zinātniskas precizitātes un fantastikas mistrojums — viņa "Laiku sistēma", kurai tika ziedojis ne vienu vien mūža gadu.

— Labi gan, ka neesat vēsturnieks, — secināja Jakobs, — jums, nudien, ir nosliece fantazēt. Bet es saprotu, ko gribējāt teikt; pedants es esmu tikai savā zinātnes nozarē.

Tā bija auglīga saruna, tās gaitā abi iepazina viens otru, radās pat kas līdzīgs draudzībai. Pāteram Jakobam tā likās drīzāk nejaušība, vismaz pārsteidzoša sagadīšanās, ka viņi abi — viņš savā benedik-tieša, jauneklis savā kastālieša pasaulē — izdarījuši šo atklājumu, uzgājuši nabaga Virtembergas klostera skolotāju, šo vienlīdz maigo un nelokāmo, vienlīdz sapņaino un lietišķo cilvēku; jābūt kaut kam, kas viņus vieno, reiz uz abiem tik stipri iedarbojies viens un tas pats apslēptais magnēts. Sākot ar šo vakaru, ko ievadīja Persela sonāte, šis "kaut kas", šī tuvība tik tiešām pastāvēja. Jakobam patika apmainīties domām ar tik skolotu un zinātkāru jauneklī, šāds prieks viņam nebija bieži lemts, bet Jozefam sarunas ar vēsturnieku, prāta skološana, kas līdz ar to aizsākās, kļuva par jaunu pakāpienu tajā atmodas ceļā, par kādu pats uzskatīja savu mūžu. Vārdu sakot, pāters iepazīstināja Jozefu ar vēstures zinātni, aprādīja viņam vēstures studiju un vēsturisku sace-rējumu likumsakarības un pretrunas, turpmākajos gados vēl iemācīja viņam raudzīties uz tagadni un paša dzīvi kā uz vēsturisku realitāti.

Viņu sarunas nereti izvērtās par īstiem disputiem, un abi gan uzbruka, gan aizstāvējās; pirmajā laikā, tiesa, agresīvāks bija pāters. Jo labāk Jakobs iepazina sava jaunā drauga gara pasauli, jo dziļāk viņu sāpināja doma, ka reliģioza audzināšana nav disciplinējusi šo tik izcilo jauneklīgo prātu, ka tas attīstījies intelektuāli estētiskas gara pasaules šķietamas disciplīnas atmosfērā. Visu, kas Knehta domu gaitā pašam likās peļams, viņš piedēvēja "modernās" Kastālijas iespaidam, tās atrautībai, tās nosliecei uz rotaļīgu abstrahēšanu. Toties ik reizi, kad, sev par pārsteigumu, izdzirda nesamaitātus, paša domu gaitai tuvus uzskatus un izteikumus, viņš klusībā gavilēja, ka jaunā drauga veselīgā daba nav pakļāvušies kastāliskajai audzināšanai. Kritiku par Kastāliju Jozefs uzklausīja savaldīgi, taču gadījumos, kad vecais savā dedzībā, viņaprāt, aizgāja par tālu, aukstasinīgi atvairīja uzbrukumus. Starp citu, pātera nievīgo izteikumu vidū bija arī tādi, kuriem Jozefs bija spiests daļēji piekrist, un vienā jautājumā viņš, uzturēdamies Mariafelzā, visnotaļ grozīja savus uzskatus. Runa bija par Kastālijas attieksmi pret pasaules vēsturi, par to, ko pāters dēvēja par "pilnīgu vēstures izjūtas trūkumu".

"Jūs, matemātiķi un Stikla pērlīšu spēles spēlētāji, " viņš mēdza teikt, "esat izdestilējuši paši savu pasaules vēsturi, kurā vieta tikai gara dzīves un mākslas vēsturei; jūsu vēsture ir izdomāta, nereāla; jūs lieliski orientējaties jautājumos, kas skar latīņu valodas sintakses pagrimumu otrajā vai trešajā gadsimtā, bet jums nav ne jausmas par Aleksandru, Cēzaru vai Jēzu Kristu. Jūs traktējat pasaules vēsturi tāpat, kā matemātiķis traktē matemātiku, kurā gan valda likumi un formulas, bet kurai nav realitātes, nav laba un ļauna, nav laika, — ne vakardienas, ne rītdienas, ir tikai mūžīga, pliekana matemātiska tagadība. "

— Bet kā lai nodarbojas ar vēsturi, neieviešot tajā noteiktu kārtību?
— jautāja Knehts.

— Kārtība, protams, jāievieš, — sirdījās Jakobs. — Jebkura zinātne kā nekā ir kārtošana, vienkāršošana, cenšanās padarīt garīgi sagremojamu to, kas būtībā nav sagremojams. Mēs uzskatām, ka mums izdevies atklāt dažas vēstures likumsakarības, un, meklējot vēsturisko patiesību, mēs cenšamies uz tām balstīties, tāpat kā anatoms, secēdams līķi, atrod ne jau gluži necerēto — zem epidermas viņš ierauga iekšējos orgānus, muskuļus, saites, kaulus, kas apstiprina jau zināmu shēmu. Bet, ja anatoms redz tikai shēmu un aizmirst secējamā objekta neatkārtojamo, individuālo realitāti, viņš ir kastālietis, Stikla pērlīšu spēles spēlētājs, matemātiķis nevietā. Man nav iebildumu, ja tas, kas apcer vēsturi, aizkustinošā naivitātē notic mūsu metodēm, mūsu prāta spējai sistematizēt, taču neatkarīgi no tā un pretēji tam viņam jārespektē vēstures procesa neizprotamā patiesība, realitāte, vienreizība. Vēstures pētīšana, mīļais, nav izklaidēšanās vai bezatbildīga rotaļa. Tam, kas pētī vēsturi, jāapzinās, ka viņš tiecas paveikt ko neiespējamu, tomēr nepieciešamu un gaužām svarīgu. Pētīt vēsturi nozīmē ļauties haosam, nezaudējot ticību kārtībai un jēgai. Tas ir ļoti nopietns uzdevums, jaunais cilvēk, varbūt pat traģisks.

No tiem pātera izteikumiem, kurus Knehts atstāstījis vēstulēs draugiem, šeit citējam vēl kādu raksturīgu piemēru:

"Dižas personības jaunatnes acīs ir it kā rozīnes pasaules vēstures tortē — viņi, bez šaubām, ir tās substances sastāvdaļa; tomēr nav nemaz tik vienkārši un viegli, kā tas vienam otram varbūt liekas, atšķirt patiešām dižas personības no šķietami dižajām. Šķietami dižās lielas dara vēsturiskais moments, spēja to uzminēt un izmantot; turklāt netrūkst vēsturnieku un biogrāfu, ir nepieminot žurnālistus, kam šī spēja uzminēt un izmantot vēsturisku momentu, proti, mirkļa veiksme, liekas dižuma pazīme. Kaprālis, kurš vienā rāvienā kļūst par diktatoru, kurtizāne, kura kādu brīdi iespaido pasaules likteņu lēmēja omu, ir šādu autoru iemīļotie tēli. Jauniņi ideālisti turpretī dievina traģiskus neveiksminiekus, mocekļus, tos, kas nākuši mazliet par agru vai palaiduši garām īsto mirkli. Man, kas pirmām kārtām esmu mūsu benediktiešu ordeņa vēsturnieks, pats pievilcīgākais, brīnumaināks, pētīšanas cienīgākais objekts pasaules vēsturē nav vis atsevišķas personas, valsts apvērsumi, veiksmes un neveiksmes; mana mīlestība un neremdināmā zinātkāre pievērsta parādībām, kas līdzīgas mūsu kongregācijai, tām ilgi pastāvošajām organizācijām, kuras tiecas pulcēt cilvēkus gara un dvēseles vārdā, audzināt un pārveidot tos, audzināšanas, nevis eigēnikas ceļā padarīt tos ne par asins,

125

bet par gara aristokrātiem, spējīgiem vienlīdz kalpot un pavēlēt. Senās Grieķijas vēsturē, piemēram, mani valdzina ne jau varoņu plejādes vai uzmācīgās klaigas agorā, bet gan pitagoriešu un Platona akadēmijas centieni, senajā Ķīnā — vairāk par visu citu konfuciānisma sistēmas ilgā pastāvēšana, mūsu Rietumeiropas vēsturē tā pirmām kārtām ir kristīgā baznīca, tai padotie vai tajā ietilpstošie ordeņi, kas manās acīs ir pirmā lieluma vēsturiskas parādības. Tas, ka dažam dēkainim paveicies, ka viņš iekarojis vai nodibinājis kādu valsti, kura pastāvējusi divdesmit vai piecdesmit, varbūt arī simt gadu, vai arī tas, ka viens otrs ideālists karalis vai imperators, kam bijuši cēli nolūki, centies īstenot godīgāku politiku vai kultūras nesēja sapni, tāpat arī tas, ka reiz ārkārtējos apstākļos kāda tauta vai cita cilvēku kopība spējusi paveikt vai paciest ko nepieredzētu, — tas viss mani saista nesalīdzināmi mazāk par nebeidzamajiem mēģinājumiem radīt mūsu ordenim līdzīgas organizācijas, kuras dažos gadījumos pastāvējušas tūkstoš vai divtūkstoš gadu. Es nerunāju par svēto baznīcu — mums, ticīgajiem, tā nevar būt diskusiju objekts. Toties tas, ka benediktiešu, dominikāņu, pēc tam jezuītu ordenis, kā arī citas kongregācijas pastāv jau vairākus gadsimtus un, par spīti dažādiem pārkārtojumiem un izkropļojumiem, par spīti varmācībai un tieksmei pielāgoties, cauri gadsimtiem spējušas paturēt savu seju un balsi, savu veidolu, savu individuālo dvēseli, — tas manās acīs ir pats pārsteidzošākais un apbrīnas cienīgākais vēstures fenomens."

Knehts apbrīnoja pāteru pat tā netaisno dusmu brīžos. Viņam tolaik nebija ne jausmas, kas īstenībā ir pāters Jakobs, viņa acīs tas bija tikai dziļdomīgs, ģeniāls zinātnieks, nevis vēsturiska persona, vēstures līdzveidotājs — savas kongregācijas vadošs politiķis, politiskās vēstures un laikmetīgās politikas speciālists, pie kura no malu malām griežas ar lūgumu pēc informācijas, padoma, starpniecības. Apmēram divus gadus — līdz pirmajam atvaļinājumam — Knehts pazina pāteru tikai kā zinātnieku, saskatīdams tikai šo vienu — viņam pievērsto pātera darbības pusi. Mācītais vīrs prata klusēt pat sarunā ar draugu, un arī pārējie klostera brāļi prata to labāk, nekā Jozefs spēja iedomāties.

Pēc diviem gadiem Knehts tiktāl bija iejuties klostera dzīvē, cik vien tas iespējams viesim, cilvēkam no ārienes. Laiku pa laikam viņš palīdzēja ērģelniekam, kurš vadīja arī nelielu motešu kori, pieticīgi šaurā formā izkopt tālāk dižu, mūžsenu un cienījamu tradīciju. Viņš izdarīja vairākus atklājumus klostera mūzikas arhīvā un aizsūtīja vairāku senu kompozīciju norakstus uz Valdcellu, kā arī Monporu. Viņš vadīja nelielu Stikla pērlīšu spēles iesācēju grupu, kurā viens no čaklākajiem bija jau pieminētais jauniņais Antons. Ķīniešu valodu viņš

126

abatam Gervazijam gan neiemācīja, toties ierādīja tam manipulācijas ar pelašķu stiebriņiem un efektīvāku meditāciju metodi par orākulu grāmatā ietvertajiem teicieniem; abats bija saradis ar viesi un atmetis sākotnējos mēģinājumus pavedināt viņu uz vīna dzeršanu. Ziņojumi, ko abats sniedza divas reizes gadā, atbildot uz Stikla pērlīšu spēles maģistra oficiālajiem pieprasījumiem, vai Mariafelza esot apmierināti ar Jozefu Knehtu, kļuva par īstām slavas dziesmām. Rūpīgāk nekā šos ziņojumus Kastālijā analizēja Knehta atskaites par lasītajām lekcijām un kursu dalībniekiem izliktajām atzīmēm; pārbaudes gaitā tika atzīts, ka zināšanu līmenis ir viduvējs, toties atzinīgi tika vērtēta skolotāja prasme piemēroties šim līmenim, kā arī klosterī valdošajam garam un tikumiem. Ļoti apmierināta, pat patīkami pārsteigta, neliekot, protams, to manīt savam pārstāvim, Kolēģija bija par Knehta ciešajiem, konfidenciālajiem, ar laiku vai draudzīgajiem sakariem ar slaveno pāteru Jakobu.

Šie sakari nesa dažādus augļus, par kuriem, nedaudz aizsteidzoties priekšā vēstījumam, lai mums atļauts pastāstīt — vismaz par to vienu, kas Knehtam bija pats tīkamākais. Šis auglis brieda lēni, ļoti lēni, tas attīstījās tikpat piesardzīgi un neticīgi, kā dīgst kalnos augušu koku sēklas, iesētas auglīgā ielejas augsnē: šīs sēklas, nokļuvušas treknā augsnē un labvēlīgos klimatiskos apstākļos, patur mantojumā to atturību un piesardzību, kas bija raksturīga viņu senčiem, — lēns augšanas temps ir viena no viņu pārmantotajām īpašībām. Tā arī gudrais sirmgalvis, paradis neuzticīgi kontrolēt kaut mazāko svešas ietekmes iespēju, vien vilcinādamies un pakāpeniski ļāva iesakņoties tam, ar ko viņu iepazīstināja viņa jaunais draugs, kolēģis no pretējā pola, Kastālijas gara pārstāvis. Pamazām sēkla tomēr uzdīga; no visa labā, ko Knehts pieredzēja klosterī aizvadītajos gados, pats labākais un dārgākais viņa acīs bija daudz pieredzējušā sirmgalvja atturīgā uzticēšanās un atklātība, kas attīstījās vien vilcinādamās no sākotnēji bezcerīga dīgsta, — pātera lēnām izaugusī, vēl jo lēnāk paša atzītā cieņa ne vien pret jauno pielūdzēju, bet arī pret to specifiski kastālisko, kas viņam piemita. Soli pa solim gados jaunākais — šķietami būdams tikai skolnieks, klausītājs, māceklis — piespieda pāteru, kurš vārdus "kastālisks" un "Stikla pērlīšu spēles spēlētājs" iesākumā lietoja tikai ironiskā nozīmē, pat kā lamu vārdus, atzīt, vispirms tikai pieciest, pēc tam cienīt arī šo domāšanas veidu, šo ordeni, šo mēģinājumu radīt gara aristokrātiju. Pāters mitējās pārmest nepilngadību ordenim, kurš būdams tikai nepilnus divus gadsimtus vecs, protams, nespēja sacensties ar pusotra gadu tūkstoša veco benediktiešu ordeni, pārstāja arī uzskatīt Stikla pērlīšu spēli par sava veida estētiska dendiisma izpausmi, nenoliedza vairs iespēju, ka nākotnē abi gadu ziņā tik atšķirīgie

127

ordeņi varētu tuvināties un kļūt par ko līdzīgu sabiedrotajiem. Knehts vēl ilgi neatskārta, ka šo daļējo pātera nostājas maiņu, kas paša acīs bija privāta rakstura personiska veiksme, Kolēģija uzskata par viņa Mariafelzas misijas lielāko panākumu. Dažbrīd viņš veltīgi lauzīja galvu, vai savu uzdevumu klosterī veicis, vai uzturēšanās šeit bijusi lietderīga, vai nosūtīšana uz šejieni, kas sākumā likās paaugstinājums un pagodinājums, par kuru biedri viņu apskauda, laikam ritot, drīzāk nav pielīdzināma apkaunojošai malā nostumšanai, nobīdīšanai strupceļā. Iemācīties kaut ko var visur, tad kādēļ nedarīt to šeit? Protams, kastālieša izpratnē šis klosteris, ja nepiemin pāteru Jakobu, nekāds zinību templis nebija; viņš netika īsti gudrs, vai, dzīvodams izolācijā, pieticīgu diletantu vidū, nav jau ierūsējis, nav sācis regresēt. Šādas bažas pārvarēt palīdzēja karjeristisku tieksmju trūkums, kā arī tolaik jau stipri attīstītais *amor fati*. Viesa, necila pasniedzēja dzīve šajā senatnīgi omulīgajā klosterī viņam galu galā patika labāk nekā pēdējie gadi Valdcellā, uzturoties godkāru cilvēku vidū, un, ja liktenis lemtu viņam visu mūžu pavadīt šajā sīkajā postenī aiz Kastālijas robežām, viņš, tiesa gan, mēģinātu šo to grozīt, piemēram, pacenstos atdabūt šurp kādu draugu vai vismaz izlūgtos garāku ikgadēju atvaļinājumu, citā ziņā tomēr samierinātos ar savu likteni.

Šīs biogrāfiskās studijas lasītājs, iespējams, gaida, ka pastāstīsim par kādu citu klostera dzīves pusi — par reliģisko. Par to mēs uzdrošināmies izteikt tikai piesardzīgus minējumus. Visai ticami — tas nepārprotami izriet arī no dažiem vēlākiem Knehta izteikumiem un no viņa nostājas —, ka Mariafelzā viņam bijusi ciešāka saskare ar reliģiju, ar kristietības praksi, taču uz jautājumu, vai un ciktāl viņš tur kļuvis par kristieti, mēs atbildēt nevaram — šī sfēra pētījumiem nav pieejama. Bez kastālietim ierastās cieņas pret jebkuru reliģiju viņam savā ziņā piemita godbijība, ko mums laikam gan tiesības nosaukt par reliģiozu, turklāt viņš jau skolā, pirmām kārtām studējot baznīcas mūziku, bija guvis itin plašas zināšanas par kristīgo mācību un tās klasiskajām formām — sevišķi labi viņš pazina mesas sakramentu un liturģijas rituālu. Tagad, uzturēdamies benediktiešu klosterī, viņš ne bez izbrīna un bijības iepazina vēl dzīvu reliģiju, ko līdz šim bija pazinis vienīgi teorētiski un vēsturiski; viņš noklausījās daudzus dievkalpojumus un, kopš bija izstudējis dažus pātera Jakoba rakstus un sarunā izjutis viņa iespaidu, jau pilnīgi spēja novērtēt kristietības fenomenu, kas gadsimtu ritumā tik bieži bija atzīts par novecojušu un pārvarētu, antikvāru un sastingušu, tomēr atkal un atkal, atgriezies pie saviem pirmavotiem, smēlies tajos jaunus spēkus, atstāja tālu aiz sevis to, ko vēl vakar daudzināja par laikmetīgu, uzvarējušu. Tāpat viņš nopietni

128

neiebilda pret sarunā atkārtoti izteikto domu, ka arī Kastālijas kultūra, iespējams, ir vēlīna, sekularizēta un iznīcībai lemta Rietumeiropas kristietības kultūras blakusforma, kas ar laiku no jauna izzudīs šajā kultūrā un beigs eksistēt. Vienalga, lai tā būtu, Knehts reiz teica pāteram, viņa vieta tomēr esot Kastālijas, nevis benediktiešu hierarhijā, tai viņam jākalpojot, tajā jādarbojoties līdzi un jāattaisnojot cerības, neraizējoties par to, vai formācija, kurai pats pieskaitāms, pastāvēs mūžīgi vai tikai zināmu laiku; ticības maiņa, pēc viņa domām, esot ne visai cienījama veida dezertēšana. Tāpat arī godājamais Johans Albrehts Bengels savulaik kalpojis nelielai, zūdīgai baznīcai, nebūt neatstājot novārtā kalpošanu mūžīgajam. Godprātība, t. i., uzticama kalpība, nepieciešamības gadījumā ziedojot pat dzīvību, iespējama jebkurā konfesijā un amata pakāpē, un cilvēka godprātības, patiesuma un vērtības vienīgā īstenā mēraukla esot šī uzticamā kalpība.

Kādu dienu, kad Knehts veselus divus gadus bija pavadījis klosterī, pie pātera ieradās viesis, kuru visai rūpīgi izolēja no viņa, liedzot abiem kaut pavirši iepazīties. Kļuvis ziņkārīgs, Knehts uzmanīgi vēroja svešo, kurš, starp citu, uzkavējās klosterī tikai dažas dienas, un domās izteica dažādus minējumus. Garīdznieka tērps, ko svešais valkāja, Knehta acīs bija maskēšanās. Ar abatu un jo sevišķi ar pāteru Jakobu svešais ilgi apspriedās aiz slēgtām durvīm, bieži pie viņa ieradās kurjeri, un viņš nekavējoties sūtīja tos atkal ceļā. Knehts, kas bija saklausījies valodas par klostera politiskajiem sakariem un tradīcijām, nosprieda, ka svešais ir atbildīgs valsts darbinieks, kuram uzticēta slepena misija, vai arī valdnieks, kas ceļo inkognito; lauzīdams galvu par saviem vērojumiem, viņš atcerējās, ka aizvadītajos mēnešos redzējis vēl vienu otru viesi, kas tagad, apdomājot redzēto, arī likās nozīmīgas un noslēpumainas personas. Pēkšņi viņš atcerējās "policijas" priekšnieku, laipno Dibuā kungu, un tā lūgumu šad tad pievērst uzmanību tieši šīm norisēm klostera dzīvē un, lai gan vēl aizvien nejuta vēlēšanos, nedz arī aicinājumu sniegt tamlīdzīgas atskaites, tomēr nokaunējās, ka tik ilgi nav rakstījis šim labvēlim un būtībā laikam gan pievīlis tā cerības. Viņš aizrakstīja Dibuā kungam garu vēstuli, kurā centās paskaidrot, kādēļ tik ilgi klusējis, un, lai vēstule neliktos pārlieku bezsaturīga, pastāstīja šo to par saviem sakariem ar pāteru Jakobu. Viņš ir nenojauta, cik rūpīgi vēstule tika lasīta un cik daudzi iepazinās ar tās saturu.

MISIJA

Knehta pirmā uzturēšanās klosterī ilga divus gadus; laikā, par kuru te runa, viņam bija trīsdesmit seši gadi. Kad Mariafelzas klosterī paredzētais viesošanās laiks tuvojās beigām, apmēram divus mēnešus pēc garās, Dibuā kungam adresētās vēstules nosūtīšanas, Knehtu kādu rītu aicināja ierasties abata kabinetā. Nodomājis, ka runātīgais Gervazijs vēlas patērzēt par ķīniešu literatūru, Knehts tūdaļ devās turp. Gervazijs sagaidīja viņu ar vēstuli rokās.

— Mani pagodinājuši, cienījamais draugs, liekot darīt jums zināmu kādu rīkojumu! — viņš jautri iesaucās savā ierastajā, omulīgi vēlīgajā runas manierē un tūliņ pat turpināja tai ironiski draiskajā tonī, kas bija kļuvis ierasts kastāliešu un benediktiešu ordeņu savstarpējos sakaros, paužot abu pušu vēl īsti nenostiprinātās draudzīgās jūtas, — tonī, ko faktiski bija ieviesis pāters Jakobs. — Starp citu, visu cieņu jūsu Spēles maģistram! Vēstules rakstīt viņš prot! Man viņš — Dievs zina, kādēļ, — raksta latīņu valodā; tiekoties ar jums, kastāliešiem, nekad nevar zināt, kas jums aiz ādas — pieklājība vai zobgalība, goda parādīšana vai pamācība. Godājamais *dominus*[1] tātad atrakstījis man vēstuli latīņu valodā, turklāt tādā, kādā tagad visā mūsu ordenī neviens nespētu izteikties, atskaitot varbūt vienīgi pāteru Jakobu. Tā ir Cicerona skolas cienīga latīņu valoda, kam tomēr nelielā devā piejaukta rūpīgi dozēta baznīcas latīņu valoda, par kuru savuties grūti pateikt, vai tā ir naivi iecerēta ēsma mums, melnsvārčiem, vai domāta ironiski, vai arī ieviesta aiz neapvaldāmas vēlēšanās parotaļāties, stilizēt, izpušķot valodu. Lūk, ko man raksta augsti godājamais Maģistrs: turienes aprindās uzskatot par vēlamu tikties ar jums un apskaut jūs, kā arī pārliecināties, vai tik ilga uzturēšanās mūsu pa pusei barbariskajā vidē nav nelabvēlīgi ietekmējusi jūsu morālo stāju un dzīves stilu. Vārdu sakot, ja vien esmu pareizi sapratis un iztulkojis tik apjomīgu literāro šedevru, jums tiek piešķirts atvaļinājums un mani lūdz, lai atļauju jums ierasties Valdcellā uz nenoteiktu laiku, nevis pavisam, jo drīza jūsu atgriešanās šeit, ja vien tā mums liktos tīkama, pilnīgi

---

[1] Kungs (*latīņu val.*).

atbilstu Kastālijas iestāžu vēlmēm. Lūdzu, atvainojiet mani, ne tuvu nav manos spēkos cienīgi interpretēt visas vēstījuma fineses, un Maģistrs Tomass, jādomā, nebūt negaida, ka to darīšu. Šī vēstulīte man jānodod jums, tagad varat iet un apdomāt, vai dosities ceļā un kad tas notiks. Mēs skumsim pēc jums, dārgais, un gadījumā, ja jūsu prombūtne ieilgs, nekavēsimies izteikt Kolēģijai savas pretenzijas. Vēstulē, ko abats bija nodevis Knehtam, īsi tika darīts zināms; ka viņam piešķirts atvaļinājums atpūtai un pārrunām ar vadību un ka tuvākajā laikā viņu gaida Valdcellā. Ar to, ka Spēles kurss iesācējiem nav pabeigts, lai nerēķinoties, ja vien abats neceļot iebildumus. Viņu liekot sveicināt vecais Mūzikas maģistrs. Izlasījis šo teikumu, Jozefs satrūkās un kļuva domīgs: kādēļ vēstules autoram, Spēles maģistram, likts nodot šo sveicienu, kas oficiālā vēstījumā nešķita īsti vietā? Jādomā, notikusi visu kolēģiju konference, kurā piedalīties aicināti arī bijušie Maģistri. Vienalga, lieki būtu lauzīt galvu par Audzināšanas kolēģijas sēdēm un lēmumiem, tomēr sveiciens dīvaini satrauca viņu, tas izklausījās neparasti koleģiāls. Lai kādam jautājumam bijusi veltīta sanāksme, sveiciens liecināja, ka vadība tajā spriedusi arī par viņu, par Jozefu Knehtu. Vai viņu gaida jauni pienākumi? Vai viņu atsauks no Mariafelzas? Un kas gaida viņu — paaugstinājums vai pazeminājums? Tiesa, vēstulē runa vienīgi par atvaļinājumu. Jā, par atvaļinājumu viņš priecājās no sirds, labprāt viņš dotos ceļā jau rīt. Kā nekā jāatvadās vismaz no skolniekiem un jānorāda, kas tiem paveicams viņa prombūtnes laikā. Antonu, domājams, dziļi apbēdinās vēsts, ka viņš aizceļo. Turklāt personiski jāatvadās no dažiem mūkiem. Te viņš atcerējās Jakobu un bezmaz izbrīnījies juta, ka iesmeldzās sirds, — tā bija liecība, ka viņš pieķēries Mariafelzai vairāk, nekā pats bija apzinājies. Daudz kā ierasta un dārga viņam te bija pietrūcis, un pēc diviem šeit aizvadītiem gadiem tālā, tik ilgi neredzētā Kastālija iztēlē likās vēl jo skaistāka; tomēr viņš tobrīd skaidri atskārta, ka, šķiroties no Jakoba, zaudē ko neaizstājamu, ko tādu, kā Kastālijā viņam pietrūks. Tai pašā mirklī viņš arī skaidrāk nekā līdz šim saskatīja, ko te pieredzējis un guvis, un, domādams par ceļojumu uz Valdcellu, par tikšanos ar draugiem, par Stikla pērlīšu spēli, par brīvdienām, pēkšņi jutās līksms un paļāvīgs. Bet prieks būtu bijis mazāks, ja pats nejustos drošs, ka atgriezīsies Mariafelzā.

Spēji izlēmis, viņš apciemoja pāteru Jakobu, pastāstīja tam par atvaļinājumu un par to, cik pārsteigts juties, noprazdams, ka priekam par došanos uz mājām un gaidāmo tikšanos ar draugiem piejaucies prieks par atgriešanos Mariafelzā, un, tā kā priecējusi pirmām kārtām doma par jaunu tikšanos ar cienījamo pāteru, viņš sadūšojies uzdrīkstoties izteikt tam lielu lūgumu, proti, atgriezies klosterī, viņš vēlētos kļūt par pātera Jakoba skolnieku — kaut arī tikai stundu vai stundas divas nedēļā. Jakobs izvairīgi pasmējās un lieku reizi veltīja izsmalcināti zobgalīgus komplimentus nepārspējami daudzpusīgajai kastāliešu izglītībai, ko tāds necils klostera brālis kā viņš varot tikai klusēdams apbrīnot, aiz pārsteiguma kratīdams galvu. Bet Jozefs paguva ievērot, ka atteikums nav nopietni domāts, un, kad viņš ardievodamies sniedza pāteram roku, tas laipni piekodināja, lai neraizējoties par savu lūgumu, apsolīdams labprāt darīt visu, kas vien tā spēkos, un gaužām sirsnīgi atvadījās no Jozefa.

Līksmu sirdi Knehts devās mājup, pretī brīvdienām, cieši pārliecināts, ka klosterī aizvadītais laiks nav bijis veltīgs. Dodamies ceļā, viņš jutās kā pusaudzis zēns, taču drīz vien, protams, atcerējās, ka nav vairs nedz zēns, nedz arī jaunietis — par to liecināja kauna un iekšējas pretestības izjūta, kas uzradās tūdaļ, līdzko viņš ar kādu žestu, izsaucienu vai citu bērnišķību tiecās dot vaļu brīvestības, skolas zeņķa brīvdienu laimes sajūtai. Nē, tas, kas reiz šķita pats par sevi saprotams, ļāva justies atraisīti — skaļas gaviles, ieraugot putnu koka lapotnē, skanīga marša melodija, līksmi atraisīts solis —, tas viss vairs nebija iespējams, izdotos stīvi vai samāksloti, būtu muļķīgi vai bērnišķīgi. Viņš juta, ka kļuvis vīrs, gan sirdī vēl jauns un jauneklīga spēka pārpilns, taču jau atradinājies nodoties mirkļa noskaņai, kļuvis nebrīvs, piesardzīgi modrs, pienākumu saistīts, — kas gan viņam tos uzlicis? Postenis? Uzdevums pārstāvēt klosterī savu zemi, savu Ordeni? Nē, tas bija pats Ordenis, tā bija hierarhija, kurā viņš, kā pats atskārta šajā pašapceres mirklī, neizprotami ieaudzis un iesaistīts, tā bija atbildība, iekļautība vispārīgajā un augstākstāvošajā, kas vienu otru jauno šķietami dara vecu un vienu otru veco — jaunu, tas bija kas tāds, kas piesaista, kas balsta un reizē padara nebrīvu, it kā miets, pie kura piesien jaunu kociņu, — kaut kas tāds, kas atņem šķīstību, tomēr prasa aizvien lielāku skaidrību un garīgu tīrību.

Monporā viņš apciemoja veco Mūzikas maģistru, kas jaunībā pats reiz bija viesojies Mariafelzā un studējis benediktiešu mūziku; tas tagad sīki izvaicāja viņu par daudz ko. Knehtam šķita, ka vecais vīrs, patiesību sakot, kļuvis nedaudz rimtāks, it kā novērsies no visa, toties izskatās veselāks un spirgtāks, nekā pēdējo reizi tiekoties; vaibstos vairs nejautās nogurums; aizgājis atpūtā, jautrāks viņš nelikās, tomēr bija kļuvis skaistāks un smalkāks. Knehtu pārsteidza tas, ka sirmgalvis gan izjautā viņu par slavenajām ērģelēm, par nošu lādēm un Mariafelzas kori, pat par kādu koku klostera dārzā — vai tas vēl stāvot, toties neizrāda ne mazāko interesi par viņa darbību, par Stikla pērlīšu spēles kursu, par atvaļinājuma mērķi. Tomēr vecais vīrs atvadoties deva viņam vērtīgu padomu.

— Esmu dzirdējis, — viņš bilda it kā jokodams, — ka tu esot kļuvis par tādu kā diplomātu. Patiesību sakot, nekāda jaukā profesija tā nav, bet ar tevi, liekas, ir apmierināti. Tā, protams, tava darīšana. Bet, ja tu netaisies izraudzīt šo profesiju uz laiku laikiem, tad esi piesardzīgs, Jozef, man rādās, tevi grib savalgot. Pretojies, tev ir tiesības nepiekrist. Nē, netaujā, vairāk neko neteikšu. Gan jau redzēsi pats.

Par spīti šim brīdinājumam, kas it kā dzelonis iedūrās sirdī, Knehts, atgriezies Valdcellā, izjuta nekad agrāk neapjaustu prieku, no jauna ieraugot dzimteni; viņam likās, ka Valdcellā nav tikai viņa dzimtā puse un skaistākā vieta pasaulē, bet ka tā, viņam promesot, kļuvusi vēl skaistāka un pievilcīgāka vai arī viņš pats uzlūko to citām acīm, kļuvis redzīgāks. Tas attiecās ne tikai uz pilsētas vārtiem, torņiem, kokiem un upi, uz pagalmiem un zālēm, uz ļaudīm un sen iepazītām sejām — arī pret Valdcellā valdošo garu, pret Ordeni un Stikla pērlīšu spēli viņam atvaļinājuma laikā radās tā saasinātā uztvere, tā pastiprinātā un pateicīgā uztvere, kas raksturīga pārnācējam, ceļotājam, kurš kļuvis zinošāks, iemantojis briedumu.

— Man ir tāda sajūta, — viņš teica savam draugam Tegularijam, pēc tam kad bija noskaitījis dedzīgu slavas dziesmu Valdcellai un Kastālijai, — man ir tāda sajūta, it ka visus tos gadus, ko pavadīju šeit, būtu gulējis miegā, neapzinādamies, cik laimīgs esmu, un tagad būtu pamodies un redzētu visu skaidri, asi, un pārliecinātos, ka tā ir tiešamība. Cik redzīgu dara divi svešumā aizvadīti gadi!

Atvaļinājumu viņš izbaudīja it kā svētkus, it īpaši Spēles un diskusijas ar biedriem *Vicus lusorum* elites vidū, tikšanos ar draugiem, ar Valdcellas *genius loci*[1]. Tiesa gan, šī pacilātas laimes un prieka noskaņa sakuploja tikai pēc sarunas ar Spēles maģistru, pirms tās Knehta prieku aptumšoja zināmas bažas.

Spēles maģistrs iztaujāja viņu mazāk, nekā Knehts bija gaidījis; kursu iesācējiem un studijas mūzikas arhīvā Maģistrs gandrīz aizmirsa pieminēt, tikai par pāteru Jakobu viņam neapnika klausīties: aizvien no jauna viņš novirzīja sarunu uz pāteru, nekas no tā, ko Jozefs stāstīja par šo klostera iemītnieku, viņam nešķita lieks. Ar Knehtu un viņa darbību benediktiešu klosterī visi bija apmierināti, pat ļoti apmierināti — ka tas tā, liecināja ne tikai Maģistra lielā laipnība, vēl jo zīmīgāka bija Dibuā kunga izturēšanās, pie kura viņu nekavējoties nosūtīja Maģistrs.

---

[1] Labais ģēnijs (*latīņu val.*).

— Savu uzdevumu tu esi veicis teicami, — teica Dibuā un, klusi iesmiedamies, piebilda: — Deguns tik tiešām maldināja mani toreiz, kad ieteicu nesūtīt tevi uz klosteri. Iekarodams ne tikai abatu, bet arī dižo Jakobu un noskaņodams abus vēlīgāk pret Kastāliju, tu esi panācis daudz, nesalīdzināmi vairāk, nekā mēs uzdrošinājāmies gaidīt.

Pēc dažām dienām Stikla pērlīšu spēles maģistrs uzaicināja viņu uz pusdienām kopā ar Dibuā kungu un jauniecelto Valdcellas elites skolas direktoru, Cbindena pēcteci, un, kamēr viņi pēc maltītes sarunājās, it kā nejauši ieradās jaunais Mūzikas maģistrs, kā arī Ordeņa arhivārs — tātad vēl divi Audzināšanas kolēģijas locekļi, un viens no viņiem vēlāk aicināja Knehtu iegriezties viesu namā un tur ilgi tērzēja ar viņu. Ielūgums uz pusdienām pirmo reizi izvirzīja Knehtu visu acīs to cilvēku šaurajā lokā, kas pretendēja uz pašiem augstākajiem amatiem, starp viņu un Spēles elites vidusmēru visai drīz radot plaisu, ko viņš, ar gadiem kļuvis modrīgs, sajuta ļoti skaidri. Starp citu, pagaidām viņam piešķīra mēnesi atvaļinājuma un izsniedza amatpersonām parasto atļauju uzturēties Provinces viesu namos. Lai gan nekādus pienākumus viņam neuzlika, pat neprasīja, lai viņš reģistrētos, Knehts tomēr atskārta, ka vadība viņu novēro, jo tad, kad tiešām devās dažos izbraukumos, piemēram, uz Keiperheimu, uz Hirslandi, un apmeklēja Austrumāzijas tautu institūtu, viņu tūdaļ uzlūdza turienes augstākās amatpersonas; šajās pāris nedēļās viņš tik tiešām iepazinās ar visu Ordeņa vadību, turpat ar visiem Maģistriem un mācību iestāžu vadītājiem. Nebūtu šo tik oficiālo ielūgumu un iepazīšanos, Knehtam izbraukumu laikā liktos, ka viņš atgriezies studenta gadu brīvestību pasaulē. No viena otra izbraukuma viņš atteicās — galvenokārt Tegularija dēļ, kas šīs atkalredzēšanās laikā smagi pārdzīvoja katru šķiršanos, tāpat arī Stikla pērlīšu spēles dēļ, jo bija ļoti ieinteresēts piedalīties jaunāko vingrinājumu apguvē, kā arī iepazīt jaunas Spēles problēmas, un šajā jomā Tegularija palīdzība bija neatsverama. Otrs tuvs draugs, Feromonte, bija kļuvis par jaunā Mūzikas maģistra līdzstrādnieku, ar viņu šai laikā izdevās pabūt kopā tikai divas reizes; draugs aizrautīgi strādāja, risinādams svarīgu mūzikas vēstures problēmu par sengrieķu mūzikas elementiem Balkānu tautu dejās un dziesmās; Feromonte labprāt pastāstīja draugam par saviem jaunākajiem pētījumiem un atklājumiem; tie attiecās uz baroka mūzikas pakāpenisko pagrimumu, sākot ar astoņpadsmitā gadsimta beigu posmu, un uz jaunu motīvu apguvi, kam pamatā slāvu tautu mūzika.

Savas līksmās brīvdienas Knehts lielākoties pavadīja Valdcellā, vingrinādamies Stikla pērlīšu spēlē; kopā ar Tegulariju viņš izstudēja piezīmes, kuras draugs uzmetis, piedalīdamies semināros, ko Maģistrs pēdējo divu gadu laikā bija rīkojis Spēles virtuoziem, un pēc divu gadu pārtraukuma atkal visiem spēkiem centās iejusties cildenajā Spēles pasaulē, kuras pievilcība viņam šķita tikpat neaizstājama, tikpat nesaraujami saistīta ar paša mūžu kā mūzikas burvība.

Tikai pašās atvaļinājuma beigās Spēles maģistrs atsāka sarunu par Jozefa misiju Mariafelzā, par uzdevumiem, kas viņu gaida tuvākajā nākotnē. Sākumā it kā tērzējot, tad aizvien nopietnāk, bezierunu tonī, Maģistrs pastāstīja viņam par kādu Audzināšanas kolēģijas ieceri, kas vairumam Maģistru, arī Dibuā kungam, liekoties visai svarīga, proti, par nodomu nākotnē iecelt pastāvīgu pārstāvi pie Svētā krēsla Romā. Esot pienācis vai vismaz neesot vairs tālu tas vēsturiskais brīdis, skaidroja Maģistrs Tomass savā valdzinošajā, formas ziņā nevainojamajā valodā, kad jāuzceļ tilts pāri bezdibenim, kas izsenis šķir Romu un Ordeni, jo varbūtēju briesmu gadījumā abiem neapšaubāmi paredzami vieni un tie paši ienaidnieki, abiem būšot lemts kļūt par likteņa biedriem un dabiskiem sabiedrotiem, turklāt pašreizējā situācija nevarot pastāvēt mūžīgi un neesot abu pušu cienīga: divas varas, kuru vēsturiskā misija šajā pasaulē esot kalpot garam un palīdzēt saglabāt mieru, nevarot eksistēt nošķirti, gandrīz nepazīdamas viena otru. Romas baznīca, par spīti smagiem zaudējumiem, pārcietusi pēdējā lielā karu laikmeta satricinājumus un krīzes, atjaunojusies un attīrījusies, toties pasaulīgie tā laika zinātnes un izglītības institūti ierauti kultūras bojāejas atvarā; uz to drupām radušies Ordenis un Kastālija. Jau tādēļ vien, tās cienījamā vecuma dēļ, baznīcai piešķirama prioritāte, tā esot vecākā, cildenākā, daudzās vētrās pārbaudītā vara. Pagaidām runa esot par to, lai arī Romā modinātu un nostiprinātu atziņu par abu varu radniecību un savstarpējo atkarību varbūtēju nākotnes krīžu gadījumā.

"Ā," nodomāja Knehts, "tātad uz Romu taisās mani sūtīt, turklāt, iespējams, uz visiem laikiem!" — un, atcerējies vecā Mūzikas maģistra brīdinājumu, klusībā sagatavojās atvairīt uzbrukumu.

Maģistrs Tomass tikmēr stāstīja: svarīgs solis attiecību uzlabošanai, pēc kuras kastālieši tiekušies jau sen, bijusi Knehta misija Mariafelzā. Šī misija — pati par sevi tikai eksperiments, laipns žests, kas neuzliek nekādas saistības, — iecerēta bez jebkādiem blakus nolūkiem, kā atbilde uz turienes partnera ielūgumu, pretējā gadījuma tā, protams, būtu uzticēta kādam gados jaunākam Dibuā kunga padotajam, nevis politiski neskolotam Spēles adeptam. Bet šim mēģinājumam — šai nevainīgajai misijai bijuši pārsteidzoši labi rezultāti; pateicoties tai, viens no vadošajiem mūsdienu katolicisma pārstāvjiem, pāters Jakobs, tuvāk iepazinis Kastālijas garu un kļuvis tam labvēlīgāks, lai gan līdz šim pret to izturējies visnotaļ noraidoši. Vadība atzinīgi vērtējot Jozefa nopelnus šajā norisē. Tāds, proti, bijis viņa misijas patiesais nolūks, tāds esot panākums, ko viņš guvis, un no šāda redzes viedokļa tad arī jāvērtējot un jāturpinot ne tikai pats tuvināšanās mēģinājums, bet jo sevišķi Knehta misija un tālākā darbība. Viņam piešķirts atvaļinājums, ko varot vēl nedaudz pagarināt, ja viņš to vēlētos; ar viņu apspriedušies, viņš iepazīstināts turpat ar visiem augstākās vadības pārstāvjiem, tie apliecinājuši, ka uzticas viņam un pilnvaro Stikla pērlīšu spēles maģistru īpašā uzdevumā sūtīt Knehtu, piešķirot viņam plašas pilnvaras, uz Mariafelzu, kur viņu, par laimi, gaida laipna uzņemšana.

Maģistrs brīdi klusēja, it kā nogaidīdams, vai sarunas biedrs kaut ko nejautās, bet Knehts tikai pieklājīgi pamāja, apliecinādams, likdams noprast, ka uzmanīgi klausās un gatavs veikt uzdevumu.

— Uzdevums, kas man jādara tev zināms, — turpināja Maģistrs, — tātad ir šāds: mēs esam nolēmuši agrāk vai vēlāk iecelt pastāvīgu Ordeņa pārstāvi Vatikānā, ja iespējams, uz abpusējas sadarbības pamata. Būdami jaunāki, mēs attiecībās ar Romu esam ar mieru ieturēt, lai arī ne servilu, tomēr goddevīgu nostāju, mēs labprāt būtu otrie, neliedzot Romai pirmo vietu. Varbūt — man tas nav zināms, tāpat kā nav zināms Dibuā kungam, — pāvests jau šodien piekristu mūsu priekšlikumam; kā nekā mums par katru cenu jāizvairās saņemt noraidošu atbildi. Ir kāds cilvēks, ko mēs pazīstam, kas mums aizsniedzams, viņa vārdam Romā ir visai liels svars, un šis cilvēks ir pāters Jakobs. Tavs uzdevums — atgriezties benediktiešu klosterī, dzīvot tur, tāpat kā līdz šim esi tur dzīvojis, veikt pētniecisku darbu un vadīt Stikla pērlīšu spēles kursus, taču galveno uzmanību un vislielākās pūles veltīt tam, lai pāteru Jakobu pamazām noskaņotu mums labvēlīgi un panāktu, ka viņš piekristu atbalstīt mūsu centienus tuvoties Romai. Šoreiz tavas misijas galamērķis tātad ir skaidri zināms. Cik laika vajadzēs, lai to sasniegtu, nav tik būtiski; mēs uzskatām, ka paies vismaz gads, tomēr nav izslēgts, ka uzdevuma izpilde prasīs divus vai vairāk gadus. Benediktiešu dzīves ritms tev taču nav svešs, un tu esi iemācījies tam piemēroties. Nekādā gadījumā nedrīkstam radīt iespaidu, ka esam nepacietīgi un steidzinām otru, situācijai jāļauj nobriest, lai viss noritētu it kā pats no sevis, vai ne? Es ceru, tu neiebilsti pret uzdevumu, un lūdzu tevi runāt atklāti, ja tev rastos iebildumi. Ja vēlies, vari dažas dienas veltīt pārdomām.

Knehts paskaidroja, ka apdomas laiks viņam lieks, — pēc vairākām iepriekšējām sarunām priekšlikums nepārsteidza viņu nesagatavotu; viņš apņēmās veikt uzdevumu, taču piebilda:

— Jums būs zināms, ka šāda veida misijās labākos panākumus gūst tad, ja pilnvarotais neizjūt iekšēju pretestību un netīksmi. Pret misiju man iebildumu nav, es saprotu, cik tā nozīmīga, un ceru, ka spēšu uzdevumu veikt. Toties mani māc zināmas bažas, domājot par paša nākotni; esiet tik laipns, Maģistr, uzklausiet visnotaļ personisku, egoistisku atzīšanos un lūgumu. Esmu Stikla pērlīšu spēles adepts, kā jums zināms; sakarā ar uzturēšanos klosterī esmu zaudējis veselus divus gadus, nepapildinot zināšanas un neizkopjot Spēles iemaņas, un tagad šiem diviem gadiem klāt nāks vismaz gads, iespējams, vairāki gadi. Es negribētu vēl vairāk atpalikt. Tādēļ lūdzu jūs regulāri piešķirt man īsus atvaļinājumus braucieniem uz Valdcellu, kā arī nodrošināt tiešus radiosakarus, lai varu noklausīties lekcijas un speciālos vingrinājumus Spēles virtuoziem.

— Labprāt piekrītu! — iesaucās Maģistrs tonī, kurā jau ieskanējās kas līdzīgs atvadu intonācijai, taču Knehts, pacēlis balsi, pateica arī pārējo, proti, pieminēja savas bažas, ka gadījumā, ja Mariafelzā veiktos, viņu, iespējams, aizsūtīs uz Romu vai vispār iesaistīs diplomātiskajā dienestā.

— Bet šādas izredzes, — viņš nobeigumā teica, — nomāktu mani un nelabvēlīgi ietekmētu manu darbību klosterī. Ļaut uz visiem laikiem nobīdīt sevi diplomātiskajā dienestā man nepavisam nebūtu pa prātam.

Maģistrs sarauca uzacis un nosodot pacēla pirkstu.

— Tu teici "nobīdīt", šis vārds, nudien, nav vietā, nevienam ne prātā nav nācis nostumt tevi malā, drīzāk jau runa ir par izcelšanu, par paaugstinājumu. Neesmu pilnvarots sniegt paskaidrojumus vai dot solījumus par to, ko tev liks darīt nākotnē. Tavas šaubas man tomēr puslīdz saprotamas, un es, jādomā, spēšu tev palīdzēt, ja izrādīsies, ka tavas bažas bijušas pamatotas. Tagad klausies, kas man tev sakāms: tev savā ziņā ir dotības iemantot simpātijas un labvēlību, ļaunvēlis varētu nosaukt tevi *par charmeur*[1]. Jādomā, tieši šīs dotības pamudinājušas Kolēģiju nosūtīt tevi vēlreiz uz Mariafelzu. Bet neizlieto šīs spējas nevietā, Jozef, un necenties uzsist cenu savam veikumam. Ja tev laimēsies pārliecināt pāteru Jakobu, tas būs īstais mirklis, lai grieztos pie Kolēģijas ar personisku lūgumu. Tagad, manuprāt, pāragri to darīt. Paziņo man, kad tu dosies ceļā.

Jozefs uzklausīja šos vārdus klusēdams, lielāku uzmanību pievērsdams labvēlībai, kas tajos jautās, nekā nosodījumam, un drīz pēc tam atgriezās Mariafelzā.

Drošības apziņa, ko sniedz skaidri zināms uzdevums, visai uzlaboja viņa pašsajūtu. Uzdevums turklāt bija svarīgs un godpilns un

---

[1] Pavedējs (*franču val.*).

vienā ziņā atbilda viņa paša dziļākajām vēlmēm: pēc iespējas biežāk tikties ar pāteru Jakobu un iegūt tā draudzību. Ka pret viņa misiju klosterī izturas nopietni, ka viņš pats ir paaugstināts dienesta pakāpē, liecināja tikko jūtamas pārmaiņas klostera priekšniecības, it īpaši abata nostājā; tā bija ne mazāk vēlīga, taču pauda manāmi lielāku respektu. Jozefs vairs nebija gados pajaunais viesis bez titula, pret kuru izturas laipni aiz cieņas pret zemi, no kuras viņš ieradies, un aiz labvēlības pret pašu viesi, drīzāk jau viņu tagad uzņēma un pret viņu izturējās kā pret augstāku Kastālijas pārstāvi, piemēram, pilnvarotu sūtni. Kļuvis redzīgs šādās lietās, Knehts izdarīja savus secinājumus.

Pātera Jakoba attieksmē viņš toties nespēja saskatīt nekādas pārmaiņas: Jozefu dziļi aizkustināja draudzīgais tonis un prieks, ar kādu pāters viņu sagaidīja un, nenogaidījis viesa lūgumu vai atgādinājumu, pats atcerējās norunu par kopīgām nodarbībām. Jozefa darba kārtība un dienas plānojums tagad būtiski atšķīrās no agrākā. Darba plānā un pienākumu sarakstā Stikla pērlīšu spēles kurss ne tālu vairs nebija pirmajā vietā, par studijām mūzikas arhīvā un koleģiālo sadarbību ar ērģelnieku vispār vairs netika runāts. Galvenais tagad bija mācības pātera Jakoba vadībā, vienlaicīga vairāku vēstures nozaru apguve, jo pāters iepazīstināja savu priviliģēto skolnieku ne vien ar benediktiešu ordeņa vēstures aizsākumiem, bet arī ar agrīno viduslaiku pirmavotiem, atsevišķas nodarbības veltīdams kādas senas hronikas lasījumam oriģinālā. Pāteram patika Knehta neatlaidīgie lūgumi, lai arī jaunajam Antonam atļauj piedalīties nodarbībās, taču bez grūtībām izdevās pārliecināt Jozefu, ka trešās personas klātbūtne, lai cik labi nolūki būtu šai personai, jūtami traucētu tik individuāla rakstura mācības, un tā Antonu, kam par Knehta lūgumu nebija ne jausmas, aicināja piedalīties tikai hroniku lasījumos, un šis uzaicinājums viņu bezgala aplaimoja. Jaunajam mūkam, par kura tālāko likteni mums ziņu trūkst, šīs mācības, bez šaubām, likās ārkārtējs labvēlības apliecinājums, baudījums, stimuls; divi sava laika gaišākie prāti un oriģinālākie domātāji atļāva viņam kā klausītājam un māceklim piedalīties savās nodarbībās un domu apmaiņā. Pateikdamies pāteram, Knehts pēc katras lekcijas epigrafikā un pirmavotu mācībā pakāpeniski informēja viņu par Kastālijas vēsturi un struktūru, kā arī par jaunākajām Spēles idejām, tā skolniekam kļūstot par skolotāju, bet godātajam skolotājam — par uzmanīgu klausītāju, kura jautājumi un kritiskās piezīmes nereti mulsināja Khehtu. Pātera Jakoba neuzticēšanās visam kastāliskajam nekad nenorima; nesaskatīdams Kastālijas mentalitātē patiesu reliģiozitāti, viņš apšaubīja, ka tā spēj un ir cienīga izaudzināt nopietni ņemamu cilvēka tipu, lai gan Knehts bija apliecinājums tam, cik cildens

rezultāts var būt šādai audzināšanai. Viņa neuzticēšanās pilnīgi neizzu-
da vēl ilgi pēc tam, kad sakarā ar abu nodarbībām, Knehta personības
ietekmēts, pāters Jakobs, ciktāl tas vispār iespējams, bija grozījis
savus uzskatus un izlēmis atbalstīt Kastālijas tuvināšanos Romai,
— Knehta piezīmēs, kas uzmestas nekavējoties pēc katras notikušās
sarunas, daudz spilgtu piemēru tam, cik dziļa bijusi šī neuzticēšanās.
Sniedzam vienu šādu piemēru.

J a k o b s. Jūs, kastālieši, esat lieli zinātnieki un estētikas lietpra-
tēji, jūs izskaitļojat patskaņu īpatsvaru senā dzejas darbā un iegūto
formulu attiecināt uz kādas planētas orbītu. Tas ir apburoši, tomēr tā ir
tikai rotaļa. Rotaļa ir arī jūsu dižākais noslēpums un simbols — Stikla
pērlīšu spēle. Es esmu ar mieru atzīt, ka jūs tiecaties pilnveidot šo
jauko spēli par sava veida sakramentālu vai vismaz garīga pacilājuma
līdzekli. Bet sakramenti netop šādu pūliņu rezultātā — rotaļa paliek
rotaļa.

J o z e f s. Pēc jūsu domam, pater, mums pietrūkst teoloģiska
pamata?

J a k o b s. Ko nu, par teoloģiju labāk klusēsim, līdz tai jums
tālu. Par pamatu jums noderētu arī šis tas vienkāršāks, piemēram,
antropoloģija — patiesa zinātne un patiesas zināšanas par cilvēku. Jūs
nepazīstat viņu, šo cilvēku, nepazīstat ne viņa zvēriskumu, ne līdzību
Dievam. Jūs pazīstat tikai kastālieti, īpašas kastas pārstāvi, mākslīgi
iegūtu izmēģinājuma paraugu.

Knehtam tā, protams, bija necerēta laime; mācību stundas pavēra
viņam visai labvēlīgas un plašas iespējas, lai veiktu doto uzdevumu
— noskaņotu pāteru par labu Kastālijai un pārliecinātu viņu par savie-
nības lietderību. Tieši šo stundu dēļ radās situācija, kura tik ļoti atbilda
visam, ko vien varēja vēlēties un iedomāties, ka viņš ļoti drīz sāka just
ko līdzīgu sirdsapziņas pārmetumiem, jo likās apkaunojoši un paša
necienīgi vērot godātā cilvēka uzticēšanos un vaļsirdību, sēžot viņam
līdzās vai abiem kopā pastaigājoties krusta ejā, — sarunas biedrs taču
bija kļuvis par slepenu politisku plānu un darījumu objektu un mērķi.
Apzinādamies, ka ilgi nespēs klusēdams paciest šādu stāvokli, Knehts
jau apsvēra, kā lai atklāj savus patiesos nolūkus, kad vecais vīrs, viņu
par pārsteigumu, ierunājās pirmais.

— Mīļais draugs, — viņš it kā nevilšus bilda kādu dienu, — mēs
tik tiešām esam atraduši visai tīkamu un, manuprāt, arī lietderīgu
domu apmaiņas veidu. Abas darbošanās, kas mūždien man bijušas
pašas mīļākās — mācīt citus un mācīties pašam —, radušas jauku
apvienojumu mūsu kopīgā darba stundās, turklāt man tas viss nācis īsti
laikā, jo kļūstu vecs un pat iedomāties nevaru labāku garīgas terapijas

un atspirdzes līdzekli par šīm sarunām. Tātad, ja runā par mani, es mūsu domu apmaiņas gaitā, bez šaubām, esmu ieguvējs. Toties neesmu gluži drošs, vai arī jums, jaunais draugs, un jo sevišķi ļaudīm, kas jūs atsūtījuši šurp un kam jūs kalpojat, mūsu sarunas būtu tik izdevīgas, kā tie varbūt iecerējuši. Es vēlētos novērst iespējamu vilšanos, tāpat arī negribētu, lai starp mums rastos kādas neskaidrības, tādēļ atļaujiet man, vecam praktiķim, jums kaut ko pajautāt. Jūsu uzturēšanās šeit, mūsu klosterī, lai cik tā man tīkama, protams, nereti uzvedina mani uz pārdomām. Vēl nesen, pirms jūsu atvaļinājuma, proti, man šķita, ka jūsu vizītes nozīme un mērķi jums pašam nav gluži skaidri. Vai mans vērojums bijis pareizs?

Knehts atbildēja apstiprinoši, un pāters Jakobs turpināja:

— Labi! Kopš jūsu atgriešanās no atvaļinājuma šis tas ir mainījies. Jūs vairs nelauzāt galvu un neraizējaties par savas misijas mērķi: jums tas ir zināms. Vai man taisnība? Labi! Tātad neesmu kļūdījies. Jādomā, nekļūdos arī savos minējumos par šīs misijas mērķi. Jums ir diplomātisks uzdevums, un tam ir sakars ar mani, nevis ar mūsu klosteri vai abatu... Redziet nu, jūsu noslēpums ir gandrīz atminēts. Lai noskaidrotu situāciju līdz galam, speršu vēl pēdējo soli, proti, došu jums padomu pastāstīt man visu, kas vēl neskaidrs. Tātad — kāds ir jūsu uzdevums?

Pielēcis kājās, Knehts pārsteigts, samulsis, bezmaz apjucis stāvēja viņa priekšā.

— Jums taisnība, — viņš iesaucās. — Bet, atvieglodams manu stāvokli, jūs arī apkaunojat mani, aizsteigdamies man priekšā. Jau labu laiku lauzīju galvu, kā lai piešķiru mūsu attiecībām to skaidrību, ko jūs tik viegli atjaunojāt. Tīrā laime vēl, ka lūgumu iepazīstināt mani ar jūsu zinātnes nozari izteicu pirms atvaļinājuma, citādi nudien varētu rasties iespaids, ka tas bijis diplomātisks gājiens un mūsu studijas man ir tikai iegansts.

Vecais vīrs nomierināja viņu:

— Negribēju neko citu kā vien mums abiem atvieglot nākamo soli. Ne mirkli neesmu šaubījies, ka jums ir godīgi nolūki. Ja, aizsteigdamies jums priekšā, neesmu izdarījis neko tādu, kas arī jums neliktos nevēlams, tad taču viss ir labākajā kārtībā.

Par Knehtam doto uzdevumu, ko tas viņam tagad atklāja, pāters teica:

— Ka jums, kastāliešiem, ģeniāli priekšnieki, es neteiktu, taču diplomāti tie ir itin ciešami, turklāt tiem palaimējies. Jūsu priekšlikumu es apsvēršu lēnā garā, un mans lēmums daļēji būs atkarīgs no tā, cik labi jums izdosies iepazīstināt mani ar Kastālijas satversmi un gara pasauli, darīt man to saprotamu. Steiga šeit nevietā.

Redzēdams, ka Knehts vēl arvien nav īsti atguvies, viņš, skarbi iesmējies, piebilda:

— Ja vēlaties, varat uzskatīt manu rīcību par sava veida pamācību.

Mēs abi esam diplomāti, katra mūsu tikšanās ir cīņa — arī tad, ja tā noris draudzīgā garā. Mūsu cīniņā es brīdi biju vājākais, iniciatīva nepiederēja man, jūs zinājāt vairāk nekā es. Tagad stāvoklis izlīdzinājies. Mans šaha gājiens bija veiksmīgs, tātad arī pareizs.

Ja Knehtam šķita svarīgi un lietderīgi iemantot pātera atbalstu Kastālijas kolēģijas iecerei, tad vēl jo svarīgāk viņam likās pēc iespējas vairāk no pātera mācīties, savuties kļūstot par drošu ceļvedi Kastālijas gara pasaulē šim tik ietekmīgajam cilvēkam. Knehta draugi un skolnieki apskauduši viņu ne vienā vien ziņā, kā jau mēdz apskaust izcilus cilvēkus ne tikai par garīgu diženumu un enerģiju, bet arī par šķietamu veiksmi, to labvēlību, ko viņiem it kā izrāda liktenis. Garā sīkais ierauga dižajā vien to, ko spēj saskatīt, un Jozefa Knehta karjera un augšupeja katram vērotājam tik tiešām var likties neparasti spoža, strauja, šķietami viegla; par šo laika posmu viņa dzīvē laikam gan var rasties kārdinājums sacīt: viņam laimējās. Necentīsimies izskaidrot šo "laimi" no prāta vai morāles viedokļa — kā ārējo apstākļu likumsakarīgu secību vai savdabīgu algu par viņa īpašajiem tikumiem. Nedz ar prātu, nedz ar morāli laimei sakara nav, būtībā tā ir kas maģisks, kas agrīnai, arhaiskai cilvēces attīstības pakāpei piederīgs. Naivs laimesbērns, feju lolojums, Dievu luteklis nav piemērots objekts racionālistiskai un tātad arī biogrāfiskai apcerei — viņš ir simbols un atrodas aiz personiskā un vēsturiskā ietvariem. Tomēr sastopami izcili cilvēki, kuru mūžs nav iedomājams bez "laimes" — kaut vai tai ziņā vien, ka viņi un viņiem lemtais uzdevums tik tiešām sastopas un saderas gan vēsturiski, gan biogrāfiski, ka viņi piedzimst ne par vēlu, ne par agru; tāds cilvēks, liekas, bijis arī Knehts. Vērojot viņa mūžu, vismaz vienu šā mūža posmu, rodas iespaids, ka viss, ko vien cilvēks var vēlēties, viņam it kā pats no sevis iekritis klēpī. Mēs netaisāmies noliegt vai noklusēt šo aspektu, lai gan racionāli izskaidrot spētu to, vienīgi lietojot biogrāfisko metodi, kas mums sveša un Kastālijā nav nedz atļauta, nedz vēlama, proti, gandrīz neierobežoti iedziļinoties personiskās, privātās dzīves sīkumos, apspriežot veselības stāvokli un pārciestās slimības, analizējot dzīves izjūtas un pašsajūtas svārstību līknes. Mēs nešaubāmies, ka šāda veida biogrāfija, par kuru Kastālijā, protams, nevar būt ne runas, mums gan atklātu pilnīgu līdzsvaru starp Jozefa Knehta laimi un ciešanām, tomēr izkropļotu priekšstatus par viņu pašu un viņa dzīvi.

Diezgan, esam novirzījušies no tēmas. Runa bija par to, ka daudzi, kas pazina Knehtu vai bija par Knehtu tikai dzirdējuši, apskauda viņu.

Vairāk par visu citu tādi necili ļaudis laikam gan tomēr apskauda Knehtu par viņa attieksmēm ar veco benediktiešu pāteru — par attieksmēm, kur viņš, apvienojoties draudzībai ar ciešu sadarbību, bija gan skolnieks, gan skolotājs, ņēmējs un devējs, iekarotais un iekarotājs. Arī Knehtu pašu neviens cits iekarojums, kopš viņš Bambuskoku birzī bija ieguvis Vecāka Brāļa labvēlību, nebija tā aplaimojis, nebija viņam licis justies tik lepnam un apkaunotam reizē, nebija tā viņu bagātinājis un rosinājis kā šis guvums. Viņam tuvu skolnieku vidū vēlākajos gados nav neviena, kurš nebūtu apliecinājis, cik bieži, cik labprāt un ar kādu prieku skolotājs sarunā pieminējis pāteru Jakobu. Pātera vadībā Knehts iemācījās daudz ko tādu, ko tā laika Kastālijā diezin vai būtu iemācījies; viņš ne tikai apguva vēstures izpratnes un pētniecības metodes un līdzekļus, kā arī pirmās iemaņas to lietošanā, viņa guvums bija nesalīdzināmi lielāks — viņš iepazina un pārdzīvoja vēsturi kā realitāti, nevis zinātnes nozari, un šim procesam atbilda paša personiskā dzīve, tās ieaugsme vēsturē. Ierindas zinātnieks nespētu to viņam iemācīt. Jakobs bija ne tikai zinātnieks, turklāt vieds vērotājs, viņš bija arī darbīgs vēstures veidotājs. Likteņa norādīto vietu viņš nebija izmantojis, lai sildītos apcerīgas dzīves omulībā, savu zinātnieka celli viņš bija atvēris visas pasaules vējiem, savu sirdi — laika postam un cerībām, viņš pats piedalījās sava laika notikumos, nesa savu daļu vainas un atbildības par notiekošo, viņu nodarbināja ne tikai sen pagājušu norišu apcere, sistematizēšana un skaidrojums, ne tikai idejas — viņš tika iepazinis arī matērijas un cilvēku pretestību. Kopā ar viņa līdzgaitnieku un sāncensi, nesen mirušu jezuītu, pāteru Jakobu uzskatīja par faktisko pamatlicēju tai diplomātiskajai un morālajai varenībai, tai lielajai politiskajai autoritātei, ko Romas baznīca bija atguvusi pēc garīgas trūcības un rezignācijas gadsimtiem.

Lai arī skolotājs un skolnieks sarunās gandrīz nemaz neskāra sava laika politiskās dzīves jautājumus — darīt to liedza ne tikai pātera prasme klusēt, viņa atturība, bet arī gados jaunākā sarunu biedra bailes, ka viņu var ievilināt diplomātijas un politikas sfērā, — benediktieša politiskā nostāja un darbība tomēr tiktāl ietekmēja viņa pasaules vēstures skatījumu, ka ikvienā viņa spriedumā, ikvienā mēģinājumā ielūkoties pasaules norišu jūklī jautās politiķis praktiķis, tiesa, ne jau godkārs politisks intrigants, ne jau pavaldonis vai vadonis, arī karjerists ne, bet gan padomdevējs un starpnieks, darbonis, kura aktivitāti un dziņas iegrožoja prāts, cilvēka nepilnības un komplicētības dziļa izpratne, personība, kuru visai ietekmīgu darīja slava, pieredze, cilvēku un apstākļu pazīšana, galu galā arī nesavtība un rakstura viengabalainība. Par visu to Knehtam, ierodoties Mariafelzā, nebija bijis ne jausmas, pat pātera vārds viņam bija bijis svešs. Vairums kastāliešu politikā bija tikpat nezinoši kā dažs labs agrāko laikmetu zinātnieku kārtas pārstāvis; aktīvu politisku tiesību un pienākumu viņiem nebija, laikrakstus viņi nelasīja, to darīja tikai retais, un, ja tādi bija caurmēra kastālieša ieskati un paradumi, tad aktualitāte, politika, prese vēl jo vairāk biedēja Stikla pērlīšu spēles adeptus, kas mēdza uzskatīt sevi par Provinces īsto eliti, par sabiedrības krējumu un cieši raudzījās, lai nekas neaptumšotu pašu intelektuāli artistiskās eksistences dzidro, retināto atmosfēru. Arī Knehtam, ierodoties pirmoreiz klosterī, nebija diplomātiska uzdevuma; viņš bija tikai Stikla pērlīšu spēles pasniedzējs, un viņam nebija citu zināšanu politikā kā vien tās, ko pāris nedēļu laikā bija guvis no Dibuā kunga. Tiesa, salīdzinājumā ar to laiku viņš šodien zināja nesalīdzināmi vairāk, taču nebūt nebija zaudējis valdcellietim raksturīgo netīksmi pret aktuālās politikas problēmām. Kaut arī politiskā ziņā Knehts, tiekoties ar pāteru Jakobu, diendienā kļuva redzīgāks un zinošāks, tas vis nenotika aiz iekšējas nepieciešamības, kura, piemēram, mudināja viņu alkaini apgūt vēsturi, bet gan it kā nevilšus, tādēļ vien, ka tas bija neizbēgami.

Lai papildinātu savas zināšanas un labāk paveiktu savu godpilno uzdevumu, lasot pāteram lekcijas *de rebus Castaliensibus*[1], Knehts bija paņēmis līdzi no Valdcellas literatūru par Provinces iekārtu un vēsturi, par elitārās izglītības sistēmu un Stikla pērlīšu spēles attīstību. Viena otra grāmata viņam bija lieti noderējusi pirms divdesmit gadiem, disputējot ar Plīnio Deziņori, — kopš tā laika viņš tajās vairs nebija ielūkojies; citas, kuras viņam tolaik vēl bija liegtas, tāpēc ka tās adresētas vienīgi Kastālijas amatpersonām, viņš izlasīja tikai tagad. Tā, lūk, sagadījās, ka brīdī, kad paša interešu loks tik ļoti paplašinājās, viņš bija spiests no jauna pārlūkot, apzināt un nostiprināt savu pasaules uzskatu un savas vēstures zināšanas. Cenzdamies iespējami vienkārši un pārskatāmi parādīt pāteram Ordeņa un kastāliskās sistēmas būtību, viņš, kā jau bija sagaidāms, visai drīz atklāja pašu vājāko punktu kā savā izglītībā, tā visā Kastālijas izglītības sistēmā; izrādījās, ka viņa priekšstati par vēsturiskajiem apstākļiem, kuri savā laikā darīja iespējamu un veicināja Ordeņa rašanos līdz ar visu, kas tam sekoja, bija gaužām bāli un shematiski, tiem trūka uzskatāmības un sistēmas. Bet, tā kā pāters Jakobs nekādā ziņā nebija pasīvs skolnieks, izraisījās visai auglīga sadarbība un dzīva domu apmaiņa: Knehts tiecās izklāstīt Kastālijas ordeņa vēsturi, un pāters dažā ziņā viņam palīdzēja pirmo reizi saskatīt un iepazīt šo vēsturi pareizā apgaismojumā, aprādot tās

---

[1] Par Kastālijas apstākļiem (*latīņu val.*).

saikni ar vispārējo pasaules un atsevišķu valstu vēsturi. Mēs pārliecināsimies, ka šī tik intensīvā domu apmaiņa, kas pātera temperamenta dēļ nereti kļuva vētraina, vēl gadiem ilgi turpināja nest augļus un rosināja Knehtu līdz mūža galam.

Pātera turpmākā izturēšanās savuties liecināja, cik uzmanīgi viņš klausījies Knehta lekcijas, kā tās palīdzējušas viņam iepazīt un atzīt Kastāliju; šiem diviem cilvēkiem jāpateicas par Romas un Kastālijas saprašanos, kas arī šodien nav zudusi un sākās ar labvēlīgu neitralitāti un gadījuma rakstura zinātniskās domas apmaiņu, dažbrīd attīstīdamās par patiesu sadarbību un savienību. Galu galā pāters pat vēlējās iepazīt Stikla pērlīšu spēles teoriju, par kuru iesākumā tika noraidoši pasmaidījis; viņš, jādomā, bija atskārtis, ka tieši tajā meklējams Ordeņa noslēpums, tā ticība vai reliģija; reiz izlēmis iekļūt šajā tikai pēc nostāstiem pazīstamajā un pašam ne visai simpātiskajā pasaulē, pāters ar viņam piemītošo enerģiju un viltību tiecās taisnā ceļā uz tās centru, bet, ja arī nekļuva par Stikla pērlīšu spēles adeptu — tam viņš kā nekā bija par vecu —, tad Spēles un Ordeņa labajiem gariem laikam gan aiz Kastālijas robežām nekad nav izdevies atrast nopietnāku un vērtīgāku draugu par dižo benediktieti.

Reizēm, kad Knehts pēc kārtējās nodarbības atvadījās no pātera, tas lika noprast, ka vakarā gaida viņu ciemos; pēc nogurdinošām lekcijām un saspringtām diskusijām abi pavadīja kopā mierīgas stundas; nereti Jozefs ieradās ar klavihordu vai vijoli, vecais vīrs tad sēdās pie klavierēm, un sveces rēnajā vizmā mazajā istabā līdzi maigajai vaska smaržai plūsmoja Korelli, Skarlati, Telemana vai Baha harmonijas, ko viņi atskaņoja pamīšus vai abi reizē. Drīz pēc tam sirmgalvis devās pie miera, bet Knehts, ko bija stiprinājusi īsā muzikālā vakara svētcere, turpināja strādāt līdz vēlai naktij, ciktāl to neliedza klostera noteikumi.

Tai laikā Knehts ne tikai mācīja pāteru un pats mācījās viņa sabiedrībā, ne tikai vadīja ne visai rosmīgos Spēles kursus, ne tikai laiku pa laikam patērzēja ar abatu Gervaziju par Ķīnu — viņš pievērsās vēl kādam samērā plašam darbam: pēc divu gadu pārtraukuma atkal piedalījās ikgadējās Valdcellas elites sacensībās. Šo sacensību dalībniekiem bija jāizstrādā Stikla pērlīšu spēles uzmetumi par trim četrām norādītām pamattēmām; augstāko vērtējumu guva novatoriski, drosmīgi, oriģināli tēmu risinājumi, kuros saglabāta nevainojama formas tīrība un precizitāte, un vienīgi šajās sacensībās bija atļauts pārkāpt kanonus, t.i., izmantot jaunus — oficiālajā kodeksā un hieroglifu krājumā vēl neiekļautus šifrus. Tas padarīja šīs sacensības līdzās lielajām publiskajām Spēlēm par vissatraucošāko notikumu Spēlētāju ciematā, par konkurences cīņu to vidū, kam bija vislielākās izredzes ieviest jaunas Spēles zīmes, un augstākais atzinības apliecinājums, ko, starp citu, piešķīra tikai retajam, bija ne vien svinīgs gada labākās partijas priekšnesums, bet arī uzvarētāja ieteiktā Spēles gramatikas vai leksikas papildinājuma atzīšana un iekļaušana Spēles valodā un arhīvā. Reiz, apmēram pirms ceturtdaļgadsimta, šis retais pagodinājums tika dižajam Tomasam fon der Trāvem, tagadējam Spēles maģistram, par viņa jaunajam zodiaka zīmju alķīmisko nozīmju abreviatūrām, un arī vēlāk Maģistrs Tomass deva lielu ieguldījumu alķīmijas — šīs visai pamācošās slepenvalodas izpētē un apguvē. Knehts šoreiz necentās iekļaut partijā jaunas nozīmes, kuru viņam netrūka, tāpat kā jebkuram citam kandidātam, neizmantoja arī izdevību apliecināt savas simpātijas psiholoģiskajai Spēles metodei, ko, patiesību sakot, no viņa varēja sagaidīt; partija, ko viņš sacerēja, gan bija visai moderna un savdabīga kā strukturāli, tā tematiski, taču galvenais tajā šķita skaidri pārskatāmā, klasiskā kompozīcija un stingri simetriskais, vien pietiecīgi ornamentētais, vecmeistaru stilam radniecīgais, graciozais izvedums. Varbūt tā bija nošķirtība no Valdcellas un Spēles arhīvā, kas viņu uz to mudināja, varbūt tās bija viņa vēstures studijas, kuras prasīja daudz spēka un laika, varbūt arī viņš vairāk vai mazāk apzināti tiecās stilizēt savu partiju tādējādi, lai tā pēc iespējas atbilstu viņa drauga un skolotāja — pātera Jakoba gaumei, — mums tas nav zināms.

Mēs lietojām terminu "psiholoģiskā Spēles metode", kurš, iespējams, ne visiem lasītājiem saprotams. Knehta laikā tas bija plaši lietots teiciens. Spēles lietpratēju vidū, jādomā, allaž pastāvējušas dažādas strāvas un ievirzes, norisusi cīņa, mainījušies uzskati un iztulkojumi, taču tolaik valdošās bija divas Spēles uztveres, par kurām strīdējās un diskutēja. Izšķīra divēja tipa partijas — formālās un psiholoģiskās, un mēs zinām, ka Knehts, tāpat kā Tegularijs, bija pēdējo piekritējs un atbalstītājs, kaut arī ķildās nepiedalījās; tiesa, Knehts mēdza runāt par "pedagoģiska", nevis "psiholoģiska" rakstura partijām. Formālās metodes pārstāvji tiecās katras partijas lietisko satvaru — matemātiku, valodniecību, mūziku utt. — saliedēt maksimāli kompaktā, noapaļotā, formāli pilnīgā veselumā un harmonijā. "Psiholoģiskās" metodes piekritēji turpretī centās panākt vienību un harmoniju, kosmisku noapaļotību un pilnību ne tik daudz ar vielas izvēli, sakārtojumu, savijumu, sasaistījumu, pretstatījumu, cik ar meditāciju, kas sekoja katram partijas posmam un tika īpaši izcelta. Šāda psiholoģiska vai, kā mēdza izteikties Knehts, pedagoģiska partija ārēji nelikās pilnīga, toties ar savu precīzi norādīto meditāciju secību virzīja spēlētāju uz pilnīgā un Dievišķā pārdzīvojumu. "Manā izpratnē," Knehts reiz rakstīja vecajam Mūzikas maģistram, "partija pēc paveiktas meditācijas ietver spēlētāju tāpat, kā lodes virsma ietver savu centru; beidzis spēlēt, spēlētājs jūtas tā, it kā no juklās gadījuma pasaules būtu abstrahējis un uzņēmis sevī līdz galam simetrisku un harmonisku Visumu." Partija, ko Knehts iesniedza lielajām sacensībām, pēc savas uzbūves tātad bija formāla, nevis psiholoģiska. Iespējams, viņš vēlējās pierādīt pats sev un vadībai, ka, uzturēdamies Mariafelzā un veikdams diplomātisku misiju, ne par mata tiesu nav zaudējis Stikla pērlīšu spēles virtuoza iemaņas, lokanumu un eleganci, un pierādīt to viņam izdevās. Partijas uzmetuma galīgo redakciju un tīrrakstu, darbu, ko varēja padarīt vienīgi Spēles arhīvā Valdcellā, viņš uzticēja savam draugam Tegularijam, kurš, starp citu, arī piedalījās konkursā. Savu manuskriptu viņš varēja pats nodot Tegularijam un apspriest to kopā ar draugu, turklāt kopā izskatīt arī drauga uzmetumu, jo viņam bija izdevies uzaicināt Fricu pavadīt trīs dienas klosterī; Maģistrs Tomass beidzot bija izpildījis Knehta atkārtoto lūgumu. Lai arī Tegularijs priecājās par šo tikšanos un cerēja gandarīt savu pasauli neredzējuša kastālieša ziņkāri, viņš klosterī tomēr jutās gaužām neērti; šis jūtīgais cilvēks bezmaz saslima aiz neparastu iespaidu pārpilnības, uzturēdamies starp tik laipnajiem, bet veselīgi primitīvajiem, mazdrusciņ robustajiem ļaudīm, kam viņa domas, problēmas, raizes liktos pilnīgi neizprotamas.

— Tu mīti šeit uz svešas planētas, — viņš teica draugam, — un es neizpratnē apbrīnoju tevi par to, ka tu te esi izturējis veselus trīs gadus. Tavi pāteri pret mani tik tiešām ir laipni, bet itin viss šeit liekas man svešs un biedē mani, nekas nav man tuvs, nekas nešķiet pats par sevi saprotams, netop ierasts bez mokām un iekšējas pretestības; pavadīt šeit divas nedēļas man liktos tīrā elle.

Knehtam neklājās viegli ar draugu, pirmo reizi viņš it kā no malas ar nepatiku vēroja plaisu, kas šķīra abus ordeņus, abas pasaules, noprazdams, ka viņa slimīgi jūtīgais draugs ar savu biklo bezpalīdzību šeit nerada labu iespaidu. Savu partiju uzmetumus viņi toties paklāva rūpīgai, kritiskai pārbaudei, un, dodamies pēc kopīga darba stundām uz pretējo ēkas spārnu pie pātera Jakoba vai uz maltīti, arī Knehts jutās tā, it kā no dzimtās puses pēkšņi būtu nokļuvis pavisam citā zemē ar citādu gaisu un klimatu, ar citām zvaigznēm pie debesjuma. Kad Frics bija aizbraucis, Jozefs mudināja pāteru atklāti pateikt, kādu iespaidu atstājis viņa draugs.

— Es ceru, — bilda Jakobs, — ka vairums kastāliešu ir līdzīgi jums, nevis jūsu draugam. Jūs iepazīstinājāt mūs ar neierastas, pārsmalcinātas, vārgulīgas un, baidos, arī augstprātīgas ļaužu pasugas pārstāvi. Es turpmāk orientēšos uz jums, citādi kļūšu vēl netaisns pret kastāliešiem. Jo šā nelaimīgā, jūtīgā, pārlieku gudrā, saraustītā cilvēka dēļ visa jūsu Province man atkal var kļūt pretīga.

— Manuprāt, — attrauca Knehts, — arī godājamo benediktiešu vidū gadsimtu ritumā būs gadījies pa slimīgam, fiziski vārgam, toties garīgi tik pilnvērtīgam cilvēkam, kāds ir mans draugs. Jādomā, nebija saprātīgi aicināt viņu šurp; te gan skaidri saskata viņa trūkumus, taču neprot ieraudzīt viņa izcilās dotības. Man viņš, ierazdamies šeit, izdarīja lielu, draudzīgu pakalpojumu. — Un Knehts pastāstīja pāteram par savu piedalīšanos konkursā. Sirmgalvim patika tas, ka Knehts aizstāv draugu.

— Labi sadots! — viņš smiedamies piekāpās. — Bet jums, man rādās, tik tiešām netrūkst draugu, ar kuriem grūti sadzīvot.

Brīdi uzjautrinājies par Knehta neizpratni un mulso seju, viņš it kā nevīlus piemetināja:

— Šoreiz runa ir par kādu citu. Vai esat dzirdējis ko jaunu par savu draugu Plīnio Deziņori?

Knehta izbrīns augtin auga; iztrūcies viņš lūdza tuvākus paskaidrojumus. Bet sakars bija šāds: kādā pamfletā Deziņori tika paudis krasi antiklerikālus uzskatus, turklāt itin enerģiski uzbrucis pāteram Jakobam. Tas bija lūdzis saviem draugiem, katoliskās preses pārstāvjiem, informāciju par Deziņori, un tajā tika pieminēti arī Deziņori skolas gadi Kastālijā un plaši pazīstamās attiecības ar Knehtu. Jozefs izlūdzās pāteram Plīnio rakstu, lai iepazītu tā saturu, un šajā sakarā starp viņu un pāteru Jakobu izraisījās pirmā saruna par aktuālās politikas tēmu; vēlāk šai sarunai sekoja vēl dažas citas. "Savādi, pat atbaidoši man likās," viņš rakstīja savam draugam Feromontem, "pasaules politiskajā arēnā pēkšņi ieraudzīt mūsu Plīnio un it kā piedevām sevi pašu — tas ir aspekts, par kura iespējamību līdz šim nebiju domājis." Starp citu, pāters Jakobs par Deziņori rakstu izteicās gandrīz vai cildinoši, vismaz bez aizvainojuma; viņš uzslavēja Deziņori stilu un atzina, ka tajā skaidri samanāma elites skolas ietekme; lasot dienas presi, parasti jāsamierinoties ar daudz zemāku garīgo līmeni.

Aptuveni tai pašā laikā draugs Feromonte atsūtīja Knehtam sava vēlāk tik slavenā darba "Slāvu tautas mūzikas elementu izmantojums un apdare vācu komponistu daiļradē, sākot ar Jozefu Haidnu" pirmās daļas norakstu; Knehta atbildes vēstulē starp citu teikts: "No pētījumiem, kuros man kādu laiku bija ļauts būt par Tavu līdzgaitnieku, Tu esi izdarījis būtiskus secinājumus; abas nodaļas par Šūbertu, it īpaši kvartetiem veltītā, mūsdienu mūzikas vēsturē ir pašas labākās, ko man gadījies lasīt. Pie izdevības atceries mani; līdz ražai, ko Tev laimējies ievākt, man vēl tālu. Lai cik apmierināts varu justies ar dzīvi šeit — misija Mariafelzā, šķiet, nav gluži bez panākumiem —, dažkārt tomēr mani māc ilgas pēc Provinces un Valdcellas biedru loka, pie kura es piederu. Guvis šeit esmu daudz, bezgala daudz, taču tas viss nostiprina tikai manas šaubas, nevis manu pārliecību un profesionālo noderīgumu. Tiesa gan, mans redzesloks kļuvis plašāks. Runājot par nedrošību, atsvešinātību, paļāvības, možuma un pašpārliecības trūkumu, kā arī citām vainām, kas īpaši nomāca mani pirmajos šeit pavadītajos gados, jāteic, ka tagad esmu kļuvis mierīgāks: nesen šeit pabija Tegularijs — tikai dienas trīs —, bet, lai cik ļoti viņš bija priecājies tikties ar mani, lai cik bija alcis iepazīt Mariafelzu, pats jau otrajā dienā teju, teju būtu aizbēdzis — tik nomākts un svešs viņš te jutās. Tā kā arī klosteris galu galā ir pietiekami nošķirta, mājīga, gara dzīvei labvēlīga vide — ne jau cietums, kazarma vai fabrika —, es, pamatojoties uz savu pieredzi, secinu, ka mēs savā mīļajā Kastālijā esam daudz vairāk izlutināti un jūtīgāki, nekā paši apzināmies."

Tieši tajā laikā, kad tika rakstīta vēstule Karlo, Knehtam izdevās panākt, ka pāters Jakobs īsā vēstījumā Kastālijas ordeņa vadībai apstiprinoši atbild uz jau zināmo diplomātisko jautājumu; vēstulei pāters tomēr pievienoja lūgumu atstāt vēl uz kādu laiku Mariafelzā "visu iemīļoto Stikla pērlīšu spēles virtuozu Jozefu Knehtu", kas pagodinājis viņu ar *privatissimum de rebus Castaliensibus*. Izpildīt šo lūgumu vadība, protams, uzskatīja par pagodinājumu. Bet Knehts, kam pavisam nesen bija licies, ka līdz "ražai" vēl tālu, saņēma Ordeņa vadības un Dibuā kunga parakstītu atzinības rakstu par uzdevuma izpildi. Vissvarīgākā un patīkamākā šajā visnotaļ oficiālajā dokumentā Knehtam šobrīd likās īsā piebilde (par to viņš vai gavilēdams aizrakstīja Tegularijam), ka Spēles maģistrs informējis Ordeņa vadību par viņa vēlēšanos atgriezties *Vicus lusorum* un tā nolēmusi izpildīt viņa lūgumu, pēc tam kad uzdevums būs veikts. Šo vietu Knehts nolasīja priekšā arī pāteram Jakobam, atzīdamies savā priekā par šo lēmumu un arī nesenajās bažās, ka viņam varbūt neatļaus atgriezties Kastālijā un liks doties uz Romu. Pāters smiedamies attrauca:

— Jā, draugs, tādi nu reiz ir ordeņi, labāk mēs jūtamies viņu paspārnē nekā perifērijā vai — nedod Dievs! — trimdā. Varat mierīgu sirdi atkal aizmirst to nedaudzo, ko šeit uzzinājāt, nokļuvis bīstami tuvu politikai, jo politiķis jūs neesat. Toties vēsturei palikt neuzticamam jums nevajadzētu, kaut arī tā būtu tikai blakusnodarbošanās, vaļasprieks. Jo jums nenoliedzami ir vēsturnieka dotības. Bet pagaidām, kamēr vēl esat manā rīcībā, mācīsimies viens no otra.

Atļauju biežāk apciemot Valdcellu Knehts, liekas, izmantoja reti, toties allaž noklausījās semināru un atsevišķu lekciju un partiju pārraides. Tā viņš, sēdēdams klostera aristokrātiskajā viesistabā, netieši piedalījās lielajās svinībās, kuru laikā *Vicus lusorum* svētku zālē tika paziņoti konkursa rezultāti. Viņš bija iesniedzis konkursam ne visai savdabīgu un nepavisam ne radikālu, toties kvalitatīvu un izsmalcinātu partiju, kuras vērtību pats apzinājās, un gaidīja uzslavu vai arī trešo, varbūt pat otro prēmiju. Sev par pārsteigumu, viņš izdzirda, ka partijai piešķirta pirmā prēmija, un pārsteigumu vēl nepaguva nomainīt prieks, kad Spēles maģistra resora pārstāvis skanīgā, sonorā balsī darīja zināmu, ka otro vietu ieguvis Frics Tegularijs. Tur tik tiešām bija par ko justies satrauktam un līksmot: abi godalgoti, abi roku rokā izcīnījuši uzvaru šajā konkursā! Neklausīdamies tālāk, viņš skriešus devās lejā pa kāpnēm un cauri gaitenim, kurā skaļi atbalsojās viņa soļi, izskrēja dārzā; kādā vēstulē, ko viņš tajās dienās rakstījis vecajam Mūzikas maģistram, lasāms: "Kā Tu, Godājamais, pats vari iedomāties, jūtos bezgala laimīgs. Vispirms jau paveiktā misija un pagodinošā Ordeņa vadības atzinība līdz ar man tik svarīgo atļauju drīzumā atgriezties dzimtenē, pie draugiem un Stikla pērlīšu spēles, nevis jauni diplomātiski uzdevumi un tad šī pirmā prēmija par partiju, kura izveides ziņā gan prasīja piepūli, taču aiz dažiem būtiskiem apsvērumiem nebūt neietver visu, ko spēju dot, turklāt vēl prieks, ka panākumus guvis arī draugs, — tas vienai reizei tik tiešām ir daudz. Jā, es esmu laimīgs, tomēr neuzdrīkstos apgalvot, ka man kļuvis vieglāk. Tik īsam laikam vai laikam, kas vismaz man pagājis ātri, panākumu, tā man klusībā liekas, bijis par daudz, tie ir mazliet negaidīti; pateicības jūtām piejaucas zināmas bažas, it kā pietiktu viena vienīga piliena, lai līdz malām pildītais trauks plūstu pāri un viss atkal kļūtu apšaubāms. Uzskati tomēr, lūdzu, ka neko neesmu teicis, šeit jebkuri vārdi lieki."

Mēs pārliecināsimies, ka šim līdz malām pilnajam traukam drīzumā bija lemts uzņemt ko vairāk par pilienu vien. Līdz brīdim, kad tas notika, Knehts tik intensīvi, tik atdevīgi izbaudīja savu bažu aptumšoto laimi, it kā nojaustu, ka gaidāmas lielas pārmaiņas. Arī pāteram Jakobam šie nedaudzie līksmie mēneši aizsteidzās aši. Viņam bija žēl zaudēt šo skolnieku un kolēģi, un kopīgā darba stundas, bet vēl jo vairāk, nepiespiesti tērzējot, viņš centās tam sniegt un atstāt mantojumā iespējami daudz atziņu, ko savā darbīgajā domātāja mūžā tika guvis par pacēlumiem un kritumiem atsevišķa indivīda un veselu tautu dzīvē. Reizēm viņš sarunā skāra Knehta misijas nozīmi un sekas, Romas un Kastālijas politiskās sadarbības iespējas un lietderību un ieteica Jozefam sīki iepazīt laikmetu, kurā radās Kastālijas ordenis un atdzima Romas baznīca pēc pazemojošu pārbaudījumu perioda. Viņš deva Knehtam padomu izlasīt dažus darbus par reformāciju un baznīcas šķelšanos sešpadsmitajā gadsimtā, taču jo cieši piekodināja allaž priekšroku dot pirmavotu izpētei, pievēršoties atsevišķai, labi pārskatāmai tēmai, nevis lasīt biezin biezus pasaules vēstures apcerējumus, turklāt neslēpa savu dziļo neticību jebkurai vēstures filozofijai.

SPĒLES MAĢISTRS

Atgriezties Valdcellā Knehts nolēma pavasarī — dienās, kad notika lielās publiskās Spēles — *Ludus anniversarius* vai *sollemnis*[1]. Lai gan šo ievērojamo Spēļu ziedu laiki, kad gadskārtējās svinības, uz kurām ieradās augstas amatpersonas un pārstāvji no visas pasaules, ilga vairākas nedēļas, jau sen bija pagājuši un piederēja pagātnei, tomēr šīs pavasara sanāksmes un svinīgās Spēles, kas parasti turpinājās desmit vai četrpadsmit dienas, katram kastālietim vēl arvien bija gada lielākie svētki, kuriem piemita arī dziļi reliģiozs, ētisks saturs, jo tie simboliskas harmonijas vārdā saliedēja visu ne vienmēr gluži vienprātīgo uzskatu un novirzienu pārstāvjus Provincē, it kā samierināja dažādās patmīlīgās disciplīnas, atsaucot atmiņā vienību, kas slēpās aiz ārējās daudzveidības. Ticīgo acīs svētkiem bija neviltota svaidījuma sakramentālā vara, neticīgajiem tie šķietami aizstāja reliģiju, bet kā vieniem, tā otriem svinības kļuva par gremdēšanos dailes tīrajā avotā. Līdzīgā kārtā reiz Johana Sebastiāna Baha pasijas — mazāk tolaik, kad tika radītas, vairāk gadsimtā, kad tās atklāja no jauna, — daļai atskaņotāju un klausītāju kļuva par visnotaļ reliģisku aktu un mistēriju, daļai — par svētsvinīgu apceri un reliģijas aizstājumu, bet visiem kopā — par svinīgu mākslas un *creator spiritus*[2] manifestāciju.

Knehtam nebija grūti panākt, lai viņa lēmumam piekrīt gan klostera vadība, gan Kolēģija dzimtajā pusē. Viņam vēl nebija skaidru priekšstatu, kas īsti viņš būs pēc atgriešanās *Vicus lusorum* mazajā republikā, bet viņš uzskatīja, ka šāda neziņa neturpināsies ilgi, ka visai drīz viņam uzvels kāda amata vai uzdevuma godpilno nastu. Šobrīd viņš priecājās par gaidāmo atgriešanos, tikšanos ar draugiem, par tuvajiem svētkiem, pacilāts aizvadīja pēdējās dienas pātera Jakoba sabiedrībā, ar cieņu un labpatiku uzklausīja dažādos labvēlības apliecinājumus, ar kuriem viņu uz atvadām pagodināja abats un klostera kapituls. Pēc tam viņš devās ceļā, ne bez skumjām teikdams ardievas vietai, ko bija iemīļojis, un aizvadītam dzīves posmam,

---

[1] Gadskārtējās... svinīgās Spēles (*latīņu val.*).
[2] Radošais gars (*latīņu val.*).

bet vienlaikus izjuzdams arī pirmssvētku pacilātību sakarā ar rindu kontemplatīvu, sagatavojošu vingrinājumu, ko bija gan veicis bez vadītāja un biedriem, toties stingri ievērojot priekšrakstus. Tas, ka viņam nebija izdevies pierunāt pāteru Jakobu pieņemt Spēles maģistra jau sen atsūtīto ielūgumu uz gadskārtējām Spēlēm un doties ceļā kopā ar viņu, šo pirmssvētku pacilātību nemazināja — vecā antikastālieša piesardzīgā nostāja viņam bija saprotama, toties viņš pats brīdi jutās brīvs no jebkurām saistībām un pienākumiem un pilnīgi sagatavojies dziļi pārdzīvot gaidāmās svinības.

Svētkiem ir savas īpatnības. Īsti svētki nemaz nevar neizdoties, ja vien to norisē neiejaucas nelabvēlīgas augstākās varas; ticīgā acīs arī aizlijušai procesijai nezūd svinīgais raksturs, un arī piededzis svētku cepetis nesabojās viņa omu; tā Stikla pērlīšu spēles adeptam katras gadskārtējās Spēles ir svētki un zināmā mērā svētas. Tomēr, kā mums visiem labi zināms, mēdz būt svētki un Spēles, kur valda īpaša saskaņa, kur norise spārno un kāpina norisi, tāpat kā mēdz būt teātra izrādes un koncerti, kas bez klaji saskatāma iemesla it kā pēc burvju mājiena kļūst par izciliem notikumiem un izraisa dziļu pārdzīvojumu, kamēr citi, ne sliktāk sagatavoti, nesniedzas tālāk par krietnu vidusmēru. Tā kā dziļš pārdzīvojums atkarīgs arī no dalībnieka garīgā stāvokļa, atliek secināt, ka Jozefs Knehts bija teicami sagatavots: nekādas rūpes nenomāca viņu, viņš atgriezās no svešatnes, godam veicis uzdevumu, un līksmās gaidās lūkojās pretī nākotnei.

Šoreiz *Ludus sollemnis* tomēr nebija lemts kļūt par brīnuma elpas skartām, izcili apgarotām un spožām svinībām. Spēlēm, gluži otrādi, pietrūka līksmes, tās bija sevišķi neveiksmīgas, gandrīz neizdevās nemaz. Dažs labs dalībnieks gan jutās sajūsmīgi pacilāts, tomēr faktiskie rīkotāji un atbildīgie, kā jau vienmēr šādās reizēs, jo neatvairāmāk izjuta nomācošo apgarotības trūkuma, bezcerības, nesekmes un kļūmju gaisotni, kurā norisa Spēles. Knehts nebūt nebija to vidū, kas vissāpīgāk pārdzīvoja šo neveiksmi, kaut arī viņš, protams, jutās daļēji vīlies savās līksmajās gaidās; lai gan īsta spozme un veiksme svinībām bija liegta, viņš, kas tieši nepiedalījās Spēlēs un nebija par tām atbildīgs, tajās dienās spēja bijīgā atzinībā noklausīties asprātīgi komponēto Spēli, ļaut, lai sirdī netraucēti izskan meditācijā, pateicīgā atdevībā pārdzīvot visiem Spēļu viesiem labi zināmo svētku un upura noskaņu, klausītāju saimes mistisko saliedēšanos, zemojoties dievišķā priekšā, — noskaņu, ko izjust neliedz arī šaura lietpratēju loka izpratnē "neizdevies" svētku sarīkojums. Kā nekā arī viņš nepalika gluži vienaldzīgs pret neveiksmes jūtoņu, kas valdīja šajās svinībās. Pati Spēlē pēc uzbūves un kompozīcijas bija nevainojama, tāpat kā jebkura cita Maģistra Tomasa partija; jāteic, tā bija pat iespaidīgāka, vienkāršāka, tiešāka par citām. Bet izpildījums, ko piemeklēja īpaša neveiksme, vēl šodien Valdcellā nav aizmirsts.

Kad Knehts nedēļu pirms lielajām svinībām ieradās Valdcellā, viņu pēc pieteikšanās *Vicus lusorum* pieņēma nevis Stikla pērlīšu spēles maģistrs, bet tā vietnieks Bertrams, kurš gan laipni apsveica pārbraucēju, taču diezgan strupi un izklaidīgi darīja tam zināmu, ka godājamais Maģistrs nesen saslimis un viņš, Bertrams, neesot pietiekami informēts par Knehta misiju, lai uzklausītu ziņojumu, tādēļ lai Knehts dodoties uz Hirslandi pats un ziņojot par savu atgriešanos Ordeņa vadībai un turpat lai gaidot turpmākus rīkojumus. Atvadoties Knehta balsī vai kustībās, iespējams, jautās zināms izbrīns par tik īsu un vēsu uzņemšanu, un Bertrams atvainojās. Lai kolēģis piedodot, ja viņš tam licis vilties, bet lai arī saprotot, cik neparasta esot situācija. Maģistrs saslimis, lielās gadskārtējās Spēles turpat durvju priekšā, un vēl aizvien neesot zināms, vai Maģistrs spēšot tās vadīt vai arī vadība būšot jāuzņemas viņam, vietniekam. Godājamais Maģistrs savārdzis pavisam nelaikā; viņš pats, protams, ik brīdi esot gatavs veikt Maģistra amata pienākumus, tomēr baidoties, ka tik īsā laikā viņam nebūšot pa spēkam pietiekami rūpīgi sagatavoties lielajām Spēlēm un uzņemties to vadību.

Knehtam bija žēl tik redzami nomāktā un mazliet līdzsvaru zaudējuša cilvēka, bet jo vairāk viņš nožēloja, ka šā cilvēka rokās, iespējams, būs svētku vadība. Pārāk ilgi Knehts nebija bijis Valdcellā, lai zinātu, cik pamatotas ir vietnieka bažas, jo Bertrams — un tas ir pats ļaunākais, kas var atgadīties ar vietnieku, — kopš kāda laika bija zaudējis elites, tā saukto repetitoru uzticību un situācija, kurā viņš atradās, patiešām bija sarežģīta. Noraizējies Knehts atcerējās Stikla pērlīšu spēles maģistru, šo klasiskās formas un ironijas virtuozu, šo nevainojamo maģistru un kavalieri; Jozefs bija priecājies, gaidīdams, ka tas pieņems, uzklausīs un no jauna iekļaus viņu šaurajā Spēles adeptu kopienā, varbūt uzticēs viņam atbildīgu posteni. Viņš bija vēlējies redzēt, kā Maģistrs Tomass svinīgi vadīs svētku Spēles, vēlējies turpināt darbu tā uzraudzībā, cenšoties iemantot atzinību; tagad, uzzinājis, ka slimība padarījusi Maģistru neaizsniedzamu un ka viņam jāgriežas pie citām instancēm, Knehts jutās sāpīgi vīlies. Tiesa, daļēji to kompensēja cieņas pilnā labvēlība, pat draudzīgums, ar kādu viņu sagaidīja un uzklausīja Ordeņa sekretārs un Dibuā kungs. Turklāt jau pirmās sarunas gaitā izdevās noskaidrot, ka šobrīd viņu nedomā nodarbināt, lai īstenotu Ordeņa ieceres Romā, un viņa vēlēšanās uz visiem laikiem pievērsties Stikla pērlīšu spēlei tiek ņemta vērā; pagaidām viņu laipni lūdza apmesties *Vicus lusorum* viesu namā, no jauna iepazīt šejienes dzīvi un noklausīties gadskārtējās Spēles. Kopā ar savu draugu Tegulariju viņš atlikušajās pirmssvētku dienās veica gavēņa un meditācijas vingrinājumus un pēc tam bijībā un pateicībā piedalījās tais neparastajās Spēlēs, kas vienam otram atstāja tik netīkamas atmiņas.

Maģistra vietniekam, it īpaši Mūzikas vai Stikla pērlīšu spēles maģistra vietniekam, — viņu sauc arī par "ēnu" — ir visai savdabīgs stāvoklis. Katram Maģistram ir savs vietnieks, ko neieceļ vis Kolēģija, bet izraugās pats Maģistrs nedaudzu kandidātu vidū, uzņemdamies pilnu atbildību par tā darbību un rīkojumiem. Kandidātam, ko Maģistrs ieceļ par savu vietnieku, tas ir īpašs pagodinājums un augsts uzticības apliecinājums; tādā kārtā viņš tiek atzīts par visvarenā Maģistra tuvāko līdzstrādnieku, par viņa labo roku; katru reizi, kad Maģistrs aizņemts, vietnieks veic tā pienākumus, tiesa, ne visus: balsošanas gadījumā Augstākajā kolēģijā viņš, piemēram, drīkst tikai nodot sava Maģistra "par" vai "pret", viņam nav tiesību piedalīties diskusijā un iesniegt priekšlikumus, un šis nebūt nav vienīgais ierobežojums. Lai gan par vietnieku ieceltais izvirzīts visai augstā postenī un dažbrīd ir itin izcila persona, viņu vienlaikus it kā nobīda pie malas; oficiālās hierarhijas ietvaros vietnieka amats ir zināms izņēmums: viņam nereti uztic svarīgus uzdevumus un piešķir augstus pagodinājumus, toties atņem tiesības un iespējas, kas līdzcensoņiem nav liegtas. Par vietnieka izņēmuma stāvokli pirmām kārtām skaidri liecina divi apstākļi: kā amatpersona vietnieks neatbild par savu rīcību, un viņam nav atļauts ar laiku ieņemt augstāku amata pakāpi. Tiesa, tas ir nerakstīts likums, taču Kastālijas vēsture liecina, ka Maģistra nāves vai atcelšanas gadījumā viņa vietā nekad nav stājusies "ēna", kas tik bieži viņu aizvietojusi un sakarā ar savu līdzšinējo darbību liktos īsti piemērota pēcnieka postenim. Rodas iespaids, ka šai gadījumā tradīcija apzināti tiecas norādīt, cik nepārvarama ir kāda šķietami nenoteikta un mainīga robeža vai barjera; proti, plaisa starp Maģistru un tā vietnieku it kā simbolizē robežu starp amatu un personību. Piekrizdams stāties augstajā vietnieka postenī, kastālietis tātad atsakās no izredzēm jebkad kļūt par Maģistru, jebkad pa īstam saaugt ar amata tērpu un insignijām, ko tik bieži nesīs, pārstāvēdams Maģistru, un vienlaikus iemanto visai apšaubāmu privilēģiju varbūtējas kļūdīšanās gadījumā uzvelt vainu Maģistram, kurš vienīgais par visu atbildīgs. Tik tiešām, bijuši gadījumi, kad Maģistrs kļuvis par paša izraudzītā vietnieka upuri un rupjas kļūdas dēļ, ko izdarījis otrs, bijis spiests atkāpties no amata. Pievārds, kādā Valdcellā iedēvēja Stikla pērlīšu spēles maģistra vietnieku, teicami atspoguļo viņa savdabīgo stāvokli — viņa saistību, pat šķietamo identitāti ar Maģistru, kā arī viņa oficiālās eksistences iluzorisko, nebūtisko raksturu. Viņu, kā jau minēts, Valdcellā sauc par "ēnu". Maģistra Tomasa fon der Trāves "ēna" jau izsenis bija Bertrams, kam, šķiet, drīzāk pietrūka veiksmes, nekā dotību vai labas gribas.

Viņš, pats par sevi saprotams, bija izcils Stikla pērlīšu spēles virtuozs, tāpat arī itin labs pasniedzējs un apzinīgs ierēdnis, visnotaļ uzticīgs savam Maģistram; pēdējo gadu laikā viņš tomēr bija zaudējis amatpersonu labvēlību, turklāt viņu neieredzēja elites jaunā paaudze, un, tā kā viņam trūka Maģistra bruņinieciskā, atklātā rakstura, viņa stājā sāka izpausties nedrošība un nemiers. Maģistrs nenovērsās no Bertrama, taču gadiem ilgi pēc iespējas centās pasargāt vietnieku no sadursmēm ar eliti, vispār aizvien retāk lika viņam uzstāties publiski, parasti nodarbinādams viņu kancelejā vai Arhīvā. Šis nevainojamais, bet nepopulārais vai vismaz tobrīd nepopulārais cilvēks, kam laime acīm redzami nebija labvēlīga, Maģistra slimības dēļ negaidot kļuva par *Vicus lusorum* vadītāju; ja viņam tiešām būtu jāvada gadskārtējās Spēles, svētku dienās viņš atrastos pašā redzamākajā postenī visā Provincē. Tik grūts uzdevums vienīgi tad būtu pa spēkam Bertramam, ja viņu atbalstītu lielākā daļa Stikla pērlīšu spēles adeptu vai vismaz Spēles repetitori, bet tā tas diemžēl nebija. Tā, lūk, sagadījās, ka *Ludus sollemnis* šoreiz kļuva par grūtu pārbaudījumu, turpat par katastrofu Valdcellai.

Tikai dienu pirms Spēļu sākuma tika oficiāli paziņots, ka Maģistrs nopietni saslimis un nevar uzņemties svētku vadību. Mēs nezinām, vai šāda novilcināšana atbildusi slimā Maģistra gribai, kurš varbūt līdz pēdējam brīdim cerēja, ka spēs piecelties no slimības gultas un varēs uzņemties Spēļu vadību. Jādomā gan, ka viņš tobrīd jutās jau pārāk slims, lai lolotu šādas cerības, un ka kļūdījās viņa "ēna", līdz pēdējam mirklim atstādama neziņā Kastāliju par situāciju, kas radusies Valdcellā. Protams, uzskats, ka šī vilcināšanās bija kļūda, ir apstrīdams. Ja arī vietnieks kļūdījās, tad, bez šaubām, aiz labiem nolūkiem, proti, lai jau aizlaikus nemazinātu gaidāmo svinību nozīmi un neatbaidītu Maģistra Tomasa cienītājus. Ja viss būtu noritējis labi, ja starp Bertramu un Valdcellas spēlētāju kopienu valdītu saprašanās, tad, ļoti iespējams, "ēna" tik tiešām tiktu galā ar vietnieka pienākumiem un Maģistra prombūtne paliktu puslīdz nepamanīta. Lieki būtu šeit izteikt vēl citus minējumus; mēs vienīgi uzskatījām par savu pienākumu norādīt, ka Bertrams nemaz nebija tik nespējīgs vai pat sava amata necienīgs, kā toreiz secināja Valdcellas sabiedriskā doma. Viņš drīzāk bija upuris nekā vainīgais.

Tāpat kā katru gadu, uz lielajām Spēlēm ieradās viesi. Daudziem nekas nebija zināms, citus māca raizes par Spēles maģistra veselības stāvokli, kā arī drūmas priekšnojautas par gaidāmo Spēļu norisi. Valdcellā un apkārtējie ciemati bija ļaužu pilni, ieradās turpat visi Ordeņa un Audzināšanas kolēģijas vadītāji; arī no attāliem valsts apvidiem un ārzemēm atbrauca viesi, pārpildītajās viesnīcās valdīja svētku noskaņa. Kā parasti, svinības sākās ar meditācijai veltītu stundu svētku priekšvakarā — atskanot zvanam, visā ļaužu pārpilnajā svētku laukumā iestājas dziļš, bijīgs klusums. Nākamajā rītā tika sniegti pirmie koncerti un izsludināta Spēles pirmā daļa, kā arī notika meditācija par abām šīs daļas muzikālajām tēmām. Bertrams, tērpies Stikla pērlīšu spēles maģistra svētku ornātā, turējās nosvērti un savaldīgi, tikai izskatījās ļoti bāls un ar katru dienu likās vairāk saguris, nevesels un rezignēts, tā ka uz beigām tik tiešām atgādināja ēnu. Jau otrajā dienā izplatījās valodas, ka Maģistra Tomasa veselības stāvoklis pasliktinājies, ka viņa dzīvībai draud briesmas, un tās pašas dienas vakarā labāk informēto vidū šur tur sākās runas, no kurām pamazām izveidojās leģenda par slimo Maģistru un viņa "ēnu". Šī leģenda, radusies *Vicus lusorum* repetitoru šaurajā lokā, vēstīja, ka Maģistrs it kā gribējis un arī spējis uzņemties svētku vadību, bet, cenzdamies gandarīt Bertrama godkāri, nesis upuri un uzticējis "ēnai" Spēļu vadību. Toties tagad, redzēdams, ka Bertrams netiek galā ar savu cildeno uzdevumu, ka Spēles draud izgāzties, slimais jūtoties atbildīgs par to norisi, par savu "ēnu" un tās neveiksmi un esot pats uzņēmies vainu par otra kļūdām; tikai šis apstāklis — nevis kas cits — esot par iemeslu tam, ka viņa veselības stāvoklis strauji pasliktinājies un drudzis kļuvis stiprāks. Šis, protams, nebija vienīgais leģendas variants, bet šo variantu izplatīja elite, un tas skaidri liecināja, ka elites, ka jaunās paaudzes acīs situācija ir traģiska un ka tā nav ar mieru atzīt nekādu izlocīšanos, nekādu traģēdijas notušēšanu vai izskaistināšanu. Cieņa pret Maģistru bija tikpat liela, cik liela bija netīksme pret viņa "ēnu"; visi vēlējās, lai Bertrams ciestu neveiksmi un kristu, kaut arī līdz ar viņu jāatbild būtu Maģistram. Citudien atkal dzirdēja runājam, ka slimais Maģistrs lūdzis vietnieku un divus elites vecākos saglabāt mieru, lai neapdraudētu svētku norisi; vēl dienu vēlāk paklīda valodas, ka Maģistrs nodiktējis savu testamentu un darījis zināmu Kolēģijai cilvēku, ko vēlas redzēt par savu pēcnieku; šai sakarā minēja pat vārdus. Līdz ar ziņām par Maģistra veselības nemitīgo pasliktināšanos klīda dažādas baumas un kā svētku zālē, tā arī viesnīcās svētku noskaņa pamazām zuda, kaut arī neviens neatļāvās aizceļot, nesagaidījis Spēļu nobeigumu. Pār sarīkojumu savilkās tumši, draudīgi mākoņi, lai gan ārēji viss norisa nevainojami, taču no gaidītās līksmes un pacilātības, kas tik raksturīga šiem svētkiem, maz kas bija jūtams, un, kad priekšpēdējā Spēļu dienā svētku Spēles autors Maģistrs Tomass uz mūžiem aizdarīja acis, Kolēģijai, par spīti visiem pūliņiem, neizdevās novērst ziņas izplatīšanos, un dīvainā kārta viens otrs svētku dalībnieks atviegloti nopūtās, uzzinājis, ka mezgls tādā veidā pārcirsts.

Spēles mācekļi un it īpaši elites pārstāvji, kam pirms *Ludus sollemnis* beigām nebija atļauts nedz tērpties sēru drānās, nedz arī pārtraukt stingri noteikto uzdevumu un meditāciju secību, pēdējā svētku akta un pēdējās svētku dienas laikā visi kā viens izturējās tā, it kā šī būtu godātā aizgājēja piemiņas diena, radīdami ap pārgurušo, bezmiega izmocīto, bālo Bertramu, kurš pievērtām acīm veica savus amata pienākumus, ledainas vientulības atmosfēru.

Lai gan Jozefs Knehts, pateicoties Tegularijam, vēl arvien bija cieši saistīts ar eliti un kā vecs spēlētājs visnotaļ pieejams šādām valodām un noskaņām, viņš tomēr nepakļāvās tām; sākot ar ceturto vai piekto dienu, Knehts pat aizliedza savam draugam Tegularijam traucēt viņu ar vēstīm par Maģistra slimību; viņš gan saprata un juta, cik smaga ēna uzgūlusi svētkiem, dziļi norūpējies un noskumis, domāja par Maģistru un ar augošu netīksmi un žēlumu arī par "ēnu" Bertramu, kam it kā lemts mirt kopā ar Maģistru, tomēr neatlaidīgi un nepiekāpīgi vairījās uzklausīt jebkuras patiesas vai izdomātas valodas, centās maksimāli koncentrēties, labprāt ar sirdi un dvēseli iedziļinājās teicami komponētās partijas vingrinājumos un plūdumā un, par spīti apkārtējām domstarpībām un drūmajām noskaņām, svinīgā pacilātībā dzīvoja līdzi svētku norisēm.

"Ēnai" Bertramam liktenis aiztaupīja nepieciešamību svētku nobeigumā pieņemt apsveicējus un Kolēģijas pārstāvjus, kā tas šādās reizēs bija parasts; nenotika šoreiz arī tradicionālā Stikla pērlīšu spēles studentu Prieka diena. Tūlīt pēc svētku nobeiguma koncerta Kolēģija oficiāli paziņoja, ka Maģistrs miris, un *Vicus lusorum* sākās sēru dienas, kurās piedalījās arī Jozefs Knehts, kas bija apmeties viesu namā. Nopelniem bagāto Maģistru, kura piemiņa godā vēl šobaltdien, apbedīja vienkārši, kā jau tas Kastālijā pieņemts. Bertrams, viņa "ēna", kas, liekot lietā pēdējos spēkus, bija līdz galam veicis svētku vadītāja grūto pienākumu, tagad, apzinādamies stāvokli, kādā nokļuvis, izlūdzās atvaļinājumu un devās kalnu pārgājienā.

Spēlētāju ciematā, pat visā Kastālijā valdīja sēras. Var jau būt, ka nelaiķis Maģistrs ne ar vienu nebija bijis īpaši tuvos draugos, taču ar sava cildenā rakstura pārākumu un sirds skaidrību, kā arī aso prātu un izsmalcināto formas izjūtu, viņš bija kļuvis par pavēlētāju un priekšstāvi, kādus būtībā demokrātiski iekārtotajā Kastālijā ne vienmēr var sastapt. Ar viņu lepojās. Šī personība, kurai šķietami svešas bija kaislības, gan mīlestības, gan draudzības jūtas, jo labāk toties atbilda jaunās paaudzes alkām pēc pielūgsmes cienīga ideāla, un šis respektablums, šī augstmaņa pievilcība, kuras dēļ viņš, starp citu, bija iemantojis puslīdz vēlīgo palamu "Ekselence", ritot gadiem, par spīti asajām pretišķībām, piešķīra viņam arī Galvenajā padomē un Audzināšanas kolēģijas sēdēs un darbā nedaudz savrupu stāvokli. Jautājums par to, kas pēc viņa nāves stāsies augstajā amatā, protams, izraisīja dzīvas pārrunas — it īpaši Stikla pērlīšu spēles virtuozu aprindās. Aizceļojot "ēnai", ko šīs aprindas bija centušās gāzt un beidzot arī gāzušas, elite balsošanas kārtībā uzticēja Maģistra amata pienākumus trīs pagaidu pilnvarotajiem, protams, tikai tādus, kam bija sakars ar *Vicus lusorum* iekšējo dzīvi, nevis ar darbību Audzināšanas kolēģijā. Atbilstoši tradīcijai jauns Maģistrs bija jāieceļ triju mēnešu laikā. Gadījumos, kad mirušais vai savu posteni pametušais Maģistrs atstāja noteiktu pēcnieku, kam sāncenšu nebija, jaunais Maģistrs dažkārt tika iecelts nekavējoties — jau pirmajā Kolēģijas pilnsapulcē. Šoreiz, kā bija paredzams, iecelšana varēja aizkavēties.

Sēru laikā Jozefs Knehts reiz ieminējās draugam par aizvadītajām Spēlēm un svinību neparasti neveiksmīgo norisi.

— Maģistra vietnieks Bertrams, — teica Knehts, — ne tikai itin ciešami notēloja savu lomu līdz galam, proti, līdz pēdējam mirklim centās izturēties kā īsts Maģistrs,— manuprāt, viņš izdarīja ko vairāk: viņš upurēja pats sevi šim *Ludus sollemnis,* veikdams savu pēdējo un pašu svinīgāko amata pienākumu. Jūs izturējāties pret viņu bargi, pat cietsirdīgi, jūs varējāt glābt Bertramu un svinību norisi, bet nedarījāt neko — ne man par to spriest, jums, jādomā, bija pamats tā rīkoties. Toties tagad, kad jūs savu esat panākuši un nabaga Bertrams aizgājis, jums būtu jāiztur as augstsirdīgi. Kad Bertrams atgriezīsies, jums jābūt pretimnākošiem un jāliek noprast, ka protat novērtēt viņa nesto upuri.

Tegularijs pakratīja galvu.

— Mēs protam to novērtēt, — viņš teica, — un pieņemam upuri. Tev šoreiz palaimējās būt bezpartejiskam svētku viesim, tādēļ tu acīmredzot nepamanīji visu. Nē, Jozef, mums nebūs vairs izdevība apliecināt Bertramam savas jūtas, lai kādas tās būtu. Viņš apzinās, ka upuris bija jānes, un nemēģinās atsaukt to, ko darījis.

Tikai tagad Knehts izprata līdz galam draugu un noskumis apklusa. Šajos svētkos viņš, redzams, tik tiešām drīzāk bija juties kā viesis, nevis kā valdcellietis un biedrs, tāpēc tikai tagad apjēdza, kādu upuri īsti nesis Bertrams. Līdz šim vietnieks viņam bija licies godkārs cilvēks, kas nav ticis galā ar uzdevumu, kurš pārsniedz viņa spējas, un kam turpmāk jāatsakās no godkārām iecerēm un jāpacenšas aizmirst, ka reiz bijis Maģistra "ēna" un vadījis gadskārtējās Spēles. Tikai tagad, izdzirdis drauga pēdējos vārdus, Knehts, spēji apklusdams, saprata, ka Bertrams notiesāts galīgi un nekad vairs neatgriezīsies. Viņam neliedza līdz beigām novadīt svinības un sniedza vajadzīgo atbalstu, lai novērstu skandālu, bet tas tika darīts Valdcellas, nevis Bertrama labā.

Lai veiktu vietnieka pienākumus, nepieciešama bija ne tikai Maģistra pilnīga uzticēšanās — tās Bertramam nebija trūcis —, ne mazāk nepieciešama bija elites uzticība, un to šis nožēlojamais nebija pratis iegūt. Ja viņš kļūdījās, hierarhija neaizstāvēja viņu, kā būtu aizstāvējusi viņa priekšnieku un paraugu; ja kādreizējie kolēģi neatzina viņu, nekāda autoritāte vairs nespēja viņu glābt un agrākie biedri, repetitori, kļuva par viņa tiesātājiem. Ja viņi bija nepielūdzami, "ēnai" bija gals. Bertrams tik tiešām vairs neatgriezās no izbraukuma kalnos, un pēc kāda laika Valdcellā dzirdēja runājam, ka viņš iekritis kāda aizā un nosities. Vairāk viņš netika pieminēts.

Tikmēr *Vicus lusorum* katru dienu ieradās augsti un atbildīgi Ordeņa vadības un Audzināšanas kolēģijas darbinieki; ik brīdi kādu elites vai Spēles vadības pārstāvi izsauca uz pārrunām, par kuru saturu šis tas kļuva zināms vienīgi elites aprindām. Arī Knehtu izsauca ne vienu reizi vien: te ar viņu vēlējās runāt divi Ordeņa Vadības pārstāvji, te tas bija Filoloģijas maģistrs, tad Dibuā kungs, pēc tam atkal divi Maģistri. Tegularijs, ko arī vairākkārt aicināja sniegt informāciju, bija līksmi satraukts un dzina jokus par šo "konklāva" atmosfēru, kā pats mēdza izteikties. Jozefs jau svinību laikā bija nomanījis, cik nestipras kļuvušas saites, kas viņu reiz cieši saistīja ar eliti, un šajās "konklāva" dienās viņš to izjuta vēl skaudrāk. Ne jau tas vien, ka viņš it kā svešinieks mita viesu namā un Valdcellas pārstāvji, šķiet, sarunājās ar viņu kā ar līdzīgu; pati elite, repetitori, vairs neuzticējās viņam un neuzņēma viņu draudzīgi savā vidū, bijušie biedri izturējās pret viņu zobgalīgi laipni vai vismaz salti nogaidoši; elite novērsās no Knehta jau toreiz, kad viņu aizsūtīja uz Mariafelzu, un tāda rīcība bija gluži dabiska un pareiza: tas, kas reiz spēris soli no brīvības uz padotību, no studentu vai repetitoru vides uz hierarhiju, vairs nebija biedrs, tas dzīrās kļūt par priekšnieku, par "bronzu", tas vairs nepiederēja pie elites un nevarēja nezināt, ka elite pagaidām raudzīsies uz viņu kritiski. Tāpat klājās katram, ko bija piemeklējis šāds liktenis. Tiesa, Knehts šo attālināšanos un vēsumu tolaik izjuta sevišķi asi — vispirms jau tādēļ, ka elite, palikusi bez vadības un gaidīdama jaunu Maģistra iecelšanu, sakļāvās divtik cieši, lai atvairītu jebkuru uzbrukumu, kā arī tādēļ, ka elites apņēmība un nepiekāpība nupat bija tik spilgti izpaudusies tās attieksmē pret "ēnu" Bertramu.

Kādu vakaru viesu namā pagalam satraukts ieradās Tegularijs, uzmeklēja Jozefu, ievilka viņu istabā, kurā neviena cita nebija, aizslēdza durvis un aizgūtnēm izgrūda:

— Jozef! Jozef, ak Dievs, ja tu zinātu! Kā es neiedomājos to jau agrāk! Man vajadzēja to nojaust, man tas bija jānoprot, tas taču nemaz nebija tik grūti uzminams... Ak, es esmu pavisam apjucis, nudien, es pat nezinu, vai lai priecājos.

Un viņš, kam Spēlētāju ciematā bija pieejami itin visi informācijas avoti, steigšus pastāstīja: tas esot puslīdz droši, tas esot tikpat kā izlemts, ka Jozefu Knehtu iecels par Stikla pērlīšu spēles maģistru. Arhīva pārzinis, ko daudzi uzskatījuši par ticamāko Maģistra Tomasa pēcnieku, jau aizvakar acīmredzot svītrots no pretendentu saraksta, un no tiem trim elites kandidātiem, kuru vārdi līdz šim pārrunās minēti pirmām kārtām, nevienu, šķiet, neatbalstot un neizvirzot nedz Maģistri, nedz Ordeņa vadība, toties par Knehtu izsakoties divi Ordeņa vadības locekļi, kā arī Dibuā kungs, un šīm balsīm jāpievienojot vecā Mūzikas maģistra ietekmīgā balss — viņu šajās dienās, kā noteikti kļuvis zināms, apciemojuši vairāki Maģistri.

— Jozef, tevi iecels par Maģistru, — Tegularijs iesaucās vēlreiz, tad draugs aizspieda viņam muti.

Jozefu šāds paredzējums pirmajā brīdī pārsteidza un satrauca ne mazāk kā Fricu — tik neiespējami tas viņam likās, taču itin drīz, klausīdamies, ko stāsta Tegularijs par uzskatiem, kas valda Spēlētāju ciematā, par stāvokli un norisēm "konklāvā", Knehts atzina, ka drauga paredzējums var piepildīties. Turklāt sirds dziļumos viņš juta ko līdzīgu piekrišanai, viņam bija tāda sajūta, it kā būtu to zinājis un gaidījis, — tik pareizi un dabiski tas viņam šķita. Bet, aizspiedis satrauktajam draugam muti, viņš uzmeta tam svešādu, noraidošu skatienu, it kā pēkšņi būtu no tā attālinājies, un sacīja:

— Nemels lieku, *amice*[1], nevēlos dzirdēt šīs tenkas. Ej pie saviem biedriem!

Tegularijs, kam vēl daudz kas būtu bijis sakāms, ieraudzījis šo skatienu, tūdaļ apklusa: viņu uzlūkoja gluži cits — vēl neiepazīts cilvēks; nobālis viņš atvadījās. Vēlāk Tegularijs stāstīja, ka Knehta savādo mieru un saltumu tobrīd izjutis it kā sitienu un apvainojumu, it kā pļauku, senās draudzības un tuvības nodevību; viņam licies

---

[1] Draugs (*itāliešu val.*).

neizprotami, ka draugs jau aizlaikus pārspīlēti uzsver savu gaidāmo augstākā priekšnieka stāvokli. Tikai aiziedams — un aizgājis viņš tiešām tā, it kā būtu saņēmis sitienu, — viņš atskārtis šā neaizmirstamā skatiena nozīmi. Tas bijis tāls un valdonīgs, taču paudis arī ciešanas, un viņš sapratis, ka draugs pazemībā, nevis lepnībā uzņēmis vēsti par tam lemto likteni. Viņš atcerējies, stāstīja Tegularijs, Knehta domīgo skatienu, dziļo līdzjūtību, kas jautusies drauga balsī, nesen apvaicājoties par Bertramu un tā nesto upuri. Tik lepna un reizē pazemīga, tik cildena un padevīga bijusi drauga seja, tik dziļa vientulības apziņa, tāda samierināšanās ar likteni atspoguļojusies tajā, it kā viņš līdzīgi Bertramam gatavotos nest upuri, izsvītrot sevi, — šī seja atgādinājusi akmeni, kurā izcirsti visu reiz dzīvojušo Kastālijas Maģistru vaibsti. "Ej pie saviem biedriem," draugs bija teicis. Tātad jau toreiz, tikko uzzinājis, ka tiek iecelts augstajā amatā, šis līdz galam neizdibināmais cilvēks bija kļuvis par hierarhijas locekli un raudzījās uz pasauli no cita redzes viedokļa, vairs nebija biedrs un nekad tas vairs nebūs.

Knehts itin viegli būtu varējis paredzēt, ka tiks iecelts par Maģistru, paredzēt šo savu pēdējo un augstāko aicinājumu, vismaz būtu varējis nojaust, ka tāda iespēja pastāv, taču arī šoreiz jutās pārsteigts, pat izbijās. Vēlāk viņš sev teica, ka būtu varējis to iedomāties, un pasmaidīja par rosīgo Tegulariju, kurš, lai gan sākumā arī negaidīja, ka draugu iecels augstajā amatā, tomēr vairākas dienas pirms attiecīgā lēmuma pieņemšanas un pasludināšanas bija to izsecinājis un paredzējis. Pret Knehta iecelšanu Augstākajai kolēģijai tik tiešām nevarēja būt cita iebilduma kā vien viņa jaunība; vairumam viņa priekšteču, stājoties šajā amatā, bija četrdesmit pieci, piecdesmit gadi, turpretī Jozefam — nepilni četrdesmit. Bet likuma, kas liegtu ievēlēt tik jaunu cilvēku, nebija.

Kad Frics negaidot pavēstīja draugam savu vērojumu un apsvērumu rezultātu — tādu vērojumu, ko izdarījis pieredzējis elites spēlētājs, kurš sīki iepazinis mazās valdcelliešu kopienas sarežģīto mehānismu, — Knehts tūdaļ atzina, ka draugam taisnība, tūdaļ saprata, ka tiks ievēlēts, un samierinājās ar savu likteni, taču pirmajā mirklī aizraidīja Fricu, teikdams, ka "nevēlas dzirdēt šīs tenkas". Līdzko draugs, apjucis un gandrīz aizvainots, bija aizgājis, Jozefs devās uz vietu, kur mēdza meditēt, lai sakopotu domas, un apceri sāka ar atmiņu ainu, kas tobrīd atausa neparasti spilgta. Iztēlē viņš skatīja tukšu istabu, tās vidū klavieres, logā līksmi iespīdēja dzestra rīta saule, un durvīs parādījās laipns, cildens sirmgalvis, kura gaišie vaibsti pauda labsirdību un cieņu; viņš, Jozefs, vēl bija mazs ģimnāzists, kas, mulsdams aiz bailēm un laimes, gaidīja ierodamies Mūzikas maģistru un tagad ieraudzīja to pirmo reizi mūžā — godājamo meistaru, teiksmaino elites skolu un Maģistru Provinces pārstāvi; tas ieradies, lai pamācītu viņu, kas īsti ir mūzika, tas pēc tam soli pa solītim ievadījis un uzņēmis viņu savā Provincē, savā valstībā, elitē un Ordenī, līdz viņš tagad kļuvis par šā cilvēka biedru un brāli, bet vecais vīrs, nolicis savu burvju zizli vai scepteri, pārvērties vēl aizvien laipni mazrunīgā, vēlīgā, cienījamā un noslēpumainā sarmmatī, kura skatiens un paraugs augu mūžu vadījis Jozefu un kurš aizvien par veselu paaudzi, par vairākiem mūža pakāpieniem būs augstāk par viņu, būs neizmērojami pārāks gan cieņā un pieticībā, gan meistarībā un noslēpumainībā, un šis cilvēks, viņa patrons un paraugs, mūždien maigi piespiedīs viņu sekot sev, tāpat kā austošs vai rietošs spīdeklis sev līdzi ved savus brāļus. Neapzināti ļaudamies redzējumu plūsmai, tik radniecīgai sapņiem, — ainām, kas mums parādās garīgas atspriedzes sākumā, Knehts vispirms atcerējās divas ainas, kuras, atdalījušās no plūsmas, uz vietas neizgaisa: divus viedus vai simbolus, divas līdzības. Vienā puisēns Knehts pa dažādām ejām sekoja meistaram un tas, rādīdams viņam ceļu, gāja pa priekšu, un katru reizi, kad meistars atskatījās, seja tam bija kļuvusi rāmāka, vecāka, godājamāka, arvien vairāk līdzinādamās mūžīgās gudrības un cieņas ideālam, toties viņš, Jozefs Knehts, padevīgi un paklausīgi sekodams savam paraugam, nekļuva vecāks, vēl arvien bija zēns, un pats par to pamīšus juta te kaunu, te prieku, te gandrīz vai spītīgu gandarījumu. Otrs redzējums bija šāds: aina klavieru istabā, vecā vīra apciemojums atkārtojās atkal un atkal, atkārtojās neskaitāmas reizes — Maģistrs un puisēns sekoja viens otram, it kā neredzamas rokas vadīti, tā ka drīz vien vairs nebija izprotams, kurš nāk un kurš iet, kurš ved un kurš seko — vecais vai jaunais. Mirkli likās, tas ir zēns, kas vecajam, autoritātei un cieņai, apliecina godu un paklausību; mirkli atkal šķita, tas ir vecais, kuru vieglkāje jaunība, sākotne, līksme mudina pakalpīgā bijībā sekot. Vērodams šo bezsaturīgi saturīgo sapni, šo riņķveida kustību, Jozefs meditējot pats sev likās te vecais, te puisēns, bija gan godinātājs, gan godinātais, gan vedējs, gan vedamais, un šajā pārvērtību mijā gadījās brīdis, kad viņš kļuva par abiem — par meistaru un mācekli reizē —, nē, nostājās pāri tiem, pats izdomāja, pats sarīkoja, vadīja un vēroja šo riņķveida kustību, šo nebeidzamo un nesekmīgo jaunības skriešanos ar vecumu, ko, savu izjūtu mudināts, te paātrināja līdz neprāta steigai, te atkal palēnināja. Un šajā sapņa stadijā radās jauns redzējums, drīzāk jau atziņa nekā vieds, proti, redzējums vai, pareizāk sakot, atzinums, ka šī bezsaturīgi saturīgā meistara un mācekļa riņķveida kustība, šīs vieduma alkas pēc jaunības un jaunības alkas pēc vieduma, šī nerimtīgā, spārnotā rotaļa ir Kastālijas simbols, jā gan, simbolizē pašas dzīves rotaļu, kas, sašķelta starp jaunību un vecumu, dienu un nakti, Iņ un Jan, bez mitas plūst, nezinādama gala.

No šejienes, no šīs redzējumu pasaules, Knehts atrada ceļu uz iekšēju mieru un pēc ilgākas meditēšanas atkal jutās stiprs un možs.

Dažas, dienas vēlāk, kad viņu izsauca Ordeņa vadība, Knehts mierīgu sirdi devās turp un, sagatavojies uzklausīt vēsti par iecelšanu, līksmi nopietns atbildēja uz Augstākās kolēģijas locekļu brālīgajiem apsveikumiem un rokasspiedieniem, kā arī simboliskajiem apkampieniem. Knehtam darīja zināmu, ka viņš iecelts par Stikla pērlīšu spēles maģistru, un lika parīt ierasties uz investitūru un zvēresta nodošanu tai pašā svētku zālē, kurā nelaiķa Maģistra vietnieks nesen bija vadījis tik nomācošās svinības, atgādinādams krāšņi rotātu upura jēru. Brīvā diena pirms stāšanās amatā bija paredzēta sīkai, ar rituālām meditācijām saistītai zvēresta formulas un "Maģistra mazo statūtu" apguvei divu Kolēģijas locekļu vadībā un uzraudzībā — šoreiz tie bija Ordeņa kanclers un *Magister mathematicae*[1], un pusdienu pārtraukumā Jozefs šajā tik nogurdinošajā dienā spilgti atcerējās savu uzņemšanu Ordenī un iepriekšējo sagatavošanos, ko vadīja Mūzikas maģistrs. Toreiz uzņemšanas ceremonijas rituāls atvēra viņam, tāpat kā katru gadu simtiem citu, platus vārtus uz lielu kopienu, šoreiz ceļš veda caur adatas aci uz pašu augstāko amatpersonu — Maģistru loku.

Vecajam Mūzikas maģistram viņš vēlāk atzinās, ka šajā intensīvas pašpārbaudes dienā viņam grūtības radījusi viena vienīga doma, viena vienīga gaužām smieklīga, nenozīmīga iedoma: proti, viņu biedējis mirklis, kurā kāds Maģistrs, iespējams, liks viņam noprast, ka viņš ir neparasti jauns tik augstam amatam. Viņam bijis krietni jāsaņemas, lai pārvarētu šīs bailes, šo naivi ārišķīgo domu, vēlēšanos attraukt, ja kāds pieminētu viņa gadus: "Tad neliedziet taču man kļūt vecākam, pēc paaugstinājuma es neesmu tiecies." Turpinādams pārbaudīt pats sevi, viņš tomēr esot pārliecinājies, ka doma par iecelšanu amatā, vēlēšanās, lai tas notiktu, viņam zemapziņā nav bijusi gluži sveša; atzinies pats sev tādā domā, sapratis, cik tā ārišķīga, viņš to atmetis, un tik tiešām nedz tajā dienā, nedz arī kādā citā, vēlākā, neviens kolēģis viņam nav atgādinājis viņa gadus.

Jo cītīgāk jaunā Maģistra ievēlēšanu, protams, apsprieda un kritizēja Knehta bijušie biedri. Īstu pretinieku viņam nebija, toties bija sāncenši, un to vidū viens otrs bija vecāks par viņu; turklāt šajās aprindās neviens netaisījās atzīt jaunievēlēto, iekams tas nebūs

---

[1] Matemātikas maģistrs (*latīņu val.*).

pārbaudīts cīņā, vismaz nebūs ļoti vērīgi un kritiski nopētīts. Stāšanās amatā un pirmie darba gadi jaunieceltam Maģistram gandrīz vienmēr ir kas līdzīgs purgatorijam.

Maģistra investitūra nav publiskas svinības; atskaitot Audzināšanas kolēģiju un Ordeņa vadību, tajā piedalās gados vecākie skolnieki, kandidāti un tās disciplīnas amatpersonas, kura ieguvusi jaunu vadītāju. Svinību laikā Stikla pērlīšu spēles maģistram svētku zālē jādod zvērests, no Kolēģijas pārstāvja rokām jāsaņem savas amata insignijas — atslēgas un zīmogi; pēc tam Ordeņa vadības pārstāvis ietērpj viņu svētku ornātā — amata tērpā, kas Maģistram jāvalkā lielu svinību reizēs, pirmām kārtām — vadot gadskārtējās Spēles. Šim aktam, tiesa, svešs publisku sarīkojumu skaļums un vieglais reibums, tam ir ceremoniāls un drīzāk jau lietišķs raksturs, toties jau tas vien, ka tajā pilnā skaitā piedalās abu augstāko vadības orgānu pārstāvji, padara to ārkārtīgi svinīgu. Mazā Stikla pērlīšu spēles republika iegūst jaunu noteicēju, kam tā jāvada un jāpārstāv Augstākajā kolēģijā, — tas ir rets un nozīmīgs notikums; skolnieki un zemāko kursu studenti, iespējams, īsti vēl nesaprot, cik svarīgs šis notikums, un šajās svinībās saskata tikai ceremoniju, gar kuru var pamielot acis, toties visi pārējie norises dalībnieki skaidri apzinās notiekošā svarīgumu, iekļāvušies savā kopienā, jūtas tai pietiekami tuvi, lai saprastu, ka norisei ir tiešs sakars ar viņiem pašiem, ar viņu dzīvi. Šoreiz svētku prieku aptumšoja ne vien agrākā Maģistra nāve un sēras par viņu, bet arī šā gada Spēļu bailpilnā noskaņa un vietnieka Bertrama traģēdija.

Ietērpšanu veica Ordeņa vadības pārstāvis un vecākais Spēles arhivārs, abi kopā pacēla ornātu un aplika to ap pleciem jaunajam Stikla pērlīšu spēles maģistram. Īsu svētku runu teica *Magister grammaticae*[1], klasiskās filoloģijas kursa vadītājs Keiperheimā, pēc tam elites izraudzīts Valdcellas pārstāvis pasniedza Knehtam atslēgas un zīmogus, un līdzās ērģelēm norisi vēroja pats vecais Mūzikas maģistrs. Viņš bija ieradies uz investitūru, lai noskatītos, kā ietērps viņa aizbilstamo, un ar savu necerēto klātbūtni sagādātu tam priecīgu pārsteigumu, varbūt arī tādēļ, lai dotu tam vienu otru padomu. Mīļu prātu vecais vīrs pats savām rokām atskaņotu svētku mūziku, taču tas viņam vairs nebija pa spēkam, tālab muzicēšanu viņš bija atstājis *Vicus lusorum* ērģelnieka ziņā, bet pats, nostājies tam aiz muguras, pāršķīra notis. Svētsvinīgi smaidīdams, sirmgalvis vēroja Jozefu, redzēja, kā tam apliek ap pleciem ornātu un pasniedz atslēgas, klausījās, kā tas vispirms atkārto zvēresta vārdus un tad saka nelielu uzrunu

---

[1] Gramatikas maģistrs (*latīņu val.*).

nākamajiem darbabiedriem, amatpersonām un skolniekiem. Nekad agrāk kādreizējais puisēns Jozefs vecajam vīram nebija licies tik mīļš, nebija viņu tā priecējis kā šodien, kad tas bezmaz vairs nebija Jozefs, kad tas kļuvis par augstu amatpersonu, ornāta nesēju, dārgakmeni kronī, pīlāru hierarhijas celtnē. Bet aprunāties divatā ar savu puisēnu Jozefu viņam izdevās tikai īsu brīdi. Līksmi uzsmaidījis Jozefam, viņš steidzīgi tam piekodināja:

— Raugies, lai nākamajās trijās četrās nedēļās godam tiktu galā ar visu, tas prasīs no tevis daudz. Arvien paturi prātā galveno, ik brīdi atceries, ka sīkumiem, kas paliks nepaveikti, pašlaik nav īpašas nozīmes. Visu savu laiku veltī elitei, par pārējo pagaidām neliecies zinis. Tev atsūtīs divus palīgus, kas neliegs savu atbalstu, kamēr iepazīsi darbu; vienam no tiem, Jogas meistaram Aleksandram, pats esmu devis norādījumus, uzklausi viņu uzmanīgi, viņš savu lietu prot. Galvenais, nelokāmi tici tam, ka Maģistri rīkojušies pareizi, uzņemdami tevi savā vidū; paļaujies uz viņiem, paļaujies uz ļaudīm, ko tev atsūtīs palīgā, nešaubīgi tici saviem spēkiem. Elitei toties veltī laipnu, mūždien modru neuzticību — neko citu tā no tevis negaida. Tu uzveiksi grūtības, Jozef, es to zinu.

Daudzi Maģistra amata pienākumi Knehtam bija labi zināmi, tie bija sen iepazīti, viņš jau bija tos veicis, palīdzēdams vai asistēdams agrākajam Maģistram; galvenie bija Spēles kursi, sākot ar skolas un sagatavošanas, brīvlaika un brīvklausītāju kursiem un beidzot ar elitei paredzētajiem vingrinājumiem, priekšlasījumiem un semināriem. Ar šiem pienākumiem, atskaitot pašu pēdējo, nešaubīdamies tiktu galā jebkurš jauniecelts Maģistrs, nesalīdzināmi lielākas raizes un grūtības vajadzēja radīt tām jaunajām funkcijām, kuras nekad agrāk nebija gadījies veikt. Tā klājās arī Jozefam. Labprāt viņš pirmajā laikā veltītu visus spēkus specifiskajiem Maģistra amata pienākumiem: darbībai Audzināšanas kolēģijā, Maģistru un Ordeņa vadības sadarbībai, Stikla pērlīšu spēles un *Vicas lusorum* pārstāvniecībai augstākajā vadības orgānā. Viņš alktin alka iepazīt šo jauno darba sfēru, lai tā vairs neliktos nezināma un draudīga, mīļu prātu viņš pagaidām ieslēgtos savā darbistabā un vairākas nedēļas veltītu sīkai iekšējās kārtības, formalitāšu, sēžu protokolu un citu dokumentu iepazīšanai. Viņš zināja, ka nepieciešamās informācijas ieguvei viņa rīcībā bez Dibuā kunga ir labākais Maģistra darba paņēmienu un tradīciju pazinējs, Ordeņa vadības pārstāvis, kurš gan pats nebija Maģistrs, tātad ranga ziņā atradās zemāk, taču vadīja Augstākās kolēģijas sanāksmes un it kā ceremonijmeistars valdnieka galmā stingri raudzījās, lai tiktu ievērota tradicionālā kārtība. Labprāt Knehts lūgtu šo gudro, pieredzējušo, aiz izsmalcinātas pieklājības neizdibināmo cilvēku, kas nule savām rokām ietērpis viņu Maģistra ornātā, lai tas pamāca viņu, ja vien šis cilvēks dzīvotu tepat līdzās, Valdcellā, nevis Hirslandē — kā nekā pusdienas brauciena attālumā. Labprāt viņš uz brīdi aizbēgtu uz Monporu un lūgtu veco Mūzikas maģistru, lai tas pastāsta viņam par šiem pienākumiem. Bet par to nebija ko domāt, tik personiskas, "studentiskas" vēlmes Maģistram bija liegtas. Pirmajā laikā viņam, gluži otrādi, ar vislielāko rūpību un atdevi bija jāpievēršas tieši tiem pienākumiem, par kuriem tika domājis, ka tie neradīs īpašas grūtības. Tas, ko viņš bija atskārtis toreiz, Bertrama vadīto Spēļu laikā, kad redzēja paša kopienas — elites likteņa ziņā pamesto vietnieku cīnāmies it kā bezgaisa telpā un noslāpstam tajā, — tas, ko ietērpšanas dienā bija apstiprinājuši Monporas sirmgalvja teiktie vārdi, tagad, veicot amata pienākumus, apcerot savu stāvokli, apstiprinājās ik mirkli, ik brīdi: pirmām kārtām uzmanība jāveltī elitei un repetitoriem, vecāko kursu audzēkņiem, semināru vingrinājumiem un personiskajai saskarei ar padotajiem. Arhīvu varēja pamest arhivāra ziņā, iesācēju kursus uzticēt skolotājiem, saraksti — sekretāriem; tas īpašas briesmas neradīja. Toties eliti ne mirkli nedrīkstēja atstāt bez uzraudzības, viss laiks jāveltī tai, neatlaidīgi tai jāpierāda, ka neesi aizstājams, jāpārliecina tā par savām spējām, par savu nolūku godīgumu, tā jāiekaro, jācenšas iegūt tās labvēlību, jāmērojas spēkiem ar katru kandidātu, kam rastos vēlēšanās pacīnīties, un tādu kandidātu nav trūkums. Te lieti noderēja daudz kas tāds, ko agrāk viņš bija uzskatījis par nevēlamu, it īpaši paša ilgā prombūtne, nošķirtība no Valdcellas un no elites, kurai viņš bezmaz atkal kļuvis par *homo novus*[1]. Noderīga izrādījās pat draudzība ar Tegulariju. Jo Tegularijam, šim slimīgajam, ar asu prātu apveltītajam savrupniekam, godkāre, šķiet, bija tik sveša un pats viņš karjerista dzīves gājumam likās tik nepiemērots, ka labvēlība, ko viņam, iespējams, izrādītu jauniecelts Maģistrs, nevienam censonim neliktos bīstama. Pats galvenais un svarīgākais Knehtam tomēr bija jādara pašam, lai iepazītu un pakļautu sev pašu augstāko, pašu rosī- gāko, pašu nemierīgāko un jutīgāko spēlētāju slāni, tāpat kā jātnieks pakļauj savai gribai tīrasiņu zirgu. Jo katrā Kastālijas institūtā, ne tikai Stikla pērlīšu spēles sfērā jau izglītību guvušo, bet vēl brīvi studējošo, pagaidām Audzināšanas kolēģijas vai Ordeņa dienestā neiesaistīto kandidātu — tā dēvēto repetitoru elite uzskatāma par pašu vērtīgāko daļu, faktisko rezervi, ziedu un nākotnes cerību un itin visur — ne vien Spēlētāju ciematā — šī možā jaunās maiņas izlase pret nule ieceltiem

---

[1] Neiepazīts cilvēks (*latīņu val.*).

skolotājiem un priekšniekiem noskaņota visai neiecietīgi un kritiski un pret jaunu vadītāju izturas turpat vai nepiedienīgi un nepakļāvīgi, tādēļ darbiniekam, kurš vēlas iegūt elites labvēlību, tā jāpārliecina un jāiekaro ar personisku piemēru, liekot lietā visus spēkus, līdz tā atzīst viņu un labprātīgi pakļaujas viņam.

Knehts ķērās pie darba bez sevišķām bažām, tomēr jutās pārsteigts, ka tas tik grūts, un, kamēr viņš risināja kārtējos uzdevumus un izcīnīja uzvaru šajā visai saspringtajā, pat nogurdinošajā spēlē, pārējie uzdevumi un pienākumi, par kuriem viņš vairāk bija raizējies, atkāpās it kā paši no sevis un, liekas, prasīja mazāk uzmanības; kādam darbabiedram Knehts atzinās, ka pirmajā Kolēģijas pilnsapulcē, uz kuru ieradies pa galvu pa kaklu un no kuras pa galvu pa kaklu atgriezies mājās, viņš piedalījies kā pa sapņiem un vēlāk ne mirkli par to nav domājis, tik ļoti bijis aizņemts ar steidzamiem dienas darbiem; pat apspriedes laikā, lai gan tās tēma viņu interesējusi un zināmu nemieru izraisījusi doma, ka viņš šeit ir pirmo reizi, Knehts vairākkārt pieķēris sevi, ka domās nekavējas biedru vidū un neseko debatēm, bet atrodas Valdcellā, Arhīva telpā ar zili krāsotajām sienām, kur tolaik ik trešo dienu vadīja dialektikas semināru tikai pieciem klausītājiem un kur katra stunda prasīja lielāku piepūli nekā visa pārējā darbdiena, kas tačū arī nebija viegla, turklāt izvairīties no tās nebija iespējams, jo — kā viņu tika brīdinājis vecais Mūzikas maģistrs — sākumā Kolēģija piešķīra viņam "iedīdītāju", ievadītāju darbā, kura uzdevums bija no stundas stundā uzraudzīt viņa darbību, palīdzēt viņam pareizi iedalīt laiku un novērst kā vienpusību, tā galēju pārpūli. Knehts bija pateicīgs šim cilvēkam, bet vēl jo pateicīgāks viņš bija citam Ordeņa vadības pārstāvim, slavenam meditācijas mākslas meistaram. Šis lietpratējs, kura vārds bija Aleksandrs, raudzījās, lai līdz pēdējai iespējai noslogotais Knehts trīs reizes dienā veiktu "mazos" vai "īsos" meditācijas vingrinājumus un lai viņš stingri ievērotu katram šādam vingrinājumam noteikto norisi un laiku. Kopā ar abiem šiem cilvēkiem — ar ievadītāju darbā un Ordeņa "kontemplatoru" Knehtam diendienā pirms vakara meditācijas bija jāatsauc atmiņā aizvadītā diena, jākonstatē panākumi un neveiksmes, jāizklausa pašam savs "pulss", kā mēdz izteikties meditācijas pasniedzēji, proti, vajadzēja pārbaudīt un svērt sevi, savu pašreizējo stāvokli, pašsajūtu, spēku sadali, savas raizes un cerības, objektīvi vērtēt pašam sevi un dienā paveikto, neatstājot uz nakti vai nākamo dienu itin neko neatrisinātu.

Kamēr repetitori — dažs ar simpātijām, dažs naidīgā ziņkārē — vēroja sava Maģistra nebeidzamos pūliņus, nepalaizdami garām nevienu izdevību, lai uzliktu viņam improvizētas spēka, pacietības un atjautības pārbaudes, tiekdamies te pasteidzināt, te kavēt viņa darbību, tikmēr ap Tegulariju izveidojās liktenīgs tukšums. Viņš gan saprata, ka Knehts šobrīd nevar veltīt viņam uzmanību, laiku, atcerēties viņu, interesēties par viņu, tomēr nespēja tiktāl nocietināties, lai vienaldzīgi samierinātos ar domu, ka draugs pilnīgi aizmirsis viņu, — nespēja to vēl jo vairāk tādēļ, ka ne tikai draugs, liktos, ar katru dienu kļuva svešāks, bet arī biedri it kā neuzticējās viņam; vairījās runāt ar viņu. Par to nebija jābrīnās, jo, lai gan godkārie neuzskatīja Tegulariju par nopietnu pretinieku, viņš tomēr bija Knehta piekritējs, un jaunais Maģistrs viņu labi ieredzēja. To visu Knehts būtu varējis iedomāties, un viens no viņa uzdevumiem šobrīd bija aizmirst uz laiku līdz ar visu personisko un privāto arī šo draudzību. Bet, kā viņš pats vēlāk atzinās draugam, tas būtībā notika neapzināti un negribēti, viņš gluži vienkārši aizmirsa draugu, tiktāl pārvērtās par ko līdzīgu darbarīkam, ka tādas personiskas jūtas, kādas ir draudzība, kļuva neiedomājamas, un, ja arī kaut kur, piemēram, jau pieminētajā semināra, gadījās ieraudzīt draugu, tā stāvu un seju, tas viņa acīs vairs nebija Tegularijs, draugs, paziņa, konkrēta persona, — tas bija elites loceklis, students, pareizāk sakot, kandidāts un repetitors, viens no tiem, ar kuriem strādāt ir viņa pienākums, karavīrs tajā pulkā, ko apmācīt, lai uzvarētu, bija viņa mērķis. Fricu pārņēma saltas tirpas, pirmo reizi dzirdot šo tik pārvērsto balsi; jūtot šo skatienu, viņš atskārta, ka drauga atsvešināšanās un objektivitāte nebūt nav tēlota, ka tā ir īsta un biedīga un ka šis cilvēks, kurš izturas pret viņu tik lietišķi laipni, vienlaikus saglabājot lielu gara modrību, vairs nav viņa draugs Jozefs, ka tas ir tikai skolotājs un eksaminētājs, tikai Stikla pērlīšu spēles maģistrs, norobežojies un nošķīries amata bargās nopietnības čaulā it kā spožā vāpē, kas uzklāta un apdedzināta ugunī. Starp citu, ar Tegulariju šajās dienās notika kāds starpgadījums. Bezmiega un visa pārdzīvotā izmocīts, viņš mazajā seminārā atļāvās netaktisku rīcību, nelielu dusmu uzliesmojumu — ne pret Maģistru, bet pret kādu seminārā dalībnieku, kura zobgalīgais tonis viņu nokaitināja. Knehts pamanīja notiekošo, pamanīja arī to, cik nervozs ir vainīgais, un klusēdams ar rokas mājienu apsauca viņu, toties vēlāk aizsūtīja pie viņa savu meditācijas lietpratēju, lai tas garīgi aprūpētu grūtībās nokļuvušo. Tegularijs, kurš nedēļām ilgi bija juties pamests, šajā gādībā saskatīja pirmo pazīmi tam, ka mostas senā draudzība, — viņa acīs šī gādība bija personiski viņam veltīts uzmanības apliecinājums — un neliedza sevi dziedēt. Patiesībā Knehts nebija pat īsti ievērojis, par ko parūpējies, viņš bija izturējies kā Maģistrs: redzēdams, ka viens no repetitoriem nervozē un izturas nesavaldīgi, viņš rīkojās kā audzinātājs, ne mirkli nedomādams par to, kas ir šis repetitors un kādas viņam

168

ar to attiecības. Kad draugs dažus mēnešus vēlāk viņam atgādināja šo notikumu, apliecinādams, ka tāds labvēlības pierādījums viņu ļoti iepriecinājis un nomierinājis, Jozefs Knehts, kurš šo atgadījumu bija aizmirsis, klusēja, necenzdamies kliedēt pārpratumu.

Beidzot mērķis bija sasniegts un izcīnīta uzvara, tas bija prasījis daudz darba — uzveikt eliti, nokausēt to ar apmācībām, padarīt rāmus godkāros, noskaņot savā labā svārstīgos, iedvest cieņu augstprāšiem, bet tagad šis darbs bija galā, Spēlētāju ciemata kandidātu saime bija atzinusi savu Maģistru un pakļāvusies tam — pēkšņi nekas vairs neradīja grūtības, it kā līdz šim trūcis būtu viena vienīga eļļas piliena. Kopā ar Knehtu konsultants uzmeta vēl vienu — pēdējo darba plānu, izteica viņam Kolēģijas atzinību un atvadījās; aizbrauca arī meditācijas lietpratējs Aleksandrs. Rīta masāžas vietā atkal stājās pastaigas, tiesa, par pētniecisku darbu vai pat lasīšanu vien pagaidām nebija ko domāt, tomēr vakaros, iekams devās gulēt, daždien atkal tika nedaudz muzicēts. Nākamo reizi ieradies Augstākajā kolēģijā, Knehts, lai gan neviens par to nerunāja, skaidri juta, ka kolēģu acīs izturējis pārbaudi un tiek uzskatīts par līdzvērtīgu. Pēc niknās, pašaizliedzīgās cīņas guvis atzīšanu, viņš it kā pamodās, atdzisa un atskurba, saprata, ka iekļuvis pašā Kastālijas sirdī, uzkāpis hierarhijas virsotnē, un pārsteidzošā vienaldzībā, bezmaz vīlies konstatēja, ka elpot iespējams arī šajā — visai retinātajā gaisā, toties pats, elpodams tagad šo gaisu, kā citā nekad nebūtu mitis, visnotaļ ir pārmainījies. Tāds rezultāts bija bargajam pārbaudes laikam, kurš iekšēji tika iztukšojis viņu, iztukšojis tā, kā to nebija spējis neviens cits darbs, neviena cita piepūle.

Tas, ka elite atzinusi savu pavēlnieku, šoreiz guva īpašu izpausmi. Sajutis, ka pretestība zudusi, ka repetitori uzticas viņam un atbalsta viņu, apzinādamies, ka pats grūtākais paveikts, Knehts nolēma izraudzīt sev "ēnu", un patiešām brīdī, kad uzvara bija izcīnīta un viņš pēc gandrīz pārcilvēciskas piepūles jutās relatīvi brīvs, nepieciešamība pēc vietnieka, pēc atslodzes kļuva lielāka nekā jebkad agrāk; jau dažs labs bija sabrucis taisni šajā ceļa posmā. Knehts neizmantoja savas tiesības iecelt vietnieku, viņš lūdza, lai repetitori pēc sava ieskata izraugās viņam "ēnu". Vēl arvien atrazdamās iespaidu varā, ko bija atstājis Bertrama liktenis, elite pret šo priekšlikumu izturējās visai nopietni un pēc vairākām apspriedēm un anonīmām aptaujām ieteica par vietnieku vienu no saviem labākajiem pārstāvjiem, ko līdz Knehta iecelšanai uzskatīja par ticamāko kandidātu Maģistra amatam. Tiešām, lielākās grūtības bija pārciestas, Knehts atkal varēja doties pastaigās un muzicēt, ar laiku radīsies arī iespēja lasīt, atjaunosies draudzība ar Tegulariju, šad tad varēs sarakstīties ar Feromonti, atgadīsies arī pa brīvai dienas pusei, varbūt arī pa īsam atvaļinājumam ceļošanai. Bet šos tīkamos brīžus izbaudīs kāds cits, ne jau agrākais Jozefs, kurš uzskatīja sevi par centīgu Stikla pērlīšu spēles adeptu un itin ciešamu kastālieti, tomēr neko nebija zinājis par Kastālijas iekšējo būtību, dzīvodams egoista neziņā, bērnišķā bezrūpībā, domādams tikai par sevi, nejuzdams nekādu atbildību. Reiz viņš atcerējās zobgalīgo brīdinājumu, ko bija spiests izteikt Maģistrs Tomass, pēc tam kad tika uzklausījis viņa vēlmi vēl kādu laiku veltīt brīvām studijām. "Kādu laiku — cik ilgi tas būtu? Vēl aizvien tu runā kā students, Jozef." Tas bija noticis pirms dažiem gadiem; dziļā apbrīnā un godbijībā viņš bija uzklausījis šos vārdus, un viņam pat bija kļuvis mazliet baisi, redzot šā cilvēka bezpersonisko pilnību un savaldību, un viņš bija jutis, ka Kastālija tiecas sagrābt un piesaistīt sev arī viņu, lai varbūt reiz padarītu par tādu pašu Maģistru Tomasu, pavēlnieku un kalpu, nevainojamu darbarīku. Tagad viņš, Knehts, stāvēja tur, kur toreiz bija stāvējis Maģistrs Tomass, un, sarunādamies ar kādu repetitoru, ar vienu no šiem gudrajiem, rūdītajiem Spēles, pratējiem un brīvajiem zinātniekiem, ar vienu no šiem centīgajiem un augstprātīgajiem prinčiem, viņš jutās tā, it kā ielūkotos citā — svešādi skaistā, brīnumainā, sen aiz muguras atstātā pasaulē, tāpat kā reiz Maģistrs Tomass bija ielūkojies viņa brīnumainajā studenta pasaulē.

AMATĀ

Ja stāšanās Maģistra amatā sākumā, šķiet, drīzāk nozīmēja zaudējumu nekā guvumu, ja tā prasīja visus spēkus un bezmaz visu laiku, darīja galu veciem ieradumiem un vaļaspriekiem, atstādama sirdī vēsu mieru, bet galvā ko līdzīgu pārpūles reibonim, tad atpūtas dienās, kas tai sekoja, atģišanās un iedzīvošanās posmā tomēr radās jauni vērojumi un pieredze. Pats galvenais guvums pēc izcīnītās kaujas bija savstarpējā uzticēšanās, draudzīgā sadarbība ar eliti. Apspriežoties ar savu "ēnu", strādājot kopā ar Fricu Tegulariju, ko viņš pieņēma par palīgu sarakstes kārtošanai, pakāpeniski izskatot, pārbaudot un papildinot sava priekšgājēja atstātās atsauksmes un piezīmes par skolniekiem un līdzstrādniekiem, Knehts, augot simpātijām, visai drīz sarada ar eliti, kuru domājās tik labi pazīstam, bet kuras būtība, tāpat kā Spēlētāju ciemata īpatums un nozīme Kastālijas dzīvē, tikai tagad īsti atklājās viņam. Tiesa, vairākus gadus viņš pats bija bijis elites un repetitoru saimes loceklis, tikpat mākslinieciskā, cik godkārā Valdcellas Spēlētāju ciemata iemītnieks, visnotaļ bija juties par tā daļiņu. Taču tagad viņš vairs nebija daļiņa vien, dzīvoja ne tikai ciešā tuvībā ar šo kopu, bet uzskatīja sevi par tās smadzenēm, apziņu, arī sirdsapziņu, ne vien dzīvoja līdzi tās noskaņām un likteņiem, bet vadīja tos un jutās par tiem atbildīgs. Kādā svinīgā brīdī, beidzoties Spēles kursiem, kuros sagatavoja pasniedzējus iesācējiem, viņš to izteica šādi: "Kastālija ir maza, bet neatkarīga valsts, un mūsu *Vicus lusorum* ir valstiņa šajā valstī — neliela, tomēr sena un lepna republika, līdzvērtīga savam māsām un līdztiesīga tām, toties pārāka un cildenāka par citām savā pašapziņā savas funkcijas savdabīgi mākslinieciskā un it kā sakrālā rakstura dēļ. Jo mums uzticēts īpašs un godpilns uzdevums: sargāt Kastālijas svētumu, tās neatkārtojamo noslēpumu un simbolu — Stikla pērlīšu spēli. Kastālija audzina teicamus mūziķus un mākslas vēsturniekus, filologus, matemātiķus un citu nozaru zinātniekus. Katram Kastālijas institūtam, katram kastālietim būtu jākalpo tikai diviem mērķiem, diviem ideāliem: jācenšas savā jomā sasniegt iespējamo pilnību un saglabāt dzīvu un elastīgu kā savu disciplīnu, tā sevi pašu, pamatojoties uz apziņu, ka šī nozare ciešām un draudzīgām saitēm vienota ar visām pārējām disciplīnām. Šis otrais ideāls — doma par visu cilvēka garīgo centienu iekšējo vienotību, doma par universalitāti — vispilnīgāk izpaužas mūsu cildenajā Spēlē. Fiziķim, mūzikas vēsturniekam vai kādas citas zinātņu nzares pārstāvim, iespējams, dažkārt ir nepieciešami stingri un askētiski norobežoties savā specialitātē — atteikšanās no universalitātes varbūt uz brīdi var veicināt speciālās zinātnes uzplaukumu, toties mēs, Stikla pērlīšu spēles adepti, nekādos apstākļos nedrīkstam atzīt par pareizu un praktizēt šādu norobežošanos un pašmērķību, jo tas jau tieši ir mūsu uzdevums — aizstāvēt *universitas litterarum* ideju līdz ar tās augstāko izpausmi — cildeno Spēli un arvien no jauna iegrožot atsevišķo disciplīnu slieksmi uz pašmērķību. Bet vai mēs varam pasargāt to, kas pats nevēlas, ka tiek pasargāts? Vai tad mēs varam piespiest arheologus, pedagogus, astronomus u.c. atteikties no pašmērķīgas nodošanās speciālai zinātnei, arvien no jauna pavērt logu visām citām zinātnēm? Tas nav izdarāms piespiedu kārtā, piemēram, pasludinot Stikla pērlīšu spēli par oficiālu mācību priekšmetu skolā; neko nedotu arī atgādinājums, cik augstās domās par Spēli bijuši mūsu priekšteči. Pierādīt, ka mūsu Spēle ir nepieciešama un nepieciešami esam arī mēs, iespēsim tikai tad, ja parūpēsimies, lai Spēle allaž būtu visas sava laika gara dzīves augstumos, ja modri apgūsim katru jaunu zinātnes sasniegumu, katru jaunu ievirzi un problēmu un ja arvien no jauna piešķirsim mūsu universālajai, mūsu vienlīdz cildenajai un bīstamajai rotaļai ar vienības domu tik cēlu, tik pārliecinošu, tik vilinošu un saistošu raksturu, ka arī pats nopietnākais pētnieks un darbīgākais speciālists atkal un atkal saklausīs tās aicinājumu, pavedinājumu un kārdinājumu. Iztēlosimies uz mirkli, ka mēs, Spēles adepti, kādu brīdi strādātu ne tik centīgi, ka Spēles kursi iesācējiem kļūtu garlaicīgāki un paviršāki un Spēlēs, ko rīko pratējiem, speciālo zinātņu pārstāvji vairs nesajustu dzīves pulsu, nerastu garīgu aktualitāti un interesi, ka mūsu gadskārtējās lielās Spēles divas trīs reizes pēc kārtas viesiem liktos tukša ceremonija, nedzīvs, novecojis pagātnes relikts, — cik ātri tādā gadījumā pienāktu gals mums un mūsu Spēlei! Jau šodien Stikla pērlīšu spēle zaudējusi daļu tā spožuma, kas tai piemita pagājušās paaudzes laikā, kad gadskārtējās Spēles ilga trīs četras nedēļas, nevis vienu vai divas, un ne tikai Kastālijai, bet visai valstij bija gada izcilākais notikums. Šodien uz gadskārtējām Spēlēm vēl ierodas valdības pārstāvis, nereti kā viesis, ko māc garlaicība, savus delegātus atsūta viena otra pilsēta un kārta; Spēlēm beidzoties, šie laicīgo varu pārstāvji, ja rodas izdevība, laipni liek noprast, ka svinību garuma dēļ daža pilsēta atturoties sūtīt savus pārstāvjus un ka varbūt pienācis laiks krietni saīsināt Spēles vai arī turpmāk rīkot tās tikai katru otro vai trešo gadu. Ko lai dara, aizkavēt šādu attīstību vai pagrimumu nav mūsu spēkos. Nav izslēgts, ka visai drīz mūsu Spēle aiz Kastālijas robežām vairs neizraisīs ne mazāko interesi, ka svētkus svinēs tikai reizi piecos vai desmit gados, varbūt arī nesvinēs vairs nemaz. Toties novērst Spēles diskreditāciju un Spēles vērtības zudumu tās dzimtenē, mūsu Provincē, mēs varam, un tas mums ir jādara. Šeit cīņai ir izredzes, un mēs varam gūt arvien jaunas uzvaras. Diendienā mēs redzam, ka jaunus elites skolniekus, kas bez īpašas degsmes pieteikušies uz Spēles kursiem un apzinīgi, taču bez sevišķas aizrautības tos beiguši, piepeši saviļņo Spēles gars, intelektuālās iespējas, godājamās tradīcijas, dvēseli satraucošais spēks un viņi kļūst par kvēliem mūsu piekritējiem un atbalstītājiem. *Ludus sollemnis* katru gadu piedalās izcili zinātnieki, par kuriem mums zināms, ka viņi — augu gadu aizņemti darbā — drīzāk jau iecietīgi noraugās uz mums, Stikla pērlīšu spēles adeptiem, un mūsu institūtam ne vienmēr labvēlīgi noskaņoti, bet lielo Spēļu laikā, mūsu mākslas pievilcības savaldzināti, arvien vairāk un vairāk atmaigst, rod tajā atslodzi, pacilājumu, atjaunotni un iedvesmu un galu galā, smēlušies jaunus spēkus, aizkustināti atvadās no mums gandrīz vai kaunīgiem pateicības vārdiem. Uzmetuši skatienu līdzekļiem, kas mums doti, lai veiktu savu uzdevumu, mēs pārliecināmies, ka mūsu rīcībā ir visai bagātīgs, teicami izkārtots aparāts, kura sirds un kodols ir Spēles arhīvs, ko mēs visi pateicīgi izmantojam ik brīdi un kam itin visi kalpojam, sākot ar Maģistru un Arhivāru un beidzot ar pašu nenozīmīgāko izpalīgu. Dārgāks un nezūdīgāks par visu citu mūsu institūtā ir senais kastāliskais labāko atlases — elites princips. Kastālijas skolas izraugās labākos skolniekus visas valsts mērogā un dod tiem izglītību. Tāpat mēs Spēlētāju ciematā cenšamies izvēlēties pašus izcilākos apdāvināto Spēles mīļotāju vidū, piesaistīt tos sev un arvien labāk apmācīt. Savos kursos un semināros mēs uzņemam simtiem skolnieku un simtiem arī neliedzam aiziet, toties pašus labākos mēs audzinām par īstiem Spēles adeptiem, par tās virtuoziem; turklāt jūs visi zināt, ka mūsu mākslā, tāpat kā jebkurā citā, pilnība nav aizsniedzama, ka ikviens no mums, kļuvis par elites locekli, augu mūžu turpina attīstīt, izkopt, padziļināt kā savus garīgos spēkus, tā mūsu mākslu, nerēķinādamies ar to, vai pats ir vai nav Spēles amatpersona. Gadās dzirdēt nicīgas balsis, kuras mūsu eliti dēvē par lieku greznību un izsaka domu, ka nevajadzētu apmācīt lielāku skaitu elites spēlētāju par to, kas nepieciešams, lai bez grūtībām aizstātu amatpersonas. Bet amatpersonu kopums pirmām kārtām nav pašmērķis, un ne jau katrai amatpersonai ir administratora dotības, tāpat kā ne jau katrs labs filologs ir piemērots pedagoga darbam. Kā nekā mēs, amatpersonas, skaidri jūtam un apzināmies, ka repetitoru loks nav tikai rezerve, ka šie apdāvinātie un pieredzējušie spēlētāji papildina mūsu rindas un ar laiku aizstās mūs. Es pat teiktu, ka tas ir mūsu elites blakusuzdevums, lai gan, tiekoties ar nezinošiem, šo apstākli mēdzam īpaši izcelt, līdzko saruna skar mūsu iestādījuma nozīmi un tiesības eksistēt. Nē, repetitori pirmām kārtām nav nākamie Maģistri, kursu vadītāji, arhīva darbinieki — elite ir pašmērķis, šaurais izlases loks ir patiesā Spēles dzimtene, tās nākotnes ķīla, šeit daži desmiti siržu un prātu apsver Spēles attīstības un piemērošanās problēmas, spārno to, polemizē ar laika garu un atsevišķajām zinātņu nozarēm. Būtībā tikai šeit mūsu Spēli spēlē pa īstam, pareizi, ar pilnu atdevi, tikai šeit, mūsu elites aprindās, tā ir pašmērķis un svēta kalpība, tikai šeit tai sveši ir diletantisms un mācīta iecildība, vīzdegunība un arī māņticība. Spēles nākotne ir jūsu — Valdcellas repetitoru rokās. Ja spēle ir Kastālijas sirds, tās satvars, tad jūs esat mūsu Ciemata kodols, tā dzīvīgums, Pedagoģiskās provinces sāls, tās gars, tās nerima. Nav jābaidās, ka jūsu skaits varētu kļūt par lielu, jūsu centība par dedzīgu, jūsu aizraušanās ar brīnišķīgo Spēli par kvēlu; vairojiet, kāpiniet to! Jums, tāpat kā jebkuram kastālietim, būtībā draud tikai vienas briesmas, no kurām mums visiem diendienā jāvairās. Mūsu Provinces un mūsu Ordeņa idejas pamatā ir divi principi: objektivitāte un patiesības mīlestība pētījumos, meditatīva vieduma un meditatīvās harmonijas izkopums. Rūpēties, lai abi principi būtu līdzsvaroti, mums nozīmē būt viediem un mūsu Ordeņa cienīgiem. Mēs mīlam zinātni — katrs savu nozari, tomēr saprotam, ka atdevīga kalpošana zinātnei ne vienmēr pasargā cilvēku no egoisma, netikuma un niecības; vēsturē tam piemēru netrūkst, doktora Fausta tēls ir šo briesmu literāra popularizācija. Citos gadsimtos glābiņu meklēja intelekta un reliģijas, pētnieciskā darba un askēzes saliedējumā, to laiku *universitas litterarum* valdošā bija teoloģija. Mums tā ir meditācija, sazarota jogas prakse, ar kuras palīdzību tiecamies savaldīt zvēru, kas mājo mūsos, un to diabolisko, kas iemīt katrā zinātnē. Bet jūs zināt ne sliktāk par mani, ka arī Stikla pērlīšu spēlei piemīt savs *diabolus,* ka tā var novest pie tukšas virtuozitātes, pašapmierinātības, āriškīguma izbaudas, karjerisma, varas kāres un piešķirtās varas ļaunprātīgas izmantošanas. Tādēļ līdzās intelekta skološanai mums vajadzīgs vēl kas cits, tādēļ mēs pakļaujamies Ordeņa morālei — ne jau tālab, lai mūsu garīgi aktīvo dzīvi pārvērstu par dvēseliski veģetatīvo, par sapņotāja eksistenci, gluži otrādi, tālab, lai spārnotu garu pašam augstākajam veikumam. No *vita activa* nav jāmeklē patvērums *vita contemplativa*, nedz arī jārīkojas pretēji, bet gan mūžam jāatrodas ceļā no vienas uz otru, mājīgi jājūtas abās, jābūt līdzdalīgam kā vienā, tā otrā."

Šos, tāpat kā daudzus citus Knehta izteikumus pierakstījuši un mums saglabājuši viņa skolnieki, mēs citējam tos tāpēc, ka tie labi parāda viņa uzskatus par savu darbību vismaz pirmajos Maģistra amata gados. Par Knehta izcilajām pedagoga dotībām, kas iesākumā, starp citu, pārsteidza arī viņu pašu, liecina daudzie līdz mums nonākušie viņa lekciju pieraksti. Tas bija viens no tiem negaidītajiem atklājumiem, ko viņš izdarīja uzreiz, tiklīdz stājās augstajā amatā, proti, atklājums, ka pedagoga darbs viņam sniedz lielu prieku un nerada grūtības. Atklājums tiešām bija negaidīts, jo līdz šim viņš nekad nebija jutis vēlēšanos mācīt citus. Tāpat kā jebkuram citam elites loceklim, arī viņam pēdējos studiju gados, tiesa, šad tad tika uzdots uz īsu brīdi aizstāt kādu pasniedzēju dažādu pakāpju Stikla pērlīšu spēles kursos, vēl jo biežāk viņš šādos kursos bija veicis asistenta pienākumus, taču iespēja brīvi studēt un netraucēti pievērsties tobrīd izraudzītajai nozarei Knehtam bija likusies tik dārga un svarīga, ka viņš, lai gan jau toreiz bija prasmīgs un iecienīts pedagogs, šādus pienākumus drīzāk uzskatīja par nevēlamu traucējumu. Galu galā kursus viņš bija vadījis arī benediktiešu klosterī, bet tiem ne pašiem par sevi, ne viņa acīs nebija piemitusi sevišķa nozīme; uzturoties tur, mācoties pātera Jakoba vadībā, kavējoties viņa sabiedrībā, visi citi pienākumi Knehtam bija likušies mazāk svarīgi. Vairāk par visu viņš toreiz vēlējās būt labs skolnieks, mācoties gūt zināšanas un pilnveidot sevi. Tagad skolnieks bija kļuvis par skolotāju, galvenām kārtām kā pedagogs viņš bija paveicis lielo uzdevumu, ko sākumā viņam izvirzīja jaunais postenis, iemantojis autoritāti, apliecinājis personas atbilstību amatam. Šīs cīņas gaitā Knehts izdarīja divus atklājumus: iepazina prieku, ko rada iespēja sniegt citiem paša apgūtas garīgas vērtības, vienlaikus pārliecinoties, ka šajos citos tās rod pavisam atšķirīgu izpausmi un starojumu, proti, iepazina prieku mācīt, un vēl iepazina cīņu ar studenta vai skolnieka individualitāti, autoritātes un garīgas vadonības iemantošanu un likšanu lietā, spēju būt par vadītāju, tātad audzināšanas prieku. Viņš nekad nenorobežoja vienu sfēru no otras un, strādādams par Maģistru, ne tikai sagatavoja daudzus labus un izcilus Spēles pratējus, bet arī ar personisko piemēru un paraugu, pamudinājumu, nepiekāpīgu pacietību, ar savas personības spēku palīdzēja vairumam skolnieku izkopt sevī visu to labo, uz ko tie kā cilvēki un raksturi bija spējīgi.

Atļaujoties uz brīdi aizsteigties priekšā vēstījumam, jāteic, ka šajā jomā viņš guva kādu visai zīmīgu atziņu. Sākotnēji viņam kā Maģis-

175

tram darīšana bija tikai ar eliti, ar skolnieku virsslāni, ar studentiem un repetitoriem, dažkārt ar sava vecuma biedriem, bet allaž ar visnotaļ apmācītiem Spēles adeptiem. Tikai pakāpeniski, nodrošinājis sev elites atbalstu, viņš lēnām un piesardzīgi no gada gadā atrāva tai daļu sava laika un enerģijas, līdz galu galā reizēm varēja gandrīz pavisam atstāt to uzticamu palīgu un līdzstrādnieku ziņā. Šis process ilga gadus, un ar katru gadu Knehts savās lekcijās, paša vadītajos kursos un semināros pievērsās arvien zemākiem jaunāko skolnieku slāņiem, uz beigām vairākkārt vadīja pat iesācēju kursus pašiem jaunākajiem, proti, skolniekiem, nevis studentiem, ko reti kāds Maģistrs bija darījis. Turklāt, jo jaunāki un mazāk sagatavoti bija skolnieki, jo vairāk viņam patika mācīt. Katru reizi, kad šo gadu laikā vajadzēja pamest zemāko un viszemāko pakāpju skolniekus, lai atgrieztos pie studentiem vai pat pie elites, viņš izjuta patiesu nepatiku un darīja to ar jūtamu piespiešanos. Reizēm viņam pat radās vēlēšanās iet vēl tālāk un izmēģināt spēkus, mācot pašus jaunākos, tos, kas vēl nepazina ne kursus, ne Stikla pērlīšu spēli; dažbrīd viņš, piemēram, vēlējās kādu laiku mācīt zēniem latīņu valodu, dziedāšanu vai algebru Ešholcā vai kādā citā sagatavošanas skolā, kur intelektuālais līmenis bija vēl zemāks nekā pašos pirmajos Spēles iesācēju kursos, bet kur būtu jāsastopas ar vēl atklātākiem, vieglāk apmācāmiem un audzināmiem skolniekiem un kur mācību un audzināšanas darbs būtu vēl ciešāk saistīts. Abos pēdējos Maģistra darbības gados viņš vēstulēs divas reizes nosaucis sevi par "skolotāju", atgādinādams, ka termins *Magister ludi,* kam paaudžu paaudzēm Kastālijā bijusi tikai Spēles maģistra nozīme, sākumā gluži vienkārši nozīmējis — skolotājs.

Par šādu vēlmju piepildījumu, protams, nevarēja būt ne runas, tie bija sapņi — tā cilvēks, iespējams, saltā, pelēkā ziemas dienā sapņo par zilām vasaras debesīm.

Knehtam visi ceļi bija slēgti, viņa pienākumus noteica postenis, bet, tā kā veidu, kā viņš veiks šos pienākumus, vairāk noteica pienākuma apziņa, nevis amats, Knehts gadu gaitā — iesākumā, jādomā, gluži neapzināti — galveno uzmanību arvien vairāk pievērsa audzināšanas darbam un pašiem jaunākajiem viņam aizsniedzamajiem gadagājumiem. Jo vecāks viņš kļuva, jo vairāk viņu interesēja jaunatne. Vismaz šodien to var apgalvot. Tolaik kritiskam vērotājam būtu bijis grūti saskatīt viņa Maģistra darbībā diletantisma un patvarības iezīmes. Turklāt amats atkal un atkal mudināja pievērsties elitei, un arī tajos periodos, kad viņš Arhīva un semināru vadību gandrīz pilnīgi atstāja palīgu un "ēnas" ziņā, darbietilpīgi pienākumi, piemēram, ikgadējie Spēles konkursi un gatavošanās gadskārtējām Spēlēm, diendienā lika uzturēt ciešus sakarus ar eliti. Savam draugam Fricam viņš reiz jokodamies teicis: "Bijuši valdnieki, ko visu mūžu mākusi nelaimīga mīlestība uz saviem pavalstniekiem. Ar sirdi viņi tiecās pie zemniekiem, ganiem, amatniekiem, skolotājiem un skolniekiem, bet redzēt dabūja tos reti, mūždien viņus ielenca ministri un karavīri, it kā mūris nošķirdami no tautas. Tāpat klājas arī Maģistram. Viņš tiecas pie cilvēkiem, taču sastop tikai kolēģus, viņš gribētu iet pie skolniekiem un bērniem, taču redz tikai zinātniekus un eliti."

Bet mēs esam tālu aizsteigušies priekšā notikumu gaitai, tādēļ atgriezīsimies pie pirmajiem Knehta Maģistra gadiem. Pēc tam kad attiecības ar eliti bija izveidojušās tādas, kādas pats bija vēlējies, viņam pirmām kārtām vajadzēja iegūt Arhīva darbinieku atbalstu, izturoties kā laipnam, bet arī modram priekšniekam, un arī kancelejas darba kārtība bija jāiepazīst un jānoteic tās vieta dienas norisē, diendienā turklāt pienāca daudz vēstuļu un Augstākās kolēģijas sēžu protokoli un cirkulāri aicināja veikt arvien jaunus pienākumus un uzdevumus, kuru izprašana un svarīguma pakāpes noteikšana iesācējam radīja grūtības. Nereti runa bija par jautājumiem, kas interesēja dažādas Provinces fakultātes un izraisīja savstarpēju nenovīdību, piemēram, par kompetences jautājumiem, un tikai pamazām, toties ar augošu apbrīnu viņš iepazina tikpat noslēpumaino, cik vareno Ordeņa — Kastālijas valsts dzīvās dvēseles un konstitūcijas modrā sarga nozīmi.

Tā pagāja grūti, darba pārpilni mēneši, kuru laikā Knehtam ne reizi neiznāca padomāt par Tegulariju, ja neņem vērā dažu labu pa pusei neapzināti draugam uzticētu uzdevumu, lai paglābtu viņu no pārliekas bezdarbības. Frics bija zaudējis biedru, kas piepeši bija kļuvis par pavēlnieku, par viņa augstāko priekšnieku, ar kuru vairs nevarēja draudzīgi tikties, kuram bija jāpakļaujas, kurš bija jāuzrunā ar "jūs" vai "Godājamais". Maģistra dotos uzdevumus viņš tomēr uzskatīja par aizgādības un personiskas labvēlības pierādījumu, turklāt viņu, mazliet kaprīzu savrupnieku, satrauca un labvēlīgi ietekmēja, mudinot darboties, gan drauga paaugstinājums un elites visai pacilātais noskaņojums, gan arī jau minētie pienākumi; katrā ziņā viņš šīs dziļās pārmaiņas pārcieta labāk, nekā pats bija cerējis brīdī, kad Knehts, uzzinājis, ka tiek izraudzīts par Stikla pērlīšu spēles Maģistru, aizraidīja viņu projām. Bez tam viņš bija pietiekami gudrs un iejūtīgs, lai saskatītu vai vismaz noģistu milzīgo sasprindzinājumu un piepūli, kas tolaik bija jāiztur viņa draugam; viņš redzēja draugu it kā liesmu apņemtu, it kā no iekšienes izdegam, un to, kas otram šai ziņā bija jāpārdzīvo, viņš, domājams, izjuta asāk nekā pats piemeklētais. Veicot uzdevumus, ko viņam bija uzticējis Maģistrs, Tegularijs centās cik spēdams, un, ja vien viņš savu nevarību un nepiemērotību atbildīgam amatam kaut reizi ir nožēlojis un izjutis kā trūkumu, tad tieši toreiz, kad kvēli vēlējās būt noderīgs un palīdzēt pielūgtajam draugam, kalpojot tam par palīgu, amatpersonu, "ēnu".

Skābaržu meži ap Valdcellu jau sāka dzeltēt, kad Knehts, salūkojis plānu grāmatiņu, iegriezās Maģistra mītnes dārzā līdzās mājai, tajā mazajā, jaukajā dārzā, kuru nelaiķis Tomass tik ļoti bija mīļojis un kā Horācijs savām rokām kopis, tajā pašā dārziņā, kuru Knehts, tāpat kā visi skolnieki un studenti, redzēdams tajā svētu, pielūgsmes cienīgu stūrīti, Maģistra atpūtas un apceru vietu, reiz bija iztēlojies par teiksmainu Mūzu salu, par sava veida Tuskulu[1], un kurā viņš, kopš pats bija kļuvis par Maģistru un pavēlnieku, tik reti uzkavējās un laikam gan vēl ne reizi nebija atpūties. Arī šoreiz viņš iegriezās dārzā tikai uz mirkli, paēdis vakariņas, un atļāvās vien īsu, bezrūpīgu pastaigu starp augstajiem krūmiem un ziemciešiem, starp kuriem bija arī daži viņa priekšteča dēstīti mūžam zaļi dienvidu augi. Pēc tam viņš novietoja piesaulē vieglu, pītu krēslu, jo ēnā jau bija pavēss, apsēdās un atšķīra līdzi paņemto grāmatu. Tas bija "Stikla pērlīšu spēles maģistra kabatas kalendārs", kuru pirms aptuveni septiņdesmit vai astoņdesmit gadiem bija sarakstījis toreizējais Spēles maģistrs Ludvigs Vasermālers un kurā kopš tā laika katrs viņa pēctecis bija izdarījis attiecīgus labojumus, svītrojumus vai papildinājumus. Pēc ieceres kalendārs bija rokasgrāmata Maģistriem — it īpaši pirmajos darba gados, kad trūka pieredzes, un atgādināja tiem augu darba gadu, nedēļu aiz nedēļas, svarīgākos pienākumus, vietumis dodot tikai īsas norādes, vietumis sīkus aprakstus, papildinātus ar personiska rakstura ieteikumiem. Knehts atšķīra un uzmanīgi pārlasīja šai nedēļai veltīto lappusi. Neatradis neko negaidītu vai īpaši steidzamu, viņš rindkopas beigās pamanīja piebildi: „Sāc pamazām domāt par gadskārtējām Spēlēm. Tev liksies, ka vēl par agru, daudz par agru. Tomēr dodu tev padomu: ja tev vēl nav gatavas Spēļu ieceres, pacenties turpmāk katru nedēļu, vismaz katru mēnesi apdomāt gaidāmās Spēles. Pieraksti savas idejas, izmanto katru brīvu pusstundu, lai ielūkotos kādas klasiskās partijas shēmā, dari to arī varbūtēju komandējumu laikā. Gatavojies, necenzdamies par katru cenu rast labas idejas, bet sākot ar šo dienu, biežāk domādams par to, ka nākamajos mēnešos tevi gaida skaists, svinīgs uzdevums, kura veikšanai jāapkopo spēki, attiecīgi noskaņo sevi."

---

[1] Tuskula — pilsēta senajā Itālijā, tās apkaimē atradās slavenā oratora Cicerona villa, kurā norisa viņa zinātniskā darbība.

178

Šos vārdus pirms paaudzēm trim bija rakstījis gudrs sirmgalvis, lietpratējs savā nozarē, starp citu, bija tos rakstījis dienās, kad formas ziņā Stikla pērlīšu spēle varbūt bija aizsniegusi savas virsotnes; katrai partijai tolaik piemita tāda grācija, tāds ornamentāls krāšņums izvedumā, kādi, piemēram, raksturīgi senās gotikas vai rokoko laikmeta arhitektūrai un dekoratīvajai mākslai; aptuveni divus gadu desmitus Spēle tik tiešām atgādināja rotaļāšanos ar stikla pērlītēm, saturā šķietami nabagu, tukši skanīgu, it kā koķetu, aušīgu rotaļu, kurai netrūka smalku rotājumu, dejai, pat virves dejai līdzīgu lidināšanos visai izsmalcinātā ritmā; gadījās spēlētāji, kas tā laika stilu salīdzināja ar nozaudētu burvju atslēgu, citi turpretī uzskatīja to par ārišķīgu, pārslogotu ar rotājumiem, dekadentisku un nevīrišķīgu. Viens no šā stila radītājiem un labākajiem lietpratējiem tad arī bija sacerējis Maģistra kalendāra rūpīgi apsvērtos, draudzīgos padomus un ieteikumus, un, vēl un vēl uzmanīgi pārlasīdams tos, Jozefs Knehts juta, ka sirdī raisās līksmas, tīkamas emocijas, noskaņa, ko viņš, kā pašam likās, izjutis tikai vienu reizi mūžā, — padomājis viņš atcerējās, ka tāpat bija juties, meditējot pirms investitūras, tas bija tas pats noskaņojums, kas pārņēma viņu, iztēlojoties brīnumaino deju, kurā griezās Mūzikas maģistrs un Jozefs, meistars un iesācējs, vecums un jaunība. Tam bijis jābūt vecam, ļoti vecam cilvēkam, kas reiz iecerējis un uzrakstījis vārdus — "Pacenties turpmāk katru nedēļu..." un "Gatavojies, necenzdamies par katru cenu rast labas idejas". Tā rakstījis cilvēks, kas vismaz divus gadu desmitus, ja ne vēl ilgāk, atradies augstajā Maģistra amatā, kam Spēles prieka apsēstajā rokoko laikmetā, bez šaubām, bijusi darīšana ar gaužām izlepušu un pašpārliecinātu eliti, cilvēks, kas sacerējis un vadījis vairāk nekā divdesmit spožas, tolaik četras nedēļas ilgstošas gadskārtējās Spēles, vecs vīrs, kam uzdevums ik gadu no jauna sacerēt lielu svētku Spēli jau sen bija licies nevis augsts pagodinājums un iepriecinājums, drīzāk gan slogs, sūra piepūle, pienākums, kura veikšanai sevi jānoskaņo, jāuzmundrina, mazdrusciņ jāinspirē. Pret šo gudro sirmgalvi un pieredzējušo padomdevēju Knehts izjuta ne vien pateicīgu godbijību, jo rokasgrāmata viņam dažkārt jau bija lieti noderējusi, bet arī līksma, jautra, pat pārgalvīga pārākuma, proti, jaunības pārākuma jūtas. Jo daudzo rūpju vidū, ko viņš bija iepazinis Stikla pērlīšu spēles maģistra amatā, šīs vienas viņam pagaidām bija svešas: laikus iegādāties par gadskārtējām Spēlēm, noskaņot sevi līksmi, sakopot spēkus gaidāmajam uzdevumam, baidīties, ka varētu pietrūkt uzņēmības un pat ideju. Nē, Knehts, kam aizvadītajos mēnešos dažbrīd bija šķitis, ka kļūst vecs, nule jutās jauns un spēkpilns. Viņš nevarēja ilgi ļauties šai tīkamajai izjūtai, izbaudīt to līdz galam;

īsais atgūtas mirklis tuvojās beigām. Bet jaukā, līksmā jutoņa neizzuda, nepameta viņu, un tā šī īsā atpūta Maģistra dārzā un ielūkošanās rokasgrāmatā tomēr bija ko devusi, bagātinot viņu, — proti, ne tikai atspriedzes un kāpināta dzīvesprieka mirkli, bet arī divas idejas, kas to pašu brīdi kļuva par lēmumiem. Pirmkārt, tapis vecs un gurdens, viņš tūdaļ atkāpsies no amata, līdzko pirmoreiz jutīs, ka gadskārtējo Spēļu sacerēšana pārvērtusies par netīkamu pienākumu un jaunas ieceres rodas ar grūtībām. Otrkārt, jau drīzumā jāsāk gatavoties savām pirmajām gadskārtējām Spēlēm, par biedru un pirmo palīgu aicinot Tegulariju — draugs jutīsies gandarīts un iepriecināts, bet viņam, Knehtam, varbūt izdosies iedvest jaunu dzīvību pašreiz panīkušajai draudzībai. Rast iemeslu vai dot ierosu tuvībai Tegularijs nevarēja, iniciatīva jāizdara viņam, Maģistram.

Draugam te darba pietiks liku likām. Jau Mariafelzā Knehts loloja domu par kādu partiju, ko tagad, kļuvis par Maģistru, nolēma izmantot savām pirmajām Svētku spēlēm. Par pamatu Spēles struktūrai un dimensijām — tāda bija šī teicamā ideja — jākļūst ķīniešu nama senajai konfuciāniski rituālajai shēmai — vārtiem, garu sienai, ēku un pagalmu attiecībām un funkcijām, izvietojuma atkarībai no debespusēm, no spīdekļiem, kalendāra, ģimenes dzīves prasībām, neaizmirstot arī dārza plānojuma simboliku un stila likumības. Reiz, studējot kādu "I-czin" komentāru, šo likumību mītiskā kārtība un nozīmība viņam bija likusies sevišķi pievilcīga un atjautīga līdzība par Visumu un cilvēka vietu pasaulē, tāpat viņam bija šķitis, ka šajā tradicionālās celtniecības paraugā sensenais mītiskais tautas gars apbrīnojami harmoniski apvienots ar mācītu mandarīnu un maģistru spekulatīvo domu. Bieži un aizrautīgi, tiesa gan, neko neuzmezdams, viņš bija apsvēris šādu Spēles plānu, tā ka iztēlē iecere jau bija guvusi galīgu izveidi, tikai kopš stāšanās Maģistra amatā viņam vairs nebija atlicis laika to realizēt. Tagad viņš spēji izlēma, ka savas Spēles pamatā liks šo ķīnisko ideju un Tegularijam, ja vien tas spēs iejusties iecerē, tūdaļ jāvāc materiāli kompozīcijas izveidei un jāsāk gatavoties tās iedzīvināšanai Spēles valodā. Tiesa, bija kāds šķērslis: draugs neprata ķīniešu valodu, un apgūt to bija daudz par vēlu. Bet, vadīdamies pēc norādījumiem, ko sniegtu gan Knehts, gan Austrumāzijas tautu institūts, Tegularijs, izmantojot arī attiecīgu literatūru, droši vien spētu apgūt ķīniešu nama maģisko simboliku — runa taču nebija par filoloģiju. Kā nekā tas prasīs laiku, it īpaši izlutušam cilvēkam, kam strādāt diendienā netīk, un tieši tāds cilvēks bija viņa draugs, tādēļ būtu lietderīgi tūdaļ sākt darbu; piesardzīgajam sirmgalvim, kalendāra autoram, smaidīdams un patīkami pārsteigts pārliecinājās Knehts, tātad visnotaļ bija taisnība.

Jau nākamajā dienā, runas stundām beidzoties agrāk nekā parasti, Knehts lika paaicināt Tegulariju. Tas ieradās, paklanījās mazliet pārspīlēti pakalpīgi un pazemīgi, kā tagad bija paradis sasveicināties, tiekoties ar Knehtu, un jutās itin pārsteigts, kad citkārt tik mazrunīgais un vārdos skopais draugs, šķelmīgi pametis viņam ar galvu, jautāja:

— Vai tu vēl atceries, ka reiz studiju gados mēs gandrīz vai sastrīdējāmies un man tā arī neizdevās pārliecināt tevi par savu uzskatu pareizību? Runa bija par Austrumāzijas tautu, it īpaši ķīniešu kultūras mantojuma apguves lielo nozīmi, un es mēģināju pierunāt tevi, lai arī tu kādu laiku mācies attiecīgajā institūtā un apgūsti ķīniešu valodu... Nu, vai atceries? Tad lūk, šodien lieku reizi nožēloju, ka toreiz neizdevās tevi pārliecināt. Cik labi būtu, ja tu šo valodu prastu! Kopīgiem spēkiem mēs paveiktu brīnumu lietas.

Vēl brīdi Knehts ķircināja draugu, padarīdams to arvien ziņkārīgāku, un tikai tad izteica savu priekšlikumu: viņš taisoties drīzumā ķerties pie lielo Spēļu izveides, un, ja Fricam tas darītu prieku, tas varētu uzņemties galveno darba daļu — tāpat kā toreiz, kad palīdzējis izstrādāt partiju svinīgo Spēļu konkursam, kamēr viņš, Knehts, uzturējies benediktiešu klosterī. Tegularijs uzmeta viņam pa pusei neticīgu skatienu, dziļi pārsteigts un patīkami satraukts par drauga laipno valodu un smaidīgo seju vien; pēdējā laikā Knehts izturējās pret viņu tikai kā priekšnieks un Maģistrs. Aizkustināts un ielīksmots Tegularijs noprata, ka šis priekšlikums nav vienīgi pagodinājums un uzticības apliecinājums; viņš atskārta un pareizi novērtēja cēlā žesta patieso nozīmi: tas bija mēģinājums labot notikušo, atdarīt durvis, kas aizcirtušās, atjaunot draudzību. Knehta bažas par ķīniešu valodu Tegulariju sevišķi nebiedēja, un viņš, gari neprātodams, paziņoja, ka ir Godājamā rīcībā un ar mieru ziedot visus spēkus jaunās partijas izveidei.

— Labi, — teica Maģistrs, — es pieņemu tavu palīdzību. Noteiktās dienas stundās mēs tātad atkal būsim darba un studiju biedri, tāpat kā tajās šobrīd tik ērmoti tālajās dienās, kad, strādājot kopā, vaiga sviedros apguvām ne vienu vien partiju. Mani tas iepriecina, Tegularij. Bet tagad tev vispirms jāpadara par savu ideja, ko taisos likt partijas pamatā. Tev jātiek skaidrībā, kas ir ķīniešu nams un pēc kādiem priekšrakstiem tas ceļams. Es iedošu tev ieteikuma vēstuli Austrumāzijas tautu institūtam, tur tev palīdzību neliegs. Nē, paga, man nāk prātā kas cits, labāks — pamēģināsim, vai mums nelaimēsies ar Vecāko Brāli, Bambuskoku birzs iemītnieku, par kuru tev kādreiz tik daudz esmu stāstījis. Var jau gadīties, ka tas viņam liksies pazemojoši vai arī pārāk apgrūtinoši — ielaisties darīšanās ar cilvēku, kurš neprot ķīniešu valodu, bet pamēģināt tomēr varam. Šis cilvēks, ja vien viņš gribēs, padarīs tevi par īstu ķīnieti.

Vecākajam Brālim tika nosūtīts vēstījums, kurā viņu laipni lūdza paciemoties Valdcellā kā Stikla pērlīšu spēles maģistra viesi, tādēļ ka Maģistram darba pienākumu dēļ neatliekot laika vizītei; vēstījumā bija arī teikts, ko no viņa vēlas. Ķīnietis tomēr neatstāja savu birzi; kurjers atveda ar tušas hieroglifiem klātu vēstulīti. Tajā bija teikts: "Pagodinoši pašam savām acīm skatīt dižu cilvēku. Ceļinieks uzduras šķēršļiem. Lai nestu upuri, jāņem divi trauki. Cildeno sveic jaunākais." Saņēmis šo zīmīti, Knehts ne bez pūlēm pierunāja draugu doties uz Bambuskoku birzi un lūgt pajumti un padomu. Bet īsais ceļojums bija veltīgs. Vientuļnieks gan bezmaz pazemīgi laipni uzņēma Tegulariju savā birzī, taču uz visiem jautājumiem atbildēja ar vēlīgām sentencēm ķīniešu valodā un neaicināja arī viesi uzkavēties, par spīti krāšņajam, uz lieliska papīra rakstītajam Maģistra ieteikumam. Neko neguvis, Tegularijs sadrūmis atgriezās Valdcellā, atvezdams Maģistram dāvanu — lapiņu, uz kuras ar otiņu bija uzgleznota zelta zivtiņa, bet pāri tai — vārsmota ķīniešu sentence, un tā Tegularijs tomēr bija spiests izmēģināt laimi Austrumāzijas tautu institūtā. Tur Knehta ieteikumam bija lielāks iespaids — lūdzējam, kas ieradies Maģistra uzdevumā, laipni centās palīdzēt, un drīz vien viņš par savu tēmu bija savācis visu, kas vien pieejams, neprotot ķīniešu valodu, turklāt Knehta iecere — plānojuma pamatā likt ķīniešu nama simboliku — pašam tik ļoti iepatikās, ka viņš samierinājās ar savu neveiksmi Bambuskoku birzī un pavisam to aizmirsa.

Uzklausījis ziņojumu par neveiksmīgo ciemošanos Vecākā Brāļa mājā un pēc tam vienatnē pārlasījis pantu un aplūkojis zelta zivtiņu, Knehts spilgti atcerējās gaisotni, kurā mita šis cilvēks, kā arī savu uzturēšanos namiņā, pa kuru šalkoja bambusu lapotne, atcerējās pelašķu stiebriņus, bijušo dienu brīvību, studiju gadus, jaunības sapņu saulaino paradīzi. Cik izmanīgi šis apņēmīgais un dīvainais vientuļnieks pratis norobežoties no pasaules, saglabāt savu brīvību, cik drošu patvērumu viņš atradis klusajā Bambuskoku birzī, cik dziļas un stipras saknes viņš laidis pašam par otru dabu kļuvušajā tīrajā, pedantiskajā un viedajā ķīniskumā, cik cieši un koncentrēti gadu pēc gada, gadu desmitu pēc gadu desmita viņu ieskāva mūža sapnis, pārveršot viņa dārzu par Ķīnu, viņa namiņu par svētnīcu, viņa zivtiņas par dievībām un viņu pašu par gudro! Nopūties Knehts aizgainīja šīs domas. Viņš gājis, pareizāk sakot, liktenis viņam norādījis citu ceļu, un viņa pienākums tagad ir iet šo ceļu taisni un nelokāmi, nesalīdzinot to ar ceļiem, kas ejami citiem.

Brīžos, ko laimējās izbrīvēt, viņš, uzmetis plānu, kopā ar Tegulariju sacerēja savu Spēli, atstādams kā materiālu atlasi Arhīvā, tā pirmo un otro uzmetumu drauga ziņā. Guvusi jaunu saturu, abu draudzība atplauka, iemantoja jaunu veidu, atšķirīgu no agrākā, un arī Spēle, kuru abi komponēja, pateicoties Tegularija savdabībai un izsmalcinātajai iztēlei, pieredzēja ne vienu pārmaiņu vien, kļuva arvien saturīgāka. Frics bija viens no tiem mūžam neapmierinātajiem un tomēr pieticīgajiem, kas stundām ilgi, nerazdami mieru, spēj aizrautīgi kārtot ziedu pušķi vai klāt galdu, kurš jebkuram citam jau sen liktos uzklāts, un ar pašu nenozīmīgāko pasākumu var cītīgi noņemties augu dienu. Arī turpmākajos gados šai ziņā nekas nemainījās: lielās svētku Spēles katru reizi gatavoja abi, un Tegularijam divkāršu gandarījumu radīja apziņa, ka var būt noderīgs draugam un Maģistram, pat neatvietojams tik svarīgā darbā un piedalīties svinībās kā anonīms, tomēr elitei labi zināms Spēles līdzautors.

Pirmajā darba gadā, vēlu rudenī, kad draugs tikko bija pievērsies ķīniešu kultūras mantojuma studijām, Maģistrs kādu dienu, pārlūkodams ierakstus savas kancelejas dienas norišu žurnālā, pamanīja šādu piezīmi: "Ieradies students Pēters no Monporas ar *Magister musicae* ieteikumu; nododami sveicieni no bijušā Mūzikas maģistra; lūdz pajumti un atļauji strādāt Arhīvā; apmeties studentu viesu namā." Studentu un viņa lūgumu mierīgu sirdi varēja atstāt Arhīva darbinieku ziņā — nekā neikdienišķa te nebija. Bet "sveicieni no bijušā Mūzikas maģistra" — tas, protams, attiecās tikai uz viņu, Knehtu. Viņš lika pasaukt studentu; tas bija nerunīgs, jauns cilvēks, no skata tikpat domīgs, cik dedzīgs, acīmredzot Monporas elites pārstāvis, jo radās iespaids, ka audience pie Maģistra viņam nav nekas neparasts. Knehts pavaicāja viesim, ko vecais Mūzikas maģistrs licis viņam nodot.

— Sveicienus, — atbildēja students, — vissirsnīgākos cieņas apliecinājumus jums, Godājamais, un ielūgumu.

Knehts aicināja viesi apsēsties.

Rūpīgi apsvērdams katru vārdu, jauneklis turpināja:

— Kā jau teicu, cienījamais Maģistrs uzdeva man, ja rastos izdevība, nodot jums sveicienus. Viņš lika arī noprast, ka tuvākajā laikā, proti, iespējami drīz, vēlētos redzēties ar jums Monporā. Viņš lūdz jūs atbraukt, vismaz izsaka vēlējumu, lai jūs drīzumā apciemotu viņu, protams, ja šāds apciemojums būtu savienojams ar braucienu dienesta darīšanās un pārāk jūs neapgrūtinātu. Tāds apmēram ir man dotais uzdevums.

Knehts uzmeta jaunajam cilvēkam pētošu skatienu: šaubu nav, tas ir viens no vecā vīra aizbilstamajiem.

— Cik ilgi tu, *studiose*, domā uzkavēties, mūsu Arhīvā? — viņš piesardzīgi apvaicājās.

— Tieši tik ilgi, Godājamais, — attrauca students, — cik laika jums vajadzēs, lai sapostos ceļam uz Monporu.

— Labi, — padomājis bilda Knehts. — Bet saki — kādēļ tu to, ko lika pateikt vecais Maģistrs, atstāstīji aptuveni, nevis vārdu pa vārdam, kā būtu sagaidāms?

Students Pēters nenovērsa skatienu, lēnām, vēl aizvien rūpīgi apsvērdams katru vārdu, viņš atbildēja tā, it kā runātu svešā mēlē:

— Uzdevuma, Godājamais, nav bijis, tāpēc neko nevaru atkārtot vārdu pa vārdam. Jūs pazīstat cienījamo Maģistru un zināt, cik bezgala pieticīgs viņš allaž bijis. Monporā stāsta, ka jaunībā, kad viņš vēl bijis repetitors, bet elites aprindās jau uzskatīts par nākamo Mūzikas maģistru, biedri iesaukuši viņu par Lielo Pazemīgo. Tad lūk, šī pieticība, tāpat kā bijīgums, gatavība pakalpot, rēķināšanās ar citiem un iecietība mūža nogalē, bet jo sevišķi pēc atkāpšanās no amata, kļuvusi vēl jo lielāka — jums tas, bez šaubām, zināms labāk nekā man. Šī pieticība liegtu viņam, piemēram, lūgt, lai jūs ierodaties, kaut pats to ļoti vēlētos. Tādēļ, *domine*, es, kam šāds uzdevums nav uzticēts, tomēr rīkojos tā, it kā būtu to saņēmis. Ja esmu kļūdījies, varat uzskatīt, ka ielūguma nav bijis.

Knehts tikko manāmi pasmaidīja.

— Bet tavas nodarbības Arhīvā, dārgais? Vai tās ir tikai iegansts?

— O nē, man jāizraksta lielāks skaits kodu, tā ka tuvākajā laikā tik un tā būtu izmantojis jūsu viesmīlību. Man vienīgi likās, ka vēlams mazliet pasteidzināt šo nelielo ceļojumu.

— Ļoti labi, — piekrita Maģistrs, atkal kļuvis nopietns. — Vai atļauts vaicāt, kāds iemesls ir šādai steigai?

Viesis, saraucis pieri, uz mirkli aizvēra acis, it kā jautājums darītu viņam sāpes. Pēc tam, no jauna pievērsis pētošo, jauneklīgi kritisko skatienu Maģistram, viņš sacīja:

— Uz šo jautājumu atbildes nav; lai atbildētu, jums būtu jāizsakās precīzāk.

— Lai notiek! — iesaucās Knehts. — Vai vecais Maģistrs jūtas slikti, vai viņa veselības stāvoklis rada bažas?

Par spīti savaldīgajam tonim, kādā bija izteikts jautājums, students Knehta balsī saklausīja mīloša cilvēka raizes par veco vīru; pirmo reizi šīs sarunas laikā viņa drūmajā skatienā pavīdēja kas līdzīgs labvēlībai un viņš ierunājās mazliet laipnāk un brīvāk, beidzot atklāti pateikdams, kas viņam uz sirds.

— Varat nebažīties, Maģistra kungs, — viņš sacīja, — Godājamais nebūt nejūtas slikti, viņam aizvien bijusi nevainojama veselība, un vesels viņš ir arī šobaltdien, lai gan vecuma nespēks, protams, kļuvis visai jūtams. Nevarētu teikt, ka viņš ārēji būtu manāmi mainījies vai strauji zaudētu spēkus. Viņš dodas īsās pastaigās, katru dienu mazdrusciņ muzicē un vēl pavisam nesen mācīja ērģeļu spēli diviem skolniekiem, īstiem iesācējiem, — viņš allaž mīlējis būt bērnu vidū. Bet tas, ka arī šos divus pēdējos skolniekus viņš pirms dažām nedēļām nodeva cita pasniedzēja ziņā, tomēr ir simptoms, kas man dūrās acīs; kopš tās dienas sāku rūpīgāk novērot Godājamo, un tas, ko ieraudzīju, dara mani domīgu, tāpēc arī esmu šeit. Par attaisnojumu šīm domām un šai rīcībai var noderēt fakts, ka pats esmu bijis vecā Mūzikas maģistra skolnieks, viņa mīlulis, uzdrīkstos teikt, kā arī tas, ka viņa pēctecis jau gadu atpakaļ norīkoja mani vecajam vīram par izpalīgu vai sava veida kompanjonu, likdams man rūpēties par viņa labklājību. Šis uzdevums mani ļoti iepriecināja, jo nevienu citu tā necienu kā savu sirmo skolotāju un labvēli un nevienam citam neesmu tik stipri pieķēries. Tas ir viņš, kas pavēra man mūzikas noslēpumus, kas iemācīja mani tai kalpot; ja turklāt esmu ieguvis zināmu priekšstatu, izpratni par Ordeņa nozīmi, iemantojis arī zināmu garīgu briedumu, kļuvis iekšēji nosvērtāks, tas ir viņa nopelns un veikums. Jau veselu gadu, šķiet, dzīvoju kopā ar viņu. Tiesa, mani nodarbina daži pētījumi, apmeklēju arī kursus, taču allaž esmu viņa rīcībā: pusdienoju kopā ar viņu, pavadu viņu pastaigās, reizēm arī muzicējam kopīgi, bet naktīs guļu viņam līdzās, aiz sienas. Dzīvojot tik ciešā tuvībā, varu diezgan precīzi novērot, kā viņš pakāpeniski noveco — nu ja, tas laikam tomēr ir īstais vārds —, noveco fiziski, un daži mani biedri reizēm izmet pa līdzcietīgai vai zobgalīgai piezīmei par ērmoto posteni, kas tik jaunu cilvēku, kāds esmu es, padara par pārveca cilvēka kalpu un līdzgaitnieku. Bet viņi nezina un, atskaitot mani, tas laikam gan nevienam nav īsti zināms, kā lemts novecot Maģistram, kā viņš palēnām kļūst arvien vārgāks un nespēcīgāks fiziski, ēd arvien mazāk, pārnācis no savām īsajām pastaigām, jūtas arvien gurdāks, tomēr ne reizi neslimodams, un kā viņš savu veco dienu nošķirtībā top arvien garīgāks, svētsvinīgāks, cienījamāks, vienkāršāks. Ja palīga vai kopēja pienākumi rada dažas neērtības, tad vienīgi tāpēc, ka Godājamais nemaz īsti nevēlas, lai viņu kopj un aprūpē, ka viņš mūždien gribētu dot, nevis ņemt.

— Pateicos tev, — sacīja Knehts, — man patīkami apzināties, ka par Godājamo rūpējas tik uzticams un atsaucīgs skolnieks. Bet tagad saki beidzot bez aplinkiem — kādēļ tu, ja reiz nerunā sava skolotāja uzdevumā, tik ļoti vēlies, lai es ierodos Monporā?

— Jūs pirmīt bažīgi apvaicājātıes par vecā Mūzikas maģistra vese-
lību, — attrauca jauneklis, — acīmredzot mans lūgums mudināja jūs
domāt, ka viņš, iespējams, saslimis un jāpasteidzas vēl reizi apciemot
viņu. Es tik tiešām uzskatu, ka laika palicis maz. Nedomāju gan, ka
Godājamam drīz jāmirst, tomēr viņa attālināšanās no dzīves ir gaužām
savāda. Tā, piemēram, viņš jau kopš vairākiem mēnešiem gandrīz pa-
visam atradinājies runāt un, ja arī agrāk priekšroku deva īsām valodām,
nevis liekvārdībai, tad tagad kļuvis tik nerunīgs un kluss, ka nevilšus
sāku baiļoties. Pirmajā laikā, kad viņš uzrunāts palika atbildi parādā,
es nospriedu, ka viņam pasliktinājusies dzirde, bet viņš, izrādās, dzird
tikpat labi kā senāk — esmu to vairākkārt pārbaudījis. Man atlika tikai
secināt, ka viņš kļuvis izklaidīgs un nespēj vairs īsti koncentrēties.
Bet arī šis izskaidrojums nav pietiekams. Drīzāk jādomā, ka viņš jau
sen it kā devies ceļā un vairs īsti neuzturas mūsu vidū, it kā ar katru
dienu aiziet arvien tālāk pats savā pasaulē; viņš, piemēram, arvien
retāk pasācis apciemot citus vai pat aicināt kādu pie sevis; ja neskaita
mani, viņš dienām ilgi vairs netiekas ne ar vienu; kopš tas viss sācies
— šī noškiršanās, šī uzturēšanās kaut kur citur —, es cenšos vēlreiz
atvest pie viņa tos nedaudzos draugus, par kuriem zinu, ka tie bijuši
viņam sevišķi mīļi. Apciemojis savu veco draugu, jūs, *domine,* bez
šaubām, iepriecinātu viņu — esmu par to pārliecināts — un vēl pagūtu
sastapt apmēram to pašu cilvēku, ko mīlat un godājat. Pēc dažiem
mēnešiem, varbūt pat nedēļām, viņa prieks redzēt jūs, viņa interese
par jums, iespējams, vairs nebūs tik liela, nav arī izslēgts, ka viņš jūs
vairs nepazīs un nepievērsīs jums uzmanību.

Knehts piecēlās un, piegājis pie loga, brīdi pastāvēja, lūkodamies
laukā un dziļi elpodams. No jauna pievērsies studentam, viņš ierau-
dzīja, ka tas jau pielēcis kājās, uzskatīdams audienci par beigušos.
Maģistrs sniedza viņam roku.

— Pateicos vēlreiz, Pēter, — viņš sacīja. — Tev, jādomā, labi
zināms, ka Maģistram daudz dažādu pienākumu. Es nevaru, paķēris
cepuri, doties ceļā; lai to darītu, šis tas vispirms jānokārto. Ceru, ka
parīt būšu tik tālu. Vai tev pietiks laika pabeigt darbu Arhīvā? Jā?
Tātad norunāts: došu tev ziņu, līdzko būšu gatavs ceļam.

Dažas dienas vēlāk Knehts Pētera pavadībā tik tiešām devās uz
Monporu. Ieradušies tur un iegājuši pavijonā, jaukajā, klusajā eremīta
mītnē, kurā dārza vidū mājoja vecais Maģistrs, abi izdzirda mūzikas
skaņas — maigas un vāras, bet ritmiski precīzas un apburoši možas —
tās plūda no dibenistabas; tur, jādomā, sēdēja sirmgalvis un ar diviem
pirkstiem atskaņoja divbalsīgu melodiju — Knehts tūdaļ atskārta, ka šī
ir viena no tām melodijām, kas apkopotas kādā sešpadsmitā gadsimta

186

dziesmu krājumā. Atnācēji nogaidīja, līdz mūzika apklusa, tad Pēters skaļi uzrunāja savu skolotāju, ziņodams, ka atgriezies un atvedis viesi. Durvīs parādījās vecais vīrs un sveicinādams uzsmaidīja abiem. Šis apsveikuma smaids, ko visi tā mīlēja, vienmēr bija licies bērnišķīgi atklāts, starojoši sirsnīgs un vēlīgs; turpat pirms trīsdesmit gadiem kādā mulsi svētlaimīgā rīta stundā Knehts, ieraudzīdams mūzikas istabā to pirmo reizi, atdarīja un dāvāja savu sirdi šim tik laipnajam cilvēkam, un kopš tās dienas viņš bieži, dziļi ielīksmots un brīnumaini saviļņots, atkal un atkal bija skatījis šo smaidu; laipnajam Mūzikas maģistram kļūstot arvien sirmākam, ar laiku nosirmojot pavisam, viņa balsij topot klusākai, rokas spiedienam — vārgākam, gaitai — gausākai, smaids palika tikpat gaišs un pievilcīgs, tikpat sirsnīgs un nevainīgs. Un tagad vecā Mūzikas maģistra draugs un skolnieks pārliecinājās pats savām acīm, redzēja nešaubīgi: starojošais, klusais aicinājums, ko pauda smaids vecīgajā sejā, gadu ritumā balējot acu zilumam un bālākam kļūstot sārtumam vaigu galos, ir ne tikai tas pats senais, tik bieži vērotais — tas kļuvis vēl sirsnīgāks, vēl noslēpumaināks un intensīvāks. Tikai tagad, sveikdams veco vīru, Knehts īsti apjēdza, kā būtībā jāsaprot studenta Pētera lūgums un ka viņš, domādams, ka nes upuri, uzklausīdams lūgumu, pats ir guvušais.

Karlo Feromonte, ko Knehts dažas stundas vēlāk apciemoja slavenajā Monporas nošu bibliotēkā, kurā draugs tolaik strādāja par bibliotekāru, bija pirmais, kam viņš pastāstīja par saviem iespaidiem. Tas aprakstījis šo sarunu kādā vēstulē.

— Mūsu vecais Mūzikas maģistrs, — teica Knehts, — bija tavs skolotājs, un tu viņu ļoti mīlēji. Vai tu vēl vienmēr bieži tiecies ar viņu?

— Nē, — atbildēja Karlo, — tas ir, tikties mēs, protams, tiekamies bieži, piemēram, kad viņš dodas savā pastaigā un es tieši tobrīd iznāku no bibliotēkas, bet runājuši neesam jau vairākus mēnešus. Viņš arvien vairāk noslēdzas sevī, ļaudis, šķiet, apgrūtina viņu. Agrāk viņš veltīja pa vakaram tādiem kā es, saviem bijušajiem repetitoriem, kas nodarbināti Monporā, tagad pagājis turpat jau gads, kopš nekas tamlīdzīgs vairs nenotiek, un mums visiem bija liels pārsteigums, kad viņš devās uz Valdcellu, lai piedalītos jūsu investitūrā.

— Jā, — ieteicās Knehts, — bet vai tev, reizēm satiekot viņu, tomēr nešķiet, ka viņš ir pārmainījies?

— O jā, jūs, domājams, runājat par viņa labo izskatu, līksmumu, dīvaino starošanu. Šaubu nav, to katrs ievēro. Spēkiem zūdot, viņš kļūst arvien līksmāks. Mums tas nav nekas jauns, jums, protams, tas var likties neparasti.

— *Famulus Petrus,* — iesaucās Knehts, — redz Maģistru nesalīdzināmi biežāk nekā tu, bet viņš pretēji tev nav ar to apradis. Viņš īpaši ieradās Valdcellā, protams, aizbildinādamies ar ticamu ieganstu, lai pamudinātu mani atbraukt. Kādās domās tu esi par viņu?

— Par Pēteru? Viņš ir itin labs mūzikas pazinējs, starp citu, drīzāk pedants nekā radoša rakstura cilvēks, mazliet smagnējs un grūtsirdīgs. Vecajam Mūzikas maģistram viņš ir bezgala uzticams un būtu gatavs ziedot tam dzīvību. Manuprāt, kalpošana savam elkam un pavēlniekam aizņem visas viņa domas — viņš atgādina apsēsto. Vai arī jums tā neliekas?

— Apsēsto? Varbūt, bet šis jaunais cilvēks, šķiet, nav tikai kādas tur vājības vai kaislības apsēsts, nav tikai iemīlējies savā vecajā skolotājā, nesaskata tajā elku vien — viņu savaldzinājis īsts, neviltots fenomens, ko viņš saredz vai apjauš labāk par jums, pārējiem. Pastāstīšu tev par saviem iespaidiem. Šodien tātad apciemoju veco Mūzikas maģistru — nebiju viņu redzējis kādu pusgadu — un, ņemot vērā viņa palīga mājienus, gaidīju maz vai pat negaidīju neko no šīs vizītes; gluži vienkārši bažījos, ka godājamais sirmgalvis var mūs kuru katru dienu pamest, un atsteidzos šurp, lai vismaz reizi vēl tiktos ar viņu. Pazinis mani un sasveicinājies, viņš sāka starot, taču neko neteica, vienīgi nosauca mani vārdā un sniedza man roku, un man šķita, ka arī šī kustība un pati roka staro, likās, viss viņš, vismaz viņa acis, baltā galva un bālgani iesārtā seja izstaro maigu, vēsu gaismu. Es apsēdos viņam līdzās, viņš ar skatienu aizraidīja studentu, un sākās visdīvaināka saruna, kādā jebkad esmu piedalījies. Pirmajā brīdī, tiesa, mani ļoti pārsteidza un nomāca, pat apkaunoja tas, ka visu laiku griežos pie viņa, izvaicāju viņu, bet viņš atbild tikai ar acīm; netiku gudrs, vai mani jautājumi, viss, ko stāstu, viņam ir kas vairāk par apnicīgu troksni. Tas mani mulsināja un nogurdināja, es jutos vīlies, pats sev likos lieks un uzmācīgs; lai ko es teicu Maģistram, viņš atbildēja tikai ar smaidu vai īsu skatienu. Jā gan, ja skatienā nejaustos tik liela labvēlība un sirsnība, es nodomātu, ka sirmgalvis atklāti smejas par mani, par manām runām un jautājumiem, par visām tām nevajadzīgajām pūlēm, ko esmu uzņēmies, dodamies šurp, lai viņu apciemotu. Ko tādu galu galā jau arī pauda viņa klusēšana un smaidi: tie tik tiešām bija sava veida atvairījums un aizrādījums, tikai citādi izteikti, citā pakāpē un nozīmē nekā, teiksim, zobgalīgi vārdi. Man vispirms bija jāpagurst, maniem, kā man pašam šķita, laipni pacietīgajiem mēģinājumiem ievadīt sarunu jācieš neveiksme, iekams atskārtu, ka vecais vīrs itin viegli atvairītu arī simtkārt lielāku pacietību, neatlaidību un pieklājību. Iespējams, runājis biju stundas ceturksni vai pusstundu;

man pašam likās, ka pagājusi lielā puse dienas, sāku jau skumt, jutos noguris un īdzīgs, nožēloju, ka esmu ieradies, man izkalta mute. Lūk, manā priekšā sēž godājams cilvēks, mans labvēlis, mans draugs, ko, cik vien tālu sniedz atmiņa, allaž esmu mīlējis, kam allaž esmu uzticējis, kas ne reizi nav atstājis mani bez atbildes, — te nu viņš sēž un klausās, ko saku, varbūt arī neklausās, sēž, paslēpies, nocietinājies aiz sava starojuma un smaida, aiz savas zelta maskas — neaizsniedzams, piederīgs citai pasaulei, kurā valda citi likumi, un viss, ko es saku, cenzdamies mest vārdu tiltu no mūsu pasaules uz viņa pasauli, nolīst pār viņu kā lietus pār akmens tēlu. Beidzot — biju jau zaudējis pēdējās cerības — viņš noārdīja apburto sienu, beidzot viņš nāca man palīgā, beidzot bilda dažus vārdus. Tie tad arī bija vienīgie, ko šodien izdzirdu no viņa mutes.

"Tu nogurdini sevi, Jozef," viņš teica klusu, balsī jaušoties tai aizkustinošajai laipnībai un gādībai, kas arī tev labi zināmas. Tas bija viss. "Tu nogurdini sevi, Jozef!" It kā viņš ilgi būtu vērojis, ka lieki nomokos, un gribētu mani brīdināt. Šos vārdus viņš izteica ne bez piepūles, tā, it kā jau sen nebūtu vēris muti, lai runātu. Vienlaikus viņš uzlika man uz pleca roku — vieglu kā tauriņš, ielūkojās man dziļi acīs un pasmaidīja. Šai mirklī es jutu, ka esmu uzvarēts. Gaišais klusums, kurā viņš mita, viņa pacietība un miers liegi skāra arī mani, un pēkšņi man atdarījās acis un es sapratu pārvērtību, kas notikusi ar veco vīru, viņa aiziešanu no cilvēkiem klusuma pasaulē, no vārdiem — mūzikas valstībā, no domām — visvienībā. Es sapratu, ko man lemts redzēt, un tikai tagad izpratu šo smaidu, šo starošanu; manā priekšā bija svētais, pilnību aizsniegušais, kurš īsu brīdi neliedz man uzkavēties savā spožumā un kuru es, nejēga, biju tiecies izklaidēt, iztaujāt, pavedināt uz sarunu. Paldies Dievam, ka laikus atguvos. Viņš būtu varējis aizraidīt mani, atstumt uz mūžiem. Un es būtu zaudējis pašu brīnumaināko un skaistāko, ko man jebkad gadījies piedzīvot.

— Redzu, — domīgs bilda Feromonte, — ka jūs mūsu Maģistrā esat saskatījis ko līdzīgu svētajam, un priecājos, ka tas esat jūs, kurš man to pavēstī. Atzīšos, jebkuru citu, kas man stāstītu ko tādu, es uzklausītu gaužām skeptiski. Vispār ne acu galā neciešu mistiku, gluži otrādi, kā jau mūziķis un vēsturnieks pirmām kārtām esmu pedantisks precīzu kategoriju cienītājs. Reiz mēs, kastālieši, neesam nedz kristiešu kongregācijas locekļi, nedz arī hinduistu vai daoistu klostera mūki, pieskaitīt vienu vai otru mūsējo svētajiem, tātad tīri reliģiskas kategorijas pārstāvjiem, man būtībā liekas nepieļaujami un kādu citu, ne tevi — piedodiet, jūs, *domine,* — es nosodītu par šādu novirzi. Starp citu, jūs, manuprāt, ir nedomājat pieprasīt godājamā vecā Mūzikas

189

maģistra kanonizāciju — mūsu Ordenī turklāt neizdotos atrast attiecīgu instanci. Nē, nepārtrauciet mani, es runāju nopietni; tas nebija joks.

Jūs pastāstījāt man par savu pieredzējumu, un man jāatzīstas, es jutos mazliet neveikli, jo fenomens, ko nupat attēlojāt, arī man un maniem kolēģiem nav paslīdējis garām gluži nepamanīts, tikai mēs apmierinājāmies ar to, ka konstatējām faktu, neveltīdami tam īpašu uzmanību. Es mēģinu izprast sava akluma un savas vienaldzības cēloni. Tas, ka esat pamanījis vecā Maģistra pārvērtību un jūs tā pārsteidz, bet man paslīdējusi garām bezmaz neievērota, protams, izskaidrojams tādējādi, ka jūs ieraudzījāt to negaidot, turklāt jau pabeigtu, turpretim es biju lēnas norises liecinieks. Vecais Mūzikas maģistrs, ko pazināt pirms vairākiem mēnešiem, ļoti atšķiras no tā, ko jūs redzējāt šodien, taču mēs, sirmgalvja kaimiņi, sastapdami viņu jo bieži, nesaskatījām tās tik tikko samanāmās pārmaiņas, kas norisa viņā no vienas tikšanās reizes līdz otrai. Atzīstos tomēr, ka šāds izskaidrojums mani neapmierina. Ja mūsu acu priekšā, kaut arī lēni un nemanāmi, notiek kas brīnumam līdzīgs, mums, ja vien neesam aizspriedumu varā, vajadzētu to uztvert asāk, nekā es esmu to uztvēris. Te tad arī meklējams mana akluma cēlonis: nebūt neesmu bijis bez aizspriedumiem. Es neieraudzīju šo fenomenu tādēļ, ka negribēju to ieraudzīt. Es manīju gan, tāpat kā jebkurš cits, ka Godājamais arvien vairāk ieraujas sevī, kļūst aizvien mazrunīgāks, manīju arī, ka tai pašā laikā viņš top aizvien vēlīgāks, aizvien gaišāks un apgarotāks, kā staro viņa seja, kad viņš tiekoties klusēdams atņem sveicienu. To pamanīju es, un to, protams, redzēja arī citi. Bet es vairījos saskatīt ko vairāk un vairījos ne jau aiz cieņas trūkuma, bet gan aiz nepatikas pret dižu cilvēku kultu un apjūsmošanu vispār, pa daļai arī aiz netīksmes pret šo speciālo apjūsmas gadījumu, proti, pret to kulta paveidu, ko piekopj *studiosus Petrus,* pielūgdams savu skolotāju it kā elku. Klausīdamies jūsu stāstījumu, šai ziņā esmu guvis pilnīgu skaidrību.

— Kā nekā tev bija jāveic diezgan garš apkārtceļš, lai atklātu pašam sev savas antipātijas pret nabaga Pēteru, — pasmējās Knehts.

— Kā tad īsti ir? Vai arī es esmu mistiķis un jūsmotājs? Vai arī es piekopju nosodāmo dižu cilvēku un svēto kultu? Varbūt, runājot par mani, tu piekritīsi tam, kam nepiekriti, runājot par studentu, proti, ka esam kaut ko saskatījuši un piedzīvojuši, turklāt ne jau ko nosapņotu vai iztēlotu, bet gan reālu, rokām tveramu?

— Protams, piekrītu, — kavēdamies domās, attrauca Karlo, — neviens neies apšaubīt nedz jūsu pieredzējumu, nedz vecā Mūzikas maģistra skaistumu vai apskaidrotību, reiz viņš tik brīnumaini spēj uzsmaidīt ļaudīm. Atliek viens jautājums: kā lai klasificē šo fenomenu, kā lai to nosauc, kā lai izskaidro? Tas izklausās skolmeistariski, bet mēs, kastālieši, galu galā esam skolmeistari, un, ja es vēlos klasificēt un kaut kā nosaukt jūsu un mūsu redzēto, tad ne jau tāpēc, ka tiektos abstrahējot un vispārinot vājināt redzētā realitāti un skaistumu, bet gan tādēļ, lai to iespējami precīzi un uzskatāmi fiksētu un saglabātu. Ja kaut kur, atrazdamies ceļā, padzirdu man vēl nezināmu meldiju, ko dzied kāds zemnieks vai bērns, arī tas man ir pārdzīvojums, un es, dzirdēdams šo meldiju un cenzdamies nekavējoties pēc iespējas precīzi to atainot nošu rakstā, vis nenovēršos un neatkratos no pārdzīvotā, bet gan turu to godā un iemūžinu.

Knehts draudzīgi pamāja.

— Karlo, — viņš teica, — tīrais posts, ka mums tagad tik reti izdodas tikties. Ne jau katra jaunības draudzība iztur laika pārbaudi. Ar savu stāstu par veco Mūzikas maģistru atnācu pie tevis tāpēc, ka tu šeit esi vienīgais, kura līdzdalība un iejūta man dārga. Lai tas paliek tavā ziņā, kā vērtējams mans stāsts un kā apzīmējama Maģistra apskaidrība. Es priecātos, ja tu pie izdevības apciemotu viņu un brīdi uzkavētos viņa auras lokā. Kas par to, ka šis apžēlas, pilnības, vecuma gudrības, svētlaimes stāvoklis, kurā viņš atrodas, — vienalga, kā to nosaucam, — varbūt ir piederīgs reliģiozās dzīves sfērai; mums, kastāliešiem, savas konfesijas un baznīcas nav, tāču svētbijība mums nebūt nav sveša; tieši vecais Mūzikas maģistrs allaž bijis caurcaurēm svētbijīgs cilvēks. Reiz jau daudzas reliģijas mēdz vēstīt par apžēlu guvušiem, pilnību aizsniegušiem, staru rotā tērptiem, apskaidrotiem, kādēļ tad mūsu — kastāliešu svētbijība ar laiku lai neuzziedētu tādiem pašiem ziediem?... Ir jau vēls, man laiks atpūsties — rīt agri jādodas ceļā. Es ceru drīzumā atbraukt vēlreiz. Īsos vārdos tikai pabeigšu savu stāstu. Tad lūk, pēc tam kad viņš bija pateicis: "Tu nogurdini sevi, Jozef!" — man beidzot izdevās pārvarēt vēlēšanos uzsākt sarunu un ne tikai apklust, bet arī novērst gribu no viltus mērķa — cenšanās iepazīt klusētāju ar vārda starpniecību, pat gūt no sarunas kādu labumu. Un, sakot ar brīdi, kad atteicos no savām vēlmēm un turpmāko atstāju sirmgalvja ziņā, viss norisa it kā pats no sevis. Vēlāk vari katru manu izteikumu aizstāt ar citu, bet tagad uzklausi mani arī tad, ja tev liksies, ka izsakos neprecīzi vai jaucu jēdzienus. Vecā vīra sabiedrībā es pavadīju stundu vai stundas pusotras un nevaru tev īsti pateikt, kas starp mums norisa un kāda bija šī domu apmaiņa, jo runāts netika. Jutu vienīgi, ka tad, kad mana pretestība bija lauzta, viņš uzņēma mani savā mierā un gaismībā un mūs abus ieskāva līksme un brīnumains miers. Ne mirkli es gribēti vai apzināti negremdējos sevī, tomēr tas, kas notika, zināmā mērā atgādināja īpaši veiksmīgu un aplaimojošu

191

meditāciju, kurai par tēmu varēja būt vecā Maģistra mūžs. Es redzēju vai sajutu viņu un viņa tapšanas gaitu jau tai dienā, kad, būdams vēl zēns, satiku viņu pirmo reizi, un jūtu to līdz pat šim brīdim. Tas bija pašaizliedzīgs darba mūžs — bez spaida un bez godkāres, toties mūzikas piestrāvots. Un attīstījās tas tā, it kā viņš, kļuvis par mūziķi un Mūzikas maģistru, būtu izvēlējies mūziku par vienu no ceļiem, kas ved uz cilvēka augstāko mērķi, uz iekšēju brīvību, skaidrību, pilnību, un it kā viņš kopš tā brīža neko citu nebūtu darījis kā vien ļāvis, lai mūzika diendienā piestrāvo, pārveido, šķīstī viņu — no izveicīgajam, gudrajām čembalista rokām un neaptverami bagātās mūziķa atmiņas līdz visiem miesas un dvēseles audiem un komponentiem, līdz katram sirds pukstienam un elpas vilcienam, līdz pat miegam un sapnim, it kā viņš būtu vairs tikai simbols, pareizāk sakot, mūzikas izpausmes forma, tās personifikācija. Vismaz es uztvēru kā mūziku to, ko viņš izstaroja vai kas līdzīgi ritmiskai elpas un izelpas mijai virmoja starp mums abiem, — kā visnotaļ nemateriālu, ezoterisku mūziku, kurā katrs, kas pārkāpj burvju loku, iesaistās kā jauna balss daudzbalsīgā dziesmā. Cilvēkam, kam mūzika sveša, žēlastība varbūt atklātos citādi, citās līdzībās; astronoms varbūt iztēlotu sevi par Mēnesi, kas griežas ap planētu, filologs, iespējams, dzirdētu, ka tiek uzrunāts visnozīmīgā, maģiskā pirmvalodā. Pietiks, es atvados. Man bija prieks tikties, Karlo.

Mēs atstāstījām šo epizodi mazliet plašāk tāpēc, ka Mūzikas maģistram Knehta dzīvē un sirdī bija tik nozīmīga vieta; lieks pamudinājums vai kārdinājums mums bija apstāklis, ka saruna saglabājusies līdz mūsu dienām paša Feromontes pierakstā. Citu liecību vidū, kas vēstī par vecā Mūzikas maģistra "apskaidrību", šī neapšaubāmi ir pati pirmā un ticamākā, leģendu par šo tēmu vēlāk taču radies liku likām, tāpat arī skaidrojumu tai bijis pārpārēm.

DIVI POLI

Gada Spēle — ar nosaukumu "Ķīniešu nama partija" vēl šodien pazīstama un nereti citēta — atalgoja Knehtu un viņa draugu par ieguldīto darbu un pierādīja visai Kastālijai, ka Kolēģija nav kļūdījusies, ieceldama Knehtu augstajā amatā. Valdcellai, Spēlētāju ciematam un elitei atkal reiz bija lemta spožu un pacilātu svētku dienu līksme — jā gan, gadskārtējās Spēles jau sen nebija bijušas tik izcils notikums, par kādu tās kļuva šoreiz, gadu ziņā pašam jaunākajam, visvairāk apmēļotajam Maģistram stājoties atklātības priekšā, lai attaisnotu ar viņu saistītās cerības, bet Valdcellai revanšējoties par pērnā gada neveiksmi un prestiža zudumu. Šoreiz neviens neslimoja un svētku ceremoniju vis bikli nevadīja iebiedēts vietnieks, modri nenovēlīgas, ledaini naidīgas elites apglūnēts, uzticamu, bet satrauktu amatpersonu glēvi atbalstīts. Nerunīgs un neaizsniedzams, īsts augstais priesteris, baltā un zeltā tērpta galvenā figūra uz simbolu šaha dēļa — Maģistrs svinīgi vadīja savu un drauga partiju; izstarodams mieru, spēku un cieņu, ikdienišķām sarunām nepieejams — viņš ienāca svētku zālē, savu daudzo ministrantu pavadīts, ar rituāliem žestiem ievadīja ik Spēles cēlienu, graciozi ar spožu zelta grifeli rakstīja simbolu pēc simbola uz mazās plāksnītes, kuras priekšā stāvēja, un tūliņ šīs pašas zīmes, simtkārt palielinātas, parādījās Spēles šifra rakstā uz milzu plāksnes pie zāles gala sienas, tūkstoši balsu čukstus burtoja tās, vēstītāji skaļi nosauca zīmes, telegrāfs noraidīja tās uz visām valsts un pasaules malām, un, līdzko Maģistrs pirmā cēliena beigās it kā rezumējot lika uz plāksnes iedegties cēliena nobeiguma formulai un tai pašā izsmalcinātajā, cieņas pilnajā stājā deva norādījumus par meditāciju, nolika grifeli un apsēzdamies uzskatāmi parādīja, kādai jābūt meditācijas pozai, Stikla pērlīšu spēles piekritēji ne tikai zālē, Spēlētāju ciematā un Kastālijā, bet arī ne vienā vien zemē aiz tās robežām bijīgi sekoja viņa paraugam un meditēja līdz brīdim, kad viņš atkal piecēlās. Viss notika tāpat, kā bija norisis neskaitāmas reizes, tomēr viss likās saviļņojošs un jauns. Abstraktā un šķietami laika varai nepakļautā Spēle bija elastīga diezgan, lai bezgala niansēti atspoguļotu personības gara pasauli, balsi, temperamentu un rokrakstu; personība savutiess bija pietiekami diža un

193

kulturāla, lai savu ideju vārdā nesaceltos pret Spēles neaizskaramajām iekšējām likumībām, palīgi un partneri, visa elite paklāvās vadītāja personībai kā labi apmācīti karavīri, tomēr radās iespaids, ka ikviens, lai arī tikai klanās reizē ar citiem vai palīdz nolaist un pacelt aizkaru Maģistra priekšā, izpilda pats savu, savas iedvesmas inspirētu partiju. Bet ļaužu pūlis, plašā draudze, ar kuru pārpilna bija zāle un visa Valdcella, tūkstoši dvēseļu, sekojot Maģistram, piedalījās fantastiskā, svētsvinīgā gājumā pa bezgalīgajiem, daudzdimensionālajiem Spēles garīgajiem plašumiem, radīja svinību pamatakordu, dobji vibrējošo zvana basu, ar kuru mazāk attīstītiem draudzes locekļiem saistās pats skaistākais un turpat vai vienīgais svētku pārdzīvojums un kurš arī rūdītiem Spēles virtuoziem, kritiski noskaņotiem elites pārstāvjiem, ministrantiem un amatpersonām, pat Spēles vadītājam, Maģistram, rada svētbijīgas trīsas.

Tās bija cildenas svinības, pat aizrobežu sūtņi noskārta un apliecināja svētku dižumu un dažs iesācējs uz mūžu pievērsās Stikla pērlīšu spēlei. Jo dīvaināki tādēļ šķiet vārdi, ko Jozefs Knehts pēc aizvadītās svētku dekādes, apkopodams savus iespaidus, teica draugam Tegularijam.

— Mēs varam būt apmierināti, — viņš sacīja. — Jā, Kastālija un Stikla pērlīšu spēle ir apbrīnas cienīgas, tās gandrīz aizsniegušas pilnību. Tikai... tās varbūt ir pārāk tuvu pilnībai, pārāk skaistas, tās ir tik skaistas, ka gandrīz nav apceramas, nebaiļojoties par tām. Ir domāt negribas, ka tām, tāpat kā itin visam, lemts reiz iet bojā. Un tomēr par to ir jādomā.

Šie vārdi, kas saglabājušies līdz mūsu dienām, skubina biogrāfu pievērsties sava uzdevuma delikātākajai, vismazāk izzinātajai pusei, jautājumam, kura iztirzi mēs laikam gan labprāt uz brīdi vēl atliktu, lai vispirms rāmā labsajūtā, ko var atļauties stāstītājs, runājot par skaidriem un nepārprotamiem faktiem, pabeigtu savu ziņojumu par Knehta panākumiem, nevainojamo darbību Maģistra amatā, spožo mūža virsotni. Mums tomēr šķiet, ka mēs pieļautu kļūdu un nodarītu pāri šīs apceres objektam, ja nesaskatītu un neuzrādītu sašķeltību un polaritāti godājama Maģistra apziņā un dzīvē jau tur, kur to bez Tegularija vēl neviens nebija saskatījis. Gluži otrādi, mēs uzskatām par savu pienākumu jau šeit atzīmēt šo sašķeltību vai, pareizāk sakot, nemitīgi pulsējošo polaritāti Knehta dvēselē un atzīt to par īsti raksturīgu un būtisku šim tik cienījamam cilvēkam. Autoram, kurš uzskatītu par iespējamu aprakstīt kastāliešu Maģistra dzīvi visnotaļ baznīcas svēto dzīves stāstu garā *ad maiorem gloriam Castaliae*[1] protams, nebūtu

---

[1] Kastālijas mūžīgai slavai (*latīņu val.*).

grūti veidot savu vēstījumu par Jozefa Knehta Maģistra gadiem, vien nepieminot viņa pēdējos mirkļus, kā glorificējošu nopelnu, izpildītu pienākumu un panākumu uzskaitījumu. Vēsturniekam, kas atainotu vienīgi dokumentāli pierādītus faktus, neviena cita Stikla pērlīšu spēles Maģistra dzīve un darbība, ieskaitot arī jau pieminētā Maģistra Ludviga Vasermālera dzīvi visneapvaldītākā Spēles prieka laikmetā Valdcellā, nevarētu likties nevainojamāka un uzslavas cienīgāka par Maģistra Knehta dzīvi un darbību. Tomēr šī darbība beidzās gaužām neparasti un satraucoši, pat skandalozi, kā secināja viens otrs vērotājs, — šīm beigām nebija gadījuma vai nelaimīgas nejaušības raksturs, tās bija caur un cauri likumsakarīgas, un mūsu uzdevums, starp citu, ir parādīt, ka tās nebūt nav pretrunā ar Godājamā spožajiem, uzslavas cienīgajiem veikumiem un sasniegumiem. Knehts bija dižens un priekšzīmīgs sava augstā amata aprūpētājs un pārstāvis, nevainojams Spēles maģistrs. Bet slavas apvītā Kastālija, kurai Knehts kalpoja, viņam likās apdraudēta, tās slava — jau norietā, viņš naivi bezrūpīgs negozējās tās spozmē, kā darīja vairums laikabiedru — kastāliešu, bet gan paturēja prātā Kastālijas aizsākumus un vēsturi, uzskatīja Provinci par vēsturisku parādību, kas pakļauta bargajiem laika varas strāvojumiem un satricinājumiem. Šī spēja tieši izjust vēstures procesu un šī atziņa, ka paša darbība un pats ir kopīgās attīstības, kopīgo pārvērtību straumē ierauta šūniņa, kas gan ļaujas, gan pretojas tai, nobrieda viņā un kļuva apzināta, pateicoties vēstures studijām un dižā pātera Jakoba ietekmei, taču šādas uztveres noslieces un iedīgļi bija mituši viņā jau sen, un tas, kuram Jozefa Knehta personība patiešām kļuvusi dzīva, kurš patiešām atklājis viņa mūža savdabību un jēgu, bez īpašām grūtībām saskatīs arī šīs noslieces un šos iedīgļus.

Cilvēks, kas vienā no spožākajām sava mūža dienām, beidzoties viņa pirmajām Svētku spēlēm, pēc neparasti veiksmīgas un iespaidīgas Kastālijas gara manifestācijas teicis: "Pat domāt negribas, ka Kastālijai un Stikla pērlīšu spēlei lemts reiz iet bojā, tomēr par to ir jādomā," — šis cilvēks jau agri, vēl tad, kad viņam ne jausmas nebija par vēstures noslēpumiem, atskārta Visuma likumus, visa topošā zudīgumu, visa tā problemātiskumu, ko radījis cilvēka gars. Ielūkojoties pagātnē, viņa bērnības un skolas gados, mēs atrodam ziņas, ka viņš allaž juties dziļi nomākts un satraukts, ja viens vai otrs skolasbiedrs atstājis Ešholcu, tādēļ ka pievīlis skolotāju cerības un no elites skolas nosūtīts atpakaļ uz parasta tipa mācību iestādi. Cik zināms, neviens atskaitītais nav bijis draudzīgās attiecībās ar Knehtu; ne jau viena vai otra biedra zaudējums, izstāšanās un nozušana satrauca un nomāca viņu, liekot skumt un bailoties. Sāpināja drīzāk vieglais satricinājums, kas skāra viņa bērnišķo ticību kastāliskās iekārtas pastāvīgumam un pilnībai. Tai apstāklī, ka viens otrs zēns vai jaunietis, kam laime un likteņa labvēlība pavērušas ceļu uz Provinces elites skolām, šo labvēlību vieglprātīgi iznieko un neizmanto, viņš, kurš pret savu aicinājumu izturējās bezgala nopietni, saskatīja ko satriecošu, ko tādu, kas liecina par nekastāliskās pasaules visspēcību. Var jau arī būt, ka zēnam, redzot šādus gadījumus — pierādījumu tam nav —, radās pirmās šaubas par Audzināšanas kolēģijas nemaldīgumu, kam līdz tam nešaubīgi bija ticējis, jo dažkārt Kolēģija uzņēma Kastālijas skolās arī tādus audzēkņus, no kuriem pēc kāda laika bija jāatbrīvojas. Neatkarīgi no tā, vai šai domai, tātad agrīnai kritiskai attieksmei pret autoritātēm, bija vai nebija sava blakusnozīme, zēnam katra elites skolnieka nomalds un izslēgšana šķita ne vien nelaime, bet arī kas līdzīgs negodam, kauna traipam, kurš itin visiem duras acīs, kurš pats par sevi ir pārmetums, un atbildīga par to bija visa Kastālija. Šeit, mūsuprāt, meklējams cēlonis tam, kādēļ skolnieks Knehts šādos gadījumos jutās tik satriekts un apjucis. Kaut kur ārpusē, aiz Kastālijas robežām, eksistēja cita pasaule, cita dzīve, kas bija pretrunā ar Kastāliju un tās likumiem, neatbilda šejienes kartībai un dzīves uztverei, nebija nedz pakļaujama, nedz uzlabojama. Viņš, protams, apzinājās, ka šī pasaule eksistē arī paša sirdī. Arī viņā mita dziņas, ilgas un iekāres, kas pretojās likumiem, kuriem viņš bija padots, dziņas, ko savaldīt izdevās tikai pakāpeniski, ar milzu piepūli. Kādā citā šīs dziņas tātad varēja kļūt tik spēcīgas, ka izlauzās uz āru, par spīti visiem brīdinājumiem un sodiem, un cilvēkam, ko bija apsēdušas, no Kastālijas elites pasaules lika atgriezties pasaulē, kurā valdīja iedzimti instinkti, nevis askētiska gara kultūra, — tātad pasaulē, kuru cilvēks, kas centās apgūt Kastālijas tikumus, sāka iztēloties par ļaunuma pekli vai vilinošu rotaļu un izpriecu paradīzi. Kopš audžu audzēm daudzi jauni cilvēki iepazinuši grēka jēdzienu tieši šādā kastāliskā skatījumā. Tikai daudzus gadus vēlāk, kļuvis par pieaugušu cilvēku un aizrāvies ar vēstures studijām, viņš atskārta, ka bez šīs egoisma un apgrēcīgu dziņu dzīves pasaules matērijas un dinamikas vēsture nevar rasties un ka pat tik cildenas formācijas, kāda ir Ordenis, tapušas šajā tik netīrajā straumē, kas kādreiz tās atkal aprīs. Tātad Kastālijas problēma bija par pamatu visiem pārdzīvojumiem, centieniem, satricinājumiem Knehta mūžā, un šī problēma ne mirkli nebija viņam tikai spekulatīva vien, gluži otrādi, tā allaž saviļņoja viņu dziļāk par jebkuru citu, un arī savu atbildību viņš neaizmirsa ne mirkli. Viņš bija viens no tiem, kas var savārgt, panīkt un nomirt, redzēdami, ka ideja, kura tiem dārga un svēta, ka sirdij tik mīļā tēvzeme un kopība sasirgusi un cieš postu.

Risinot pagātnes pavedienu, mēs atkal sastopamies ar Knehta pirmo uzturēšanās posmu Valdcellā, ar viņa pēdējiem skolas gadiem un tik nozīmīgo saskari ar viesskolnieku Deziņori, ko iepriekš jau esam sīki aprakstījuši. Kastālijas ideāla dedzīgā piekritēja sastapšanās ar laicīgās pasaules pārstāvi Plīnio skolniekam Knehtam kļuva ne vien par spēcīgu, ilgi iedarbīgu pārdzīvojumu — viņa uztverē tai bija arī dziļi simboliska nozīme. Jo toreiz viņam uzspieda vienlīdz atbildīgo un nogurdinošo uzdevumu, kurš, lai arī likās nejaušības lemts, tik ļoti atbilda visai viņa būtībai, ka viņa turpmākā dzīve, gribētos teikt, nav nekas cits kā vien šī uzdevuma atsākums, arvien pilnīgāka iejušanās Kastālijas aizstāvja un pārstāvja lomā, ko viņš gadus desmit vēlāk no jauna bija spiests tēlot pātera Jakoba priekšā un pēc tam notēloja līdz galam kā Stikla pērlīšu spēles Maģistrs, proti, iejušanās tāda Ordeņa un tā likumu aizstāvja un pārstāvja lomā, kurš allaž neliekuļoti vēlējās un centās mācīties no sava pretinieka, veicināt nevis Kastālijas norobežošanos un iecirtīgu izolāciju, bet gan tās rosīgu sadarbību un domu apmaiņu ar ārpasauli. Tas, kas, sacenšoties ar Deziņori prāta asumā un runas mākslā, daļēji vēl bija rotaļa, vēlāk, tiekoties ar tik spēcīgu pretinieku, kāds bija viņam draudzīgais Jakobs, ieguva visai nopietnu raksturu, un abas reizes viņš izturēja pārbaudi, norūdījās cīņā, mācījās no saviem pretiniekiem, domu apmaiņas gaitā deva tikpat, cik guva, un, lai gan nepieveica ne vienu, ne otru — tādu uzdevumu viņš no sākta gala netika sev izvirzījis —, tomēr nodrošināja godpilnu atzinību kā pats sev, tā arī tam principam un ideālam, ko aizstāvēja. Pat tad, ja diskusijām ar mācīto benediktieti nebūtu praktiska rezultāta — netiktu atklāta pa pusei oficiāla Kastālijas pārstāvniecība pie Svētā krēsla —, tām tomēr piemistu daudz lielāka nozīme, nekā varēja iedomāties daudzi kastālieši.

Draudzīgi sacenzdamies tiklab ar Plīnio, kā arī ar viedo pāteru, Knehts, kam nekādas citas tuvākas saskares ar pasauli aiz Kastālijas robežām nebija, tomēr ieguva zināšanas vai drīzāk priekšstatus par šo pasauli, un tādu cilvēku Kastālijā, bez šaubām, bija maz. Ja nepieminam uzturēšanos Mariafelzā, kur pa īstam iepazīt laicīgās pasaules dzīvi taču nevarēja, Knehts to ne reizi netika redzējis un izjutis, nepieminot agro bērnību, bet, pateicoties Deziņori, Jakobam, vēstures studijām, viņam bija radies dzīvs priekšstats par šo tiešamību, taisnība, galvenokārt intuitīvi iemantots un visai niecīgas pieredzes bagātināts, — priekšstats, kas tomēr darīja viņu zinošu, atsaucīgāku pret pasauli, nekā bija vairums viņa laikabiedru, Kastālijas pilsoņu, šķiet, arī amatpersonu. Knehts bija un mūždien palika īsts, uzticams kastālietis, taču nekad neaizmirsa, ka Kastālija ir tikai sīka šīs pasaules daļiņa, kaut arī pati vērtīgākā un viņam visdārgākā.

197

Kāds raksturs tad bija viņa draudzībai ar Tegulariju, šo komplicēto un šaubu mākto cilvēku, izsmalcināto Stikla pērlīšu spēles virtuozu, izlutināto un tramīgo tīrkultūras kastālieti, kurš, uzturēdamies Maria-felzā, paraupjo benediktiešu vidū, jutās tik neomulīgi un nožēlojami, ka, izsakoties viņa paša vārdiem, nespētu tur izturēt ne nedēļu,— ar Tegulariju, kurš bezgala apbrīnoja savu draugu, tādēļ ka tas tur itin labi aizvadījis divus gadus? Mūs šī draudzība uzvedināja uz dažām pārdomām, vienu otru domu vajadzēja atkal atmest, citas, liekas, izturēja pārbaudi, bet visas skāra vienu un to pašu jautājumu: kur meklējami šīs ilggadējās draudzības cēloņi, un kas ir tās saturs? Pirmām kārtām nav jāaizmirst, ka ik reizi, kad Knehts ar kādu draudzējās, atskaitot varbūt vienīgi draudzību, kas viņu saistīja ar benediktieti, ne jau viņš bija meklējošā, lencošā, alkstošā puse; Knehts patika, viņu apbrīnoja, apskauda un mīlēja tikai rakstura cilduma dēļ, un kādā noteiktā savas "atmodas" stadijā viņš arī pats to atskāra. Tā jau pirmajos studiju gados Tegularijs apbrīnoja Knehtu, centās viņam izpatikt, bet biedrs allaž ieturēja zināmu distanci. Dažas pazīmes tomēr liecina, ka Knehts no sirds bija piekēries draugam. Mēs uzskatām, ka viņu valdzināja ne vien drauga ārkārtējā apdāvinātība, pat nerimtā ģenialitāte — it īpaši visā, kam sakars ar Stikla pērlīšu spēles problēmām. Knehta dziļo, pastāvīgo interesi par Tegulariju izraisīja ne tikai šīs izcilās dotības, ne mazāk viņu saistīja drauga trūkumi, slimīgums, tieši tas, kas pārējiem valdcelliešiem Tegulariju vērta netīkamu un bieži vien pat neciešamu. Šis īpatnējais cilvēks bija tik kastālisks, viss viņa dzīves stils aiz Kastālijas robežām tik neiedomājams, liktos, tik atkarīgs no šejienes gaisotnes un augstā izglītības līmeņa, ka tieši viņu varētu dēvēt par arhikastālieti, nebijis tik sarežģītā un savdabīgā rakstura. Šis arhikas-tālietis tomēr nesapratās ar saviem kolēģiem, bija vienlīdz neieredzēts kā biedru vidū, tā priekšniecības un amatpersonu aprindās, uz katra soļa traucēja, radīja sašutumu un bez sava drosmā un gudrā drauga aizgādības un vadības droši vien agri būtu gājis bojā. Tas, ko dēvēja par viņa slimību, galu galā pirmām kārtām bija netikums, iecirtība, rakstura kļūme, proti, visnotaļ anarhistisks, galējs individuālisms gan uzskatos, gan dzīves veidā; pastāvošajai kārtībai Tegularijs pakļāvās vien tiktāl, cik tas bija nepieciešams, lai viņu neizslēgtu no Ordeņa. Viņš bija labs, pat izcils kastālietis, ja runa ir par zinātnieka daudzpu-sību un Spēles virtuoza nenogurdināmo, alkatīgi darbīgo domu; toties gaužām viduvējs, pat slikts kastālietis viņš bija pēc sava rakstura, pēc savas attieksmes pret hierarhiju un Ordeņa morāli. Viņa lielākais trūkums bija nelabojami vieglprātīgā un paviršā attieksme pret me-ditēšanu, kuras uzdevums tačū ir pakļaut indivīdu noteiktai kārtībai un kura apzinīgu pūliņu gadījumā, visai ticams, novērstu viņa nervu kaiti, jo uz īsu brīdi viņa veselība uzlabojās katru reizi, kad par sliktu uzvedību vai pēc kārtējā satrauktības un grūtsirdības perioda vadība soda veidā lika viņam, citu uzraudzītam, veikt stingrus meditācijas vingrinājumus, — līdzekli, ko pret viņu nereti bija spiests lietot arī tik labvēlīgi un iežēlīgi noskaņotais Knehts. Jā, Tegularijs bija patvaļīgs, kaprīzs, bargai disciplīnai nepakļāvīgs cilvēks, toties pacilātības mirkļos, bārstīdams spožas, pesimistiskas asprātības, viņš arvien no jauna valdzināja ar savu aso prātu un neviens nespēja palikt vienaldzīgs pret viņa drosmīgajām un nereti drūmi krāšņajām idejām; būtībā viņš tomēr bija neārstējams, nemaz nevēlējās izārstēties, nicināja harmoniju un kārtību, mīlēja tikai savu brīvību, savas nebeidzamās studijas un uzskatīja par labāku augu mūžu būt cietējam, neaprēķināmam un tiepīgam savrupceļa gājējam, ģeniālam ākstam un nihilistam nekā iet hierarhiskas iekļāvības ceļu un rast iekšēju mieru. Par mieru viņš bija zemos ieskatos, hierarhiju necienīja, ne visai bijās nopēluma un vientulības. Vārdu sakot, viņš bija gaužām neērts un grūti sagremojams elements kopībā, kuras ideāli ir harmonija un kārtība. Tieši tas, ka viņš bija tik nepakļāvīgs, tik grūti "sagremojams", darīja viņu šajā skaidrinātajā un labiekārtotajā pasaulītē par nemitīga nemiera viedēju, par dzīvu pārmetumu, atgādinājumu un brīdinājumu, par jaunu, brīvu, aizliegtu, pārdrošu domu rosinātāju, par kraupainu aitu ganāmpulkā. Tieši šīs īpašības, par spīti visam, mūsuprāt, palīdzēja viņam iegūt Knehta draudzību. Bez šaubām, Knehta attieksmē pret Tegulariju allaž sava nozīme bijusi arī līdzcietībai, tam apstāklim, ka apdraudētais un parasti tik nelaimīgais draugs modināja viņā bruņinieciskas jūtas. Bet tā vien būtu par maz, lai abu draudzība turpinātu pastāvēt arī pēc Knehta iecelšanas par Maģistru, sākoties viņa darba, pienākumu un atbildības pārpilnajam amatpersonas mūžam. Mēs uzskatām, ka Tegularijam Knehta dzīvē bijusi ne mazāk svarīga un nepieciešama nozīme kā Deziņori un Mariafelzas pāteram; līdzīgi tiem abiem viņš Knehta dzīvē bija sava veida rosinošs elements, lodziņš, kas atvērts uz jaunām tālēm. Šajā tik ērmotajā draugā Knehts, mūsuprāt, noģida un ar laiku arī apzināti saskatīja īpašas sugas pārstāvi — sugas, kuras vienīgais reprezentants pagaidām bija Tegularijs, proti, tāda tipa kastālieti, kāds var izveidoties nākotnē, ja vien, rodoties jauniem sakariem un impulsiem, neizdosies atjaunināt un nostiprināt Kastāliju. Tāpat kā vairums vientuļo ģēniju, Tegularijs bija nākotnes cilvēks. Viņš tik tiešam mita Kastālijā, kuras vēl nebija, bet kura jau rīt varēja rasties, Kastālijā, kura vēl vairāk norobežojusies no pārējās pasaules, aiz vecuma un meditatīvās Ordeņa morāles pagrimuma iekšēji deģenerējusies, pasaulē, kurā vēl aizvien iespējami bija gan visaugstākie domas lidojumi, gan dziļi apcerīga ziedošanās cēliem ideāliem, bet kurā augsti attīstītam un rotaļīgi atraisītam intelektam vairs nebija cita mērķa kā vien paša līdz pilnībai izkopto spēju izbauda. Knehta izpratnē Tegularijs personificēja kā viscildenākos Kastālijas tikumus, tā arī tās dehumanizācijas un bojāejas biedīgās pazīmes. Tas bija brīnum labi, ka eksistēja šāds cilvēks. Taču Kastālijas izirums, tās pārvēršanās par iluzoru pasauli, kuru apdzīvotu vieni tegulariji, bija jānovērš. Briesmas, ka tas varētu notikt, vēl bija tālu, tomēr pastāvēja. Tai Kastālijai, ko pazina Knehts, vajadzēja tikai nedaudz augstāk pasliet savas aristokrātiskās nošķirtības mūrus, vajadzēja tikai pavājināties Ordeņa disciplīnai, pagrimt hierarhijas morālei — un Tegularijs vairs nebūtu ērmots vienpatis, bet gan izvirstošas un bojā ejošas Kastālijas priekšstāvis. Doma, ka pagrimuma iespēja pastāv, ka pagrimums jau sācies vai kuru katru brīdi var sākties, — šī visai skumjā atziņa, šīs bažas Knehtam laikam gan rastos daudz vēlāk vai nerastos nemaz, ja līdzās viņam, iepazīts sīki jo sīki, nedzīvotu šāds nākotnes kastālietis; Knehta modrajam prātam tas bija simptoms, brīdinājuma signāls, tāpat kā zinošam ārstam tāds būtu pacients, kas pirmais sasirdzis ar vēl nezināmu kaiti. Turklāt Frics nebija vidusmēra cilvēks, viņš bija gara aristokrāts, izcili talantīgs. Ja šī vēl neiepazītā kaite, ar kuru priekšgājējs Tegularijs saslimis pirmais, reiz izplatīsies un pārmainīs kastālieša garīgo seju, ja Province un Ordenis reiz iegūs izvirtušas, slimīgas formas, nākotnes kastālieši savukārt nebūs tegulariji vien, tiem trūks viņa lieliskie dotību, viņa melanholiskās ģenialitātes, viņa šaudīgās mākslinieka kaismes — lielum lielajam vairumam piemitīs tikai viņa bezatbildība, viņa nosliece uz gaisīgumu, viņa disciplīnas un kopības izjūtas trūkums. Grūtos brīžos Knehtu, iespējams, nomāca šādas drūmas nākotnes ainas un apjautas, un viņam droši vien bija krietni jānopūlas, lai, gremdējoties sevī vai pastiprināti darbojoties, tās aizgainītu.

Tieši atgadījumā ar Tegulariju mums atklājas jo zīmīgs un pamācīgs piemērs tam, kā Knehts centās pārvarēt, nevis apiet visas problemātiskās, sarežģītās un slimīgās parādības, ar kurām viņam bija jāsastopas. Bez Knehta modrības, gādības un audzinātāja vadības apdraudētais draugs, jādomā, ne tikai agri būtu gājis bojā — Ciematā viņš, bez šaubām, būtu izraisījis nebeidzamas nekārtības un nebūšanas, kuru kopš Tegularija ieskaitīšanas elitē jau tā nebija mazums. Prasme, ar kādu Maģistrs savu draugu ne tikai puslīdz turēja grožos, bet arī izmantoja viņa dotības Stikla pērlīšu spēles interesēs un iedvesmoja viņu uz cildeniem darbiem, piesardzība un pacietība, ar kādu Knehts

pacieta drauga kaprīzes un dīvainības, nepaguris pārvarēja tās, ape-
lēdams pie visa labākā, kas bija viņā,— šī meistarīgā prasme apieties
ar cilvēku ir apbrīnas cienīga. Starp citu, tas būtu cildens uzdevums,
kuru risinot varbūt izdotos izdarīt pārsteidzošus atklājumus, un mēs
ieteicam kādam Stikla pērlīšu spēles historiogrāfam nopietni pievērs-
ties tam, proti, rūpīgi izpētīt Knehta komponētās gadskārtējās Spēles
no stila īpatnību viedokļa, izanalizēt šīs cildi nopietnās un turklāt
apburošu ideju pārpilnās, formas ziņā spožās, ritmiski tik oriģinālās un
tomēr ne pašmērķīgi virtuozās partijas, kuru pamatiecere un struktūra,
tāpat kā meditāciju secīgais izkārtojums, visnotaļ ir Knehta garīgais
īpašums, bet detaļas un sīkais tehniskais izstrādājums — lielākoties
viņa līdzstrādnieka Tegularija veikums. Pat tad, ja šīs partijas būtu
nozaudētas un aizmirstas, Knehta dzīve un darbība pēcnācēju acīs
nezaudētu savu pievilcību, tā, vienalga, liktos atdarināšanas cienīgs
paraugs. Par laimi, šīs partijas nav nozaudētas, tās ir pierakstītas un
tiek uzglabātas līdzīgi visām citām oficiālo Spēļu partijām, un tās vis
neguļ neizmantotas arhīvā, bet turpina dzīvot no paaudzes uz paaudzi,
tās apgūst studenti, tās ir populārs uzskates līdzeklis daudzos Spēles
kursos un semināros. Pateicoties šīm partijām, dzīvs ir arī Knehta
līdzstrādnieks, kurš citādi būtu aizmirsts vai eksistētu vairs tikai kā
dīvains pagātnes rēgs, par kuru vēl vēstī viena otra anekdote. Tādējādi
Knehts, norādīdams tomēr vietu un darbības sfēru savam tik grūti
iekārtojamam draugam, bagātināja Valdcellas gara dārgumu krātuvi
un vēsturi, vienlaikus parūpēdamies, lai drauga tēls un piemiņa sa-
glabātos ļaužu atmiņā. Atgādinām turklāt, ka, cenzdamies palīdzēt
savam draugam, izcilais audzinātājs skaidri apzinājās savas audzinošās
ietekmes galveno nosacījumu. Šis nosacījums bija drauga mīlestība
un apbrīna. Šādu mīlestību un apbrīnu, šādu jūsmu par viņa stipro
un harmonisko personību, par viņa valdonīgumu Knehts ievēroja ne
tikai Frica, bet arī daudzu citu līdzcensoņu un skolnieku attieksmē
pret sevi, un, nostiprinādams savu autoritāti un varu, kas, par spīti
labsirdībai un laipni saticīgajai dabai, viņam piemita tik daudzu cil-
vēku acīs, viņš allaž vairāk balstījās uz šīm jūtām nekā uz cieņu, ko
iedvesa augstais amats. Viņš nemaldīgi juta, kāds iespaids kuro reizi
būs laipnai uzrunai vai atzinīgam vārdam, kāds savuties tam, ka viņš
novērsīsies, neliksies kādu redzam. Viens no viņa viscentīgākajiem
skolniekiem daudzus gadus vēlāk stāstījis, ka reiz kādos kursos vai
kādā seminārā Knehts veselu nedēļu nav runājis ar viņu ne vārda,
izlicies, ka neredz viņu, izturējies pret viņu tā, it kā viņš tam būtu
tukšs gaiss, un tas bijis pats sāpīgākais un iedarbīgākais sods, kādu
vien viņš saņēmis savos skolas gados.

Mums likās nepieciešami izteikt šos apsvērumus un sniegt šo atskatu, lai palīdzētu mūsu biogrāfiskās studijas lasītājam izprast abas polārās tendences Knehta personībā un pēc tam, kad tas, sekodams mūsu aprakstam, būs iepazinis Knehta brieduma gadus, sagatavotu to šā tik dāsnā mūža pēdējā posma izpratnei. Abas šā mūža pamattendences vai abi šā mūža poli, tā Iŋ un Jan, bija, no vienas puses, slieksme uz konservatīvismu, uzticību, pašaizliedzīgu kalpošanu hierarhijai, no otras — sliecība uz "atmodu", tieksme lauzties uz priekšu, tvert un aptvert tiešamību. Ticīgajam, kalpot alkstošajam Knehtam Ordenis, Kastālija un Stikla pērlīšu spēle bija kas sakrosankts, kas tāds, kura vērtība nav apšaubāma; turpretī mostošajam, redzīgajam, izzināt alkstošajam Knehtam šie iestādījumi, lai cik tie vērtīgi, bija kas tapis, kas izcīnīts, savos izveidos mainīgs, kas tāds, kuram draud novecošana, sterilitāte, panīkums, — tātad veidojumi, kuru ideja viņam gan augu mūžu bija un palika neaizskarami svēta, bet kuru ikreizējo stāvokli viņš atzina par pārejošu un kritizējamu. Viņš kalpoja garīgai kopībai, kuras spēku un nozīmi apbrīnoja, bet kuras apdraudētību saskatīja dziŋā iztēloties sevi par pašmērķi, aizmirstot, ka tās uzdevums ir līdzdarbība visas valsts un pasaules mēroga norisēs, un galu galā panīkstot spožā, taču arvien vairāk neauglībai lemtā nošķirtībā no dzīves un cilvēces. Šīs briesmas viņš atskārta jau agrā jaunībā, toreiz, kad tik ilgi vilcinājās un baiļojās veltīt sevi visu Stikla pērlīšu spēlei; šīs briesmas viņš apzinājās arvien skaidrāk, disputēdams ar mūkiem un pirmām kārtām ar pāteru Jakobu, lai cik dedzīgi pats aizstāvēja Kastāliju, un, kopš viņš atkal mita Valdcellā un bija kļuvis par Spēles maģistru, uz katra soļa saskatīja nepārprotamus šo briesmu simptomus apzinīgajā, bet no īstenības atrautajā, tīri formālajā daudzu iestāžu un savu ierēdŋu darba stilā, atjautīgas, bet iecildīgās Valdcellas repetitoru saimes tukšajā virtuozitātē un ne jau vispēdīgi tikpat aizkustinošajā, cik biedīgajā drauga Tegularija personā. Beidzoties pirmajam grūtajam amata pienākumu gadam, kura laikā nebija izdevies rast brīvus brīžus personiskajai dzīvei, viņš atsāka vēstures studijas, pirmo reizi bez aizspriedumiem ielūkojās Kastālijas pagātnē un pārliecinājās, ka situācija nebūt nav tāda, kādu to iztēlojas Province, ka it īpaši tās sakari ar ārpasauli, tās ietekme uz valsts politisko dzīvi un iedzīvotāju izglītības līmeni kopš gadu desmitiem jūtami pavājinās. Tiesa, Audzināšanas kolēģijai vēl bija savs vārds sakāms, piedaloties skolu un izglītības jautājumu apspriešanā parlamentā, tiesa, Province vēl aizvien nodrošināja valsti ar labiem skolotājiem, vēl tā bija autoritāte visos zinātnes jautājumos, taču tam visam jau bija tīri mehānisks paraduma raksturs. Arvien retāk, arvien negribīgāk jaunieši, dažādu Kastālijas elites slāŋu pārstāvji, brīvprātīgi pieteicās par skolotājiem *extra muros*[1], pavisam reti kāda iestāde vai atsevišķa persona lūdza padomu Kastālijai, kuras balsi agrāk labprāt uzklausīja arī svarīgās tiesas prāvās. Salīdzinot izglītības līmeni Kastālijā un visā valstī, kļuva redzams, ka tas nebūt neizlīdzinās; gluži otrādi, atšķirības katastrofāli pastiprinājās: jo attīstītāka, diferencētāka, izsmalcinātāka kļuva kastāliešu gara dzīve, jo vairāk pārējā pasaule sliecās atstāt Provinci tās pašas ziņā, uzskatīt to par svešķermeni, nevis par nepieciešamību, par dienišķo maizi; ar to varēja izdevīgā brīdī padižoties kā ar senu dārglietu, no tās pagaidām ir nedomāja nošķirties vai atteikties, toties no tas labprāt turējās atstatu un, necenšoties gūt noteiktāku priekšstatu par Provinci, piedēvēja tai tādu mentalitāti, morāli un pašapziņu, kas vairs īsti neiederas reālajā darba dzīvē. Valsts iedzīvotāju interese par Pedagoģisko provinci, viņu līdzdalība tās iestādījumos, it īpaši Stikla pērlīšu spēlē, mazinājās tāpat, kā mazinājās kastāliešu līdzdalība valsts dzīvē un likteņos. Knehtam jau sen bija skaidrs, ka vaina meklējama tieši šeit, un viņš dziļi nožēloja, ka viņam, Stikla pērlīšu spēles maģistram, savā Spēlētāju ciematā jāsaskaras tikai ar kastāliešiem, ar speciālistiem. Tā izskaidrojama viņa cenšanās arvien vairāk laika veltīt iesācēju kursiem, vēlēšanās, lai viņam būtu pēc iespējas jauni skolnieki — jo jaunāki tie bija, jo ciešāk vēl jutās saistīti ar dzīvi un pasauli, jo mazāk bija dīdīti un norobežojušies šaurā specialitātē. Bieži viņu māca kvēlas ilgas pēc pasaules, pēc cilvēkiem, pēc naivas dzīves — ja vien tāda vēl eksistēja tur ārpusē, viņam svešajā pasaulē. Šīs ilgas, šo tukšuma sajūtu, it kā jādzīvo būtu pārāk retinātā atmosfērā, vairāk vai mazāk stipri savu reizi esam iepazinuši mēs visi, un arī Audzināšanas koleģijai šīs grūtības ir zināmas: ne velti Koleģija arvien no jauna meklējusi līdzekļus, kā tās novērst, centusies likvidēt šo trūkumu, pastiprināti ieviešot fiziskas nodarbības un sporta spēles, kā arī dažādu amatu apguvi un darbu svaigā gaisā. Ja mūsu vērojumi pareizi, Ordeņa vadība pēdējā laikā tiecas novērst tālāku specializāciju tajās zinātnes nozarēs, kur tā jau šodien šķiet pārspīlēta, lai lielāku uzmanību veltītu meditācijas praksei. Nemaz nav jābūt skeptiķim un pesimistam vai sliktam Ordeņa biedram, lai atzītu, ka taisnība bijusi Jozefam Knehtam, kurš jau labu laiku pirms mums sapratis, ka mūsu republikas sarežģītais un jutīgais organisms sāk novecot un vienā otrā ziņā būtu atjaunināms.

Sākot ar otro amata gadu, Knehts, kā jau minēts, no jauna pievērsās vēstures pētījumiem, turklāt līdzās Kastālijas vēsturei galvenām kārtām veltīja savu laiku visu to lielo un arī mazāk apjomīgo darbu

---

[1] Aiz sienām (*latīņu val.*).

studēšanai, kurus pāters Jakobs bija sarakstījis par Benediktiešu ordeni. Tiekoties ar Dibuā kungu un kādu Keiperheimas filologu, Audzināšanas kolēģijas sēžu pastāvīgo sekretāru, radās arī izdevība apmainīties domām par vēstures problēmām, kas viņu interesēja, vai gūt jaunas ierosas, un šādas pārrunas viņu allaž izklaidēja un iepriecināja. Ikdienā, tiesa gan, tādu izdevību nebija, un īpaši spilgti apkārtnes netīksmi pret vēstures studijām pauda viņa draugs Tegularijs. Starp citu, mums palaimējās uziet lapiņu ar atzīmēm par kādu sarunu, kurā Tegularijs dedzīgi centies pierādīt, ka vēsture nav kastālieša cienīgs studiju objekts. Protams, varot jau atjautīgi un saistoši, vajadzības gadījumā arī gaužām patētiski spriedelēt par vēstures jēgu un filozofiju, tā esot tāds pats laika kavēklis kā jebkura cita filozofija, — viņam neesot iebildumu, ja kāds tādā veidā izklaidējoties. Bet pats izklaidēšanās priekšmets, tās objekts, proti, vēsture, esot kaut kas tik pretīgs, banāls un sātanisks, vienlīdz riebīgs un garlaicīgs, ka viņš netiekot gudrs, kā tai varot pievērsties. Vēstures vienvienīgais saturs taču esot cilvēka egoisms un mūžam nemainīgā, mūžam pati sevi pārāk augstu vērtējošā un pati sevi glorificējošā cīņa par varu — par materiālu, brutālu, lopisku varu, tātad par ko tādu, kas kastālieša redzesloka ietvaros nepastāv vai kam viņa uztverē nav ne mazākās vērtības. Pasaules vēsture esot nebeidzams, sekls un garlaicīgs stāsts par to, kā stiprākais varmācīgi apspiež vājāko, un katrs mēģinājums saistīt vienīgi īsto, laikam nepakļauto gara vēsturi ar šo mūžseno, stulbo godkāru cilvēku plūkšanos varas dēļ un karjeristu plēšanos par siltu vietiņu vai pat atvasināt pirmo no otrās būtībā esot nodevība pret garu un atsaucot viņam atmiņā kādu deviņpadsmitajā vai divdesmitajā gadsimtā plaši izplatītu sektu, par kuru reiz esot dzirdējis un kuras locekļi pavisam nopietni uzskatījuši, ka upuri, ko senās tautas nesušas dieviem, kā arī paši dievi, tiem celtie tempļi un mīti par tiem, kā viss, kas skaists, esot aplēšamas uztura un nodarbinātības trūkuma vai pārpalikuma sekas, aprēķināms darba apmaksas un pārtikas preču cenu neatbilstības rezultāts, māksla un reliģijas esot tikai dekorācijas, tā saucamās ideoloģijas, kas piesedz vien bada māktu, rijīgu cilvēci. Knehts, ko saruna uzjautrināja, it kā nevilšus pavaicāja, vai tad gara, kultūras un mākslas vēsture neesot vēsture, kurai kā nekā ir zināms sakars ar vēsturi vispār. Nē, nikni atcirta draugs, tieši to viņš noliedzot. Pasaules vēsture esot skriešanās laika plaknē, dzīšanās pēc peļņas, pēc varas un bagātības, un uzvarot allaž tas, kam pietiekot spēka, veiksmes vai zemiskuma, lai nepalaistu garām izdevību. Gara, kultūras, mākslas veikumi, gluži otrādi, esot kas tieši pretējs — ikreizēja izraušanās no laika verdzības, cilvēka pacelšanās no savu dziņu, sava laiskuma zaņķa citā plaknē, bezlaika telpā un brīvībā, dievišķajā, visnotaļ nevēsturiskajā, antivēsturiskajā esmē. Knehts uzjautrināts klausījās un izaicināja draugu uz citiem — itin atjautīgiem izteikumiem, lai tad aukstasinīgi pabeigtu sarunu, sacīdams:

— Visu cieņu tavai mīlestībai uz garu un tā veikumiem! Tikai gara veikums ir kas tāds, kurā būt līdzdalīgam nav tik viegli kā viens otrs iedomājas. Platona dialogs vai Heinriha Īsaka kora fragments, viss, ko dēvējam par gara veikumu vai mākslas darbu, vai domas objektivizaciju, ir kopsavilkums, galarezultāts, ko devusi cīņa par šķīstīšanos un atbrīvošanos, ja vēlies, vari to saukt par izlaušanos aizlaika telpā, un lielākoties paši pilnīgākie ir tie darbi, kuros vairs nav ne vēsts no mokošās cīņas, kādā tie tapuši. Tā ir liela laime, ka šādi darbi pastāv, un mēs, kastālieši, dzīvojam gandrīz vai uz šo darbu rēķina vien, mūsu radošā darbība taču nesniedzas tālāk par reproducēšanu, mēs pastāvīgi mītam viņā pusē, tajā laikam un cīņām svešajā sfērā, ko veido šie darbi un kas bez tiem mums nebūtu zināma. Un mēs turpinām tos apgarīgot vai, ja vēlies, abstrahēt: savā Stikla pērlīšu spēlē mēs šos prātnieku un mākslinieku veikumus sadalām sastāvdaļās, rezumējam stila likumus, formālas shēmas, smalkus skaidrojumus un operējam ar šīm abstrakcijām, it kā tās būtu būvakmeņi. Nu, tas viss ir gaužām jauki, to es neapstrīdu. Bet ne jau katrs spēj augu mūžu elpot abstrakciju gaisu un pārtikt no abstrakcijām. Salīdzinājumā ar to, kas Valdcellas repetitoram liekas intereses cienīgs, vēsturei ir viena priekšrocība: tai darīšana ar īstenību. Abstrakcijas ir apburošas, bet es esmu par to, ka cilvēkam arī jāēd un jāelpo.

Reizēm Knehtam izdevās uz brīdi apciemot veco Mūzikas maģistru. Cienījamais sirmgalvis, kuram spēki zuda acīm redzami un kurš jau sen bija atradinājies runāt, līdz pēdējam mirklim saglabāja gaiši saspringtu garu. Viņš neslimoja, un viņa nāve nebija miršana šā vārda tiešajā nozīmē: tā bija pakāpeniska dematerializēšanās, miesas substances un funkciju izzudums, dzīvībai arvien vairāk koncentrējoties acu skatienā un liegajā mirdzumā, ko izstaroja vecīgi sakritusi seja. Vairumam Monporas iedzīvotāju šī parādība bija labi zināma, un viņi vēroja to ar godbijību, bet tikai nedaudziem, to vidū arī Knehtam, Feromontem un jaunajam Pēteram, bija lemta sava veida līdzdalība šā skaidrā un pašaizliedzīgā mūža vakara blāzmā un rietā. Šiem nedaudzajiem, kad viņi, iekšēji sagatavojušies un apkopojuši domas, ienāca mazajā istabā, kurā vecais Maģistrs sēdēja savā atzveltnes krēslā, bija ļauts pakavēties aiztapsmes maigajā spozmē, izjust pilnību, kurā vārdi kļuvuši lieki; it kā neredzama starojuma skarti, viņi aizvadīja svētlaimīgus mirkļus šīs dvēseles kristāltīrajā sfērā, ieklausīdamies pārlaicīgas mūzikas skaņās, un pēc tam, sirdī skaidrināti un spēcināti, atgriezās dzīves ikdienā, kā nokāpdami no augstas virsotnes. Pienāca diena, kad Knehts saņēma vēsti par vecā Maģistra nāvi; viņš steidzās turp un ieraudzīja mūža miegā klusi aizmigušo dusam savā gultā — šaurā seja pavisam sarukusi, sakritusies, sastingusi, pārvērtusies par mēmu rūnu, par arabesku vai maģisku formulu, kas vairs nav izlasāma, tomēr vēstī par skaidru un pilnīgu laimi. Pie kapa atvadu vārdus pēc Mūzikas maģistra un Feromontes teica arī Knehts, bet viņš nerunāja par viedo mūzikas pazinēju, par dižo skolotāju, par gudri vēlīgo Augstākās kolēģijas vecāko locekli; Knehts runāja vienīgi par vecā vīra apskaidroto mūža novakaru un nāvi, par nemirstīgo gara daili, kas sirmgalvja vaibstos atklājās tā pēdējo dienu biedriem.

Vairāki izteikumi liecina mums, ka Knehts dzīrās aprakstīt vecā Maģistra dzīvi, taču amata pienākumu dēļ viņam neatlika laika šim darbam. Viņš bija iemācījies stingri iegrožot savas vēlmes. Kādam repetitoram viņš reiz teicis: "Žēl, ka jums, studentiem, nav īsta priekš-stata par to pārticību un greznību, kādā mītat. Arī man studiju gados šāda priekšstata nebija. Cilvēks strādā un mācās, šķiet, nelāpa slin-kumu, cilvēkam pat rādās, ka drīkst uzskatīt sevi par centīgu; bet, ko visu cilvēks varētu paveikt, kam visam varētu izmantot savu brīvību, viņš, liekas, neapzinās; tad piepeši viņu aicina Kolēģija, cilvēks kļuvis vajadzīgs, viņam uzliek lekciju slodzi, uztic misiju, amatu, cilvēks kāpj arvien augstāk pa amatu kāpnēm un pēkšņi atskārst, ka notverts uzdevumu un pienākumu tīklā, ka tīkls savelkas arvien ciešāk un top arvien biezāks, līdzko upuris cenšas izrauties. Būtībā tie ir sīki pie-nākumi, bet katrs jāpaveic laikā, un darba dienā nesalīdzināmi vairāk ir pienākumu nekā stundu. Un tas ir labi, citādi tam nav jābūt. Bet, kad cilvēks, steigdamies no auditorijas uz Arhīvu, no kancelejas uz pieņemšanu, no sēdes dodamies dienesta braucienā, atceras kādrei-zējo brīvību, kas zudusi, brīvību darīt to, kas pašam tīk, pievērsties neierobežoti plašām studijām, kad dažkārt uz mirkli māc kvēlas ilgas pēc šīs brīvības, tad viņš iztēlojas: būtu tā vēlreiz lemta, viņš gan līdz galam izbaudītu visus tās priekus, visas tās iespējas."

Knehtam bija neparasti smalka nojauta, ja vajadzēja nekļūdīgi noteikt, kurš skolnieks vai darbinieks piemērots kalpošanai hierar-hijā; rūpīgi viņš izraudzījās īsto cilvēku katram uzdevumam, katrai vakantai vietai, un apliecības un raksturojumi, ko viņš devis, liecina, cik nekļūdīgi bijuši viņa spriedumi, allaž pirmajā vietā izvirzot cil-vēka personiskās īpašības, tā raksturu. Pie viņa labprāt griezās pēc padoma, ja vajadzēja novērtēt vai ietekmēt sarežģīta rakstura cilvēku. Tāds, piemēram, bija jau pieminētais students Pēters, vecā Mūzikas maģistra pēdējais mīļotais skolnieks. Šis jauneklis, sava veida kluss fanātiķis, itin labi bija ticis galā ar viņam uzticēto, tik savdabīgo godājamā sirmgalvja izklaidētāja, kopēja un jūsmīga mācekļa uzdevumu. Kad vecais Maģistrs nomira un šāda uzdevuma, dabiski, vairs nebija, viņu pārņēma grūtsirdība un nomāca bēdas, kuras visiem likās saprotamas un kādu laiku tika paciestas, bet kuru izpausme toreizējam Monporas saimniekam, Mūzikas maģistram Ludvigam, drīz vien lika izjust nopietnas bažas. Jauneklis, proti, ietiepās, ka paliks dzīvot paviljonā, kurā mūža nogali aizvadīja nelaiķis; viņš apsargāja namiņu, pedantiski raudzījās, lai iekārtojums un mēbeļu izvietojums paliktu negrozīts, uzskatīdams it īpaši istabu, kurā bija dzīvojis un miris Maģistrs, nelaiķa atzveltnes krēslu, gultu un cembalo par neaizskaramu svētumu, kas viņam jāsargā, un, atskaitot pedantiskās rūpes par šīm relikvijām, zināja vēl tikai vienu pienākumu — kopt kapu, mīļotā skolotāja atdusas vietu. Viņam šķita, ka ir aicināts veltīt visu atlikušo mūžu mirušā kultam šajās piemiņas vietās, būt par tempļa kalpu, kam neskarta jāsaglabā svētnīca, lai tā ar laiku varbūt uzņemtu svētceļniekus. Pirmajās dienās pēc bērēm viņš neēda nemaz, pēc tam iztika ar tām retajam un trūcīgajām maltītēm, kādas pēdējā laikā bija ieturējis viņa skolotājs; radās iespaids, ka viņš apņēmies iet godājamā skolotāja pēdās un sekot tam kapā. Nespēdams ilgi izturēt šādu dzīves veidu, viņš drīz grozīja savu nostāju un turpmāk rīkojās tā, it kā gribētu pierādīt, ka uzskatāms par mājiņas un kapa vietas uzraugu, par šo piemiņas vietu mūža pārvaldnieku. Tas viss nepārprotami liecināja, ka jau tā tiepīgais jauneklis, ilgāku laiku atrazdamies īpašā stāvoklī, kas pašam iepaticies, nolēmis par katru cenu tajā noturēties un nekādā gadījumā neatgriezties ikdienas darbā, kuram klusībā laikam gan vairs nejutās piemērots. "Starp citu, Pēters, kam bija uzdots rūpēties par veco Maģistru, sajucis prātā," īsi un lietišķi kādā vēstulē ziņoja Feromonte.

Valdcellas Maģistram, protams, nebija nekādas daļas gar Monporas mūzikas studentu, viņš nebija par to atbildīgs un, bez šaubām, nejuta arī ne mazāko vēlēšanos iejaukties Monporas iekšējās lietās un uzņemties liekus pienākumus. Bet nabaga Pēters, ar varu izlikts no paviljona, nespēja nomierināties un savās bēdās un nomāktībā tiktāl nošķīrās no citiem, no reālās dzīves, ka parastie sodi par kārtības pārkāpumiem viņam vairs nebija īsti piemērojami, un, tā kā viņa priekšniecībai bija zināms, cik labvēlīgi pret jauno cilvēku izturējies Knehts, Mūzikas maģistra kanceleja griezās pie tā ar lūgumu pēc padoma un palīdzības, bet pašu nepakļāvīgo nolēma pagaidām uzskatīt par neveselu un novērošanas nolūkā ievietot izolētā slimnieku nodaļas istabā. Knehts ne visai labprāt uzņēmās tik apgrūtinošu pienākumu, bet, apsvēris visu un izlēmis sniegt iespējamo palīdzību, enerģiski ķērās pie lietas. Viņš piedāvājās izmēģinājuma kārtā iekārtot Pēteru Valdcellā, taču ar noteikumu, ka Monporā pret slimo izturēsies tā, it kā tas būtu pilnīgi vesels, atļaujot vienam doties ceļā; savai atbildei viņš pievienoja īsu, laipnu uzaicinājumu jauneklim, lūgdams, lai tas, ja varot, uz brīdi atbrīvojoties no darba un apciemojot viņu, norādīja arī, ka cer saņemt papildu ziņas par vecā Mūzikas maģistra pēdējām dienām. Brīdi vilcinājies, Monporas ārsts piekrita; studentam nodeva Knehta ielūgumu, un, kā jau Knehts bija paredzējis, Pēteram, nonākušam tik neciešamā situācijā, nekas nelikās ērtāk un vēlamāk kā ātri pamest savu neveiksmju vietu, viņš tūdaļ piekrita doties ceļā, neatteicās arī no sātīgas maltītes, saņēma attiecīgu apliecību un pameta Monporu. Valdcellā viņš ieradās puslīdz atspirdzis, viņa satraukumu un nervozitāti, sekojot Knehta norādījumam, šeit neviens nelikās manām, istabu viņam ierādīja Arhīvā viesu namā; redzēdams, ka pret viņu te neizturas kā pret sodīto vai slimnieku, vai ka pret cilvēku, kam īpašs stāvoklis, viņš izrādījās pietiekami vesels, lai prastu novērtēt tīkamo atmosfēru un izmantotu iespēju atgriezties dzīvē. Tiesa, uzturēdamies Valdcellā vairākas nedēļas, viņš paguva krietni vien apnikt Maģistram. Lai radītu pastāvīgi kontrolētas nodarbinātības ilūziju, tas aicināja viņu sniegt rakstisku atskaiti par sava skolotāja pēdējiem mūzikas vingrinājumiem un pētījumiem un vienlaikus lika viņu regulāri nodarbināt Arhīvā, lūdzot dažādus sīkus pakalpojumus, — viņu palūdza, ja vien laika pietiekot, drusku nākt talkā, darba pašreiz esot daudz, bet izpalīgu trūkstot. Vārdu sakot, viņam palīdzēja tikt uz ceļa. Tikai tad, kad viņš bija atguvis līdzsvaru un nepārprotami tiecās iekļauties darba dzīvē, Knehts iesaistīja viņu īsās sarunās, lai veiktu tiešo audzināšanas darbu un galīgi atradinātu no slimīgās iedomas, ka nelaiķa fetišizācija ir svēts un Kastālijā iespējams pasākums. Bet, tā kā Pēters nespēja bez bailēm domāt par atgriešanos Monporā, kaut likās pilnīgi atveseļojies, viņam piedāvāja mūzikas skolotāja palīga vietu kādā elites pirmsskolā, un tur viņš tik tiešām turējās godam. Varētu sniegt vēl ne vienu vien piemēru, stāstot par Knehta audzinātāja un dvēseļu dziednieka darbību, — daudz jaunu studentu viņa personības maigā vara pievērsusi dzīvei īsti kastālisku tikumu garā, tāpat kā viņu pašu šādai dzīvei reiz pievērsa *Magister musicae*. Minētie piemēri liecina, ka Spēles maģistrs nav bijis problemātiska rakstura cilvēks, tie liecina par garīgu veselību un līdzsvaru. Varbūt vienīgi Godājamā izjustā gādība par labiliem un apdraudētiem cilvēkiem, tādiem kā Pēters vai Tegularijs, norāda uz īpašu jutīgumu un izpratni pret tamlīdzīgām kastāliskā cilvēka indevēm un nosliecēm, uz nerimušu un nezudušu vērīgumu, kas radies kopš pirmās atmodas un vērsts pret briesmām un problēmām, kuras ietvertas pašā kastāliskajā dzīves veidā. Viņam, asa prāta un drosmīga rakstura cilvēkam, sveša bija doma, ka vieglprātības vai ērtības labad varētu izlikties neredzam šīs briesmas un problēmas, kā laikam gan rīkojās vairums laikabiedru, un daudzu Kolēģijas darbabiedru taktika, kuriem šīs briesmas bija zināmas, bet kuri izturējās tā, it kā to nebūtu, viņam, jādomā, nekad nav bijusi pieņemama. Viņš saskatīja un pazina šīs briesmas, vismaz dažas no tām, un, labi orientēdamies Kastālijas senajā vēsturē, uzskatīja dzīvi šo briesmu vidū par cīņu, mīlēja un atzina šo dzīvi, kamēr daudziem kastāliešiem pašu kopība un dzīve tajā likās tīrā idille. Arī no pātera Jakoba darbiem par Benediktiešu ordeni viņš aizguva atziņu, ka Ordenis ir kaujinieciska savienība, bet svētbijība — kareivīga nostāja. "Nevar dzīvot cildenu, augstākiem ideāliem veltītu dzīvi," viņš reiz teicis, "nezinot, ka eksistē velni un dēmoni, un nemitīgi necīnoties pret tiem."

Cieša draudzība visaugstāko amatpersonu vidu Kastālijā ir ārkārtīgi reta parādība, tāpēc mūs nepārsteidz fakts, ka Knehtam pirmajos amata gados ne ar vienu kolēģi šādu attiecību nebija. Viņš ļoti simpatizēja Klasiskās filoloģijas maģistram Keiperheimā un dziļi cienīja Ordeņa vadību, taču šajā sfērā viss personiskais ir izslēgts vai tiktāl objektivizēts, ka diezin vai iespējama ciešāka tuvība un draudzība ārpus oficiālās sadarbības ietvariem. Bet arī šādas attiecības viņam vēl bija lemtas.

Audzināšanas kolēģijas slepenais arhīvs mums nav pieejams; par Knehta darbību Kolēģijā un nostāju tās sēdēs, piedaloties balsošanā, mums zināms vienīgi tik, cik izdevies secināt no gadījuma rakstura izteikumiem sarunās ar draugiem. Pirmajos darba gados Maģistra amatā, šķiet, viņš sēdēs parasti, lai arī ne vienmēr, klusējis un runas teicis reti — tikai tad, kad pats bijis kāda pasākuma ierosinātājs vai priekšlikuma iesniedzējs. Netrūkst toties liecību, ka viņš ātri apguvis tradicionālo runas manieri, kas valda mūsu hierarhijas virsotnēs, un ar grāciju, bagātu izdomu un patiku izmantojis šīs formas. Mūsu hierarhijas augstākie pārstāvji, Maģistri un Ordeņa vadītāji, tiekoties savā starpā, kā zināms, rūpīgi ievēro noteiktu ceremoniālu, turklāt šajā vidē — grūti noteikt, kopš kura laika, — pastāv nosliece, varbūt arī slepens priekšraksts vai Spēles nosacījums: jo stingrāk un jo rūpīgāk ievēro izsmalcinātu pieklājību, jo lielākas ir domstarpības un jo svarīgāks ir strīdīgais jautājums, kas apspriežams. Līdzās citiem uzdevumiem šai izsenis ierastajai pieklājībai, domājams, pirmām kārtām ir aizsargpasākuma funkcija; izsmalcināti pieklājīgais domu apmaiņas tonis ne tikai liedz debatētājiem iekaist un palīdz saglabāt nevainojamu stāju, tas uztur un pasargā arī Ordeņa un Kolēģijas cieņu, ietērpjot sanāksmi ceremonialitātes talārā un pārklājot tai svētuma plīvuru, un tā šai laipnību apmaiņas mākslai, par kuru nereti zobojas studenti, laikam gan piemīt arī kas labs. Īpašas apbrīnas cienīgs virtuozs minētajā jomā bija Knehta priekštecis Maģistrs Tomass fon der Trāve. Nebūs īsti pareizi teikt, ka Knehts šai ziņā bija fon der Trāves sekotājs, vēl jo maldīgāk būtu apgalvot, ka viņš bija sava priekšteča atdarinātājs, Knehts drīzāk bija ķīniešu skolnieks un viņa kurtuāzija — ne tik rafinēta un ironijas caurausta. Bet arī viņu darbabiedri uzskatīja par cilvēku, kurš pieklājībā nav pārspējams.

SARUNA

Savā biogrāfiskajā studijā mēs esam nonākuši līdz vietai, kur mūsu uzmanību visnotaļ saista pārmaiņas, kas notika Maģistra mūža pēdējos gados un beidzās ar viņa aiziešanu no amata un Provinces, ar vides maiņu un nāvi. Lai gan Knehts līdz pēdējam atvadu mirklim nevainojami veica savus amata pienākumus un skolnieki un darbabiedri līdz pēdējai dienai mīlēja un cienīja viņu, mēs neturpināsim apcerēt viņa darbību Maģistra amatā, jo zinām, ka sirds dziļumos tā viņam apnikusi un viņš pievērsies citiem mērķiem. Attīstot savus spēkus, viņš bija izsmēlis visas iespējas, ko sniedza amats, un nonācis līdz robežai, kuru pārkāpjot diži cilvēki pamet tradīciju un zemīgas klausības ceļu, lai, uzticoties augstākiem, vārdā nenosaucamiem spēkiem, paši uz savu atbildību ietu jaunus, vēl neiezīmētus un neizpētītus ceļus.

Atskārtis aicinājumu, viņš rūpīgi un lietišķi apsvēra savu stāvokli un iespējas to grozīt. Neparasti jauns viņš bija sasniedzis pašu augstāko, par ko vien apdāvināts un godkārs kastālietis varēja sapņot, un sasniedzis bija to ne jau ar godkāri un centību, gluži otrādi, bez īpašas cītības un apzinātas pielāgošanās, gandrīz pret savu gribu, jo paša vēlmēm drīzāk atbilstu necils, neatkarīgs, ar amata pienākumiem nesaistīts zinātnieka mūžs. Viņš nevērtēja vienlīdz augstu visus tos labumus un visas tās pilnvaras, ko deva tituls, un viena otra privilēģija, viens otrs varas atribūts viņam jau visai drīz radīja turpat vai nepatiku. Sevišķi apgrūtinoša viņam šķita politiskā un administratīvā darbība Augstākajā kolēģijā, tiesa gan, tālab viņš neveica šos pienākumus mazāk apzinīgi. Arī pats tiešākais, iezīmīgākais amata pienākums, par kura izpildi tikai viņš bija atbildīgs, proti, Stikla pērlīšu spēles izlases adeptu audzināšana, kaut arī brīžiem sagādāja daudz prieka un pati izlase lepojās ar savu audzinātāju, ar laiku drīzāk apgrūtināja nekā priecēja viņu. Patiesu prieku un gandarījumu Knehtam sniedza mācību un audzināšanas darbs skolā, turklāt viņš bija pārliecinājies, ka gan prieks, gan pienākumi ir jo lielāki, jo gados jaunāki ir viņa skolnieki. Tāpēc viņa uztverē tas bija trūkums un upuris, ka amata pienākumos ietilpa tikai darbs ar jauniešiem un pieaugušajiem, nevis ar bērniem un pusaudžiem. Gadu gaitā, strādājot par Maģistru, radās arī citi apsvērumi, vērojumi un atzinumi, kas noskaņoja kritiski pret paša darbību un vienu otru Valdcellas dzīves parādību vai vismaz radīja sajūtu, ka amata pienākumi stipri kavē attīstīt savas labākās un raženākās spējas. Šis tas par to kļuvis plaši zināms, vienā otrā gadījumā turpretim iespējami tikai minējumi. Jautājumus, vai Maģistrs Knehts rīkojies pareizi, tiekdamies atbrīvoties no amata pienākumu nastas, vēlēdamies strādāt necilāku, toties garīgi spraigāku darbu, kritizēdams Kastālijā valdošos apstākļus, vai viņš uzskatāms par progresa sekmētāju un drosmīgu cīnītāju, vai, gluži otrādi, par sava veida dumpinieku, pat dezertieri, — šos jautājumus mēs netaisāmies iztirzāt, diskusiju par tiem bijis gana; šā strīda dēļ Valdcella, pat visa Province kādu laiku dalījās divās naidīgās nometnēs, un arī tagad vēl šie strīdi nav gluži norimuši. Atzīdami sevi par dižā Maģistra pateicīgiem cienītājiem, mēs tomēr klaji neizteiksim savu viedokli šajā jautājumā; uzskati un spriedumi, kas pausti, strīdoties par Jozefu Knehtu un viņa dzīvi, jau sen tiek apkopoti. Mēs negribam nevienu nedz tiesāt, nedz pievērst saviem uzskatiem, mūsu vienīgā vēlēšanās ir iespējami patiesi pastāstīt par godājamā Maģistra nāvi. Diemžēl tas nav īsti stāsts, drīzāk mēs nosauktu to par leģendu, par atskaiti, kuras pamatā ir gan autentiska informācija, gan nostāsti, kas, nākdami tiklab no tīriem, kā arī no duļķainiem avotiem, cirkulē mūsu Provinces jaunās paaudzes vidū.

Dienās, kad Jozefu Knehtu sāka nodarbināt doma, kā rast ceļu uz brīvību, viņš negaidīti atkal sastapa reiz tik tuvo, sen jau pa pusei aizmirsto jaunības dienu draugu Plīnio Deziņori. Šis kādreizējais brīvklausītājs, cēlies no senas dzimtas, kura daudz darījusi Provinces labā, kļuvis par ietekmīgu deputātu un publicistu, kādu dienu dienesta uzdevumā necerēti ieradās Provinces Augstākajā koleģijā. Proti, tāpat kā katru otro gadu, bija ievēlēta jauna valdības komisija, lai pakļautu revīzijai Kastālijas budžetu, un Deziņori bija izraudzīts par šīs komisijas locekli. Pirmā sēde, kurā viņš piedalījās kā valdības pārstāvis, notika Ordeņa vadības mītnē Hirslandē, un tajā klāt bija arī Stikla pērlīšu spēles maģistrs; tikšanās atstāja uz Knehtu dziļu iespaidu un nepalika bez sekām; atsevišķas ziņas par to snieguši Tegularijs un arī pats Deziņori, kas šajā mums mazliet neskaidrajā sava mūža posmā drīz vien atkal kļuva par Knehta draugu un pat uzticības personu. Tātad pirmajā sēdē, kurā abi pēc vairākiem aizmirstības gadu desmitiem atkal sastapās, Ordeņa vadības pārstāvis, kā parasti, iepazīstināja Maģistrus ar jauniecēltās valdības komisijas locekļiem. Izdzirdīs Deziņori vārdu, mūsu Maģistrs jutās pārsteigts, pat nokaunējās, jo no pirmā acu uzmetiena nebija pazinis sen neredzēto jaunības dienu biedru. Atmetis oficiālu klanīšanos un formālus apsveikuma vārdus, viņš draudzīgi sniedza Deziņori roku un vērīgi ielūkojās tam sejā, cenzdamies izdibināt, kas tajā tik ļoti pārmainījies, ka nav uzreiz pazinis seno dienu draugu. Arī sēdes laikā viņš bieži pievērsa skatienu reiz tik pazīstamajiem vaibstiem. Starp citu, Deziņori, uzrunādams viņu, bija teicis "jūs" un godājis viņu par Maģistru, un Knehts atkārtoti bija lūdzis, lai tas uzrunā viņu tāpat kā agrāk ar "tu", iekams draugs to uzdrīkstējās. Knehts atcerējās Deziņori kā aizrautīgi līksmu, atklātu, spoži apdāvinātu jaunekli, kā labu skolnieku un arī sabiedrības cilvēku, kurš jutās pārāks par jaunajiem kastāliešiem, kam pasaulīgā dzīve bija sveša, un kurš uzjautrinājās, izaicinādams tos uz strīdiem. Viņam tolaik, šķiet, piemita zināms ārišķīgums, taču raksturs viņam bija atklāts, vērienīgs, tā ka vairumam vienaudžu viņš likās interesants, patīkams un laipns, vienu otru pat žilbināja viņa glītā āriene, drošā stāja un brīvklausītājam un pasaulīgās dzīves cilvēkam zīmīgais svešatnais pievilcīgums. Pēc vairākiem gadiem, tuvojoties studiju beigām, Knehts atkal satika draugu, un toreiz viņam likās, ka tas kļuvis seklāks, rupjāks, ka tas pavisam zaudējis agrāko pievilcību, vārdu sakot, viņš jutās vīlies. Atvadas bija mulsas un vēsas. Tagad Deziņori šķita no jauna pārvērties. Pirmām kārtām tas, liekas, bija pilnīgi atmetis vai zaudējis jauneklīgo možumu, patiku dalīties iespaidos, pastrīdēties, apmainīties domām, tā sakot, savu aktīvo, patikt kāro, atklāto dabu. Tāpat kā Deziņori, tiekoties ar kādreizējo draugu, nebija centies pievērst sev uzmanību un pirmais sveicinājis, tāpat kā pat pēc sasveicināšanās bija vilcinājies teikt Maģistram "tu" un tikai nelabprāt atsaucies uz sirsnīgo aicinājumu lietot seno dienu uzrunu — arī viņa stāja, acu izteiksme, runas veids, vaibsti un žesti agrākās agresivitātes, atklātības un pacilātības vietā pauda savaldību vai nomāktību, zināmu piesardzību un atturību, tādu kā savalgotību un saspringumu, varbūt arī tikai sagurumu. Jaunības pievilcība bija apslāpusi, apdzisuši, bet līdzi tai zudušas paviršības un pārlieku uzmācīga pasaulīguma iezīmes — arī to vairs nebija. Visu šā cilvēka ārieni, it īpaši seju, šķiet, apzīmogojusi gan postīgu, gan apgarojošu ciešanu izteiksme. Sekodams sēdes gaitai, Stikla pērlīšu spēles maģistrs nemitējās vērot šo izteiksmi, lauzīdams galvu, kas tās par ciešanām, kuras pārņēmušas rosīgo, izskatīgo un dzīvespriecīgo cilvēku un atstājušas viņa ārienē tik dziļas pēdas. Tās bija kādas svešas, Knehtam nezināmas ciešanas, un, jo ilgāk viņš par tām lauzīja galvu, jo dziļākas kļuva viņa simpātijas un līdzjūtība pret cietēju — jā gan, šai līdzcietībai un mīlestībai pat piejaucās klusa vainas apziņa, it kā viņš tik skumīgajam jaunības draugam būtu ko palicis parādā, it kā viņam kaut kas būtu jāvērš par labu. Apsvēris dažādus Plīnio skumju

213

iemeslus un atkal atmetis tos, Knehts nosprieda, ka ciešanu izteiksme šai sejā nav ikdienišķas cilmes — tām jābūt kādām apgarotām, varbūt traģiskām nobēdām, kuru izteiksme kastālietim sveša; viņš atcerējās, ka līdzīgu izteiksmi dažkārt redzējis ne jau kastāliešu, bet pasaulīgās dzīves cilvēku sejās, tiesa gan, ne tik spilgtu un satraucošu. Ko tamlīdzīgu viņš tika saskatījis arī pagātnes cilvēku attēlos, zinātnieku un mākslinieku ģīmetnēs, kurās jautās aizkustinoša, pa pusei slimīga, pa pusei liktenīga skumība, vienpatība un bezpalīdzība. Maģistrs, kam piemita mākslinieka smalkā izjūta, iedziļinoties izteiksmes noslēpumos, un audzinātāja modrā iejūtība, vērojot raksturus, jau sen bija atklājis zināmas fizionomistiskas pazīmes, kurām viņš instinktīvi ticēja, neapkopodams tās sistēmā; tā, piemēram, viņš izšķīra specifiski kastāliskus un speficiski pasaulīgus smieklus, smaidus un jautrību, tāpat arī specifiski pasaulīga paveida ciešanas vai skumjas. Viņam šķita, ka saskatījis šīs pasaulīgās skumjas Deziņori vaibstos, turklāt tik stipri un spilgti izteiktas, it kā drauga sejai būtu lemts pārstāvēt daudzas citas, padarīt redzamas daudzu cilvēku mokas un ciešanas. Šie vaibsti satrauca un aizkustināja viņu. Zīmīgi Knehtam likās ne tikai tas, ka pasaule atsūtījusi viņa zudušo draugu šurp un ka Plīnio un Jozefs, tāpat kā sendienās — skolas gadu vārdu cīņās —, tagad pa nopietnam un pa īstam viens pārstāv pasauli otrs — Ordeni; vēl jo svarīgāk un simboliskāk viņam šķita, ka šā vientuļā un skumju māktā cilvēka veidolā pasaule šoreiz atsūtījusi uz Kastāliju ne jau savus smieklus, savu dzīvesprieku, savu līksmo varas kāri un rupjību, bet gan savu postu, savas ciešanas. Arī tas izraisīja pārdomas un itin labi patika Knehtam, ka Deziņori drīzāk, šķiet, vairījās no viņa nekā meklēja viņu un tikai palēnām, gaužām negribīgi tuvojās viņam un atklāja sevi. Starp citu — tas, protams, Knehtam palīdzēja — viņa skolasbiedrs, uzaudzis Kastālijā, nebija nepieejams, īdzīgi vai pat nelabvēlīgi noskaņots ārējās pasaules pārstāvis, ar kādiem dažreiz gadījās sastapties, ierodoties tik svarīgai komisijai; viņš, gluži otrādi, cienīja Ordeni un vēlēja labu Provincei, kurai varēja izdarīt ne vienu vien pakalpojumu. Jāteic gan, ka Stikla pērlīšu spēles nodarbībās viņš jau gadiem ilgi nebija piedalījies.

Mums nav precīzi zināms, kā Maģistram izdevās panākt, lai draugs viņam atkal uzticētos; ikviens, kas pazina viņa rāmo, gaišo raksturu, pieklājību un sirsnību, iztēlojas to savādāk. Knehts neatlaidīgi centās atgūt Plīnio draudzību, un kurš gan spētu ilgi pretoties, ja šā cilvēka apņēmība bija nelokāma?

Dažus mēnešus pēc šeit pieminētās pirmās tikšanās Deziņori beidzot atsaucās uz atkārtoti saņemto ielūgumu pasērst Valdcellā, un kādā mākoņainā, vējainā rudens pēcpusdienā, te atspīdot saulei, te apmācoties debesīm, abi divatā devās izbraukumā uz vietām, kur bija draudzīgi tikušies skolas gados, — Knehts rāmi līksmā noskaņā, viņa ceļabiedrs un viesis kluss, bet satraukts; atgādinot kailos laukus, pār kuriem te pavīdēja saule, te klājās ēnas, viņā strauji mijās tikšanās prieks ar skumjām par abu atsvešināšanos. Netālu no Ciemata viņi izkāpa no ekipāžas un kājām izstaigāja senās skolas takas, pieminēja vienu otru biedru un skolotāju, vienu otru to dienu sarunu. Deziņori veselu dienu bija Knehta viesis, un Knehts neliedza viņam, kā tika apsolījis, būt par liecinieku visam, kas todien bija jādara Maģistram. Dienas nogalē — nākamrīt agri viesis dzīrās aizceļot — abi pasēdēja divatā Knehta dzīvojamā istabā, juzdamies bezmaz tikpat tuvi kā agrāk. Diena, kuras ritumā viesis stundu aiz stundas bija vērojis, kā Maģistrs veic savus dienesta pienākumus, atstāja uz viņu dziļu iespaidu. Pievakarē abiem bija saruna, kuru Deziņori, atgriezies mājās, nekavējoties pierakstīja. Kaut gan pierakstā ietverti atsevišķi mazsvarīgi sīkumi un vienam otram lasītājam varbūt nepatiks, ka tiek pārtraukts mūsu lietišķais vēstījums, mēs tomēr atļausimies sniegt sarunu tieši tā, kā to pierakstījis Deziņori.

— Gribēju daudz ko tev parādīt, — teica Maģistrs, — tomēr ne-paguvu. Piemēram, savu jauko dārzu, — tu taču atceries "Maģistra dārzu" ar visu, ko tur iestādījis Maģistrs Tomass? Jā, un ne jau dārzu vien! Es ceru, arī tam pienāks sava reize. Kā nekā tu kopš vakarējās dienas varēji atsvaidzināt vienu otru atmiņu un gūt priekšstatu par maniem amata pienākumiem un manu ikdienu.

— Paldies tev par visu, — attrauca Plīnio, — tikai šodien no jauna atskārtu, kas īsti ir jūsu Province un kādus apbrīnojamus un dižus noslēpumus tā glabā, kaut gan arī šajos prombūtnes gados biežāk domāju par jums, nekā tu vari iztēloties. Tu, Jozef, šodien atļāvi man ielūkoties savā dzīvē un darbā, un es ceru, tā nav pēdējā reize; mēs vēl ne vienu reizi vien runāsim par to, ko šeit redzēju un par ko pa-gaidām nespēju spriest. Toties skaidri jūtu, ka tava uzticēšanās uzliek pienākumus arī man, un apzinos, ka mana noslēgtība tev būs likusies dīvaina. Nu, kādreiz arī tu apciemosi mani un redzēsi, kā dzīvoju es. Patlaban varu tev pastāstīt gaužām maz, vien tik, lai tu atkal būtu lietas kursā, un atklāta saruna arī man mazliet atvieglos sirdi, lai gan vienlaikus apkaunos mani un būs man par sodu.

Kā tu jau zini, esmu cēlies no senas, nopelniem bagātas un jūsu Pro-vincei draudzīgas dzimtas, no konservatīvi noskaņotu muižnieku un augstu ierēdņu ģimenes. Raugi, jau šī vienkāršā frāze paver bezdibeni starp jums un mani. Runādams par ģimeni, es domāju, ka pieminu ko parastu, pašu par sevi saprotamu un viennozīmīgu. Bet vai tas tiešām tā ir? Jums, kastāliešiem, ir sava hierarhija un savs Ordenis, bet ģimenes jums nav, jūs nezināt, kas ir ģimene, asinsradniecība, izcelsme, jums nav ne jausmas, kāds apslēpts, varens spēks un valdzinājums piemīt tam, ko sauc par ģimeni. Tad lūk, būtībā tas pats laikam gan jāsaka turpat par visiem vārdiem un jēdzieniem, kuros ietverama mūsu dzīve, — vairums vārdu, kas svarīgi mums, jums nav, visai daudzi jums gluži vienkārši nav saprotami, un vēl citi jūsu vidu apzīmē ko pavisam citu nekā mūsu pusē. Kā lai tur saprotas! Redzi, kad tu man ko saki, es jūtos tā, it kā mani uzrunātu ārzemnieks — tiesa gan, ārzemnieks, kura valodu jaunībā esmu mācījies un kurā arī es esmu runājis, — es saprotu gandrīz visu. Bet ar tevi tas tā nav: kad es uzrunāju tevi, tu dzirdi valodu, kuras teicieni tev saprotami tikai pa pusei un kuras nianses un smalkumus tu neuztver nemaz; tu klausies nostāstus par cilvēku dzīvi, par eksistences veidu, kas tev svešs; teiktais pat tad, ja tas tevi interesētu, lielākoties nav tev izprotams vai, augstākais, saprotams tikai aptuveni. Atceries mūsu skolas gadu nebeidzamās vārdu cīņas un sarunas, man tās nebija nekas cits kā vien mēģinājums, viens no daudzajiem mēģinājumiem saskaņot jūsu Provinces pasauli un valodu ar savu pasauli un tās valodu. To vidū, ar kuriem centos saprasties, tu biji pats atklātākais, pats labprātīgākais un godīgākais; tu drosmīgi aizstāvēji Kastālijas tiesības, nepalikdams tomēr vienaldzīgs pret manu — to otro pasauli un tās tiesībām, tu nenicināji šo pasauli. Toreiz mēs sapratāmies itin labi. Nu, par to vēl būs runa.

Kļuvis domīgs, viņš uz mirkli apklusa, un Knehts piesardzīgi ieminējās:

— Diezin vai saprasties ir tik grūti. Protams, divas tautas un valodas nekad nespēs tik dziļi izprast viena otru kā divi cilvēki, kam tautība un valoda tā pati. Bet tas nav iemesls, lai atteiktos no mēģinājumiem saprasties un apmainīties domām. Arī vienas tautas un valodas pārstāvju vidū eksistē barjeras, kas apgrūtina pilnīgu savstarpēju saprašanos, — barjeras, ko rada izglītība, audzināšana, apdāvinātība, individualitāte. Var apgalvot, ka principā jebkurš cilvēks zemes virsū var sazināties ar jebkuru citu cilvēku, un var arī apgalvot, ka pasaulē vispār nav divu cilvēku, starp kuriem būtu iespējama īsta, pilnīga, intīma domu apmaiņa un saprašanās, — abi viedokļi ir vienlīdz pareizi. Runa ir par Iņ un Jan, par dienu un nakti, taisnība ir abiem, lietderīgi laiku pa laikam atcerēties te vienu, te otru, un tiktāl esmu ar tevi vienisprātis; protams, arī es neticu, ka mēs abi varētu reiz līdz galam un caur un cauri izprast viens otru. Taču pat tad, ja tu būtu eiropietis, bet es — ķīnietis, pat tad, ja mums katram būtu sava

216

valoda, mēs, ja vien gribēsim saprasties, spēsim pateikt viens otram visai daudz, turklāt bez tā, kas eksakti pasakāms, daudz ko uzminēsim un atskārtīsim. Katrā ziņā jācenšas to darīt.

Deziņori pamāja un turpināja:

— Vispirms pastāstīšu to nedaudzo, kas tev jāzina, lai kaut cik apjaustu manu stāvokli. Tātad pirmām kārtām pastāv ģimene, augstākā instance jaunam cilvēkam, vienalga, vai viņš to atzīst vai neatzīst. Ar ģimeni es sapratos labi, kamēr mācījos jūsu elites skolās. Jūsu pusē augu gadu biju drošās rokās, brīvdienās, atgriezies mājās, tiku lolots un lutināts kā jau vienīgais dēls. Mātei biju pieķēries ar maigu, pat kvēlu mīlestību, šķiršanās no viņas bija vienīgais, kas mani katru reizi sāpināja, atstājot mājas. Ar tēvu attiecības bija vēsākas, tomēr draudzīgas — vismaz zēna un pusaudža gados, kurus pavadīju pie jums. Viņš bija sensens Kastālijas cienītājs un lepojās ar to, ka dēls mācās elites skolās un apgūst cildeno Stikla pērlīšu spēli. Brīvdienās mūsu mājā tik tiešām nereti valdīja svinīga, pacilāta noskaņa; mēs, jāteic, pazinām cits citu vairs tikai svētku drānās. Dažreiz, dodamies uz mājām, lai tur pavadītu brīvdienas, es nožēloju jūs, palicējus, kam šāda laime bija liegta. Par tiem laikiem man gari nav jāstāsta, tu taču pazini mani labāk nekā jebkurš cits. Es gandrīz biju kastālietis, varbūt mazliet baudkārāks, raupjāks, paviršāks, toties līksmi pārgalvīgs un entuziasma spārnots. Tās bija laimīgākās dienas manā mūžā, — par to man toreiz, protams, nebija ne jausmas, Valdcella aizvadītajos gados es domāju, ka mana mūža laime un saplauksme sāksies pēc tam, kad, pabeidzis jūsu skolas, atgriezīšos mājās un, likdams lietā pie jums iegūtās izcilās zināšanas, iekarošu visu pasauli. Bet laimes vietā pēc mūsu atvadām sastapu pretrunas, kas vēl šodien nav pārvarētas, un sākās cīņa, kurā neesmu guvis uzvaru. Jo dzimtene, kurā atgriezos, vairs nebija vecāku mājas vien un nebūt nesteidzās apskaut mani un atzīt manus valdcellieša tikumus, un arī tēva mājās mani gaidīja vilšanās, grūtības un nesaskaņas. Pagāja labs laiks, iekams to pamanīju, mana puiciskā ticība sev un savai laimei, mana naivā paļāvība pasargāja mani — sargāja mani arī jūsu pusē apgūtā Ordeņa morāle, ieradums meditēt. Bet kā mani pievīla, kā manas ilūzijas satrieca augstskola, kurā sadomāju studēt politisko ekonomiju! Studentu savstarpējās attiecības, viņu izglītības un saviesīgās dzīves līmenis, pasniedzēju personības — cik ļoti tas viss atšķīrās no tā, ar ko biju apradis jūsu pusē! Tu vēl atcerēsies, cik dedzīgi aizstāvēju savu pasauli, vērsdamies pret jūsējo, cik plātīgi cildināju dabisku, pirmatnīgu dzīvi. Ja par to biju pelnījis sodu, draugs, tad sodīts tiku smagi. Jo, ja šī pirmatnīgā, nevainīgā dziņu dzīve, šī pirmatnības naivitāte un dresūrai nepakļautā ģenialitāte vēl kaut kur varbūt eksistēja — zemnieku un amatnieku vidē, iespējams, vai kur citur —, man nekur neizdevās to atrast, kur nu vēl tai pievienoties. Tu taču atceries — vai nav tiesa? — kā es savās runās nosodīju kastāliešu uzpūtību un mākslotību, kā kritizēju šo iedomīgo un izlutušo kastu ar tās kastas garu un elites augstprātību. Tagad izrādījies, ka pasaulīgās dzīves cilvēki ne mazāk dižojas ar savām sliktajām manierēm, savu trūcīgo izglītību, savu skaļo, parupjo humoru, savu stulbi viltīgo aprobežošanos ar šauri praktiskiem, egoistiskiem mērķiem; savā tuvredzīgajā dabiskumā viņi šķita sev ne mazāk vērtīgi, Dievam tīkami un izredzēti kā pats iedomīgākais Valdcellas paraugskolnieks. Vieni smējās par mani un plaukšķināja man pa plecu, citi turpretim atsaucās uz svešādo — kastālisko manī ar neslēptu, saltu naidu, ko zemiskais jūt pret visu cildeno un ko es apņēmos uzskatīt par pagodinājumu.

Uz mirkli apklusis, Deziņori uzmeta skatienu Knehtam, bažīdamies, vai nav to nogurdinājis. Abu skatieni sastapās, un viņš drauga acīs ieraudzīja dziļu uzmanību un vēlīgumu, kas atspirdzināja un nomierināja. Viņš redzēja, ka draugu aizrāvusi viņa grēksūdze, ka tas klausās tā, kā nemēdz klausīties tērgavas vai pat saistošu nostāstu, — klausās saspringti un atdevīgi, it kā meditētu, turklāt ar tādas nesavtības, sirsnīgas labvēlības izteiksmi vaigā, kas viņu aizkustināja, tik sirsnīga, bezmaz bērnišķīga tā viņam likās, un viņš nevilšus izbrīnījās, redzēdams šo izteiksmi tā paša cilvēka sejā, kura daudzveidīgo ikdienas darbu, amata zināšanas un autoritāti augu dienu bija apbrīnojis. Atviegots viņš turpināja:

— Es nezinu, vai mana dzīve bijusi veltīga un pārpratums vien vai arī tai tomēr bijusi kāda jēga. Ja pieņem, ka tai jēga bijusi, tad šī jēga, domājams, rodama apstāklī, ka atsevišķs cilvēks, konkrēts mūsdienu cilvēks, bezgala skaidri un sāpīgi pats pieredzējis un pārliecinājies, cik dziļa kļuvusi plaisa starp Kastāliju un viņa dzimto zemi vai arī otrādi — cik sveša, cik neuzticama mūsu zeme kļuvusi savai viscildenākajai Provincei un tās garam, cik dziļa mūsu zemē ir plaisa starp miesu un dvēseli, ideālu un īstenību, cik maz tie zina un kāro zināt cits par citu. Ja dzīve man lēmusi kādu uzdevumu, kādu ideālu, tad tas bija sintezēt sevī abus principus, kļūt par abu starpnieku, tulku, samierinātāju. Es tiecos to darīt, - bet cietu neveiksmi. Apzinādamies, ka nevaru tev izstāstīt visu savu dzīvi un tu tik un tā nespētu visu saprast, attēlošu tev tikai vienu no tām situācijām, kas raksturo manu neveiksmi. Visgrūtāk toreiz, sākot studiju gaitas augstskolā, bija ne jau paciest apsmieklu un naidīgus izlēcienus, ar kuriem man, kastālietim un priekšzīmīgam jaunietim, bija jāsastopas. Tie nedaudzie jaunie biedri, kuru uztverē mana elites audzēkņa pagātne bija kas izcils un sensacionāls, radīja man pat lielākas grūtības un neērtības nekā pārējie. Nē, sarežģīti, varbūt arī neiespējami bija pasaulīgu cilvēku vidū dzīvot kastālieša cienīgu dzīvi! Iesākumā to tikpat kā nemanīju, ievēroju normas, kuras biju apguvis jūsu vidē, un ilgāku laiku man šķita, ka tās arī šeit ir vietā, ka tās spēcina un pasargā mani, uztur mani možu un garīgi veselu, nostiprina manu apņēmību vienam un patstāvīgi aizvadīt savus studiju gadus maksimāli kastāliskā garā, vadoties vienīgi pēc paša zināšanu alkām un nepakļaujoties augstskolas mācību darba ritumam, kura vienīgais uzdevums ir iespējami īsā laikā iespējami pamatīgi sagatavot studentu algotai profesijai un iznīdēt viņā pēdējo brīvības un universalitātes atskārtu. Bet apbruņojums, ko man līdzi devusi Kastālija, izrādījās, bija bīstams un apšaubāms, — es taču netiecos vientuļnieka rezignācijā saglabāt dvēseles mieru un rāmi apcerīgu garu, es gribēju iekarot pasauli, izprast to pats un piespiest to izprast mani, es gribēju apliecināt dzīvi, varbūt arī atjaunināt to un labot, es alku apvienot sevī un samierināt Kastāliju un pasauli. Kad es pēc kārtējās vilšanās, kārtējā strīda vai uztraukuma gremdējos meditācijā, tā man sākumā ik reizi kļuva par svētīgu atslodzi, dziļu atelpu, atgriešanos labu, draudzīgu varu paspārnē. Ar laiku tomēr nomanīju, ka tieši gremdēšanās sevī, kalpošana garam un gara vingrinājumi izolē mani, dara tik netīkami svešu citiem, bet pašam liedz īsti izprast citus. Es pārliecinājos, ka tikai tad īsti sapratīšu citus, šos laicīgās pasaules ļaudis, ja atkal kļūšu tāds pats kā viņi, ja nebūšu pārāks par viņiem, ja man nebūs nekādu priekšrocību, arī šīs iespējas patverties apcerē. Protams, nav izslēgts, ka izskaistinu notikušo, interpretēdams to šādi. Varbūt, pat ļoti iespējams, es, palicis bez līdzīgu audzināšanu guvušiem domubiedriem, bez skolotāju uzraudzības, bez pasargājošās un dziedinošās Valdcellas atmosfēras, pamazām kļuvu nedisciplinēts, laisks un paviršs, paļāvos rutīnai un brīžos, kad mani mocīja sirdsapziņas pārmetumi, taisnodamies iegalvoju sev, ka dzīve šajā pasaulē — neko darīt — nav iedomājama bez rutīnas un ka, ļaudamies tai, labāk sāku izprast apkārtējos. Sarunā ar tevi nevēlos neko izskaistināt, taču tāpat nevēlos noliegt un noslēpt, ka pūlējos, centos un cīnījos — arī tad vēl, kad maldījos. Es nemānīju sevi. Bet neatkarīgi no tā, vai mans mēģinājums izprast šo dzīvi un iekļauties tajā bija vai nebija tikai iedoma, notika, protams, nenovēršamais: pasaule bija stiprāka par mani, tā pamazām pieveica un aprija mani; bija tieši tā, it kā dzīve tiektos turēt mani pie vārda un viscaur pielīdzināt tai pasaulei, kuras pareizību, pirmatnīgumu, spēku un ontoloģisko pārākumu es mūsu Valdcellas disputos tik kvēli cildināju un aizstāvēju pret savu loģiku.

Tu šīs vārdu kaujas, protams, atceries. Bet tagad man tev jāatgādina kas cits, ko tu, jādomā, sen esi aizmirsis, tādēļ ka tavās acīs tam nebija nozīmes. Toties man tas bija ļoti svarīgi, svarīgi un briesmīgi. Mani studiju gadi bija pagājuši, es biju pielāgojies, biju uzvarēts, taču ne jau pavisam, gluži otrādi, sirdī vēl arvien uzskatīju sevi par jūsējo un ticēju, ka, šad tad piemērodamies un pieskaņodamies apstākļiem, rīkojos drīzāk aiz dzīves gudrības un brīva prāta nekā aiz zaudētāja pakļāvības. Vēl arvien nebiju atteicies no vienas otras jaunības gadu paražas un vajadzības, arī no Stikla pērlīšu spēles ne, kam, domājams, nebija lielas jēgas, jo, nevingrinoties un netiekoties diendienā ar līdzvērtīgiem un it īpaši ar stiprākiem partneriem, neko taču nevar iemācīties, spēlēšana vienatnē labākajā gadījumā aizstāj šādas nodarbības tāpat, kā monologs aizstāj īstu, dabisku dialogu. Tātad īsti neapzinādamies, kas ar mani notiek, vai esmu paturējis savu spēles māku, savas zināšanas, visu, ko man bija devuši elites skolas gadi, tomēr centos paglābt šīs vērtības vai vismaz daļu šo vērtību; kad es vienam otram toreizējam draugam, kas gan centās runāt līdzi, ja saruna skāra Stikla pērlīšu spēli, kaut pašam ne jausmas nebija par tās garu, uzmetu kādas partijas shēmu vai analizējot aprādīju tās tēmu, šādam galīgam nezinim laikam gan radās iespaids, ka pesteļoju. Trešajā vai ceturtajā studiju gadā ierados Valdcellā, lai piedalītos kādos Spēles kursos, un tikšanās ar šīm vietām, ar pilsētiņu, ar mūsu veco skolu un Spēlētāju ciematu man uzvēdīja grūtsirdīgu prieku; bet tevis nebija, tu toreiz studēji kur citur — Monporā vai Keiperheimā, un tevi uzskatīja par centīgu savrupcela gājēju. Kursi, kuros es piedalījos, bija brīvdienu nodarbības mums, nabaga pasaulīgajiem ļautiņiem un diletantiem, tomēr tie prasīja no manis lielu piepūli un es biju itin lepns, galu galā saņemdams visparastāko "trijnieku", apmierinošu atzīmi, kas tās īpašniekam dod tiesības citu gadu no jauna piedalīties tādos pašos kursos.

Pagāja vēl daži gadi, es sasparojos no jauna, atkal pieteicos brīvdienu kursos, kurus vadīja tavs priekštecis, un darīju visu, ko spēju, lai Valdcellā nepaliktu gluži kaunā. Es pārlasīju savus vecos pierakstus, mēģināju arī veikt vienu otru koncentrācijas vingrinājumu, vārdu sakot, izmantodams savas pieticīgās iespējas, trenēdamies, attiecīgi noskaņodams sevi, apkopodams domas, gatavojos šiem brīvdienu kursiem aptuveni tāpat kā īsts Stikla pērlīšu spēles adepts lielajām gadskārtējām Spēlēm: tāds es ierados Valdcellā, kur pēc vairāku gadu prombūtnes jutos vēl jo svešāks, bet reizē vēl jo vairāk saviļņots, it kā būtu atgriezies skaistā, zaudētā dzimtenē, kuras valodu vairs labi neatceros. Un šoreiz piepildījās arī mana dedzīgā vēlēšanās satikt tevi. Vai atceries mūsu tikšanos, Jozef?

Knehts nopietni ielūkojās drauga acīs un pamājis viegli pasmaidīja, taču nebilda ne vārda.

— Labi, — turpināja Deziņori, — tu tātad atceries. Bet ko tu atceries? Īsu atkalredzēšanos ar skolasbiedru, nenozīmīgu satikšanos un vilšanos; cilvēks iet savu ceļu un vairs nedomā par tikšanos, ja vien otrs pēc vairākiem gadu desmitiem ne visai pieklājīgi neatsauc to viņam atmiņā. Vai tā nav? Vai kas bija citādi, vai šī tikšanās nozīmēja tev ko vairāk?

Deziņori bija stipri satraukts, kaut nepārprotami centās valdīties; šķita, ka izlauzties tiecas kas ilgos gados uzkrāts un iekšēji nepārvarēts.

— Tu spried pārsteidzīgi, — ļoti saudzīgi iebilda Knehts. — Ko šī tikšanās nozīmēja man, par to runāsim vēlāk, kad būs mana kārta atskaitīties. Pagaidām runā tu, Plīnio! Redzu, šī tikšanās tev nav bijusi tīkama. Arī man tā tāda nebija. Tagad stāsti tālāk, kā toreiz īsti bija. Runā vaļsirdīgi!

— Mēģināšu būt atklāts, — attrauca Plīnio. — Es netaisos izteikt tev pārmetumus. Man pat jāatzīst, ka tu toreiz izturējies pret mani caurcaurēm korekti — pat vairāk nekā korekti. Sekodams tavam aicinājumam apciemot Valdcellu, kuru kopš tiem otrajiem brīvdienu kursiem ne reizi vairs nebiju redzējis, pat agrāk, jau toreiz, kad piekritu savai ievēlēšanai Kastālijas lietu komisijā, es loloju domu sastapt tevi, lai runātu par šo tikšanos, vienalga, vai tas mums abiem būtu vai nebūtu patīkami. Tagad es turpinu savu stāstu. Ieradies uz kursiem, apmetos viesu namā. Gandrīz visi kursu dalībnieki bija aptuveni manos gados, daži pat krietni vien vecāki; salasījās, augstākais, cilvēku divdesmit, galvenokārt kastālieši — vai nu slikti, apātiski, palaidušies Spēles pratēji, vai arī iesācēji, kam gaužām novēloti bija radusies doma kaut nedaudz apgūt Spēli; jutos atvieglots, kad noskaidrojās, ka viņu vidū nav neviena paziņas. Lai gan kursu vadītājs, kāds Arhīva darbinieks, visai centās un bija ļoti laipns, nodarbībām bezmaz no pirmās dienas piemita otršķirīga, nevienam nevajadzīga pasākuma, teiksim, labošanas skolas iezīmes, uz ātru roku savāktajiem gadījuma rakstura kursantiem tikpat maz ticot nodarbību jēgai un rezultātam, kā pašam skolotājam, kaut arī neviens to atklāti neatzina. Gribot negribot radās jautājums, kālab nākusi kopā šī saujiņa ļaužu un brīvprātīgi dara to, kas pašai nav pa spēkam, neliekas arī tai pietiekami interesants, lai rosinātu neatlaidīgi strādāt un nest upurus, un kālab mācīts speciālists piekritis strādāt ar šo grupu un liek tai vingrināties, ja pats uz panākumiem necer. Toreiz tas man nebija skaidrs, tikai daudz vēlāk vairāk pieredzējuši ļaudis pastāstīja, ka, piedaloties šajos

221

kursos, man gluži vienkārši nav veicies, ka gadījumā, ja dalībnieku sastāvs bijis mazliet citāds, mācības būtu varējušas kļūt rosinošas un saturīgas, pat aizrautīgas. Kā man vēlāk paskaidroja, nereti pietiekot divu dalībnieku, kas iekvēlina viens otru vai jau agrāk bijuši pazīstami un tuvi, lai iejūsminātu visu kursu un arī pašu vadītāju. Tu esi Stikla pērlīšu spēles maģistrs, tev tas labāk zināms. Man tātad nebija palaimējies, mūsu gadījuma rakstura kopībai pietrūka sīkas, rosinošas šūniņas, mēs neiesilām, neiejūsminājāmies, nodarbības bija un palika pelēcīgs atkārtojuma kurss pieaugušiem. Ritēja dienas, un vilšanās augtin auga. Tiesa, bez Stikla pērlīšu spēles eksistēja Valdcella, vieta, ar kuru man saistījās svētas un rūpīgi glabātas atmiņas, un, ja kursi mani neapmierināja, palika tomēr pārnācēja svētku noskaņa, saskare ar bijušo dienu biedriem, varbūt arī atkalredzēšanās ar biedru, kuru atcerējos jo bieži un spilgti, ar biedru, kurš manās acīs vairāk nekā jebkurš cits pārstāvēja mūsu Kastāliju, — ar tevi, Jozef! Ja man izdotos satikt dažus jaunības un skolas gadu biedrus, ja es, dodamies pastaigās pa skaisto, sirdij tik mīļo apvidu, atkal sastaptu jaunības dienu labos garus, ja arī tu no jauna tuvotos man un mūsu saruna kā senāk kļūtu par domu apmaiņu — ne tikai starp tevi un mani, bet arī starp manu Kastālijas problēmu un mani pašu —, tad man vairs nebūtu žēl nedz zaudēto brīvdienu, nedz kursiem ziedotā laika, nedz visa pārējā.

Tie divi skolasbiedri, kas pirmie man gadījās ceļā, bija lāga zēni, iepriecināti tie sita man uz pleca un vientiesīgi izvaicāja mani par manu pasakaino dzīvi pasaulē. Daži citi, ko sastapu, tik lādzīgi nelikās, tie bija Spēlētāju ciemata iemītnieki, elites jaunākās paaudzes pārstāvji, naivus jautājumus tie neuzdeva, toties, ja gadījās sastapties kādā tavas svētnīcas telpā — citas iespējas nebija — sveicināja mani izsmalcināti, pat drusku pārspīlēti laipni, pareizāk sakot, vēlīgi, nevarēdami vien diezgan uzsvērt, ka aizņemti ar svarīgām un man nesaprotamām lietām, un likdami noprast, ka viņiem nav ne laika, ne patikas, ne intereses, ne vēlēšanās atjaunot seno pazīšanos. Neko darīt, es viņiem neuzplijos un liku viņus mierā — olimpiskā, apskaidrotā, zobgalīgā kastāliešu mierā. Es vēroju šos ļaudis, šo ļaužu moži rosīgās dienas gaitas kā ieslodzītais caur cietuma loga restēm vai arī tā, kā nabagie, bada cietēji un apspiestie nolūkojas uz aristokrātiem un bagātniekiem, uz līksmajiem, glītajiem, izglītotajiem, labi audzinātajiem dīkdieņiem ar koptajām sejām un rokām.

Tad uzradies tu, Jozef, un manī modās prieks un jaunas cerības, līdzko ieraudzīju tevi. Tu soļoji pāri pagalmam, es redzēju tevi no muguras, pazinu pēc gaitas un tūliņ saucu vārdā. "Beidzot īsts cilvēks," nodomāju, "beidzot draugs, varbūt arī pretinieks, tomēr tāds, ar kuru var parunāties, tiesa gan, īsts arhikastālietis, tomēr cilvēks, kam kas- tālieša vaibsti nav stinga maska, nav bruņas, — cilvēks, ar kuru var saprasties!" Tu nevarēji nepamanīt, cik priecīgs biju, cik lielas bija manas cerības, un tu tik tiešām izturējies nevainojami laipni. Tu vēl atcerējies mani, es tev nebiju kļuvis vienaldzīgs, tu priecājies, ierau- dzījis manu seju. Un tev nepietika ar īso, līksmo tikšanos pagalmā, tu aicināji mani ciemos un veltīji, ziedoji man veselu vakaru. Bet kas tas bija par vakaru, dārgais Kneht! Kā mēs nopūlējāmies — turklāt abi! — izlikties, ka esam varen labā omā, cik pieklājīgi, gandrīz biedriski centāmies būt, kā mums nevedās saruna, cilājot tēmu pēc tēmas! Pārē- jie bija izturējušies pret mani vienaldzīgi, bet tas te bija daudz ļaunāk — šī saspringtā, veltīgā cenšanās atjaunot seno draudzību sāpināja vairāk. Tovakar man zuda pēdējās ilūzijas, man nepārprotami lika noprast, ka esmu ne jau draugs un domubiedrs, kastālietis, izcila per- sonība, bet gan apnicīgs, pieglaimīgs nejēga, neizglītots ārzemnieks, un vēl jo ļaunāk man šķita, ka viss noris tik korekti un ārēji skaisti, ka vilšanās un nepacietība tik nevainojami tiek slēptas. Būtu tu mani bāris, izteicis man pārmetumus, būtu tu mani apsūdzējis: "Par ko tu esi kļuvis, draugs, kā tu varēji tā pagrimt?" — es justos laimīgs un ledus būtu lauzts. Bet nekas tamlīdzīgs nenotika. Es pārliecinājos, ka vairs nepiederu Kastālijai, ka pienācis gals manai mīlestībai uz jums un manām Stikla pērlīšu spēles studijām, mūsu draudzībai. Repeti- tors Knehts bija uzņēmis uzbāzīgu viesi, veselu vakaru nomocījies un nogarlaikojies kopā ar viņu un pēc tam nevainojami laipnā veidā izvadījis viņu pa durvīm.

Cenzdamies apvaldīt satraukumu, Deziņori apklusa un izmocītu seju paskatījās uz Maģistru. Tas sēdēja, vērīgi klausīdamies, aizmirsis visu citu, bet satraukts nelikās it nemaz un noraudzījās uz veco draugu ar laipni līdzjūtīgu smaidu. Tā kā draugs turpināja klusēt, Knehts ne- novērsa no viņa savu rāmo skatienu, kurā jautās labvēlība un pavīdēja gandarījuma izteiksme, pat kas līdzīgs patikai; arī Deziņori veselu minūti vai vēl ilgāk drūmi vērās viņa acīs.

— Tu smejies? — pēc brīža strauji, bet bez nikuma iesaucās Plīnio. — Tev šķiet, ka viss ir kārtībā?

— Man jāatzīst, — smaidīdams atbildēja Knehts, — ka tu lieliski atainoji mūsu tikšanos; viss bija tieši tā, kā tu to attēloji, un arī aizvai- nojuma un nosodījuma atskalas tavā balsī varbūt bija nepieciešamas, lai šo ainu tik spilgti un pilnīgi atsauktu atmiņā. Turklāt tu, lai gan, redzams, vēl aizvien diemžēl raugies uz notikušo ar tās dienas acīm un šo to vēl neesi pārsāpējis, objektīvi un pareizi parādīji mazliet neveiklo situāciju, kurā bijām iekūlušies — divi jauni cilvēki, kas spiesti mazdrusciņ izlikties, — situāciju, kurā viens no mums, proti, tu, kļūdījās, savas neviltotās un dziļās ciešanas slēpdams aiz ārējas bravūras, lai gan pareizāk būtu bijis noņemt masku. Rodas pat iespaids, ka tu par toreizējās tikšanās neveiksmi vaino drīzāk mani nekā sevi, kaut gan tieši tavos spēkos bija grozīt situāciju. Vai tu tiešām to nemanīji? Bet pašu situāciju, tas jāatzīst, tu attēloji labi. Es, nudien, no jauna izjutu, cik bezgala nomākts, cik apmulsis jutos tai savādajā vakara stundā; brīžam man likās, ka man atkal stingri jāsaņemas, lai valdītu pār sevi, un man bija tā kā kauns par mums abiem. Jā, tavs stāstījums bija precīzs. Tīrā bauda dzirdēt ko tādu.

— Neko darīt, — atsāka Plīnio, nedaudz izbrīnījies, un viņa balsī vēl aizvien bija saklausāma aizvainojuma un neuzticības pieskaņa, — jāpriecājas, ka vismaz vienu no mums stāsts uzjautrinājis. Jāteic gan, man toreiz joki ne prātā nebija.

— Bet tagad, — attrauca Knehts, — tagad tu taču redzi, cik amizants mums abiem var likties notikušais, kas ne vienam, ne otram īsti godu nedara? Mums atliek par to tikai pasmieties.

— Pasmieties? Kādēļ gan?

— Tādēļ, ka stāsts par bijušo kastālieti Plīnio, kurš cenšas apgūt Stikla pērlīšu spēli un iemantot bijušo biedru atzinību, ir galā un sen aizmirsts, tāpat kā stāsts par pieklājīgo repetitoru Knehtu, kas, par spīti kastālieša uzvedībai, nemaz arī neprata slēpt savu apmulsumu par viesi, kurš bija kā no gaisa nokritis, tā ka vēl šodien, pēc tik daudziem gadiem, kā spogulī redz pats savu apjukušo seju. Vēlreiz, Plīnio, tev ir laba atmiņa, un stāstīt tu proti — es tā vis neprastu. Tīrā laime, ka stāsts ir galā un varam par to pasmieties.

Deziņori apmulsa. Viņš manīja gan, ka Maģistra labajai omai piemīt kas tīkams un sirsnīgs, ka tajā nav ne vēsts no zobgalības, samanīja arī, ka aiz šīs līksmes slēpjas kas dziļi nopietns, taču stāstīdams pārlieku sāpīgi bija izjutis toreizējo rūgtumu, turklāt stāstījums tik ļoti bija atgādinājis grēksūdzi, ka viņš nespēja uzreiz mainīt toni.

— Liekas, tu tomēr neizproti, — viņš teica vilcinādamies, pa pusei jau citā noskaņojumā, — ka tas, ko tev pastāstīju, man nav gluži tas pats, kas bija tev. Tev tas, augstākais, bija nepatīkams atgadījums, man — sakāve, sabrukums, starp citu, arī aizsākums svarīgām dzīves pārmaiņām. Toreiz, līdzko beidzās kursi, atstājis Valdcellu, es nolēmu nekad vairs tur neatgriezties, es bezmaz ienīdu Kastāliju, jūs visus. Savas ilūzijas es biju zaudējis un atzinis, ka vairs neesmu jūsējais, varbūt arī agrāk neesmu tas bijis tiktāl, kā pats iztēlojos, un trūka pavisam maz, lai es kļūtu par renegātu un niknu Provinces nīdēju.

Jautri un reizē pētoši draugs vēroja viņu.

— Protams, — viņš teica, — un par to visu tu, cerams, citkārt man pastāstīsi. Bet šodien situācija, kurā atrodamies, manuprāt, tomēr ir šāda: agrā jaunībā mēs bijām draugi, pēc tam mūs izšķīra un mēs gājām katrs savu — atšķirīgu ceļu; tad satikāmies atkal: tas bija toreiz, tavu neveiksmīgo brīvdienu kursu laikā, tu pa pusei, varbūt arī pavisam, biji kļuvis par pasaulīgās dzīves cilvēku, es — par mazliet iecildīgu valdcellieti, kam pārāk rūp kastāliskās uzvedības normas, un šo tikšanos, kas mums abiem radīja vilšanos un mūs abus apkauno, mēs atcerējāmies šodien. Mēs no jauna ieraudzījām sevi un savu toreizējo apjukumu, un mēs izturējām šo pārbaudi un spējām pasmieties par bijušo, jo šodien viss ir citādi. Es neslēpšu, ka iespaids, ko tu toreiz uz mani atstāji, mani tik tiešām bezgala samulsināja, šis iespaids bija visnotaļ netīkams, negatīvs, es netiku gudrs, kā lai ar tevi runāju, tu likies man negaidīti, satriecoši, neciešami negatavs, rupjš, pasaulīgs. Es biju jauniņš kastālietis, kas nepazīst un būtībā arī nevēlas pazīt pasauli, un tu — nu, tu biji jauniņš svešinieks, kuru vērojot netiku īsti gudrs, kādēļ tas atbraucis un piedalās Spēles kursos, jo tu nemaz vairs neatgādināja elites skolas audzēkni. Tu toreiz bojāji man nervus, tāpat kā es tev. Tev, protams, šķita, ka esmu uzpūtīgs valdcellietis, kam nopelnu nav, bet kas modri cenšas ieturēt atstarpi starp sevi un nekastālieti, Spēles diletantu, un tu manā uztverē biji kas līdzīgs barbaram vai pusizglītotam cilvēkam, kurš pieteic uzmācīgas, nepamatotas, sentimentālas prasības uz manu interesi un draudzību. Mēs atgaiņājāmies viens no otra, bezmaz ienīdām viens otru. Mums neatlika nekas cits kā vien iet katram savu ceļu, jo nespējām viens otram neko dot un atzīt viens otra taisnību.

Bet šodien, Plīnio, mēs varam celt gaismā kauņīgi apraktās atmiņas par šo tikšanos un varam par tām pasmieties, jo šodien mēs tiekamies citādi, ar gluži citiem nolūkiem un citām iespējām — bez sentimentiem, bez aizturētas greizsirdības un naida jūtām, bez iecildības —, kā nekā jau sen esam vīra gados.

Deziņori atraisīti pasmaidīja, taču vēl pavaicāja:

— Vai par to varam būt droši? Labas gribas mums galu galā netrūka arī toreiz.

— Netrūka gan, — iesmējās Knehts. — Un ar visu labo gribu tomēr neizturami mocījāmies un nopūlējāmies. Mēs toreiz instinktīvi necietām viens otru, likāmies viens otram sveši, traucējoši, neizprotami un pretīgi, un tikai iedomāts pienākums, iedomāta kopības apziņa spieda mūs veselu vakaru tēlot šo mokošo farsu. Es atskārtu to pavisam skaidri, līdzko tu biji aizgājis. Nedz bijusī draudzība, nedz bijusī sāncensība vēl nebija īsti pārvarētas. Par savu pienākumu mēs

225

uzskatījām tās atrakt un kaut kā vilkt garumā, nevis ļaut tām nomirt. Mēs jutāmies kā parādnieki un nezinājām, kas jādara, lai parādu segtu. Vai tā nav?

— Manuprāt, — domīgs attrauca Plīnio, — tu vēl šobrīd esi pārāk pieklājīgs. Tu runā par mums abiem, it kā mēs abi būtu meklējuši un nebūtu atraduši viens otru. Meklējošais, mīlošais biju tikai es, un arī vilšanās un sāpes bija vien mana tiesa. Kas tad mainījās tavā dzīvē, es vaicāju, pēc mūsu tikšanās? Nekas! Turpretī manā mūžā tā iezīmēja spēju un sāpīgu pavērsienu, tādēļ es nevaru, kā tu to dari, pasmieties par notikušo.

— Piedod, — laipni viņu nomierināja Knehts, — es, liekas, biju pārsteidzīgs. Ceru, ka ar laiku piedabūšu tevi pasmieties kopā ar mani. Tev taisnība, ievainotais toreiz biji tu — tiesa, ne jau es ievainoju tevi, kā tev likās un, šķiet, liekas vēl šodien, vainīga bija atsvešināšanās, tā dziļā plaisa, kas pasauli nošķir no Kastālijas. Skolas gados mums šķita, ka mūsu draudzība palīdz šo plaisu pārvarēt, un piepeši tā atkal pavērās mūsu priekšā — biedīgi plata un bezdibenīga. Reiz jau tu vaino mani, pasaki, lūdzu, atklāti, par ko tieku apsūdzēts!

— Ak, apsūdzība tā nebija nekad, drīzāk jau gaušanās! Toreiz tu to nesaklausīji un arī šodien, rādās man, nevēlies uzklausīt. Jau toreiz tu atbildēji ar smaidu un nevainojamu stāju, un šodien tu rīkojies tieši tāpat.

Plīnio nespēja rimties, lai gan Maģistra skatiens liecināja par draudzīgām, dziļi labvēlīgām jūtām. Viņš jutās tā, it kā reizi par visām reizēm būtu jāatbrīvojas no šīm sāpīgajām izjūtām, jānomet nasta, ko tik ilgi nesis.

Knehta sejas izteiksme nepārmainījās. Brīdi padomājis, viņš piesardzīgi teica:

— Tikai tagad, liekas, sāku tevi saprast, draugs. Varbūt tev taisnība un mums par to vajadzētu runāt. Šobrīd gribu tikai atgādināt, ka tev īstenībā vien tad būtu tiesības prasīt, lai izprotu to, ko tu dēvē par gaušanos, ja tu šo gaušanos ietērptu vārdos. Tai vakarā, kad abi tērzējām viesu namā, tu vis negaudies, gluži otrādi, tāpat kā es, tu brašojies un bramanējies, cik spēdams, tu līdzīgi man tēloji veiksminieku, cilvēku, kam nav par ko žēloties. Toties klusībā, kā tagad uzzinu, tu gaidīji, ka sadzirdēšu tavu vārdos neizteikto gaušanos un aiz maskas saskatīšu tavu patieso seju. Tiesa, šo to man toreiz izdevās saskatīt, lai arī ne tuvu visu. Bet kā lai es, neaizvainojot tavu lepnumu, liktu tev noprast, ka raizējos par tevi, ka man tevis žēl? Un ko tas būtu līdzējis — izstiept tev pretī roku, ja šī roka vēl bija tukša un man nebija ko tev dot — ne padoma, ne mierinājuma, ne draudzības, reiz jau gājām šķirtus ceļus? Jā gan, tava slēptā neapmierinātība, tavs posts, ko tu piesedzi ar nebēdīgu mēļošanu, man bija netīkami, traucēja mani, runājot atklāti, likās man pretīgi, tajos jautās pretenzija uz iejūtību un līdzcietību, kam neatbilda tava izturēšanās, tai piemita kas bērnišķīgi uzmācīgs, kā man šķita, un tas vienīgi padarīja manas jūtas vēsākas. Tu pretendēji uz manu draudzību, tu gribēji būt kastālietis, Stikla pērlīšu spēles adepts, bet likies tik neapvaldīts, tik ērmots, tik egoistisku jūtu pārņemts! Apmēram tāds toreiz bija mans spriedums, jo es itin labi redzēju, ka no kastālieša tevī maz kas palicis pāri, tu acīmredzot biji aizmirsis pat galvenās kastālieša uzvedības normas. Galu galā tā nebija mana darīšana. Bet kādēļ tu tādā gadījumā ieradies Valdcellā un tiecies mūs sveikt kā savus biedrus? Tas, kā jau teicu, kaitināja mani, likās man pretīgi, un tev toreiz visnotaļ bija taisnība, uzskatot manu pārspīlēto laipnību par noraidījumu. Jā, es instinktīvi noraidīju tevi, taču ne jau tāpēc, ka tu biji pasaules cilvēks, bet gan tāpēc, ka tu vēlējies, lai tevi notur par kastālieti. Kad tu pēc tik daudziem gadiem nesen atkal ieradies šeit, nekas tamlīdzīgs tevī vairs nebija noskāršams, tu izskatījies kā jau cilvēks, kas dzīvo pasaulīgu dzīvi, un runāji tā, kā mēdz runāt aizrobežas ļaudis, — jo sevišķi mani saviļņoja un aizkustināja skumju, sāpju vai bēdu izteiksme tavā sejā, tomēr itin viss — tava stāja, tava valoda, pat tava skumība man patika, tā bija skaista, atbilda tavai būtībai, bija tevis cienīga, nekas neizraisīja manī nepatiku, es pieņēmu un atzinu tevi tādu, kāds biji, bez jebkādām pretrunīgām izjūtām, pārspīlēta pieklājība vai poza šoreiz bija lieka, tāpēc es nekavējoties sniedzu tev drauga roku, cenzdamies apliecināt savu mīlestību un līdzdalību. Šoreiz viss bija citādi nekā toreiz, šoreiz drīzāk es biju tas, kas centās atgūt tavu draudzību, un tu biji tas, kas noslēdzās sevī, tomēr es klusuciešot uzskatīju tavu ierašanos mūsu Provincē un tavu interesi par tās likteņiem par sava veida piekērības un uzticības apliecinājumu. Un galu galā tu atsaucies uz manu aicinājumu, un tagad mēs esam tik tālu, ka varam viens otram izkratīt sirdi un, cerams, atjaunosim agrāko draudzību.

Tu nupat teici, ka toreizējā jaunības gadu tikšanās tev bijusi sāpīga, bet man neko neesot nozīmējusi. Nestrīdēsimies par to, pieņemsim, ka tev taisnība. Toties mūsu tagadējā tikšanās, *amice,* man nebūt nav nenozīmīga, tā nozīmē man daudz vairāk, nekā es varu tev šodien izstāstīt un tu vari iedomāties. Īsi izsakoties, tā man nozīmē ne tikai zaudēta drauga atguvumu un bijušā atdzimšanu jaunā spēkā un ieveidā. Tā pirmām kārtām nozīmē man aicinājumu, pretimnākšanu, tā paver man ceļu uz jūsu pasauli, no jauna izvirza man seno problēmu par mūsu un jūsu sintēzi, un tas viss, saku tev, notiek īstajā brīdī. Šoreiz es neesmu kurls, es esmu dzirdīgāks nekā jebkad agrāk; aicinājums būtībā nenāk man negaidīts, tas neliekas man kaut kas svešs, no ārienes nācis, kas tāds, uz ko var atsaukties vai arī neatsaukties, tas nāk it kā no manis, tā ir atbilde uz vēlmi, kas kļuvusi visai stipra un neatliekama, — atbilde uz nepieciešamību un ilgām, kuras mīt manī pašā. Bet par to citu reizi, ir jau vēls, mums abiem jāatpūšas.

Tu pirmīt pieminēji manu jautrību un savas skumjas un teici, ja nemaldos, ka es nespējot saprast to, ko tu dēvē par savu "gaušanos", — arī šodien ne, jo uz gaušanos atsaucos ar smaidu. Šeit ir kas tāds, ko īsti neizprotu. Kādēļ gaušanos neuzklausīt jautri, kādēļ smaida vietā skumt līdzi? Ar savām bēdām, ar savu nomāktību tu no jauna esi ieradies Kastālijā pie manis, tādēļ man, šķiet, ir pamats secināt, ka tā varbūt ir tieši mūsu neapmāktā līksme, kas vilina tevi. Bet, ja es nedrīkstu slīgt līdz ar tevi grūtsirdībā un skumjās un aplipt ar tām, tad tas nenozīmē, ka necienu tās un neizturos pret tām nopietni. Es patiesi cienu tavu sejas izteiksmi, zīmogu, ko tev uzspieduši tavs mūžs un liktenis, tas piestāv tev, ir tev piederīgs, bet man ir dārgs un godājams, lai arī ceru, ka vēl redzēšu, kā tas ar laiku pārmainās. Kā šī izteiksme radusies, varu vienīgi nojaust, vēlāk tu pastāstīsi man par to, cik atzīsi par vēlamu, noklusējot visu pārējo. Redzu tikai, ka dzīve, šķiet, nelutina tevi. Bet kādēļ tu domā, ka negribu vai nespēšu pareizi saprast tevi un tavas grūtības?

Deziņori atkal sadrūma.

— Reizēm, — viņš rezignēti teica, — man rodas tāda sajūta, ka mēs ne vien dažādi izsakām savas domas un runājam katrs savā valodā, ko otrs spēj uztvert tikai aptuveni, bet ka vispār esam principiāli atšķirīgas būtnes, kas nekad nesapratīs viena otru. Un, kurš no mums būtībā ir īsts, pilnvērtīgs cilvēks — tu vai es, bet varbūt ne viens, ne otrs —, man nekad nav īsti skaidrs. Bija laiks, kad raudzījos uz jums, Ordeņa ļaudīm un Stikla pērlīšu spēles adeptiem, no lejas uz augšu — ar pielūgsmi, paša mazvērtības apziņu un skaudību, it kā jūs būtu mūžam līksmi, mūžam ar rotaļām un savas esmes izbaudu aizņemti dievi vai pārcilvēki. Citkārt jūs man likāties te apskaužami, te nožēlojami un nicināmi, atgādinājāt man bezdzimuma būtnes, lemtas nebeidzamai bērnībai, naivas kā bērni un bērnišķīgas savā kaislībām svešajā, kārtīgi iežogotajā, glīti uzpostajā bērnudārza rotaļu pasaulē, kur ikvienam liek rūpīgi izšņaukt degunu un apspiesta tiek jebkura nevēlama jūtu vai domas rosība, kur augu mūžu iet rātnās, ar risku un ar asinsizliešanu nesaistītās rotaļās un jebkuru traucējošu dzīvības izpausmi, jebkuras lielas jūtas, jebkuru īstu kaislību tūdaļ pakļauj kontrolei, novada un padara nekaitīgu ar meditatīvās terapijas palīdzību. Vai tā nav sterilizēta, skolmeistariski apcirpta pasaulīte — kompromisa un šķituma pasaule, kurā jūs veģetējat, pasaule bez netikuma, bez kaislībām, bez bada, bez sulas un sāls, pasaule bez ģimenes, bez mātēm un bērniem, tikpat kā bez sievietes! Dziņu dzīve ir meditatīvi piejaucēta, bīstamas, riskantas lietas, par kurām grūti uzņemties atbildību — piemēram, ekonomika, tieslietas, politika, — kopš paaudžu paaudzēm atstātas citu ziņā; ģļēvulīgi, aizvējā, bez rūpēm par iztiku un bez apgrūtinošiem pienākumiem jūs parazitējat kā trani un aiz gara laika cītīgi izklaidējaties ar visām šīm augstajām zinībām — skaitāt zilbes un burtus, muzicējat, spēlējat Stikla pērlīšu spēli, bet tikmēr tur ārā, netīrajā pasaulē, nelaimīgi, nodzīti cilvēki dzīvo patiesu dzīvi un dara īstu darbu.

Knehts noklausījās to visu ar neatslābstošu, laipnu uzmanību.

— Mīļais draugs, — viņš apdomīgi ierunājās, — tavi vārdi visai spilgti atsauc man atmiņā mūsu skolas gadus un tavu toreizējo kritiku un agresivitāti. Tikai man šodien citi pienākumi nekā toreiz; mans uzdevums šodien nav aizstāvēt Ordeni un Provinci pret taviem uzbrukumiem, un man itin pa prātam, ka šoreiz man nav nekādas daļas gar šo grūto uzdevumu, kuru veicot reiz tik tikko nepārpūlējos. Tādu spožu triecienuzbrukumu, kādā tu nupat meties, atvairīt, proti, pagrūti. Tu, piemēram, runā par ļaudīm, kas tur ārā, aiz Kastālijas robežām, "dzīvo patiesu dzīvi un dara īstu darbu". Tas izklausās tik neapstrīdami, tik skaisti un vaļsirdīgi — gandrīz kā aksioma, un tas, kas sadomātu apstrīdēt šo aksiomu, būtu spiests puslīdz nepieklājīgi atgādināt oratoram, ka viņa "īstais darbs" ietver arī līdzdalību komisijā, kurai uzdots rūpēties par Kastālijas labklājību un pastāvēšanu. Bet jokus pie malas! No taviem vārdiem un tavas balss noskaņas noprotu, ka sirdī tev aizvien vēl naids pret mums, bet reizē arī izmisīga mīla un skaudīgas ilgas. Tavās acīs mēs esam ģļēvuļi, trani vai bērni, kas ciemojas bērnudārzā, taču bijis arī laiks, kad esam tev likušies mūžam līksmi dievi. Vismaz vienu secinājumu, uzklausījis tevi, varu izdarīt: tavās skumjās, tavā nelaimē — vai kā vēl šīs izjūtas lai nosaucam — Kastālija laikam gan nav vainojama, tām ir cits cēlonis. Ja vainīgie būtu mēs, kastālieši, tu šodien neatkārtotu tos pašus pārmetumus un iebildumus, kurus izteici mūsu zēna gadu strīdos. Turpmākajās sarunās tu pastāstīsi man vairāk par sevi, un es nešaubos, ka mēs atradīsim veidu, kā padarīt laimīgāku un līksmāku tevi vai vismaz brīvāku un iecietīgāku tavu attieksmi pret Kastāliju. Cik spēju saskatīt šodien, tava attieksme pret mums un Kastāliju, vienlīdz arī pret paša jaunību un skolas gadiem, ir neīsta, saspringta, sentimentāla. Tu pats esi sašķēlis savu dvēseli divās daļās — kastāliskajā un pasaulīgajā, un tu pārlieku nomokies ar problēmām, par kurām neesi atbildīgs. Nav izslēgts, ka pret citām problēmām, par kurām esi tieši atbildīgs, tu toties izturies pavirši. Man ir aizdomas, ka tu jau labi sen neesi meditējis. Vai man taisnība?

Deziņori izmocīts iesmējās.

— Cik vērīgs tu esi, *domine*! Jau labi sen, tu saki? Pagājuši daudzi jo daudzi gadi kopš tā laika, kad atteicos no meditāciju burvestiem. Cik norūpējies par mani tu pēkšņi esi! Toreiz, kad jūs šeit, Valdcellā, manu brīvdienu kursu laikā man izrādījāt tik lielu laipnību un nicināšanu, tik augstprātīgi noraidījāt manas draudzības alkas, es, atgriezies mājās, cieši apņēmos uz visiem laikiem izskaust sevī visu kastālisko. Es atteicos no Stikla pērlīšu spēles, es nemeditēju vairs, ilgi man riebās pat mūzika. Toties atradu jaunus draugus, kas iemācīja mani baudīt laicīgās dzīves priekus. Mēs dzērām un dzīvojām netiklu dzīvi, mēs izmēģinājām visus pieejamos narkotiskos līdzekļus, mēs apspļaudījām un apsmējām visu krietno, godājamo, ideālo. Tik krasā veidā tas, protams, neturpinājās ilgi, taču ilgi diezgan, lai man nokodinātu pēdējos kastāliskā uzspodrinājuma paliekas. Un, kad dažus gadus vēlāk man gadījās atzīt, ka esmu šāvis pār strīpu un ka man lieti noderētu pavingrināties meditēšanā, biju kļuvis par lepnu, lai sāktu visu no gala.

— Par lepnu? — klusi pārvaicāja Knehts.

— Jā, par lepnu. Biju jau pāri galvai iegremdējies pasaulīgajā dzīvē, kļuvis par pasaulīgās dzīves cilvēku. Es vairs nevēlējos atšķirties no citiem, nevēlējos dzīvot citu dzīvi kā vien to, ko dzīvoja visi, — kvēlmainu, bērnišķīgu, cietsirdīgu, nesavaldīgu, svaidoties starp laimi un bailēm; es noniecināju iespēju, lietojot jūsu līdzekļus, drusku atvieglot sev dzīvi, atgūt privileģētu stāvokli.

Maģistrs uzmeta viņam urbīgu skatienu.

— Un tādu dzīvi tu izturēji, pacieti gadiem ilgi? Un nemeklēji citus līdzekļus, lai darītu tai galu?

— O jā, — atzinās Plīnio, — es darīju to un daru vēl tagad. Gadās dienas, kad atkal dzeru, un parasti nespēju iemigt, neieņēmis ko narkotisku.

Mirkli Knehts, it kā piepeši pagurtu, pievēra acis, tad, nenovērsdams skatienu, no jauna vēroja draugu. Klusēdams viņš lūkojās drauga sejā — vispirms pētoši, nopietni, pēc tam arvien maigāk, laipnāk un līksmāk. Deziņori piezīmēs teikts, ka nekad agrāk viņš neesot redzējis cilvēka acis, kas reizē būtu tik pētošas un tik laipnas, tik nevainīgas un tik prasīgas, tik starojoši vēlīgas un visu zinošas. Viņš atzīstas, ka šis skatiens viņu mulsināja un kaitināja, bet tad nomierināja un pamazām pakļāva savai maigajai varai. Viņš tomēr vēl mēģināja pretoties.

— Tu teici, — viņš bilda, — ka zinot, kā padarīt mani laimīgāku un līksmāku. Bet tu pat nepavaicāji, vai es to vēlos.

— Nu, — iesmējās Jozefs Knehts, — ja mēs spējam padarīt kādu cilvēku laimīgāku un līksmāku, tad tas mums katrā ziņā jādara, vienalga, vai šis cilvēks mūs aicina vai neaicina palīgā. Un vai maz iespējams, ka tu nevēlies, lai tev palīdz? Tādēļ taču tu esi šeit, tādēļ sēžam šeit atkal abi kopā, tādēļ tu esi atgriezies. Tu nīsti Kastāliju, tu nicini to, tu pārāk dižojies ar savu pasaulīgumu un savām skumjām, lai kaut nedaudz atvieglotu pats savu stāvokli, rīkojoties drusku saprātīgāk un meditējot, tomēr slēptas, nevaldāmas alkas pēc mums un mūsu līksmes vadījušas un vilinājušas tevi visus šos gadus, līdz tu biji spiests atgriezties un vēlreiz izmēģināt šeit savu laimi. Un es saku tev: šoreiz tu esi ieradies īstajā brīdī — brīdī, kad arī es bezgala ilgojos pēc aicinājuma no jūsu pasaules, pēc vārtiem, kas man atdarītos. Bet par to nākamreiz! Tu šo to man atklāji, draugs, paldies tev par vaļsirdību, un tu redzēsi, ka arī man šis tas izsūdzams. Ir jau vēls, rīt agri tu aizbrauc, un mani gaida jauna darbadiena, mums jādodas pie miera. Bet vēl stundas ceturksni, lūdzu, veltī man.

Viņš piecēlās, piegāja pie loga un palūkojās augšup, turp, kur starp vēja dzītiem mākoņiem svēdroja naksnīgi dzidras debesis un mirgoja zvaigznes. Tā kā Knehts uzreiz neatgriezās savā vietā, piecēlās arī viesis un nostājās viņam līdzās. Maģistrs stāvēja, raudzīdamies augšup, un ritmiski elpoja skaidrās, vēsās rudens nakts gaisu. Pacēlis roku, viņš norādīja uz debesīm.

— Paskaties, — viņš teica, — uz gaismas spraugām mākoņos! Pirmajā mirklī liekas, ka dzīle ir tur, kur debess vistumšākā, taču tūliņ pamanām, ka šī irdā tumsa ir tikai mākoņi, bet Visums ar savām dzīlēm sākas mākoņu grēdu krastos un fjordos, ietiekdamies bezgalībā, kurā svinīgi mirdz zvaigznes — augstākais skaidrības un kārtības simbols mums, cilvēkiem. Ne jau tur pasaule un tās noslēpumi visdziļāki, kur tumsa un tūces, — dziļums ir skaidrībā, līksmē. Uzdrīkstos tevi lūgt, pirms iesi gulēt, brīdi vēl ielūkojies šajos mākoņu līčos un jūras šaurumos ar daudzajām zvaigznēm un neatgaini sapņus vai domas, kas tev tobrīd varbūt radīsies.

Savādas trīsas, nebija izprotams — sāpju vai laimes izjūta, pēkšņi pārņēma Plīnio sirdi. Ar līdzīgiem vārdiem, viņš atcerējās, reiz, pirms neatminamiem laikiem, Valdcellas skolas gadu skaidrajā, līksmajā rītausmā kāds mudināja viņu sākt pirmos meditācijas vingrinājumus.

— Neliedz man bilst vēl dažus vārdus, — klusā balsī atkal ierunājās Stikla pērlīšu spēles maģistrs. — Gribētos pateikt tev šo to par skaidrotību, par zvaigžņu un gara skaidrību, arī par mūsu kastālisko līksmi. Tev ir nepatika pret līksmi, jādomā tāpēc, ka biji spiests iet skumības ceļu, un tagad jebkurš možums, jebkurš līksms noskaņojums, it īpaši tas, kas piemīt mums, kastāliešiem, liekas tev sekls un bērnišķīgs, arī gļēvulīgs — bēgšana no dzīves tiešamības briesmām un dzelmeņiem abstraktu formu un formulu, kailu abstrakciju kristāliski skaidrajā, labiekārtotajā pasaulē. Mans mīļais grūtsirdi, lai arī eksistētu šāda bēgšana, lai arī netrūktu gļēvu un bailīgu, ar abstraktām formulām žonglējošu kastāliešu, lai mūsu vidū to pat būtu vairākums — īstajai līksmei, debesu un gara skaidrībai, tāpēc nezūd nedz vērtība, nedz spožums. Bez lēti apmierinātajiem un viltus skaidrotajiem mūsu vidū mīt arī citi — gan atsevišķi cilvēki, gan veselas paaudzes, kuru līksme ir dziļa un nopietna, nevis rotaļīga un paviršа. Vienu tādu cilvēku es pazinu: tas bija atpūtā aizgājušais Mūzikas maģistrs, kuru arī tu dažas reizes redzēji Valdcellā; šim cilvēkam mūža nogalē tādā pakāpē piemita skaidrotības tikums, ka viņš staroja kā saule, apveltījot visus ar savu labvēlību, dzīvesprieku un labo omu, ar uzticēšanos un paļāvību, tā ka ikviens, kas bijībā vēra šim starojumam sirdi un uzņēma to sevī, arī pats sāka starot. Arī mani apmirdzēja viņa gaisma, arī man viņš atdeva daļiņu sava gaišuma un sirds mirdzuma, tāpat kā mūsu Feromontem un vēl dažam citam. Kļūt tik līksmi skaidrotam man — un līdz ar mani jo daudziem — liekas pats augstākais un cildenākais mērķis. Šīs līksmes netrūkst arī vienam otram mūsu Ordeņa tēvam. Tā nav ne klīrība, ne paštīksme, tā ir augstākā atziņa un mīlestība, visas tiešamības apliecinājums, gara nomods visu dziļu un bezdibeņu malā, tas ir svēto un bruņinieku tikums, tā ir neiznīcīga un ar gadiem, tuvojoties vecumam un nāvei, tikai pastiprinās. Tas ir dailes noslēpums un visas mākslas īstenā substance. Dzejnieks, kas savu vārsmu dejas solī sumina dzīves krāšņumu un šausmas, mūziķis, kas tās ietērpj tīra mirkļa skanējumā, ir gaismas nesēji, līksmes un skaidrotības viedēji pasaulē — arī tad, ja vispirms ved mūs cauri asarām un sāpju konvulsijām. Dzejnieks, kura vārsmas mūs iejūsmina, dzīvē varbūt bija skumjš vienpatis un mūziķis — grūtsirdīgs sapņotājs, bet darbi, ko viņi radījuši, tik un tā pauž dievu un zvaigžņotās debess līksmi. Tas, ko viņi mums sniedz, vairs nav viņu tumsība, viņu ciešanas un bailes — tās ir dzidras gaismas, mūžīgās līksmes lāsas. Un arī tad, kad veselas tautas un valodas savos mītos, savās kosmogonijās vai reliģijās tiecas izdibināt Visuma dzīles, šī skaidrotība un līksme ir pats pēdējais, pats augstākais, ko tām izdevies gūt. Atceries senos indiešus, par kuriem reiz tik valdzinoši mums stāstīja mūsu Valdcellas skolotājs: tā bija cietēju, domātāju, nožēlnieku, askētu tauta, taču šīs tautas gara pēdējie — dižākie guvumi bija gaiši un līksmi — līksmi smaida sevis pārvarētāji un būdas, līksmi ir šīs tautas bezgaldziļās mitoloģijas tēli. Pasaule — tāda, kāda tā attēlota šajos mītos, — savā pirmsākumā ir dievišķa, svētlaimīga, starojoša, skaista kā pavasaris, kā cilvēces zelta laikmets; tā savārgst pēc tam un panīkst arvien vairāk un vairāk, kļūst rupja un nožēlojama, un pēc četriem Visuma laikmetiem, kas ved arvien dziļāk lejup, tā ir nobriedusi savam liktenim — tikt samītai dejā un iznīkt zem smejošā Šivas kājām; bet tas nav gals, viss atdzimst, sākas no jauna, sapnī pasmaidot Višnu, kurš it kā rotaļādamies rada jaunu, skaistu, starojošu pasauli. Tas ir apbrīnojami: šī tauta, kas tik apcerīga un tik spējīga ciest kā neviena cita, ar šausmām un kaunu vērojusi pasaules vēstures nežēlīgo spēli, mūžam rotējošo alkatības un ciešanu ratu, tā saskatījusi un izpratusi visa radītā zudīgumu, cilvēka negausīgumu un velnišķību, bet arī cilvēces kvēlās ilgas pēc apskaidrītības un harmonijas un, lai izteiktu visu radības daili un traģismu, atradusi šīs brīnišķās līdzības par Visuma laikmetiem un radības bojāeju, par vareno Šivu, kas dejodams satriec nīkušo pasauli, un par smaidošo Višnu, kas, dusēdams miegā, no zeltotiem dievu sapņiem kā rotaļā rada jaunu pasauli.

Kas attiecas uz mūsu kastālisko skaidrību, tad tā, iespējams, ir tikai vēlīns, sīks šīs lielās skaidrības paveids, taču arī tam visnotaļ ir eksistences tiesības. Zināšanas ne vienmēr un ne visur bijušas līksmas, lai gan tām tādām būtu jābūt. Mūsu Provincē patiesības kults cieši saistīts ar dailes kultu un ar meditatīvu dvēseles aprūpi, tātad nekad pavisam nezaudēs savu līksmi. Stikla pērlīšu spēlē apvienoti visi trīs elementi: zinātne, dailes pielūgsme un meditācija, tāpēc īstam Stikla pērlīšu spēles adeptam būtu jābūt viscaur skaidrotam, kāds ir saldas sulas pierietējis, ietecējies auglis, un pirmām kārtām viņam jānes sevī mūzikas skaidrotība, kas nav nekas cits kā drosme, līksms gājums, smaidoša deja cauri pasaules baismām un ugunīm, svētku upura rituāls. Šādu līksmi es izvēlējos sev par mērķi, kopš skolas un studiju gados guvu par to pirmo noģiedu, un no šā mērķa mani vairs nenovirzīs nedz posts, nedz ciešanas.

Tagad ejam gulēt, rīt agri tev jādodas ceļā. Atgriezies labi drīz, pastāsti vairāk par sevi, un ko stāstīt atradīsies arī man; tu pārliecināsies, ka arī Valdcellai, arī Maģistra mūžam ir savas problēmas, draud ciešanas, pat izmisums un dēmoni. Bet šobrīd, iedams pie miera, paņem sev līdzi mazliet mūzikas. Pirms atdusas uzmest skatienu zvaigžņotajām debesīm, ieklausīties mūzikas skaņās ir labāk, nekā lietot miega zāles.

Viņš apsēdās un, piesardzīgi skardams taustiņus, klusu jo klusu nospēlēja Persela sonātes fragmentu, ko tik ļoti bija mīļojis pāters Jakobs. Kā zelta gaismas lāsas klusumā pilsa skaņas, pilsa tik klusu, ka cauri tām bija dzirdama vecās strūklakas dziesma pagalmā. Maigas un stingras, apvaldītas un saldas tikās un savijās cildās mūzikas skaņas, drosmi un līksmi tās apgarotas dejas soli devās cauri laika un nīcības neesmei, tai īsajā brīdī, kurā skanēja, padarīdamas šo telpu un nakts stundu plašu kā neizmērojamais Visums, un, kad Knehts atvadījās no Plīnio, drauga seja bija pārmainījusies, kļuvusi gaišāka un acīs viņam bija asaras.

GATAVOŠANĀS

Knehtam bija izdevies lauzt atsvešinātības ledu, un starp viņu un Deziņori sākās spraiga un abiem vienlīdz rosinoša sarakste un domu apmaiņa. Plīnio, ilgus gadus aizvadījis rezignācijā un grūtsirdībā, tagad bija spiests atzīt, ka draugam taisnība: tās tik tiešām bijušas ilgas pēc dziedinājuma, pēc možuma, pēc kastāliskās skaidrotības, kas vilinājušas viņu sērst Pedagoģiskajā provincē. Viņš ieradās arvien biežāk arī ārpus komisijas darba ietvariem, neveikdams nekādus dienesta pienākumus, greizsirdīgā Tegularija aizdomīgi vērots, un drīz vien Maģistrs zināja par viņu un viņa dzīvi itin visu, kas tam bija jāzina. Deziņori dzīve nebija tik neparasta un sarežģīta, kā Knehts tika secinājis pēc drauga pirmajiem vaļsirdīgajiem izteikumiem. Dedzīgais, darboties alkstošais Plīnio, kā mums jau zināms, jaunībā iepazina vilšanos un pazemojumus, viņš kļuva par vientuļu un sarūgtinātu savrupnieku, nevis par vidutāju un pasaules un Kastālijas samierinātāju, viņam neizdevās savienot savas izcelsmes un sava rakstura pasaulīgās un kastāliskās īpatnības. Tomēr viņš nebija parasts neveiksminieks — ciezdams sakāvi un padodamies, viņš iemantoja pats savu seju un īpašo likteni. Kastālijā gūtā audzināšana šai gadījumā, šķiet, izrādījās nederīga, vismaz pirmajā laikā tā nesa tikai konfliktus un vilšanos, dziļu, cilvēkam ar viņa rakstura grūti paciešamu nošķirtību un vientulību. Rodas iespaids, ka viņš, reiz jau uzsācis vienpatņa un nonkonformista ērkšķaino ceļu, arī pats apņēmās darīt visu iespējamo, lai vēl jo vairāk nošķirtos un padarītu šo ceļu vēl jo grūtāku. Vispirms jau studiju gados viņš nonāca nesamierināmās pretrunās ar ģimeni, galvenām kārtām ar tēvu. Tas, lai gan neskaitījās vadošs politisks darbinieks, tomēr augu mūžu līdzīgi visiem Deziņori bija konservatīvās, valdībai uzticamās politiskās partijas balsts, naidīgi noskaņots pret visu jauno, pretinieks jebkurām pabērna lomā atstāto pretenzijām uz tiesībām un savu daļu, aizdomīgi noskaņots pret cilvēkiem bez vārda un titula, gatavs nest upurus, lai saglabātu veco kārtību, visu, kas pašam šķita likumīgs un svēts. Tāpēc viņš, nebūdams reliģiozs, tomēr simpatizēja baznīcai un, lai gan pašam netrūka ne taisnīguma izjūtas, ne gatavības darīt labu un palīdzēt citiem, ietiepīgi un principiāli pretojās rentnieku centieniem uzlabot savu stāvokli. Šo nepiekāpību viņš šķietami loģiski pamatoja ar savas partijas programmu un saukļiem, patiesībā, protams, pamatodamies ne jau uz pārliecību un stāvokļa izpratni, bet gan uz aklu uzticību savas kārtas biedriem un dzimtas tradīcijām, jo viņa rakstura galvenā iezīme bija zināms bruņinieciskums un bruņinieka goda jūtas, kā arī uzsvērta necieņa pret visu, kas uzskata sevi par modernu, progresīvu un laikmetīgu.

Šis cilvēks, protams, jutās vīlies, saniknots un sarūgtināts, uzzinājis, ka viņa dēls Plīnio studiju gados kļuvis tuvs izteikti opozicionārajai progresa partijai un pat iestājies tajā. Tolaik jaunās paaudzes pārstāvji kādā vecā, buržuāziski liberālā partijā izveidoja kreisu novirzienu, kuru vadīja deputāts Veraguts, spožs publicists un mītiņu orators, dedzīgs, reizēm nedaudz pašapbrīnīgs un sevī iemīlējies tautas draugs un brīvības aizstāvis, kurš, lasīdams publiskas lekcijas augstskolu pilsētās, ne bez panākumiem centās iegūt studējošās jaunatnes labvēlību un par kura jūsmīgu klausītāju un piekritēju kopā ar citiem kļuva arī jaunais Deziņori. Jauneklis, zaudējis ticību augstskolai, meklēdams balstu, kas viņam aizstātu šeit savu nozīmi zaudējušo kastāliešu morāli, jaunus ideālus un programmu, aizrāvies ar Veraguta lekcijām, apbrīnoja runātāja patosu un agresivitāti, asprātību, apsūdzētāja pozu, skaisto ārieni un valodu un piebiedrojās studentu grupai, ko nodibināja šo lekciju klausītāji, lai sekmētu Veraguta partijas mērķus. Padzirdis par to, Plīnio tēvs nekavējoties devās ceļā pie dēla, pirmo reizi mūžā neapvaldītās dusmās uzkliedza viņam pērkona balsī, pārmeta sazvērēšanos un nodevību pret tēvu, ģimeni, dzimtas tradīcijām un kategoriski pavēlēja uz vietas izlabot savu kļūdu un pārtraukt sakarus ar Veragutu un tā partiju. Tas, protams, nebija īstais veids, kā ietekmēt jaunekli, kam paša nostāja tagad šķita bezmaz mocekļa oreola apvīta. Plīnio neļāva sevi iebiedēt un pavēstīja tēvam, ka ne jau tādēļ desmit gadus mācījies elites skolās un vēl dažus gadus universitātē, lai atteiktos no savām atziņām un spriedumiem un atļautu patmīlīgu lielgruntnieku kliķei diktēt viņam savus uzskatus par valsti, ekonomiku un tiesībām. Šajā strīdā viņam palīdzēja Veraguta skola; Veragutam, tāpat kā visiem dižajiem tautas tribūniem, ne prātā nebija savas vai kārtas intereses, un viņš, tāpat kā tie, netiecās ne pēc kā cita pasaulē kā vien pēc tīras, absolūtas cilvēcības un taisnības. Vecais Deziņori rūgti iesmējās un lūdza dēlu pabeigt studijas, iekams jaucas vīru darīšanās un iedomājas, ka labāk izprot dzīvi un taisnību nekā veselas paaudzes godājamu, dižciltīgu dzimtu, kuru panīkusi atvase šis esot un kurām kā nodevējs uzklūpot no mugurpuses. Abi sastrīdējās, saniknojās un apvainojās ar katru vārdu vairāk un vairāk, līdz vecais, it kā pēkšņi būtu ieraudzījis spogulī savu dusmu sašķobīto seju, dziļi apkaunots pierima un klusēdams aizgāja. Sākot ar šo dienu, Plīnio nekad vairs nebija agrāko nepiespiesto attiecību ar tēva mājām, jo viņš ne tikai palika uzticīgs savai grupai un tās neoliberālismam, bet arī vēl pirms studiju nobeiguma kļuva par tiešu Veraguta skolnieku, palīgu un līdzstrādnieku un dažus gadus vēlāk par viņa znotu. Ja jau mācību gadi elites skolās vai vismaz tās grūtības, ar kādām Plīnio atkal aprada ar pasauli un dzimteni, bija izjaukušas līdzsvaru viņa dvēselē un viņa dzīvi pakļāvušas mokošām šaubām, tad šie jaunie apstākļi padarīja viņa stāvokli vēl jo bīstamāku, sarežģītāku un delikātāku. Viņš iemantoja ko neapšaubāmi vērtīgu, proti, sava veida ticību — politisku pārliecību un partijas piederību, kas atbilda viņa jauneklīgajām taisnības un progresa alkām, turklāt Veraguts viņam kļuva par skolotāju, vadoni, vecāko draugu, kuru pirmajā laikā viņš akli apbrīnoja un mīlēja, kuram, šķiet, bija vajadzīgs un kurš viņu augstu vērtēja; viņš ieguva ceļu un mērķi, darbības sfēru un mūža uzdevumu. Tas nebija maz, bet par to bija dārgi jāsamaksā. Jaunais cilvēks samierinājās ar to, ka zaudējis dabisko mantoto stāvokli tēva mājās un savas kārtas biedru vidū, ne bez zināmas mocekļa tīksmes pacieta savu izstumtību no privileģētas kārtas un tās ienaidu, taču palika šis tas, ar ko viņš nekad īsti netika galā, — pirmām kārtām sirdsapziņas pārmetumi, ka sāpinājis karsti mīļoto māti, nostādījis to gaužām neveiklā un neērtā stāvoklī, liekot izvēlēties starp vīru un dēlu, un šādi laikam gan saīsinājis tās mūžu. Māte nomira drīz pēc viņa kāzām; pēc mātes nāves Plīnio tikpat kā nerādījās vairs tēva mājās un, kad nomira arī tēvs, pārdeva šo māju, senu dzimtas īpašumu.

Ir sastopami cilvēki, kas tā spēj iemīlēt ar upuriem saistītu mūža guvumu — dienesta pakāpi, laulību, profesiju, tā sarod ar to upuru dēļ, kurus nesuši, ka jūtas laimīgi un gandarīti. Deziņori tāds nebija. Viņš gan palika uzticīgs savai partijai un tās vadonim, savai politiskajai ievirzei un darbībai, savai laulībai un saviem ideāliem, taču ar laiku tas viss viņam sāka likties tikpat apšaubāms, cik problemātiska šķita paša eksistence. Pierima jaunības gadu kaisme politikas un pasaules uzskata jautājumos, cīniņi par savu taisnību ar laiku vairs nepriecēja, tāpat kā neaplaimoja ciešanas un upuri spīts vārdā, klāt nāca rūgta pieredze un ilūziju zudums profesionālās darbības jomā; galu galā viņš sāka šaubīties, vai tā bijusi patiesības un taisnības mīlestība vien, kas padarījusi viņu par Veraguta piekritēju, vai tik viņu nav ietekmējusi Veraguta oratora un tautas tribūna loma, partijas vadoņa pievilcība un izveicība, uzstājoties publikas priekšā, Veraguta skanīgā balss, vīrišķīgi skaņie smiekli vai arī tā gudrā un daiļā meita. Aizvien apšaubāmāk šķita, ka vecais Deziņori, palikdams uzticīgs savai kārtai, izturēdamies neiecietīgi pret saviem rentniekiem, aizstāvējis mazāk cienījamu redzes viedokli, šaubas radīja arī tas, vai vispār pastāv labais un ļaunais, taisnība un netaisnība, vai galu galā paša sirdsapziņas balss nav vienīgais pilntiesīgais soģis; tādā gadījumā viņam, Plīnio, nav taisnība, jo viņš taču jūtas nelaimīgs, dzīvo ne jau mierā un saskaņā, paļāvībā un drošībā, bet gan neziņā, šaubās, sirdsapziņas mokās. Tiesa, viņa laulība nebija neizdevusies un neveiksmīga ordinārā nozīmē, taču tajā netrūka saspīlējuma, sarežģījumu un pretrunu; laulības dzīve varbūt bija pats labākais, ko viņš guvis, tomēr arī ģimene nesniedza to miera, laimes un nevainīguma izjūtu, to tīro sirdsapziņu, kā viņam tik ļoti pietrūka, — tā prasīja īpašu piesardzību un savaldību, lielu piepūli, un arī glītais un apdāvinātais dēlēns Tito drīz vien kļuva par cīņu un diplomātisku manevru, pielabināšanās un greizsirdības objektu; abu vecāku pārlieku mīlētais un lutinātais puisēns arvien ciešāk pieķērās mātei un pakāpeniski kļuva par tās domubiedru. Šis bija pēdējais un, liekas, pats sāpīgākais, rūgtākais zaudējums Plīnio mūžā. Tas nesalauza viņu, viņš pārvarēja savas sāpes un rada sevī spēku, lai nezaudētu stāju, viņš turējās godam, bet darīja to ar pūlēm, juzdamies nomākts un grūtsirdīgs.

To visu Knehts izdibināja pamazām, draugam atkārtoti ciemojoties Valdcellā un abiem tiekoties; viņš savukārt daudz stāstīja Plīnio par savām atziņām un problēmām, ne reizi nepieļaudams, ka draugs nonāktu tāda cilvēka stāvoklī, kurš, izkratījis sirdi, citubrīd, mainoties noskaņojumam, nožēlotu savu vaļsirdību un labprāt atsauktu teikto, — gluži otrādi, viņš veicināja un padziļināja Plīnio atklātību, vaļsirdīgi un iejūtīgi izturēdamies arī pats. Palēnām Plīnio iepazina drauga dzīvi — šķietami vienkāršu, nelīkumotu, nevainojami reglamentētu stingras hierarhiskas kārtības ietvarā, panākumu un atzinības vainagotu, tomēr visdrīzāk bargu, upuriem bagātu, diezgan vientuļu mūžu; un, ja cilvēkam no aizrobežas daudz kas tajā likās grūti izprotams, tad galvenā ievirze un pamatnoskaņa Plīnio tomēr bija skaidra — neko viņš neizprata labāk, nekam tā nejuta līdzi kā Knehta alkām pēc tuvības jaunatnei, pēc gados jauniem, audzināšanas neizkropļotiem skolniekiem, pēc pieticīgas darbības bez ārēja spožuma un nebeidzamās nepieciešamības reprezentēties, piemēram, pēc latīņu valodas vai mūzikas pasniedzēja darba kādā zemākās pakāpes skolā. Un visnotaļ atbilstoši paša dziednieciskās un pedagoģiskās metodes stilam Knehts ar savu lielo atklātību ne tikai iemantoja pacienta uzticību, bet arī pārliecināja to, ka tas savutīes var līdzēt un pakalpot viņam, un pamudināja draugu patiešām to darīt. Vienā otrā ziņā Deziņori tik tiešām spēja kļūt noderīgs Maģistram — ne tik daudz galvenajā jautājumā, cik remdējot tā ziņkāri un zināšanu alkas par dažādiem pasaulīgās dzīves sīkumiem.

Kādēļ Knehts uzņēmās grūto uzdevumu — no jauna iemācīt smieties un smaidīt savu grūtsirdīgo jaunības draugu — un vai šai ziņā kāda nozīme bijusi apsvērumam, ka draugs varētu izdarīt pretpakalpojumu, mums nav zināms. Pats Deziņori, kam tas visdrīzāk būtu jāzina, šādai varbūtībai nav ticējis. Vēlāk viņš stāstījis: "Ja mēģinu noskaidrot sev, ar kādiem paņēmieniem draugs Knehts ietekmēja tik vīlušos un no-slēgtu cilvēku kā mani, es redzu arvien skaidrāk, ka pirmām kārtām tā bija burvestība, jāsaka atklāti, piedevām arī šķelmība. Viņš bija nesalīdzināmi lielāks šķelmis, nekā spēja iedomāties kastālieši, — viņā bija daudz rotaļīguma, atjautas, slīpētības, viņam patika burties un izlikties, negaidīti nozust un atkal parādīties. Es domāju, ka jau tad, kad pirmo reizi ierados Augstākajā kolēģijā, viņš izlēma notvert mani un ietekmēt pēc sava prata, proti, pamodināt mani un garīgi spēcināt. Kā nekā no sākta gala viņš pūlējās piesaistīt mani sev. Kādēļ viņš to darīja, kādēļ uzkrāva sev šo nastu, es nezinu. Manuprāt, tādi ļaudis kā Knehts parasti rīkojas neapzināti, it kā reflektoriski, tic jūtas aicināti veikt kādu uzdevumu, dzird palīgā saucienu un bez ierunām atsaucas. Mums satiekoties, es biju aizdomīgs un tramīgs, nebūt nebiju noskaņots mesties viņa apkampienos vai pat lūgt palīdzību; agrāk tik atklāto un runātnīgo draugu viņš tagad redzēja vīlušos un nerunīgu, un tieši šis šķērslis, šīs lielās grūtības, šķiet, iekvēlināja viņu. Viņš neatlaidās, lai cik nepiekāpīgs biju, un ar laiku tad arī sasniedza, ko bija vēlējies. Šim nolūkam viņš, starp citu, izmantoja veiklu triku, proti, radīja iespaidu, ka mūsu attiecības ir savstarpējas, ka viņa spēki atbilst manējiem, viņa nozīmīgums — manējam, ka viņam palīdzība tikpat nepieciešama kā man. Jau pirmajā pagarākajā sarunā viņš ieminējās, ka gaidījis ko līdzīgu manai atnākšanai, pat ilgojies pēc kā tāda, un vēlāk pakāpeniski atklāja man savu nodomu atkāpties no amata un atstāt Provinci, turklāt allaž lika nomanīt, ka ļoti cer uz manu padomu, atbalstu, paļaujas uz manu klusēšanu, tādēļ ka bez manis viņam aiz robežas neesot neviena cita drauga, neesot arī turienes dzīves pieredzes. Atzīstos, man bija patīkami dzirdēt šādas valodas: tās lielā mērā palīdzēja viņam iegūt manu uzticību un līdz zināmai pakāpei pakļāva mani viņam. Es ticēju viņam nešaubīgi. Bet pēc kāda laika tas viss man atkal sāka likties pagalam apšaubāmi un neticami, un es, nudien, nebūtu varējis pateikt, vai viņš no manis ko gaida un ko īsti vēlas saņemt, tāpat nebūtu varējis pateikt, vai paņēmieni, ar kuriem viņš centās mani savalgot, bija neapzināti vai diplomātiski, naivi vai slepenīgi, vaļsirdīgi vai māksloti un spēles nosacīti. Viņš bija nesalīdzināmi pārāks par mani, turklāt darījis man pārāk daudz laba, lai es uzdrīkstētos sākt šādu izpēti. Fikciju, ka viņa stāvoklis līdzīgs manējam, ka viņš tikpat atkarīgs no manas labvēlības un gatavības pakalpot, cik es no viņējās, tagad kā nekā uzskatu par vienkāršu laipnību, par valdzinošu un tīkamu suģestiju, kurai viņš mani pakļāva; nezinu tikai sacīt, ciktāl viņa rotaļa ar mani bija tīša, izdomāta un gribēta, ciktāl, ja neņem vērā visu citu, — naiva un nevilša. Jo Maģistrs Jozefs bija liels aktieris; no vienas puses, viņa slieksme audzināt, ietekmēt, dziedēt otru, palīdzēt tam, izkopt otra spējas bija tik nepārvarami stipra, ka visi līdzekļi viņam likās vienlīdz labi; no otras puses, viņš pašu nenozīmīgāko uzdevumu nespēja veikt citādi kā vien ar pilnu atdevi. Vienā ziņā šaubu nav: viņš toreiz rūpējās par mani kā draugs, kā izcils dziednieks un vadītājs, viņš vairs neatlaidās, līdz galu galā tiktāl pamodināja un izārstēja mani, ciktāl tas vispār bija iespējams. Un diezgan dīvaini — tas pilnīgi atbilda viņa raksturam: izlikdamies, ka lūdz manu palīdzību, lai tiktu vaļā no amata, mierīgi, nereti pat atzinīgi uzklausīdams manas bieži vien parupjās un naivās kritiskās piezīmes par Kastāliju, pat manas šaubas un lamas, pats cīnīdamies par savu atbrīvošanos no Provinces, viņš patiesībā aizvilināja, aizveda mani turp atpakaļ, piespieda mani atkal meditēt, audzināja, pārveidoja mani ar kastāliešu mūziku un gremdēšanos sevī, ar kastāliešu skaidrotību un drosmi, lai gan, par spīti ilgām pēc jums, biju viscaur nekastāliski un pat antikastāliski noskaņots, viņš atkal padarīja par jūsējo, manu nelaimīgo mīlestību uz jums — par laimīgu."

Tā stāsta Deziņori, un viņam, domājams, bija iemesls tik apbrīnas pilnai pateicībai. Protams, zēnam vai jaunietim nav grūti ieaudzināt Ordeņa dzīves stilu, lietojot mūsu sen pārbaudītās metodes, turpretī vīrieti, kam jau ap piecdesmit, pāraudzināt noteikti ir sarežģīti arī tad, ja tam labas gribas netrūkst. Neteiksim, ka Deziņori kļuva par īstu, kur nu vēl par priekšzīmīgu kastālieti. Bet savu mērķi Knehts sasniedza: viņš izgaisināja drauga spītu un rūgtās, smagās skumjas, no jauna viesa harmoniju un skaidrību šajā dvēselē, kas bija kļuvusi pārlieku jūtīga un bikla, palīdzēja daudzus sliktus ieradumus aizstāt ar labiem. Stikla pērlīšu spēles maģistrs, bez šaubām, viens nespēja paveikt visu juveliera darbu, ko prasīja šāds uzdevums. Godājamā viesa labad viņš iesaistīja darbā Valdcellas un Ordeņa aparātu un spēkus, uz laiku pat nosūtīja drauga rīcībā kādu meditācijas lietpratēju no Ordeņa rezidences Hirslandē, lai tas diendienā kontrolētu viņa mājas vingrinājumus. Plānošana un vadība tomēr palika Knehta rokās.

Ritēja astotais gads Maģistra amatā, kad Knehts pirmoreiz uzklausīja Deziņori atkārtotos aicinājumus un paviesojās viņa mājā galvaspilsētā. Lūdzis atļauju Ordeņa vadībai, ar kuras priekšnieku Aleksandru bija draudzīgās attiecībās, Knehts izmantoja kādu svinamo dienu apciemojumam, no kura gaidīja daudz un kuru jau veselu gadu aizvien no jauna bija atlicis — pa daļai tāpēc, ka vispirms gribēja justies drošs par draugu, pa daļai arī aiz dabiskas baiļu sajūtas, jo šis taču bija viņa pirmais solis pasaulē, kur Plīnio iemantojis šo stingo skumību un kur viņu pašu gaida tik daudzi svarīgi noslēpumi. Izrādījās, ka laikmetīgi iekārtotajā namā, ko draugs iemainījis pret veco Deziņori dzimtas savrupmāju, valda ļoti iznesīga, gudra, atturīga sieviete, kurai savuties uzkundzējies viņas glītais, bet vīzīgais un bezmaz nerātnais dēliņš, kas, liekas, te bija uzmanības centrā un no savas mātes, šķiet, noskatījies paštaisni augstprātīgo, nedaudz nicīgo attieksmi pret tēvu. Starp citu, te jautās vēsa, aizdomīga attieksme pret visu kastālisko; tiesa gan, māte un dēls nespēja ilgi pretoties valdzinājumam, ko izstaroja Maģistrs, kura amatam abu acīs bez tam piemita kas noslēpumains, svētniecisks, teiksmains. Pirmās vizītes laikā valdīja ārkārtīgi saspīlēta, ledaina atmosfēra. Knehts izturējās nogaidoši un modri klusēja, mājasmāte uzņēma viņu salti pieklājīgi, ar slēptu netīksmi — apmēram tā, kā mēdz uzņemt augstu ienaidnieka armijas virsnieku, kam ierādāma istaba; dēls Tito jutās atraisītāk par citiem, viņš, jādomā, jau bieži bija izklaidējies, varbūt pat uzjautrinājies, vērodams līdzīgas situācijas. Viņa tēvs, liekas, drīzāk tēloja ģimenes galvu nekā bija tas īstenībā. Vīra un sievas attiecībās valdīja maigi piesardzīgs, pabailīgs tonis, it kā aiz pieklājības abi staigātu uz pirkstgaliem, un sievai šis tonis padevās nesalīdzināmi vieglāk un dabiskāk nekā vīram. Pret dēlu Plīnio centās izturēties biedriski, ko puisēns, liekas, bija paradis te izmantot, te gailīgi noraidīt. Vārdu sakot, tā bija mokoša, vainpilna, līdz pēdējai iespējai saspringta, apvaldītu dziņu nokaitēta kopība, kurā valdīja bailes no sadursmēm un naida izvirdumiem, bet izturēšanās un sarunu stils, kā viss šai mājā, likās pārspīlēti smalks un mākslots, it kā neviens aizsargvalnis nevarētu būt pietiekami augsts un plats, pietiekami drošs, lai pasargātu no varbūtējiem iebrukumiem. Un vēl viens Knehta vērojums: nesen atgūtā līksme, kas jautās Plīnio vaibstos, šeit bezmaz pavisam bija zudusi — Valdcellā vai Ordeņa vadības mītnē Hirslandē Plīnio šķita puslīdz atmetis savas grūtsirdīgās skumjas, bet šeit, savā namā, viņš atkal atgādināja cilvēku, pār kuru krīt smaga ēna, un izraisīja gan nosodījumu, gan līdzcietību. Nams bija skaists un liecināja par bagātību un komforta mīlestību, katra telpa iekārtota atbilstoši tās izmēriem, katrā — divu vai triju toņu saskaņa, šur tur pa vērtīgam mākslas darbam; ar patiku Knehts lūkojās visapkārt, taču galu galā visa šī acu ieprieca viņam sāka likties drusciņ par skaistu, drusciņ par pilnīgu un rūpīgi apsvērtu — bez kustības, norisēm, atjaunotnes — un viņš noprata, ka arī šo telpu un priekšmetu dailei ir apvārdojuma, aizsargāšanās žesta raksturs un šīs istabas, gleznas, vāzes un puķes rotājot iekļauj mūžu, kurš ilgojas pēc harmonijas un skaistuma, bet nespēj to sasniegt citādi, kā vien rūpējoties par saskanīgu vidi.

Kādu laiku pēc šīs viesošanās, kas atstāja ne visai iepriecinošu iespaidu, Knehts tad arī sameklēja draugam mājas repetitoru meditācijā. Pavadījis dienu šīs mājas tik ērmoti smacīgajā un saspringtajā atmosfērā, viņš uzzināja šo to tādu, ko nemaz negribēja zināt, taču atklāja arī to, kā viņam bija pietrūcis un ko viņš drauga labā bija vēlējies izdibināt. Pirmajam apciemojumam sekoja vairāki citi, izraisījās pārrunas par audzināšanas jautājumiem un par Tito, un tajās aktīvi iesaistījās arī māte. Maģistrs pakāpeniski iemantoja šīs gudrās un nepaļāvīgās sievietes uzticību un simpātijas. Reiz, kad viņš, pa pusei jokodams, ieminējās: esot tomēr žēl, ka puisēns laikus nav nodots audzināšanā Kastālijā, viņa šajos vārdos saklausīja nopietnu pārmetumu un sāka taisnoties: ļoti taču jāšauboties, vai Tito tiešām tur tiktu uzņemts, viņš gan esot itin apdāvināts, bet grūti audzināms, un viņa nekādā gadījumā neatļautos iejaukties zēna dzīvē pret viņa gribu — mēģinājums savā laikā audzināt tēvu šai garā taču neesot bijis veiksmīgs. Bez tam nedz viņa, nedz viņas vīrs neesot gribējuši izmantot senās Deziņori dzimtas privilēģiju, reiz jau viņi pārtraukuši sakarus ar Plīnio tēvu un atteikušies no senās dzimtas tradīcijām. Visbeidzot, sāpīgi pasmaidījusi, dāma piemetināja, ka arī tad, ja apstākļi būtu gluži citi, viņa nespētu šķirties no sava bērna, jo viņai neesot neviena, kura dēļ vēl vērts būtu dzīvot. Šī drīzāk nevilšā nekā apsvērtā piebilde darīja Knehtu gaužām domīgu. Tātad nedz skaistā māja, kurā viss bija tik aristokrātisks, tik grezns un saskanīgs, nedz vīrs, nedz partija un politika, ko atstājis mantojumā reiz pielūgtais tēvs, — nekas viņas dzīvei nespēja piešķirt jēgu un nozīmi kā vien bērns. Un labāk viņa audzināja bērnu tik sliktos, kaitīgos apstākļos, kādi valdīja šeit, viņas mājā un ģimenē, nekā šķirās no tā pašam bērnam par svētību. No tik gudras, šķietami tik saltas, intelektuālas sievietes puses tā bija pārsteidzoša atzīšanās. Knehts nespēja palīdzēt viņai tikpat tieši, kā bija palīdzējis viņas vīram, nemaz arī necentās to darīt. Bet jau tas vien, ka viņš retumis apciemoja laulātos draugus, ka Plīnio atradās viņa iespaidā, viesa zināmu kārtību vai kārtības apjautu tik neizlīdzinātajās un aplamajās ģimenes locekļu attiecībās. Turpretī pašam Maģistram, ar katru viesošanās reizi augot un nostiprinoties viņa ietekmei un autoritātei Deziņori namā, šo pasaules cilvēku dzīve kļuva jo neizprotamāka, jo labāk viņš to iepazina. Par viņa uzturēšanos galvaspilsētā, tāpat arī par to, ko viņš tur pieredzēja un uzzināja, mums tomēr maz kas zināms, tādēļ plašāk par to šeit nerunāsim.

Ar Ordeņa vadības priekšnieku Hirslandē Knehts līdz šim nebija sagājies tuvāk, nekā to prasīja viņa amata pienākumi. Viņš, jādomā, tikās ar to tikai Audzināšanas kolēģijas plenārsēdēs, kas notika Hirslandē, un arī tajās priekšnieks parasti veica drīzāk jau formālus un reprezentatīvus amata pienākumus, svinīgi sagaidīja un izvadīja kolēģus; galvenais darbs, sēžu vadība, palika spīkera ziņā. Par Ordeņa priekšnieku, Knehtam stājoties amatā, bija cilvēks visai godājamos gados; lai gan Spēles maģistrs šo cilvēku dziļi cienīja, tas tomēr ne reizi nedeva iespēju tuvoties; Knehta acīs Ordeņa priekšnieks gandrīz vairs nebija cilvēks, konkrēta persona — it kā augstais priesteris, cieņas un savaldības simbols tas līdzīgi klusai virsotnei vainagoja visu Kolēģijas un hierarhijas celtni. Šis godājamais cilvēks nomira, un viņa vietā par Ordeņa priekšnieku ievēlēja Aleksandru, meditācijas lietpratēju, ko vadība reiz nosūtīja palīgā mūsu Jozefam Knehtam, lai tam atvieglotu pirmos soļus jaunajā amatā, un jau toreiz pateicīgais Maģistrs apbrīnoja un iemīlēja šo nevainojamo Ordeņa pārstāvi, un tāpat arī Aleksandrs, aprūpēdams tolaik diendienā Stikla pērlīšu spēles maģistru kā savu garīgo bērnu, paguva pietiekami tuvu pavērot un iepazīt aprūpējamā raksturu un izturēšanos, lai savukārt iemīlētu viņu. Aleksandram kļūstot par Knehta kolēģi un priekšnieku, gadiem ilgi slēptās draudzības jūtas izlauzās uz āru un ieguva noteiktu veidu, jo tagad abi tikās samērā bieži un darīja kopīgu darbu. Tiesa, šai draudzībai pietrūka ikdienas saskares, kā arī kopīgu jaunības iespaidu; tās bija biedriskas simpātijas starp divām augstām amatpersonām, un ārēji tās izpaudās vienīgi nedaudz siltākā rokas spiedienā sasveicinoties vai atvadoties, pilnīgākā un ašākā savstarpējā izpratnē, reizēm arī īsā sarunā, pārtraukumā starp divām sēdēm.

Atbilstoši statūtiem Ordeņa priekšnieks, saukts arī par Ordeņa maģistru, nebija augstāks par saviem kolēģiem, Maģistriem, taču pēc tradīcijas, vadīdams Augstākās kolēģijas sanāksmes, tomēr stāvēja augstāk, un, jo meditatīvāks un līdzīgāks klosterim pēdējos gadu desmitos vērtās Ordenis, jo lielāka kļuva Ordeņa maģistra autoritāte, tiesa gan, tikai hierarhijas un Provinces ietvaros. Audzināšanas kolēģijā Ordeņa priekšnieks un Stikla pērlīšu spēles maģistrs arvien vairāk un vairāk kļuva par īstajiem kastāliskās domas pārstāvjiem un paudējiem; salīdzinājumā ar sensenajām, no pirmskastāliskajiem laikmetiem mantotajām disciplīnām, tādām kā gramatika, astronomija, matemātika vai mūzika, meditatīva gara aprūpe un Stikla pērlīšu spēle bija tikai Kastālijai raksturīgas. It svarīgi tādēļ bija, ka abi pašreizējie šo nozaru pārstāvji un vadītāji uztur draudzīgas attiecības; tās apliecināja un pastiprināja viņu cieņu, siltāku un tīkamāku darīja dzīvi, mudināja vēl jo neatlaidīgāk veikt savu pienākumu: pārstāvēt un īstenot dzīvē abus apslēptākos, abus sakrālos kastāliskās pasaules dārgumus un spēkus. Knehtam tās tātad bija vēl vienas saistības, vēl viens arguments pret klusībā loloto domu atteikties no visa un izlauzties citā — jaunā dzīves sfērā. Kļuvusi visnotaļ paša apzināta — tas notika sestajā vai septītajā Maģistra amata darbības gadā —, šī doma pieņēmās spēkā, un viņš, kā jau "atmodas" cilvēks, bez bailēm vēra tai durvis uz savu apzināto dzīvi un iekšējo pasauli. Uzdrīkstamies apgalvot, ka aptuveni tolaik viņš sāka aprast ar domu par gaidāmo atkāpšanos no amata un atvadām no Provinces — reizēm tā, kā ieslodzītais pierod ticēt, ka tiks atbrīvots, citkārt tā, kā smagi slimais, iespējams, sarod ar domu par nāvi. Pirmajā sarunā ar sastapto jaunības draugu Plīnio viņš šo domu pirmo reizi izteica skaļi — varbūt tādēļ vien, lai atgūtu noslēgto, nerunīgo draugu un atdarītu tam sirdi, bet varbūt arī tādēļ, lai, pirmo reizi atzinies citam, iemantotu līdzzinātāju savai jaunajai "atmodai", savai jaunajai dzīves uztverei, pirmo reizi piešķirtu tai ārēju izpausmi, dotu pirmo impulsu tās īstenojumam dzīvē. Turpmākajās sarunās ar Deziņori Knehta vēlēšanās pamest pašreizējo eksistences veidu un veikt drosmīgu lēcienu citā jau ieguva lēmuma raksturu. Pagaidām viņš rūpīgi nostiprināja savu draudzību ar Plīnio, kuru tagad ar viņu saistīja ne vien apbrīna, bet arī atspirgstoša un izdziedēta cilvēka pateicība, un šī draudzība viņam bija tilts uz ārpasauli un mīklu pārpilno dzīvi.

Par to, ka Maģistrs ilgi vilcinājās atklāt draugam Tegularijam savu noslēpumu un nodomu bēgt, mums nav jābrīnās. Ziedodams katrai savai draudzībai daudz sirds siltuma, sekmēdams visas, Knehts tomēr nezaudēja patstāvību un diplomāta prasmi tās pārraudzīt un vadīt. Tagad, kad viņa dzīvē no jauna bija ienācis Plīnio, Fricam uzradās sāncensis, jauns un tomēr vecs draugs ar pretenzijām uz Knehta interesi un jūtām, un Maģistram laikam gan nebija tiesību būt pārsteigtam, kad Tegularijs uz to pirmajā brīdī atsaucās ar greizsirdības uzliesmojumu; jādomā pat, ka tikmēr, kamēr Knehtam vēl nebija izdevies atgūt Deziņori un pareizi nokārtot drauga dzīvi, Tegularija bozīgā atturība viņam, iespējams, visdrīzāk bija pa prātam. Ar laiku, protams, pirmajā vietā izvirzījās cits — svarīgāks apsvērums. Kā lai tādam cilvēkam, kāds ir Tegularijs, padara saprotamu un pieņemamu savu vēlēšanos klusītēm pamest Valdcellu un Maģistra posteni? Atstājis Valdcellu, Knehts šim draugam uz laiku laikiem būs zudis; par to, ka draugu varētu ņemt līdzi šajā tik šaurajā un bīstamajā ceļā, nevarēja ne domāt — arī tad ne, ja tam gluži negaidīti rastos drosme un patika aiziet. Knehts ilgi vilcinājās, lauzīja galvu un svārstījās, iekams atklāja draugam savu nodomu. Galu galā, cieši izlēmis doties ceļā, viņš tomēr to darīja. Atstāt draugu līdz pēdējam mirklim neziņā, aiz viņa muguras kaldināt plānus un gatavoties solim, kura sekas arī draugam būs jāizjūt, — tas galīgi neatbilda Knehta raksturam. Kur vien varēdams, viņš centās padarīt Teguları, tāpat kā Deziņori, ne vien par līdzzinātāju, bet arī par īstu, vismaz iedomātu palīgu un līdzdalībnieku, jo darbojoties vieglāk paciest jebkuru zaudējumu.

Knehta uzskati par gaidāmo Kastālijas norietu draugam, protams, bija sen zināmi, ciktāl pirmais bija gatavs tos izpaust, bet otrs — uzklausīt. Ar tiem Maģistrs tad arī sāka, līdzko izlēma atklāt draugam savu nodomu. Pretēji gaidītajam, Knehtam par lielu atvieglojumu, Tegularijs šo slepeno vēsti neuzņēma traģiski, gluži otrādi, doma, ka Maģistrs var nosviest Kolēģijai pie kājām savu augsto posteni, nokratīt Kastālijas pīšļus un izraudzīties dzīvi pēc savas gaumes, šķiet, patīkami satrauca, pat uzjautrināja viņu. Kā jau savrupnieks, kas naidīgi noskaņots pret jebkuru kārtību, Tegularijs allaž nostājās indivīda, nevis Kolēģijas pusē; atjautīgi apkarot, ķircināt, apvest ap stūri oficiālās varas iestādes — uz to viņš vienmēr bija gatavs. Atskārtis, kāds ceļš viņam ejams, Knehts, uzelpodams un klusībā pasmiedamies, tūdaļ izmantoja drauga reakciju. Viņš atstāja Fricu pārliecībā, ka runa ir par sava veida dumpi pret Kolēģiju un tās ierēdnieciskumu, un piešķīra draugam šajā izlēcienā līdzzinātāja, piepalīga un sazvērestības dalībnieka lomu. Vajadzēja uzrakstīt iesnieguma tekstu Kolēģijai, aprādot un komentējot iemeslus, kas pamudina Maģistru atkāpties no amata, un sagatavot un izstrādāt šo tekstu galvenām kārtām tika uzdots Tegularijam. Vispirms viņam bija jāiepazīst Knehta uzskati par vēsturi — par Kastālijas rašanos, uzplaukumu un tagadējo stāvokli, pēc tam jāsavāc vēstures materiāls, lai pamatotu Knehta vēlmes un priekšlikumus. Tas, ka jāpievēršas nozarei, pret kuru līdz šim izturējies noraidoši un nicīgi, proti, jāapgūst vēsture, šķiet, nemulsināja Fricu, un Knehts pasteidzās dot draugam nepieciešamos norādījumus. Un tā Tegularijs tai dedzībā un neatlaidībā, kuras viņam netrūka, ja runa bija par neparastiem un savrupiem pasākumiem, iedziļinājās savā jaunajā darbā. Viņam, nelabojamam individuālistam, radīja ērmoti sirdīgu prieku studijas, kam jāpalīdz atmaskot vai vismaz pakaitināt hierarhijas bonzas, aprādot tiem pašu trūkumus, pašu eksistences problemātiskumu.

Šajā izpriecā Jozefs Knehts nepiedalījās, tāpat kā neticēja tam, ka drauga pūliņiem varētu būt panākumi. Viņš bija stingri izlēmis nokratīt sava pašreizējā stāvokļa važas, atbrīvot sevi uzdevumiem, kuri, viņš to juta, gaida viņu, taču viņam bija skaidrs, ka nevarēs nedz pārliecināt Kolēģiju ar prāta apsvērumiem, nedz novelt daļu darba, kas te veicams, uz Tegularija pleciem. Bet visai patīkama bija apziņa, ka Tegularijs tik ilgi, kamēr mitīs viņam līdzās, būs nodarbināts un aizņemts ar citām domām. Nākamajā tikšanās reizē pastāstījis par to Plīnio Deziņori, Knehts piemetināja: "Tegularijs tagad ir nodarbināts, viņam atlīdzināts par to, ko viņš domāja esam zaudējis sakarā ar tavu atgriešanos. Viņa greizsirdība puslīdz pierimusi, bet manā uzdevumā un pret maniem kolēģiem vērstais darbs nācis viņam par labu, viņš ir bezmaz laimīgs. Tev tomēr nav jādomā, Plīnio, ka gaidu no viņa darbības ko citu kā vien to, ko gūs viņš pats. Nav ticams, pat pilnīgi izslēgts, ka Augstākā kolēģija uzklausīs ieplānoto lūgumu, labākajā gadījumā, tā izteiks man vieglu brīdinājumu un rājienu. Manus nodomus īstenot liedz mūsu hierarhijas pamatlikums; arī man ne visai patiktu Kolēģija, kas, lai cik pārliecinoši motivēts būtu iesniegums, atlaistu mūsu Stikla pērlīšu spēles maģistru, norādot tam darbu aiz Kastālijas robežām. Ordeņa priekšnieks bez tam ir Maģistrs Aleksandrs, nelokāmas pārliecības cilvēks. Nē, šī cīņa man jāizcīna vienam. Bet pagaidām lai Tegularijs liek vien lietā savu atjautu. Neko citu tas neprasa kā vien nedaudz laika, un laiks man vajadzīgs tik un tā, lai aizejot atstātu šeit visu kārtībā un nenodarītu zaudējumus Valdcellai. Tikmēr tev savā pusē jāpagādā man apmešanās vieta un darbs, lai cik pieticīgs tas būtu; sliktākajā gadījumā esmu ar mieru strādāt par mūzikas skolotāju, man vajadzīgs tikai aizsākums, tramplīns lēcienam."

Gan jau kas atradīšoties, nosprieda Deziņori, uzturēties draugs varot viņa namā, cik vien ilgi nepieciešams, kad šis brīdis būšot klāt. Bet šāds atrisinājums Knehtu neapmierināja.

— Nē, — viņš teica, — viesa lomai es nederu, man vajadzīgs darbs. Bez tam, uzturēdamies tavā namā, lai cik tas patīkami, ilgāk par dažām dienām, es padarītu jūsu attiecības vēl saspīlētākas un radītu jums liekas grūtības. Es uzticos tev, un arī tava sieva, apradusi ar manām vizītēm, kļuvusi laipnāka, bet tas viss mainītos, līdzko ciemiņš un Stikla pērlīšu spēles maģistrs kļūtu par bēgli un pastāvīgu viesi.

— Manuprāt, tu raizējies nevajadzīgi, — iebilda Plīnio. — Vari būt drošs, ka, tiklīdz tu tiksi te brīvs un apmetīsies uz dzīvi galvaspil-sētā, tev atradīsies arī piemērots darbs, kaut vai profesora vieta kādā augstskolā. Bet tam visam, kā tu zini, nepieciešams laiks, un es tikai tad spēšu ko darīt tavā labā, kad tu būsi sarāvis saites ar Kastāliju.

— Protams, — piekrita Maģistrs, — pagaidām neviens nedrīkst zināt, ko esmu izlēmis. Es nevaru piedāvāt savus pakalpojumus jūsu iestādēm, neinformējis savu priekšniecību un nenogaidījis tās spriedumu, — tas ir skaidrs. Turklāt es šobrīd nemaz nemeklēju oficiālu posteni. Manas vajadzības ir pieticīgas, pat mazākas, nekā tu, domājams, spēj iztēloties. Man nepieciešama istabiņa un dienišķā maize, bet galvenais — skolotāja un audzinātāja darbs un pienākumi, man vajadzīgi viens vai vairāki skolnieki un audzēkņi, kuri atrastos manā tuvumā un kurus es varētu ietekmēt; augstskola mani vilina vismazāk, tikpat labprāt, nē, daudz labprātāk es kļūtu par kāda puišeļa mājskolotāju vai ko tamlīdzīgu. Viss, ko meklēju un vēlos, ir vienkārši, dabiski pienākumi, cilvēks, kuram varu būt noderīgs. Darbs augstskolā no pirmās dienas atkal iesaistītu mani tradicionāla, negrozāma, mehāniska valsts dienesta mašinērijā, bet es alkstu ko tieši pretēju.

Te Deziņori vilcinādamies izteica priekšlikumu, ko apsvēris bija jau labi sen.

— Man ir kāds ierosinājums, — viņš teica, — un es lūdzu tevi vismaz uzklausīt to un mierīgi apsvērt. Varbūt tas liksies tev pieņemams, tādā gadījumā tu pakalposi arī man. Sākot ar dienu, kad šeit pirmoreiz biju tavs viesis, tu man daudz esi palīdzējis. Tu iepazini manu dzīvi un māju un zini, kāds tur stāvoklis. Tas vēl arvien nav labs, tomēr ir labāks nekā pēdējos gados. Vislielākās grūtības man rada attiecības ar dēlu. Viņš ir izlutināts un vīzdegunīgs, mājas dzīvē viņš izkarojis sev privileģētu stāvokli, tiek žēlots, uz to viņu pavedinājusi pati situācija, tas viņam paveicās viegli tolaik, kad gan es, gan māte centāmies viņu, vēl mazu bērnu, pārvilkt katrs savā pusē. Galu galā viņš nešaubīgi pievērsās mātei un man zuda jebkura iedarbīgas audzināšanas iespēja. Biju ar to samierinājies, tāpat kā ar visu savu neizdevušos dzīvi. Es pakļāvos nenovēršamajam. Taču tagad, kad, pateicoties tev, esmu puslīdz atspirdzis, manī atkal mostas cerība. Tu jau būsi nopratis, uz ko virzu sarunu; es loti priecātos, ja Tito, kam, starp citu, arī skolā radušās grūtības, kādu laiku atrastos skolotāja un audzinātāja uzraudzībā, kurš uzņemtos visas rūpes par viņu. Es saprotu, lūgums ir egoistisks, turklāt nezinu, vai šāds darbs tevi vilina. Bet tu pats iedrošināji mani izteikt šo priekšlikumu.

Knehts smaidīdams sniedza viņam roku.

— Paldies tev, Plīnio. Neviens cits priekšlikums man neliktos tīkamāks. Trūkst vienīgi tavas sievas piekrišanas. Bez tam jums jāizšķiras dēla audzināšanu pirmajā laikā atstāt pilnīgi manā ziņā. Lai zēns pakļautos man, jānovērš vecāku mājas ikdienas ietekme. Tev jāaprunājas ar sievu un jāpanāk, lai viņa piekrīt šiem noteikumiem. Nerīkojies pārsteidzīgi, apsveriet visu rūpīgi.

— Un tu domā, ka tev izdosies pāraudzināt Tito? — jautāja Deziņori.

— Kādēļ gan ne? Viņam ir labi dotumi un iedzimtas spējas, mantotas no abiem vecākiem, trūkst tikai līdzsvarotības. Modināt viņā alkas pēc harmonijas, pareizāk sakot, pastiprināt tās un galu galā padarīt apzinātas, — lūk, mans uzdevums, kuru labprāt uzņemtos.

Tā Knehts parūpējās, lai abi draugi — katrs savā veidā — darbotos viņa labā. Kamēr Deziņori galvaspilsētā iepazīstināja savu sievu ar jauno ieceri, cenzdamies panākt, lai viņa tai piekristu, tikmēr Tegularijs, sēdēdams vienā no Valdcellas bibliotēkas lasītavām, pēc Knehta norādījumiem vāca materiālus ieplānotajam rakstam. Maģistrs bija izmetis īsto āķi, likdams draugam izpētīt plašu literatūru; Frics Tegularijs, šis vēstures nīdējs, uzķērās uz makšķeres un aizrāvās ar kareivīgā gadsimta vēsturi. Viņš, kas Spēlē bija nenogurdināms darbarūķis, ar augošu kāri vāca tā laika — drūmās pirmsordeņa ēras anekdotes un galu galā sarūpēja tik daudzas, ka draugs, kam viņš pēc vairākiem mēnešiem nodeva savu veikumu, izlietot varēja labi ja desmito daļu vākuma.

Tai laikā Knehts vairākkārt pabija galvaspilsētā. Deziņori kundze arvien vairāk uzticējās viņam — tā jau nereti gadās, ka garīgi vesels, izlīdzināts cilvēks viegli rod ceļu uz nelīdzsvarota, nomākta cilvēka sirdi, — un pavisam drīz viņa piekrita vīra iecerei. Par Tito mums zināms, ka viņš kādā Maģistra viesošanās reizē tam nedaudz vīzīgi pavēstīja: viņš nevēloties, ka viesis uzrunājot viņu ar "tu", itin visi, arī pedagogi skolā, sakot viņam "jūs". Knehts pieklājīgi pateicās par aizrādījumu un taisnodamies piebilda, ka viņa Provincē skolotāji gan skolniekus, gan studentus — arī tos, kas jau pieauguši, — uzrunā ar "tu".

Pēc maltītes Knehts aicināja zēnu parādīt viņam pilsētu. Pastaigājoties Tito aizveda viņu uz lepnu vecpilsētas ieliņu, kur cieši līdzās cita citai jau daudzus gadu simtus stāvēja ievērojamo, bagāto patriciešu mājas. Apstājies šauras un augstas mūra celtnes priekšā un norādījis uz ģerboni virs portāla, Tito jautāja:

— Vai jūs zināt, kas tas ir?

Un, kad Knehts atbildēja noliedzoši, zēns teica:

— Tas ir Deziņori ģerbonis, un šis ir mūsu vecais savrupnams, veselus trīs gadsimtus tas piederējis mūsu ģimenei. Bet mēs tādēļ vien tupam savā pelēcīgajā standartmājā, ka pēc vectēva nāves manam tēvam uznāca untums pārdot šo skaisto, cienījamo senču mitekli un tā vietā uzcelt modernu, kas, starp citu, jau šodien vairs nav īsti moderns. Vai varat apjēgt ko tādu?

— Jums ļoti žēl vecās mājas? — Knehts laipni pavaicāja un, kad Tito dedzīgi piekrita tam un atkārtoja savu jautājumu: "Vai varat apjēgt ko tādu?" — sacīja:

— Apjēgt var visu, ja iedziļinās lietas būtībā. Veci nami, protams, ir jauki. Ja jaunais nams būtu stāvējis blakus vecajam un jūsu tēvs būtu varējis izvēlēties, viņš droši vien būtu paturējis veco. Jā, veci nami ir skaisti un cienījami, it īpaši tik stalti kā šis. Bet jauki ir arī pašam uzcelt namu — ja jaunam, godkāram censonim ļauts izvēlēties, vai ērti un paklausīgi apmesties vecajā ligzdā vai arī vīt sev gluži jaunu, var itin labi saprast, ka viņš izšķiras par jaunu. Ciktāl es pazīstu jūsu tēvu, bet es pazinu viņu, kad viņš vēl bija jūsu gados un dedzīgs ātrdabis, mājas pārdošana un zaudēšana, domājams, sāpināja viņu vairāk nekā jebkuru citu. Viņam bija smags konflikts ar tēvu un ģimeni, audzināšana, ko viņš guva pie mums, Kastālijā, šķiet, nebija viņam īsti piemērota, vismaz nepaglāba viņu no dažiem nepārdomātiem, pārsteidzīgiem soļiem. Tāds pārsteidzīgs solis laikam gan bija arī mājas pārdošana. Ar šo soli viņš tiecās mest izaicinājumu un pieteikt karu dzimtas tradīcijām, tēvam, visai pagājībai un savai atkarībai no tās — tā vismaz var to iztulkot. Bet cilvēks ir brīnumains radījums, tāpēc gluži neticama man neliekas arī kāda cita doma, proti, pieņēmums, ka, pārdodams šo māju, pārdevējs gribējis sāpināt ne jau ģimeni vien, bet pirmām kārtām pats sevi. Ģimene pievīla viņu, tā sūtīja viņu mācīties mūsu elites skolās, lika viņu audzināt mūsu garā, bet pārnācējam izvirzīja uzdevumus, prasības un pretenzijas, kas tam nebija pa spēkam. Es neturpināšu šo psiholoģisko analīzi. Kā nekā atgadījums ar mājas pārdošanu liecina, kāda vara piemīt tēvu un dēlu konfliktam, šim naidam vai šai mīlestībai, kas pārvērtusies ienaidā. Straujiem un apdāvinātiem cilvēkiem šis konflikts reti tiek aiztaupīts, pasaules vēsturē piemēru tam liku likām. Starp citu, gluži labi varu iztēloties citas paaudzes jaunu Deziņori, kurš uzskatītu par sava mūža mērķi par katru cenu atgūt māju dzimtas īpašumā.

— Un jūs attaisnotu viņu, ja viņš to darītu? — iesaucas Tito.

— Es netiesātu viņu, jaunais draugs. Ja kāds vēlāks Deziņori atgādātos savas dzimtas dižumu un pienākumus, ko viņam šai sakarā uzliek dzīve, ja viņš veltītu visus spēkus, visu sevi pilsētai, valstij, tautai, tās tiesībām un labklājībai un, kalpodams tautai, kļūtu stiprs diezgan, lai, starp citu, atgūtu arī ģimenes īpašumu, viņš būtu cienījams vīrs un mēs viņa priekšā noņemtu cepuri. Bet, ja viņam nebūtu cita mērķa dzīvē kā vien atpirkt šo namu, viņš būtu tikai maniaks, apsēstais, kaislības apmāts cilvēks, visdrīzāk viens no tiem, kuri nekad līdz galam neizpratīs paaudžu konflikta būtību un augu mūžu, pat aizsnieguši vīra gadus, nēsās to sev līdzi kā lāstu. Mēs varam šādu cilvēku saprast, varam nožēlot viņu, taču savas dzimtas slavu tāds nevairos. Nav jau slikti, ja sena dzimta mīl savu mitekli, pieķeras tam, bet atjaunotni un jaunu dižumu tai sola vienīgi dēli, kas kalpo augstākiem mērķiem, ne ģimenes interesēm vien.

Pastaigas laikā Tito vērīgi un itin labprāt uzklausīja tēva viesi, toties citkārt izturējās noraidoši un iespītīgi — šajā cilvēkā, par kuru abi parasti tik nevienprātīgie vecāki, šķiet, bija vienlīdz augstās domās, zēns noskārta varu, kas varēja kļūt bīstama paša izlutumam un patvarībai, un izdevīgā brīdī viņš tīšuprāt atļāvās pa kādam izlēcienam; tiesa, pēc tam viņš ik reizi nožēloja un centās labot savu vainu, jo viņa patmīļu aizskāra doma, ka atklājis vāju vietu Maģistram, ko nesatricināma pieklājība ietērpa līdzīgi spožai bruņai. Turklāt savas nepieredzējušās un mazliet mežonīgās sirds dziļumos Tito juta, ka šis ir cilvēks, ko, iespējams, var kvēli mīlēt un cienīt.

Sevišķi spilgti viņš to izjuta, pavadīdams reiz pusstundu kopā ar Knehtu, kuru sastapa brīdī, kad tas gaidīja tēvu, kas bija aizkavējies darbā. Ienācis istabā, Tito ieraudzīja, ka viesis, pievēris acis, nekustīgs sēž statujai līdzīgā pozā un, gremdēdamies sevī, izstaro rimtu mieru. Zēns nevilšus pieklusināja soļus un dzīrās uz pirkstgaliem atstāt istabu. Bet sēdošais tai pašā brīdī atdarīja acis, laipni sveicināja, piecēlās un, norādīdams uz klavierēm, kuras atradās istabā, vaicāja, vai Tito patīkot mūzika.

Jā, attrauca Tito, viņš gan labu laiku vairs neejot uz mūzikas stundām un arī nevingrinoties vairs, jo skolā viņam neejot spoži un skolmeistari krietni vien nomokot viņu, taču klausīties mūziku viņam allaž esot paticis. Knehts pacēla vāku, apsēdās pie klavierēm, pārbaudīja, vai tās uzskaņotas, un nospēlēja kādas Skarlati sonātes "Andante" daļu, ko nule bija izmantojis par tēmu Stikla pērlīšu spēles etīdei. Pēc tam, brīdi paklusējis un pārliecinājies, ka zēns vērīgi un atdevīgi klausījies, īsos vārdos aptuveni paskaidroja, kas noris šādā Stikla pērlīšu spēles etīdē, sadalīja kompozīciju sastāvdaļās, aprādīja dažus analīzes veidus, kas attiecināmi uz mūziku, pastāstīja arī, kā mūzika ietverama Spēles zīmju valodā. Pirmo reizi Tito acīs Maģistrs nebija viesis, slavens zinātņu vīrs, pret kuru viņš izturējās noraidoši, tādēļ ka tas nomāca viņu; pirmo reizi viņš ieraudzīja šo cilvēku darbā, saskatīja viņā lietpratēju, kas apguvis visai izsmalcinātu un precīzu māku un ir meistarīgs izpildītājs — māku, kuras jēgu Tito spēja vienīgi apjaust, bet kura, šķiet, prasīja visu cilvēku un pilnu atdevi. Viņa pašapziņai turklāt glaimoja tas, ka tiek uzskatīts par pietiekami pieaugušu un sapratnīgu, lai ieinteresētos par tik sarežģītiem jautājumiem. Pierimis viņš taisni šīs pusstundas laikā sāka noģist, kas tie par avotiem, no kuriem šis neparastais cilvēks smeļas līksmi un rāmu savaldību.

Knehta darbība, veicot amata pienākumus, pēdējā posmā bija gandrīz tikpat saspringta kā tais grūtajās dienās, kad viņš stājās šai postenī. Viņam šķita svarīgi, lai aizejot visos uzticētajos darba iecirkņos valdītu nevainojama kārtība. Ar to viņš tika galā, toties nesasniedza otru mērķi, proti, nespēja pierādīt, ka bez viņa var iztikt vai ka viņš vismaz viegli aizstājams. Tā jau gandrīz vienmēr mēdz būt ar mūsu augstāka-jām amatpersonām: Maģistrs lidinās it kā tīrais rotājums, varas simbols vai karogs pār savu amata pienākumu sarežģīto valstību; parādījies uz mirkli, viņš atkal nozūd klusītēm kā labais gars, teic dažus vārdus, pie-krītoši pamāj, ar žestu norāda, kas darāms, un jau ir prom, jau pievēršas kādam citam; viņš valda pār dienesta aparātu, tāpat kā mūziķis pār savu instrumentu, šķiet, nekad neliek lietā varu, reti kad lauza galvu, tomēr viss iet savu nolikto gaitu. Bet katram aparāta darbiniekam labi zināms, kādas grūtības rodas, līdzko Maģistrs saslimst vai aizceļo, cik grūti viņu aizstāt kaut vai uz dažām stundām vai uz dienu. Vēl pēdējo reizi rūpīgi pārbaudīdams *Vicus lusorum,* šo mazo valstiņu, un jo sevišķi nopūlē-damies, lai neuzkrītoši sagatavotu savu "ēnu", kam drīzumā vajadzēs viņu atvietot ne jau uz brīdi vien, Knehts atskārta, ka sirds dziļumos jau atraisījies, atvadījies no šejienes, ka viņu vairs nepriecē un nesaista šīs teicami labiekārtotās pasaulītes jaukumi. Valdcella un darbība Maģistra postenī viņam jau šķita kas pārvarēts, aiz muguras atstāts — posms, kas viņam daudz devis un mācījis, bet vairs nemudina rast sevī jaunus spēkus, nerosina jaunam veikumam. Pamazām atraisīdamies un atvadīdamies no tā visa, viņš arvien skaidrāk un skaidrāk saprata: ne jau bažas par Kas-tālijai draudošajām briesmām, par tās nākotni ir šīs atsvešināšanās īstais iemesls, nē, tukša un nenodarbināta bija palikusi daļa viņa paša, daļa no viņa sirds un dvēseles, un tā tagad izvirzīja savas prasības un tiecās īstenot sevi. Tolaik viņš vēlreiz rūpīgi izskatīja Ordeņa reglamentu un statūtus un pārliecinājās, ka atstāt Provinci būtībā nav tik sarežģīti vai pat neiespējami, kā viņam sākumā bija licies. Viņam bija atļauts morālu apsvērumu dēļ atkāpties no amata, tāpat arī izstāties no Ordeņa, jo zvērests nebija dots uz mūžu, lai gan tikai retais Ordeņa biedrs un ne jau Augstākās kolēģijas loceklis bija izmantojis šīs tiesības. Ne jau likuma bardzība biedēja viņu — tik grūtu šo soli viņam darīja hierarhijā valdošais gars, paša lojalitāte un uzticība Ordenim. Protams, viņš netaisījās bēgt slepus, viņš gatavoja plašu iesniegumu, lai likumīgā ceļā atgūtu brīvību, — Tegularijs bērna nevainībā tērēja ne mazumu tintes. Bet Knehts neticēja, ka iesniegumam būs panākumi. Viņu centīsies nomierināt, pamācīt, viņam, iespējams, piedāvās atvaļinājumu atpūtai Mariafelzā, kur nesen bija miris pāters Jakobs, vai arī Romā. Tikai vaļā viņu nelaidīs — par to viņš šaubījās arvien mazāk. Atbrīvot viņu nozīmētu rīkoties pretēji jebkurām Ordeņa tradīcijām. Atbrīvodama viņu, Kolēģija netieši atzītu, ka viņa vēlmei bijis pamats, ka dzīve Kastālijā pat tik augstā postenī zināmos apstākļos var padarīt cilvēku neapmierinātu, var tam kļūt par spaidu un gūstu.

VĒSTĪJUMS

Mūsu stāsts tuvojas beigām. Kā jau norādījām, mūsu zināšanas par šīm beigām ir trūcīgas, tām drīzāk piemīt nostāsta nekā vēsturnieka atskaites raksturs. Ar to mums jāsamierinās. Jo patīkamāk toties, ka šo priekšpēdējo Knehta dzīves apraksta nodaļu varam aizpildīt ar autentisku dokumentu — plašu rakstu, kurā Stikla pērlīšu spēles maģistrs pats paskaidro Kolēģijai sava lēmuma iemeslus un lūdz viņu atbrīvot no amata.

Jāpiemetina gan, ka Jozefs Knehts, kā mums jau zināms, vairs neticēja tik rūpīgi gatavotā raksta panākumiem — brīdī, kad vēstījums tiešām bija pabeigts, viņš vispār nožēloja, ka rakstījis, un labāk nemaz vairs nebūtu iesniedzis savu "lūgumu". Ar Knehtu notika tas pats, kas atgadās ar visiem, kam ir iedzimta un sākotnēji neapzināta spēja valdīt pār citiem: šāda spēja nepaliek bez sekām tam, kas to licis lietā, un, ja Maģistrs bija priecājies, ka viņam izdevies izmantot Tegulariju saviem mērķiem, padarot to par palīgu un līdzstrādnieku, tad notikušais tagad, kā izrādījās, bija stiprāks par paša domām un vēlmēm. Viņš bija pierunājis vai pavedinājis Fricu veikt darbu, kura lietderībai viņš, šā darba ierosinātājs, pats vairs neticēja; taču dienā, kad draugs beidzot nodeva viņam pabeigto darbu, viņš nevarēja vairs to nedz anulēt, nedz nolikt pie malas un atstāt neizmantotu, lai neapvainotu un nepieviltu draugu, kam bija to uzdevis, cenzdamies atvieglot šķiršanos. Pēc mūsu pārliecības, Knehtam tolaik vairāk pa prātam būtu bijis bez vilcināšanās atkāpties no amata un paziņot par savu izstāšanos no Ordeņa, nevis iet paša acīs bezmaz par komēdiju kļuvušo aplinku ceļu, iesniedzot "atlūgumu". Bet, rēķinādamies ar draugu, viņš nolēma vēl kādu laiku apvaldīt savu nepacietību.

Jādomā, būtu interesanti iepazīt centīgā Tegularija manuskriptu. Tajā galvenokārt bija apkopots vēstures materiāls, savākts pamatojumam vai vismaz ilustrācijai, tomēr mēs diezin vai kļūdīsimies, izteikdami pieņēmumu, ka tas ietvēra arī vienu otru asu, atjautīgi formulētu kritisku piezīmi gan par hierarhiju, gan par visu pasaulīgo un par pasaules vēsturi. Bet pat tai gadījumā, ja šis mēnešiem ilgā, neparasti neatlaidīgā darbā tapušais manuskripts vēl eksistētu, kas

Ļoti iespējams, un būtu mūsu rīcībā, mēs nevarētu to šeit publicēt, jo mūsu grāmata nav tam īstā vieta.

No svara mums tikai tas, kā Spēles maģistrs izmantojis drauga darbu. Viņš neskopojās ar pateicības un atzinības vārdiem, kad draugs svinīgi pasniedza viņam savu veikumu, un, zinādams, ka draugam tas sagādās prieku, lūdza nolasīt manuskriptu. Vairākas dienas pēc kārtas Tegularijs pa pusstundai pavadīja kopā ar Maģistru viņa dārzā, jo bija vasara, lapu pa lapai ar baudu lasīja viņam savu uzmetumu, un ne vienu reizi vien lasījumu pārtrauca abu skaļie smiekli. Tegularijam tās bija laimīgas dienas. Bet pēc tam Knehts nošķīrās un, izmantodams atsevišķas nodaļas drauga sacerējumā, uzrakstīja Kolēģijai adresētu vēstījumu, kuru šeit sniedzam vārdu pa vārdam un bez komentāriem, kas, mūsuprāt, lieki.

Spēles maģistra vēstījums Audzināšanas kolēģijai

Dažādi apsvērumi pamudina mani, Spēles maģistru, izteikt Kolēģijai īpaša veida lūgumu atsevišķā un zināmā mērā personiska rakstura vēstījumā, neiekļaujot to svinīgajā gada atskaitē. Pievienodams šo vēstījumu kārtējam oficiālajam ziņojumam, kā arī cerēdams uz oficiālu atbildi, tomēr uzskatu to drīzāk par savā ziņā koleģiālu vēstuli pārējiem Maģistriem.

Maģistra pienākumos ietilpst ziņot Kolēģijai par varbūtējām grūtībām vai briesmām, kas var apdraudēt amata pienākumu pareizu izpildi. Manai darbībai Maģistra amatā, lai gan cenšos tai veltīt visus savus spēkus, šobrīd — vismaz manā uztverē — draud briesmas, kas iemājo manī pašā, kaut to pirmsākums meklējams ne tikai manī. Kā nekā šīm morālas iedabas briesmām, kas var vājināt manu atbilstību Stikla pērlīšu spēles maģistra postenim, ir arī objektīvs, no manis neatkarīgs raksturs. Vārdu sakot, man radušās šaubas, vai spēju pilnā mērā veikt savus amata pienākumus, tādēļ ka par apdraudētu uzskatu pašu amatu, pašu manā pārziņā nodoto Stikla pērlīšu spēli. Šā vēstījuma nolūks ir pierādīt Kolēģijai, ka minētas briesmas pastāv un ka tieši tās, reiz esmu tās saskatījis, mani neatliekami mudina mainīt darbalauku. Lai man atļauts paskaidrot radušos situāciju, sniedzot šādu līdzību: kāds cilvēks, kas sēž jumtistabā, nolīcis par sarežģītu zinātnisku darbu, pēkšņi pamana, ka apakšstāvā izcēlies ugunsgrēks. Viņš neies apsvērt, kas viņam darāms un vai labāk nekārtot savas tabulas, viņš skriešus metīsies lejā un pacentīsies glābt māju. Tāpat kā šis cilvēks, es sēžu kādā kastāliskās celtnes augšējā stāvā, aizņemts ar Stikla pērlīšu spēli, cilādams smalkus, jutīgus instrumentus, un instinkts, paša deguns brīdina mani, ka kaut kur lejā deg, ka apdraudēta visa mūsu ēka un ka man šobrīd nav vis jāanalizē mūzika vai jāprecizē Spēles likumi, bet jāsteidzas turp, kur gruzd.

Kastālijas institūts, mūsu Ordenis, mūsu zinātniskā un pedagoģiskā darbība, arī Stikla pērlīšu spēle un viss pārējais vairumam Ordeņa biedru liekas kaut kas pats par sevi saprotams — tāpat kā gaiss, ko elpojam, un zeme, uz kuras stāvam. Diezin vai kādam kaut reizi prātā nākusi doma, ka šis gaiss un šī zeme nav nekas mūžīgs, ka gaisa mums kādu dienu var pietrūkt un zeme var zust zem kājām. Mums lemta laime bezrūpīgi dzīvot mazā, tīrā un gaišā pasaulītē, un daudzi jo daudzi kastālieši, lai cik dīvaini tas liktos, maldīgi iztēlojas, ka šī pasaulīte pastāvējusi vienmēr un mēs šādai dzīvei esam dzimuši. Arī es jaunības gados loloju šo gaužām tīkamo ilūziju, lai gan patiesība man bija itin labi zināma, proti, ka neesmu dzimis Kastālijā, ka mani šurp atveda un šeit uzaudzināja Kolēģija, un Kastālija, Ordenis, Kolēģija, mācību iestādes un arhīvi, tāpat Stikla pērlīšu spēle, nebūt nav pastāvējuši vienmēr, nav dabas produkti, bet ir vēlīni, cildeni un līdzīgi visam mākslīgi radītajam zudīgi cilvēka gribas veidojumi. Tas viss man bija zināms, bet šķita nereāls, es pavisam vienkārši nedomāju par to, izlikos to neredzam, un es zinu, ka vairāk nekā trīs ceturtdaļas visu kastāliešu līdz kapa malai paliks šīs ērmotās un tīkamās ilūzijas varā.

Bet tāpat, kā gadu simtiem un tūkstošiem pasaule pastāvējusi bez Kastālijas un Ordeņa, tā pastāvēs bez tiem arī nākotnē. Atgādinādams šodien saviem kolēģiem un godājamai Kolēģijai šo faktu, šo ābeces patiesību un aicinādams viņus beidzot pievērst skatienu briesmām, kas mums draud, uzņemdamies tātad uz īsu brīdi visdrīzāk jau nīstamo un pārlieku viegli apsmieto praviešа, pamācītāja, sludinātāja lomu, es, protams, esmu gatavs uzklausīt varbūtēju izsmieklu, kaut gan klusībā ceru, ka daudzi izlasīs manu vēstījumu līdz galam un atsevišķos jautājumos viens otrs pat piekritīs man. Arī tas būtu labi.

Tādam iestādījumam, kāda ir mūsu Kastālija, mazai gara valstij, draud gan ārējas, gan iekšējas briesmas. Iekšējās, vismaz dažas no tām, mums ir zināmas, mēs tās saskatām un pret tām cīnāmies. Laiku pa laikam mēs izraidām no mūsu elites skolām vienu otru skolnieku, kurā atklājam neiznīdējamas īpašības un dziņas, kas dara to nepiemērotu un bīstamu mūsu kopībai. Mēs ceram, ka vairums izraidīto tāpēc vien nekļūst par mazāk pilnvērtīgiem cilvēkiem, ka nederīgi tie izrādījušies tikai dzīvei Kastālijā un, atgriezušies pasaulē, atrod sev piemērotāku vidi un kļūst par krietniem ļaudīm. Šai ziņā mūsu prakse attaisnojusies, un visumā par savu kopienu varam teikt, ka tā savu pašcieņu un pašdisciplīnu tur godā un savu uzdevumu veic — pārstāv augstāko

254

slāni, gara aristokrātiju, un diendienā audzina sev maiņu. Mūsu vidū, domājams, nav vairāk necienīgo un kūtro, nekā tas ir dabiski un pieļaujami. Zināmus iebildumus toties izraisa Ordeņa augstprāts, kārtas iecildība, uz kuru pavedina jebkurš aristokrātisks, jebkurš priviļeģēts stāvoklis un kuru — te pamatoti, te nepamatoti — mēdz pārmest jebkurai aristokrātijai. Cilvēces attīstības vēsturi allaž iezīmējuši centieni radīt priviļeģēto slāni, sabiedrības smaili un rotu, un cenšanās radīt sava veida aristokrātiju, pašu labāko cilvēku kundzību, šķiet, ir faktiskais, lai arī ne vienmēr atklāti atzītais sabiedrības mērķis un ideāls ikvienā tās attīstības posmā. No laika gala jebkura vara, monarhistiska vai anonīma, tiekusies atbalstīt savu topošo aristokrātiju, protežējot to un piešķirot tai priviļēģijas, vienalga, politisku vai cita veida izlasi, asins aristokrātiju vai atlases un audzināšanas ceļā radītu. No laika gala šajā saulē spēkā pieņēmusies aristokrātija, kas bauda varas labvēlību, un no laika gala šāda labvēlība, šāds priviļeģēts stāvoklis noteiktā attīstības stadijā kļuvis aristokrātijai par kārdinājumu un izraisījis tās pagrimumu. Ja uzskatām, ka mūsu Ordenis ir aristokrātisks veidojums, un no šāda redzes viedokļa mēģinām pārbaudīt, ciktāl mūsu priviļeģēto stāvokli attaisno mūsu attieksme pret tautas un pasaules kopumu, ciktāl mūs varbūt jau piemeklējušas un samaitājušas aristokrātijai tik raksturīgas kaites — noziedzīgs augstprāts, uzpūtība, kārtas iecildība, viszinība, nekaunīgs parazītisms —, mums ne vienā vien ziņā var rasties bažas. Mūsdienu kastālietim, iespējams, netrūkst ne paklāvības Ordeņa likumiem, ne uzcītības, ne gara smalkuma; bet vai samērā bieži viņam netrūkst izpratnes par savu vietu sabiedrības struktūrā, pasaulē, pasaules vēsturē? Vai viņam ir nojēga par savas eksistences pamatu, vai viņš apzinās, ka ir tikai dzīva organisma lapa, zieds, zars vai sakne, vai viņam ir kaut jausma par upuriem, ko tauta nes viņa labā, barodama un apģērbdama viņu, nodrošinādama viņam iespēju mācīties un pievērsties dažādām zinātņu nozarēm? Un vai viņš ir padomājis par mūsu eksistences, par mūsu priviļeģētā stāvokļa jēgu, vai viņam ir pareizi priekšstati par mūsu Ordeņa mērķiem un darbību? Atzīdams, ka sastopami izņēmumi — daudzi jo slavējami izņēmumi —, uz šiem jautājumiem tomēr sliecos atbildēt noliedzoši: vidusmēra kastālietis, iespējams, noraugās uz pasaulīgās dzīves cilvēku, uz neizglītoto, bez nicināšanas, bez skaudības un naida, taču neuzskata viņu par brāli, neredz viņā savu gādnieku, nedz arī jūtas kaut drusku līdzatbildīgs par to, kas notiek tur ārā, pasaulē. Par savas dzīves mērķi viņš uzskata zinātnisku darbu paša zinātniskā darba dēļ vai vienkārši tīkamas pastaigas tās izglītības dārzā, kas labprāt uzdodas par universālu, lai gan būtībā nemaz tāda nav. Vārdu sakot, šī kastāliskā izglītība — tiesa kas tiesa, augsta un cildena izglītība, par kuru esmu bezgala pateicīgs, — vairumam izglītoto nav vis orgāns vai rīks, aktīvas darbības ierocis noteiktu mērķu sasniegšanai, apzināti nekalpo kam dižākam vai dziļākam, bet gan zināmā mērā noder pašizbaudai un pašcildinājumam, intelektuālās specializācijas attīstībai un galējam izkopumam. Es zinu, mūsu vidū ir daudz iekšēji viengabalainu un augsti godājamu kastāliešu, kas tik tiešām nevēlas neko citu kā vien kalpot; runa ir par skolotājiem, kas audzināšanu guvuši šeit, it īpaši par tiem, kas veic pašaizliedzīgu, toties neizsakāmi svētīgu darbu pasaulīgajās skolās, tālu prom no mūsu Provinces maigā garīgā klimata un intelektuālās pārsmalcinātības. Šie krietnie skolotāji tur ārā, taisnību sakot, ir vienīgie, kuri patiešām attaisno Kastālijas eksistenci un ar savu darbu atlīdzina valstij un tautai par visu, kas tiek darīts mūsu labā. Mūsu augstākais un svētākais pienākums ir saglabāt valstij un pasaulei tās garīgo pamatu, kas izrādījies par izcili iedarbīgu morālu faktoru, proti, patiesības izpratni, uz kuras, starp citu, balstās arī tiesības, — tas, protams, labi zināms ikvienam Ordeņa biedram, bet, ielūkojoties mazliet ciešāk sevī, gandrīz visiem mums būtu jāatzīst, ka zemes labklājība, intelektuālas godprātības un tīrības uzturēšana ari aiz tik spodri jaukās Provinces robežām mums nebūt nešķiet pats svarīgākais uzdevums, neliekas svarīga vispār un ka mēs itin labprāt esam ar mieru, lai jau pieminētie vīrišķīgie skolotāji tur ārā ar savu pašaizliedzīgo darbu nolīdzina mūsu parādu pasaules priekšā un vismaz daļēji attaisno mums, Stikla pērlīšu spēles adeptiem, astronomiem, mūziķiem un matemātiķiem piešķirtās privilēģijas. Jau pieminētais augstprāts un kastas gars novedis pie tā, ka mums ne visai rūp, vai savas privilēģijas izpelnāmies ar darbu, un viens otrs pat uzskata par nopelnu Ordeņa noteikto pieticību materiālās dzīves jomā, it kā runa būtu par īpašu tikumu un sava veida pašmērķi, kaut gan šāda atturība ir tikai minimāls atlīdzinājums valstij, kas nodrošina mūsu kastālisko eksistenci.

Pietiks ar norādi uz šiem iekšējiem trūkumiem un draudiem, tie ir pietiekami nozīmīgi, kaut arī miera laikā ne tuvu neapdraud mūsu eksistenci. Taču mēs, kastālieši, esam atkarīgi ne tikai no mūsu morāles un saprāta, bet lielā mērā arī no valsts stāvokļa un tautas gribas. Mums šodien netrūkst maizes riecienu, mēs izmantojam savas bibliotēkas, ceļam jaunas skolas, jaunus arhīvus, bet, līdzko tauta vairs nevēlēsies vai arī valsts līdzekļu trūkuma, kara vai cita iemesla dēļ vairs nespēs mūs uzturēt, mūsu eksistencei un studijām to pašu brīdi būs beigas. Kādu dienu valsts savu Kastāliju un mūsu kultūru var pasludināt par lieku greznību, kas tai vairs nav pa kabatai, — pārstājusi labsirdīgi dižoties ar mums, kā darīja to līdz šim, valsts kādu dienu var raudzīties uz mums kā uz dīkdieņiem un kaitniekiem, pat maldu mācību sludinātājiem un ienaidniekiem — tās, lūk, ir ārējas briesmas, kas mums draud.

Cenšoties uzskatāmi parādīt šīs briesmas vidusmēra kastālietim, man laikam gan pirmām kārtām būtu jāatsaucas uz vēstures piemēriem, un, darīdams to, es sastaptu savā ziņa pasīvu pretestību, gandrīz vai par bērnišķīgu nosaucamu ignoranci un vienaldzību. Mēs, kastālieši, kā Jums zināms, visai maz interesējamies par pasaules vēsturi; lielajai tiesai kastāliešu, es teiktu, sveša ir ne tikai interese par vēsturi, bet arī taisnīga attieksme, cieņa pret vēsturi. Šai vienaldzībā un pārākuma apziņā iedibinātā antipātija pret pasaules vēstures apguvi ne vienu reizi vien pamudinājusi mani pētīt attiecīgo parādību, un es esmu atklājis, ka tai ir divi cēloņi. Vispirms jau pati vēstures viela — es, protams, nerunāju par gara un kultūras vēsturi, ko mēs dziļi cienām, — mums liekas mazvērtīga; pasaules vēstures saturs, ciktāl mēs to izprotam, ir brutāla cīņa par varu, par īpašumu, platībām, izejvielām, naudu — vārdu sakot, par materiālām un kvantitatīvām vērtībām, tātad par lietām, kuras uzskatām par negarīgām un pat par nicināmām. Mums septiņpadsmitā gadsimta pārstāvji ir Dekarts, Paskāls, Frobergers, Šics, nevis Kromvels vai Luijs Četrpadsmitais. Otrs cēlonis mūsu netīksmei pret pasaules vēsturi rodams mūsu mantotajā un, manuprāt, pamatotajā neuzticībā pret zināma veida vēstures apceri un interpretāciju, kas visai populāra bijusi pagrimuma laikmetā pirms mūsu Ordeņa dibināšanas un no sākta gala mums nav iedvesusi ne mazāko paļāvību, proti, pret tā saucamo vēstures filozofiju, par kuras augstāko izpausmi un reizē bīstamāko ietekmes avotu ir uzskatāmi Hēgeļa darbi un kura nākamajā gadsimtā noveda pie vispretīgākās vēstures viltošanas un patiesības gara demoralizācijas. Aizraušanās ar tā saucamo vēstures filozofiju mūsu acīs ir viena no galvenajām iezīmēm, ja runa par laikmetu, ko raksturo garīgs apsīkums un liela vēriena, politiskas cīņas par varu, — laikmetu, ko dažreiz dēvējam par "kareivīgo gadsimtu", bet parasti — par "feļetonisma ēru". Uz šā laikmeta drupām, apkarojot un pārvarot tā garu — vai gara trūkumu —, radās mūsdienu kultūra, Ordenis un Kastālija. Savā intelektuālajā augstprātībā mēs raugāmies uz pasaules vēsturi, it īpaši uz jauno laiku vēsturi, gandrīz tāpat, kā senatnes kristiešu askēts vai eremīts noraudzījās uz laicīgās pasaules māņiem. Vēsture mums šķiet dziņu un modes cīniņu, alkatības, mantas un varas kāres, asinsdzīru, varmācības un postošu karu arēna, godkāru ministru, pērkamu ģenerāļu darbības lauks, drupās sagrautu pilsētu panorāma, un mēs pārāk viegli aizmirstam, ka šis ir tikai viens no daudzajiem vēstures aspektiem. Aizmirstam, ka arī mēs esam vēstures daļa, kaut kas tāds, kas tapis, kas tāds, kam lemts atmirt, līdzko tas zaudēs spēju augt un mainīt veidu. Mēs paši esam vēsture, esam līdzatbildīgi pat pasaules vēsturi un savu vietu tās risumā. Bet šīs līdzatbildības apziņas mums ir daudz par maz.

Ja ielūkojamies mūsu pašu vēsturē, laika posmā, kad dibināja mūsdienu Pedagoģiskās provinces kā mūsu zemē, tā citur un radās dažādie ordeņi un hierarhijas, to vidū arī mūsu Ordenis, tad drīz vien pārliecināmies, ka mūsu hierarhiju un dzimteni, mums tik dārgo Kastāliju, nedibināja vis ļaudis, kas pret pasaules vēsturi izturētos tik vienaldzīgi un augstprātīgi kā mēs. Mūsu priekšteči, Kastālijas dibinātāji, savu darbību sāka kareivīgā gadsimta nogalē, kad pasauli klāja krāsmatas. Toreizējo situāciju, kas izveidojās aptuveni tai laikā, kad sākās pirmais tā saucamais pasaules karš, mēs esam paraduši izskaidrot vienpusīgi, apgalvodami, ka tieši toreiz gars zaudējis jebkuru nozīmi un noderējis visspēcīgiem varasvīriem par otršķirīgu, vienīgi šad tad lietojamu cīņas ieroci, un šajā apstāklī mēs saskatām "feļetonisma" korupcijas sekas. Tik tiešām, nav grūti konstatēt, cik sveši garam un brutāli bijuši to dienu cīniņi par varu. Es dēvēju šo laikmetu par garam svešu ne jau tādēļ, ka vairītos redzēt, cik varenus panākumus tas guvis intelekta un metodikas sfērās, bet gan tādēļ, ka esam paraduši negrozāmi aplūkot garu vispirms kā alkas pēc patiesības un ļaunprātīgais gara pielietojums minētajās cīņās, nudien, neliecina par patiesības alkmi. Tā laika sodība meklējama apstāklī, ka aklajai dinamikai, ko izraisīja ārkārtīgi straujais iedzīvotāju skaita pieaugums, pretī nestājās kaut cik noturīgas morāles normas; to paliekas izspieda aktuāli saukļi, un, pētot šo cīņu norisi, mēs sastopamies ar pārsteidzošiem un satriecošiem faktiem. Gluži tāpat kā pirms četriem gadsimtiem, dienās, kad Lutera mācība sašķēla baznīcu, visu pasauli pēkšņi pārņēma dziļš nemiers, itin visur veidojās cīņas frontes, visur pēkšņi uzliesmoja nikns, nevaldāms naids starp veciem un jauniem, tēviju un cilvēci, sarkaniem un baltiem, un mēs, tagadnes cilvēki, ne aptuveni vairs nespējam iztēloties šo pretmetu spēku un dinamiku, visu šo cīņas lozungu un saukļu patieso saturu un nozīmi, kur nu vēl izprast šo ēru un iejusties tajā; mēs redzam, ka — tāpat kā Lutera laikā — visā Eiropā, pat pusē pasaules, ticīgie un ķeceri, jauni un veci, pagātnes aizstāvji un nākotnes cīnītāji pacilāti vai izmisīgi smalsti cits citu; nereti frontes līnija sašķēla atsevišķas valstis, tautas un ģimenes, un mums nav tiesību šaubīties, ka daudzu cīnītāju, vismaz vadoņu acīs tam bija dziļa jēga, tāpat kā, mūsuprāt, nav noliedzams, ka daudziem šo cīņu vadoņiem un ideologiem savā ziņā netrūka primitīvas ticības un ideālisma, kā toreiz mēdza izteikties. Visās malās

258

kāvās, slepkavoja un postīja, un itin visur abas puses rīkojās pārliecībā, ka Dieva vārdā karo pret velnu.

Mūsu dienās šis cildenas sajūsmības, briesmīga naida, neizsakāmu ciešanu zvērīgais laiks it kā aizmirsts, un to ir grūti izskaidrot, tādēļ ka ar minēto laiku — savu priekšnosacījumu un pirmcēloni — tik cieši saistīta visu mūsu iestādījumu rašanās. Satīriķis salīdzinātu šādu aizmiršanu ar aizmāršību, raksturīgu muižnieku kārtā ieceltiem iznireļiem un dēkaiņiem, līdzko saruna skar viņu izcelsmi un senčus. Veltīsim vēl dažus vārdus kareivīgajam laikmetam. Pētīdams vienu otru tā laika dokumentu, es mazāk interesējos par paverdzinātajām tautām un nopostītajām pilsētām, manu uzmanību vairāk saistīja gara darbinieku nostāja. Viņiem klājās grūti, un lielākā daļa kapitulēja. Tiesa, netrūka arī mocekļu kā zinātnieku, tā ticīgo vidū, un pat šajā laikā, kad ļaudis bija apraduši ar zvērībām, viņu mokas un paraugs neizgaisa bez miņas. Vairums gara dzīves pārstāvju tomēr neizturēja varmācības gadsimta spiedienu. Vieni padevās un savu talantu, savas zināšanas un metodes nodeva zemes vareno rīcībā; saglabājies kāds tā laika Masagetu[1] republikas profesora izteikums — "Cik ir divreiz divi, izlemj ģenerāļa kungs, nevis fakultāte". Citi pauda opozicionārus uzskatus tik ilgi, kamēr jutās puslīdz pasargāti, un publicēja protestus. Kāds toreiz pasaulslavens rakstnieks, kā vēstī Cīgenhalss, gada laikā parakstījis vairāk nekā divus simtus šādu protestu, brīdinājumu, uzsaukumu, apelēdams pie saprāta balss, — laikam gan parakstīja vairāk, nekā pats spēja izlasīt. Bet vairums iemācījās klusēt, ciest badu un salu, mācījās pārtikt no žēlastības dāvanām, slapstīties no policijas, daudzi mira pāragrā nāvē, un dzīvie apskauda mirušos. Neskaitāmi gara darbinieki izdarīja pašnāvību. Tik tiešām, zinātnieka vai literāta darbs vairs nesolīja ne prieku, ne godu: tas, kas neatteicās kalpot zemes varenajiem un viņu saukļiem, tika pie vietas un maizes, toties iemantoja kritiski noskaņoto kolēģu nicināšanu un parasti laikam gan arī vairāk vai mazāk netīru sirdsapziņu; tas, kas atteicās kalpot, bija spiests ciest izsalkumu, dzīvot ārpus likuma, mirt trūkumā vai trimdā. Tā bija nežēlīga, neredzēti barga atlase. Strauji panīka ne tikai zinātne, ja vien tā nekalpoja politiskiem vai militāriem mērķiem, pagrima arī mācību darbs. Sevišķi smagi cieta vēstures zinātne, ko ikviena tobrīd valdošā nācija piemēroja savām vajadzībām, bez mitas vienkāršoja un sagrozīja; vēstures filozofija un feļetons valdīja itin visur, pat skolā. Pietiks detaļu. Tie bija vētraini, mežonīgi laiki, haosa un Bābeles

---

[1] Masageti — Hērodota pieminēta sena, visai rupja un mežonīga barbaru cilts Kaspijas jūras ziemeļaustrumu piekrastē.

sajukuma laiki, kuros tautas un partijas, vecs un jauns, sarkans un balts vairs nesaprata cits citu. Beidzot, kad diezgan bija izliets asiņu un postam vairs nebija robežu, visās malās arvien stiprākas kļuva ilgas pēc atģidas, pēc savstarpējas saprašanās, pēc kārtības, tikuma, vispāratzītām normām, pēc tāda alfabēta un vienreizviena, kas varas interešu vārdā ik brīdi netiktu grozīts. Radās ārkārtēja prasība pēc patiesības un taisnības, pēc saprāta, vēlēšanās pārvarēt haosu. Šim vakuumam, apritot varmācīgajam un visnotaļ ekstravertīvajam laikmetam, šīm neizsakāmi neatlaidīgajām un dedzīgajām ilgām pēc jaunsāksmes un kārtības mums jāpateicas par Kastālijas rašanos un mūsu kastālisko eksistenci. Niecīgais skaits drosmu, bada novārdzinātu, taču līdz galam nelokāmu, patiesu gara dzīves pārstāvju, atskārtuši radušos iespēju, ar askētiski heroisku pašdisciplīnu sāka organizēties, celt savu kārtību; itin visur, apvienojušies nelielās vai pavisam sīkās grupās, viņi atjaunoja darbību, novāca saukļus, lika pamatu jaunai gara dzīvei, mācību darbam, zinātniskajai pētniecībai, izglītībai. Iecerēto izdevās īstenot — uz pieticīga pamata, tapusi pašaizliedzīgā darbā, pacēlās lepna celtne; mijoties paaudzēm, radās Ordenis, Audzināšanas kolēģija, elites skolas, arhīvi un krātuves, speciālās skolas un semināri, Stikla pērlīšu spēle, un šodien mēs, visa paveiktā mantinieki, esam tie, kas mīt šajā gandrīz vai pārlieku krāšņajā celtnē. Turklāt, tas jāatgādina vēlreiz, mītam tajā kā pagātni puslīdz aizmirsuši, ar ērtībām apraduši viesi; mēs ne dzirdēt vairs negribam nedz par neskaitāmajiem cilvēku upuriem, kas likti šīs celtnes pamatos, nedz par ciešanās gūto pieredzi, kura atstāta mums mantojumā, nedz arī par pasaules vēsturi, kas uzcēlusi vai ļāvusi uzcelt šo ēku, balsta un pacieš mūs, kā balstīs un pacietīs varbūt vēl dažu kastālieti un Maģistru pēc mums, šīsdienas cilvēkiem, taču reiz gāzīs un aprīs mūsu celtni, tāpat kā gāž un aprij itin visu, kam pati lēmusi augt.

Mans atskats vēsturē ir galā, un secinājums, attiecināms uz mūsdienām un uz mums, ir šāds: mūsu sistēmai un Ordenim augstākās virsotnes jau aiz muguras, ja runa par uzplaukumu un laimi, ko mīklainais vēstures ritums dažbrīd neliedz dailei un ideālam. Sācies noriets, tas, iespējams, turpināsies vēl ilgi, bet nekādā gadījumā mūs vairs negaida kas dižāks, daiļāks, vēlamāks par to, kas mums jau bijis lemts, — ceļš ved lejup, vēsturiski mēs, manuprāt, jau esam nobrieduši bojāejai, un mēs, bez šaubām, iesim bojā — ja ne šodien vai rīt, tad aizparīt. Tā domāt mani mudina ne tikai pārāk moralizējošais mūsu sasniegumu un spēju vērtējums, vēl jo vairāk par to liecina norises, kas, liekas, briest aiz mūsu robežām. Tuvojas kritiskas dienas, pirmās pazīmes jūtamas itin visur, pasaule atkal reiz tiecas mainīt smaguma centru. Gaidāmas varas pārvirzes, un tās nav iespējamas bez kara un varmācības; draudi ne vien mieram, bet arī dzīvībai un brīvībai sabiezē tālajos Austrumos. Lai arī mūsu zeme un tās politiķi ieturētu neitralitāti, lai kādā vienprātībā visa mūsu tauta censtos saglabāt pašreizējo stāvokli (ko tā tomēr nedara), lai kā gribētu palikt uzticama mums un Kastālijas ideāliem — viss būs veltīgi. Jau tagad viens otrs parlamenta deputāts izdevīgā brīdī itin skaidri liek noprast, ka Kastālija mūsu valstij esot lieka greznība. Līdzko valsts būs spiesta nopietni bruņoties kara gadījumam — kaut arī tikai aizsardzības nolūkā, un tas var notikt visai drīz —, nepieciešami kļūst visai stingri taupības pasākumi, un, lai cik labvēlīga mums būtu valdība, šie pasākumi lielākoties skars arī mūs. Mēs lepojamies ar to, ka mūsu Ordenis un mūsu gara kultūras noturība, ko tas nodrošina, neprasa valstij lielus upurus. Salīdzinājumā ar citiem laikmetiem, it īpaši ar agrīnā feļetonisma perioda lielajām dotācijām augstskolām, neskaitāmajiem slepenpadomniekiem un greznajiem institūtiem, šie upuri patiešām nav lieli, un jo niecīgāki tie ir salīdzinājumā ar summām, kuras kareivīgajā gadsimtā aprija karš un gatavošanās karam. Bet tieši gatavošanas karam drīzumā varbūt atkal kļūs par augstāko likumu, parlamentā atkal virsroku gūs ģenerāļi, un, ja tautai būs jāizšķiras — ziedot Kastāliju vai pakļaut sevi kara un bojāejas briesmām, jau iepriekš var pateikt, par ko tā balsos. Tad, šaubu nav, uz vietas atdzims militārisma ideoloģija un pirmām kārtām jaunatnes vidū izplatīsies lozungu pasaules uzskats, kas zinātniekus un zinātnisko domu, klasisko filoloģiju un matemātiku, izglītību un gara kultūru atzīs vien tiktāl, ciktāl tās noderīgas kara mērķiem.

Vilnis jau veļas, un pienāks brīdis, kad tas aizskalos mūs. Varbūt tas ir pareizi un nepieciešami. Bet pagaidām, augsti godājamie kolēģi, mūsu pienākums ir atbilstoši tam, kā izprotam notiekošo, atbilstoši mūsu tālredzībai un drosmei izmantot ierobežoto lēmuma un rīcības brīvību, kas lemta cilvēkam un pasaules vēsturi dara par cilvēces vēsturi. Mēs varam, ja vēlamies, aizvērt acis briesmu priekšā, kas vēl patālu; mēs, tagadējie Maģistri, domājams, itin visi vēl pagūsim tikt galā ar saviem amata pienākumiem un mierīgi nomirt, iekams briesmas būs tik tuvu, ka ikkatrs tās saskatīs. Taču man un, jādomā, ne tikai man tāda vienaldzība ar tīru sirsapziņu nav savienojama. Es nevaru arī turpmāk mierīgi veikt savus amata pienākumus un nodarboties ar Stikla pērlīšu spēli, priecādamies, ka gaidāmā posta dienās vairs nebūšu dzīvs. Nē, gluži otrādi, es uzskatu par savu pienākumu atcerēties, ka arī mēs, apolitiskie, esam ierauti vēstures norisēs un palīdzam veidot pasaules vēsturi. Tādēļ sava vēstījuma ievadā rakstīju, ka mana atbilstība amatam kļuvusi mazāka vai var mazināties, jo nav manos spēkos novērst, ka manas domas un raizes galvenokārt pievērstas draudošajām briesmām. Tiesa, es vairos iztēloties, kā šis posts var ietekmēt mūsu visu un manu likteni. Bet es nevaru nevaicāt sev: kas jādara mums, kas jādara man, dodot pretsparu minētajām briesmām? Lai man atļauts šo jautājumu iztirzāt sīkāk.

Es nepiekrītu Platonam, ka valstī jāvalda zinātniekiem vai pat prātniekiem. Viņa laikā pasaule bija jaunāka. Un Platons, lai gan nodibināja sava veida Kastāliju, pats nekādā ziņā nebija kastālietis, viņš bija dzimis aristokrāts, valdnieku dzimtas pēctecis. Nav noliedzams: arī mēs esam aristokrāti un veidojam dižu cilti, taču tā ir gara, nevis asins dižciltība. Es neticu, ka cilvēcei jebkad izdosies apvienot asins dižciltību ar gara aristokrātismu, — tas būtu ideāls variants, taču ir tikai sapnis. Mēs, kastālieši, gan esam tikumīgi un itin saprātīgi ļaudis, bet par valdniekiem nederam; ja mums vajadzētu valdīt, mums pietrūktu tā spēka un tiešuma, kas nepieciešami īstam pavaldonim, turklāt ātri vien tiktu aizlaists un paliktu neaprūpēts mūsu īstenais darbalauks — priekšzīmīgas gara dzīves izkopums. Valdniekam nemaz nav jābūt stulbam un brutālam, kā dažkārt secina iedomīgi intelektuāļi, toties viņam jāizjūt neviltots prieks par aktivitāti, ko veltī ārēju mērķu sasniegšanai, dedzīgi jātiecas identificēt sevi ar izvēlētajiem mērķiem un, protams, nav gan arī gari jāprāto un īpaši jākautrējas, izraugoties ceļus, kas ejami, lai gūtu panākumus. Tās visas ir īpašības, kuru nedrīkst būt zinātniekam — par prātniekiem sevi nedēvēsim — un kuru tam arī nav; mums apcere ir svarīgāka par darbību, turklāt, ja runa par līdzekļiem, kas jāizvēlas, lai sasniegtu izvēlētos mērķus, mēs esam iemācījušies būt maksimāli skrupulozi un kritiski. Mūsu uzdevums tātad nav valdīt vai nodarboties ar politiku. Mūsu pienākums ir pētīt, analizēt, mērīt, mēs esam aicināti sargāt un arvien no jauna pārbaudīt alfabētus, tabulas un metodes, mēs esam garīgo mēru un svaru noteicēji. Protams, mēs esam arī daudz kas cits, zināmos apstākļos mēs varam kļūt par novatoriem, pirmatklājējiem, dēkaiņiem, iekarotājiem, jauna satura paudējiem, bet mūsu vispirmais un galvenais pienākums, kura dēļ tautai esam vajadzīgi un kura dēļ tā mūs uztur, ir glabāt tīrus visus zināšanu avotus. Tirdzniecībā, politikā vai kur citur tas var arī būt ģeniāls sasniegums — pataisīt melnu par baltu, mūsu darbā — nekad.

Agrākajos gadsimtos, tā sauktajos "dižajos" un vētrainajos laikmetos, karu un apvērsumu laikposmos, dažkārt tika prasīts, lai intelektuālo profesiju pārstāvji darbotos līdzi politikā. It īpaši tas attiecināms uz vēlīnā feļetonisma ēru. Viena no šā perioda prasībām bija gara politizācija un militarizācija. Kā baznīcu zvanus pārkausēja par lielgabalu stobriem, kā nepilngadīgus skolasbērnus mobilizēja, lai aizstātu masveidīgi kritušos, tā kara mērķiem konfiscēja un izmantoja arī garu.

Piekrist tādām prasībām mēs, protams, nevaru. Neviens neiebildīs, ja nepieciešamības gadījumā zinātniekam liek atstāt savu katedru vai pētnieka galdu un kļūt par karavīru, ja zināmos apstākļos viņš brīvprātīgi dodas karot, ja valstī, ko noplicinājis karš, arī zinātniekam jāsamierinās ar galēju trūkumu un pat badu. Jo augstāka cilvēka izglītība, jo lielākas privilēģijas viņš baudījis — jo smagāki upuri viņam vajadzības gadījumā jānes; mēs ceram, ar laiku tas katram kastālietim liksies pats par sevi saprotams. Taču tas, ka mēs esam ar mieru upurēt savu labklājību, savas ērtības, pat dzīvību, ja tautai draud briesmas, nebūt vēl nenozīmē, ka viendienas interešu, tautas vai ģenerāļu labā esam gatavi upurēt pašu garu, mūsu gara dzīves tradīcijas un morāli. Gļēvulis ir tas, kas vairās no darba, kurš veicams viņa tautai, no upuriem, ko tā nes, no briesmām, ar kurām tai jāsastopas. Bet gļēvulis un nodevējs vēl turklāt ir arī tas, kas gara dzīves principus noliedz materiālu interešu vārdā, kas, piemēram, ar mieru atstāt varasvīru ziņā lēmumu, cik ir divreiz divi. Upurēt patiesības mīlestību, intelektuālu godprātību, uzticību gara dzīves likumiem un metodēm jebkuru citu interešu, kaut vai tēvijas interešu vārdā ir nodevība. Ja interešu un lozungu sadursmēs patiesībai draud briesmas tāpat zaudēt savu vērtību, tikt izkropļotai un izvarotai kā indivīdam, valodai, mākslai, visam organiskajam vai mākslīgi kultivētajam, tad mūsu vienīgais pienākums ir pretoties tam un glābt patiesību, tas ir, censhanos izdibināt patiesību — šo mūsu baušļu bausli. Zinātnieks, kurš no runātāja tribīnes, augstskolas katedras vai rakstos apzināti sagroza faktus, apzināti atbalsta melus un viltu, ne tikai grēko pret esamības pamatlikumiem, par spīti jebkuram aktuālam šķitumam, viņš savai nācijai laba vietā nes tikai postu, gandē tai gaisu un zemi, ēdienu un dzērienu, saindē tās apziņu un taisnības izjūtu un palīdz visam tam ļaunajam un naidīgajam, kas draud iznīcināt tautu.

Kastālietim tātad nav jākļūst par politiķi; nepieciešamības gadījumā viņam gan jāziedo sevi, taču nav tiesību lauzt uzticību garam. Tikai kalpojot patiesībai, gars top cildens un labdarīgs; līdzko gars noliedz, līdzko pārstāj bijāt patiesību, kļūst pērkams un lokās katram vējam līdzi, tas ir potenciāls nelabais un var tapt nesalīdzināmi zemiskāks par dzīvniecisku, neapzinātu bestialitāti, kurā daba tomēr vēl patur kaut drusciņ savas nevainības.

Es atstāju Jūsu ziņā, godājamie kolēģi, katram par sevi izlemt, kādi ir Ordeņa pienākumi brīdī, kad valstij un arī pašam Ordenim draud briesmas. Par to varam būt dažādos uzskatos. Savi uzskati ir arī man, un, ilgi apsvēris šeit skartos jautājumus, es esmu guvis skaidru priekšstatu par to, kas ir mans pienākums un ko man jācenšas darīt. Tieši tas pamudina mani griezties pie godājamas Kolēģijas ar personisku lūgumu, ar kuru tad arī beidzu savu memorandu.

Kolēģijas Maģistru vidū man, Stikla pērlīšu spēles maģistram, šķiet, ar ārpasauli vismazāk sakara. Matemātikas, Filoloģijas, Fizikas, Pedagoģijas, kā arī citu nozaru maģistri darbojas jomās, kas tiem kopīgas ar pasaulīgo zinātni; kā mūsu, tā jebkuras citas valsts parastā tipa nekastāliskajās skolās mācību pamats ir matemātika un gramatika, arī pasaulīgajās augstskolās māca astronomiju un fiziku, muzicē pat cilvēki, kas nav guvuši nekādu muzikālo izglītību; visas šīs disciplīnas ir mūžsenas, daudz senākas par mūsu Ordeni, tās pastāvējušas jau ilgi pirms Ordeņa dibināšanas un pastāvēs vēl tad, kad Ordeņa vairs nebūs. Tikai Stikla pērlīšu spēle ir mūsu pašu garabērns, mūsu nozare, mūsu acuraugs, mūsu paija — tā ir mūsu specifiski kastāliskā garīguma augstākā, diferencētākā izpausme. Tā ir pati vērtīgākā un arī nederīgākā, pati mīļākā un vārākā dārglieta mūsu bagātību krātuvē. Tā pati pirmā ies bojā, līdzko apšaubīt sāks Kastālijas tālākās eksistences lietderību, — un bojā tā ies ne tikai tādēļ, ka pati par sevi ir vārākais mūsu īpašums, bet tālab vien, ka profāna acīs tā neapšaubāmi ir vismazāk nepieciešamā Kastālijas garamanta. Ja valstij radīsies vajadzība sašaurināt izdevumus, tiks samazināts elites skolu skaits, pakāpeniski tiks apcirpti un galu galā pavisam likvidēti fondi bibliotēku un arhīvu uzturēšanai un paplašināšanai, pasliktināsies mūsu uzturs, mums vairs neizsniegs jaunu apģērbu, toties saglabātas tiks visas galvenās *universitas litterarum* disciplīnas, atskaitot vienu — Stikla pērlīšu spēli. Matemātika nepieciešama, lai radītu jaunus šaujamos ieročus, neviens turpretī nenoticēs, vismazāk jau armijas pārstāvji, ka, slēdzot *Vicus lusorum* un likvidējot mūsu Spēli, valstij un tautai varētu rasties kaut mazākie zaudējumi. Stikla pērlīšu spēle ir pats trauslākais un visvairāk apdraudētais mūsu celtnes posms. Varbūt tieši tādēļ Spēles maģistrs, tās mūsu gara disciplīnas pārstāvis, kura dzīvei vissvešākā, pirmais jūt tuvo zemestrīci vai vismaz pirmais brīdina Kolēģiju.

Es tātad uzskatu, ka politisku un it īpaši militāru kataklizmu gadījumā Stikla pērlīšu spēle lemta bojāejai. Tā strauji panīks, kaut daudzi paliks tai uzticīgi, un vairs neatdzims. Gaisotnē, kas valdīs pēc jaunas militāru sadursmju ēras, tas nebūs iespējams. Spēle beigs pastāvēt, tāpat kā pastāvēt beidza viena otra pārsmalcināta mūzikas dzīves tradīcija, piemēram, septiņpadsmitā gadsimta sākuma profesionālie kori vai svētdienas koncerti baznīcās astoņpadsmitā gadsimta sākumā. Toreiz cilvēka ausij bija lemts dzirdēt skaņas, kuru dievišķi dzidro spozmi nespēj restaurēt nekāda zinātne, nedz arī burvesti. Arī Stikla pērlīšu spēle netiks aizmirsta, bet atkārtojuma tai nebūs, un ļaudīm, kas nākotnē pētīs Spēles vēsturi, tās izcelsmi, ziedu laikus un norietu, atliks vienīgi nopūsties, apskaužot mūs, kam bija ļauts dzīvot tik harmoniskā, tik izsmalcinātā un tīrskanīgā gara pasaulē. Lai gan esmu Spēles maģistrs, nebūt neuzskatu par savu (vai mūsu) pienākumu novērst vai novilcināt Spēles bojāeju. Arī daiļajam, lai cik tas pilnīgs, lemts iznīkt, līdzko tas kļūst par vēsturisku kategoriju un zemes dzīves parādību. Mums tas ir zināms, mēs varam par to skumt, bet veltīgi būtu censties novērst to, kas nav novēršams. Ja Stikla pērlīšu spēle ies bojā, tas pasaulei un Kastālijai būs smags, bet pirmajā brīdī neatskārsts zaudējums — tik ļoti abas dziļās krīzes laikmetā būs aizņemtas glābjot, kas vēl glābjams. Iedomājama ir Kastālija bez Stikla pērlīšu spēles, bet nav iedomājama Kastālija bez patiesības alkām, bez uzticības garam. Audzināšanas koleģija var iztikt bez Spēles maģistra. Bet pats termins *Magister ludi* būtībā taču apzīmē — un tas mūsu dienās gandrīz aizmirsts — ne jau to specialitāti, ko tas izteic mums. Būtībā *Magister ludi* gluži vienkārši ir skolotājs. Un skolotāji, krietni un drosmīgi skolotāji mūsu zemei būs jo vajadzīgāki, jo lielākas briesmas draudēs Kastālijai un jo lielāks skaits tās dārgumu kļūs nevajadzīgi un ies bojā. Skolotāji mums ir nepieciešamāki par visiem citiem — cilvēki, kas māca jaunatni vērtēt un spriest, rāda tai paraugu, cik bijīgi jāizturas pret patiesību, kā jākalpo garam un vārdam. Tas attiecas ne vien uz mūsu elites skolām, kuras kādreiz taču arī beigs pastāvēt, pirmām kārtām tas attiecas uz pasaulīgajām skolām aiz mūsu Provinces robežām, uz skolām, kurās māca un audzina nākamos pilsētu un lauku iedzīvotājus, amatniekus un karavīrus, politiķus, virsniekus un valstsvīrus — māca tik ilgi, kamēr tie vēl ir bērni, kurus var veidot. Skola ir valsts gara dzīves pamats, ne jau semināri vai Stikla pērlīšu spēle. Mēs izsenis nodrošinām valsti ar skolotājiem un audzinātajiem, un viņi, kā jau teicu, mūsu vidū ir paši krietnākie. Bet mums jādara daudz vairāk, nekā esam darījuši līdz šim. Mēs vairs nedrīkstam paļauties uz to, ka mūsu rindas papildinās arvien jauni, apdāvināti izlases skolnieki no pasaulīgajām skolām, palīdzot mums saglabāt mūsu Kastāliju. Pietiecīgais, bet atbildīgais darbs skolā, vispirms pasaulīgajā skolā, mūsu sūtībā uzskatāms par galveno, visvairāk godājamo un visnotaļ paplašināmo.

Šai sakarā pienācis laiks izteikt personisku lūgumu, ar kuru uzdrīkstos griezties pie godājamās Kolēģijas. Es lūdzu Kolēģiju atbrīvot mani no Spēles maģistra amata un uzticēt man kādas lielākas vai mazākas skolas vadību aiz Kastālijas robežām, kā arī atļaut man pakāpeniski iesaistīt šajā skolā par skolotājiem grupu jauno Ordeņa biedru — cilvēkus, par kuriem varu būt pārliecināts, ka tie godam palīdzēs man vērst miesā un asinīs mūsu principus, audzinot pasaulīgo jaunatni.

Es ceru, ka godājamai Kolēģijai labpatiks rūpīgi izskatīt manu lūgumu un memorandu, kā arī darīt man zināmu savu lēmumu.

Stikla pērlīšu spēles maģistrs

Postskripts

Lai man atļauts citēt kādu godājamā pātera Jakoba izteikumu, ko esmu pierakstījis neaizmirstamas privātas sarunas laikā: "Var pienākt šausmu un dziļa posta dienas. Bet, ja posta vidū vēl iedomājama laime, tad tikai garīga — vērsta atpakaļ, lai glābtu zudušu dienu kultūru, un uz priekšu, pretī nākotnei, lai līksmi un moži pārstāvētu garu laikmetā, kurš citādi viscaur kļūtu par upuri vieliskajam."

Tegularijs pat neapjauta, cik maz viņa veikuma palicis šajā rakstā; galīgajā redakcijā viņš to nedabūja redzēt. Tiesa, Knehts parādīja viņam divus agrākus, daudz plašākus variantus. Nosūtījis vēstījumu, viņš daudz pacietīgāk par draugu gaidīja Kolēģijas atbildi. Viņš izlēma turpmāk neinformēt draugu par soļiem, ko dzīrās spert; viņš pat aizrādīja draugam, lai tas beidz spriedelēt par šo jautājumu, pieminādams vienīgi, ka līdz atbildes saņemšanai paies, bez šaubām, ne mazums laika.

Bet atbilde pienāca ātrāk, nekā viņš bija gaidījis, un Tegularijam tas palika nezināms. Rakstam, ko Knehts saņēma no Hirslandes, bija šāds saturs:

Godātajam Spēles maģistram Valdcellā

Augsti cienītais kolēģi!

Ordeņa vadība un Maģistru kolēģija ar neparastu interesi izlasīja Jūsu tikpat izjusto, cik saturīgo vēstījumu. Mūsu uzmanību šajā rakstā saistīja tiklab vēsturiskais atskats, kā raižpilnā ielūkošanās nākotnē, un daudzi no mums, bez šaubām, domās vēl ne vienu reizi vien pārcilās šos satraucošos un daļēji noteikti pamatotos apsvērumus, lai no tiem mācītos. Ar prieku un gandarījumu mēs pārliecinājāmies par cildeno noskaņojumu, kas pamudinājis Jūs rakstīt, par patiesi pašaizliedzīgu kastālieša noskaņojumu, dziļu, par otru dabu kļuvušu mīlestību uz mūsu Provinci, tās dzīvi un paražām, gādīgu un šobrīd nedaudz bažīgu mīlestību. Ar ne mazāku prieku un gandarījumu mēs iepazinām šīs mīlestības pašreizējo un personisko nokrāsu, Jūsu gatavību nest upuri, alkas darboties, degsmi un dziļo nopietnību, noslieci uz heroismu. Tas viss lieku reizi atsauc mums atmiņā mūsu Stikla pērlīšu spēles maģistra raksturu, viņa enerģiju, kaismi, drosmi. Cik tas viņa — slavenā benediktiešu pātera mācekļa cienīgi — neuzskatīt vēstures studijas par tīri zinātnisku pašmērķi, nepētīt vēsturi salta vērotāja vienaldzībā, kā mēdz nodoties estētiskai rotaļai, bet gan censties savas vēstures zināšanas likt lietā, attiecinot tās uz tagadni, darbojoties, tiecoties palīdzēt! Un kā tas atbilst Jūsu raksturam, godātais kolēģi, ka Jūsu personiskajām vēlmēm tik pieticīgs mērķis, ka Jūs nevilina politiski uzdevumi un misijas, ietekmīgi un godpilni amati, bet gribat būt tikai *Magister ludi,* proti, skolotājs!

Tādi ir daži iespaidi un apsvērumi, kas nevilšus rodas, lasot pirmoreiz Jūsu vēstījumu. Tādi paši vai aptuveni tādi paši iespaidi radās turpat vai visiem kolēģiem. Turpinot analizēt Jūsu ziņojumu, brīdinājumus un lūgumus, Kolēģijas nostāja turpretī tik vienprātīga vairs nebija. Sēdē, kas tika veltīta Jūsu rakstam, jo dzīvas pārrunas izraisījās par jautājumu, cik pamatots ir Jūsu uzskats, ka mūsu eksistencei draud briesmas, tāpat arī par jautājumu, kādas īsti briesmas mums draud, cik tās lielas un cik tuvu laika ziņā. Vairums sēdes dalībnieku pret apspriežamajiem jautājumiem izturējās nepārprotami nopietni un veltīja tiem lielu interesi. Tomēr mums jādara Jums zināms, ka nevienā jautājumā vairums runātāju neatbalstīja Jūsu viedokli. Atzinību guva vienīgi Jūsu iztēles spēja un Jūsu vēsturiski politiskās apceres tālredzība, toties detaļās neviens Jūsu minējums vai, pareizāk sakot, pravietojums netika atzīts par visnotaļ ticamu un pārliecinošu. Arī jautājumā par to, cik liels ir Ordeņa un Kastālijā valdošās kārtības ieguldījums neparasti ilgā miera perioda nodrošināšanā, ciktāl Ordenis un Kastālija vispār un principā uzskatāmi par politisko vēsturi un politisko situāciju noteicējiem faktoriem, Jums piekrita tikai nedaudzi — un arī tie ne bez iebildēm; miers, kas iestājies mūsu kontinentā, beidzoties militāru sadursmju laikmetiem, pēc vairākuma domām, pa daļai izskaidrojams ar vispārēju spēku izsīkumu un noasiņošanu nesen notikušajos briesmīgajos karos, taču vēl jo vairāk ar to, ka Rietumeiropa toreiz pārstāja būt pasaules vēstures viduspunkts un cīņas arēna par hegemoniju. Ne mazākā mērā neapšaubot Ordeņa nopelnus, tomēr nevar piekrist domai, ka kastāliskajai idejai — augstas gara kultūras idejai zem kontemplatīva dvēseles izkopuma karoga būtu piedēvējama vēsturi aktīvi veidojoša faktora nozīme, tas ir, tiešs iespaids uz politisko situāciju pasaulē, turklāt šāda veida mērķi un centieni absolūti

267

sveši kastāliskās gara dzīves raksturam. Kā uzsvēra daži visai nopietni ņemami runātāji, izsakoties par šo tēmu, Kastālija nedz vēloties, nedz esot aicināta darboties līdzi politikā un ietekmēt lēmumus kara un miera jautājumos, un par tamlīdzīgu aicinājumu jau tādēļ vien nevarot būt ne runas, ka viss kastāliskais attiecoties uz prāta sfēru un norisot saprāta ietvaros, ko taču nevarot teikt par pasaules vēsturi, ja vien ne-atkārtojot romantiskās vēstures filozofijas teoloģiski dzejiskos sapņus un neizsludinot slepkavošanas un iznīcināšanas aparātu, kurš kalpo vēsturi virzītājām varām, par pasaules saprāta izpausmi. Pietiekot turklāt kaut vai paviršī ielūkoties gara dzīves vēsturē, lai pārliecinātos, ka gara dzīves periodisks uzplaukums nav izskaidrojams ar politiskiem apstākļiem, ka, gluži otrādi, kultūrai, gara vai dvēseles dzīvei esot pašai sava vēsture, kas risinoties paralēli tā saucamajai pasaules vēsturei, tas ir, nebeidzamajai cīņai par materiālu varu, un šī otra vēsture esot apslēpta, bez asinsizliešanas, sakrāla. Vienīgi ar šo apslēpto un svēto, nevis ar "reālo", brutālo pasaules vēsturi mūsu Ordenim esot sakars, un tā pienākums nekādā gadījumā neesot raizēties par politisko vēsturi vai pat palīdzēt šo vēsturi veidot.

Lai kāda būtu pasaules politiskā konstelācija — tāda, kāda tā notēlota Jūsu vēstījumā, vai arī citāda —, jebkurā gadījumā Ordenim piedabīga tikai nogaidoša un iecietīga nostāja. Un tā vairākums kolēģu noteikti noraidīja Jūsu viedokli, ka attēlotā konstelācija uzskatāma par aicinājumu nostāties aktīvā cīņas pozīcijā. Kas attiecas uz Jūsu uzskatiem par stāvokli mūsdienu pasaulē un Jūsu tuvākās nākotnes paredzējumiem, tie nenoliedzami atstāja zināmu iespaidu uz daudziem kolēģiem un vienam otram pat likās sensacionāli, taču arī šajā jautāju-mā, kaut lielākā daļa runātāju apliecināja savu cieņu Jūsu zināšanām un asajam prātam, vairākums nebija ar Jums vienisprātis. Gluži otrādi, dominēja nosliece atzīt Jūsu izteikumus gan par ievērības cienīgiem un visai interesantiem, tomēr pārspīlēti pesimistiskiem. Kāds pat izteica jautājumu, vai Maģistrs, kurš tiecas biedēt Kolēģiju, iztēlodams tik drūmās krāsās it kā tuvu briesmu un pārbaudījumu ainas, neatļaujo-ties rīcību, kas nosaucama par bīstamu, pat noziedzīgu, mazākais, par vieglprātīgu. Izdevīgā brīdī atgādināt, ka šajā pasaulē nekas nav mūžīgs, protams, esot pieļaujami, un ikvienam kastālietim, it īpaši jau tādam, kam augsts un atbildīgs postenis, laiku pa laikam jāatceroties *memento mori*[1], bet tik vispārinoši, tik nihilistiski sludināt drīzu galu visai Maģistru kārtai, visam Ordenim, visai hierarhijai esot ne tikai necienīgs mēģinājums iztraucēt kolēģu dvēseles mieru un satraukt viņu

---

[1] Piemini nāvi (*latīņu val.*).

iztēli, bet arī apdraudēt pašu Kolēģiju un tās darbaspējas. Nekādā ziņā nevarot nākt darbam par labu, ka Maģistrs katru rītu ceļas ar domu — viņa postenis, viņa darbs, viņa skolnieki, viņa atbildība Ordeņa priekšā, visa dzīve Kastālijā un Kastālijas interesēs rīt vai parīt gaisīs un pārvērtīsies pīšļos. Lai arī šādam uzskatam vairums nepiekrita, tas tomēr guva zināmu atbalstu.

Mēs izsakāmies īsi, bet esam ar mieru tikties ar Jums, lai apmainītos domām. Mūsu skopi tvertais izklāsts liecinās Jums, Godājamais, ka Jūsu vēstījums nav atstājis tādu iespaidu, uz kādu varbūt cerējāt. Pirmām kārtām neveiksme, domājams, izskaidrojama ar lietišķiem iemesliem, ar faktiskajām atšķirībām starp Jūsu un vairākuma pašreizējiem uzskatiem un vēlmēm. Sava nozīme tomēr ir arī formāliem motīviem. Vismaz mums šķiet, ka tieša domu apmaiņa ar Jums būtu noritējusi daudz harmoniskāk un devusi labākus rezultātus. Bet ne tikai oficiālā rakstiska vēstījuma forma, mūsuprāt, kaitējusi Jūsu iecerei — vēl jo vairāk tai kaitējis mūsu attiecībām tik neierastais koleģiāla ziņojuma apvienojums ar personiska rakstura iesniegumu un lūgumu. Šādu apvienojumu daudzi uzskatīja par neveiksmīgu jaunieviesuma mēģinājumu, daži atklāti nosauca to par nepieņemamu.

Šeit jāpievēršas viskutelīgākajam jautājumam Jūsu vēstījumā, proti, lūgumam atbrīvot Jūs no amata un nosūtīt darbā kādā pasaulīgā skolā. Lūguma iesniedzējam būtu jāapzinās, ka Kolēģija nevar atbalstīt tik negaidītu un tik īpatnēji pamatotu prasību, ka tā nekādā gadījumā nevar to atzīt par pareizu un uzklausīt. Pats par sevi saprotams, Kolēģija noraida lūgumu.

Kas notiktu ar mūsu hierarhiju, ja Ordenis un Kolēģija ar pavēli vairs nenorādītu katram viņa vietu? Kas notiktu ar Kastāliju, ja katrs pats novērtētu sevi, savas dotības, savas spējas un atbilstoši tām pats izraudzītos piemērotu posteni? Mēs ieteicam Stikla pērlīšu spēles maģistram padomāt par to, kā arī pavēlam palikt godpilnajā amatā, kas viņam uzticēts.

Līdz ar to lūgums atbildēt uz Jūsu vēstījumu ir izpildīts. Mēs nevarējām dot tādu atbildi, kādu Jūs, jādomā, cerējāt saņemt. Tai pašā laikā mēs nevēlētos noklusēt Jums savu atzinību par dokumenta rosinošo un brīdinošo nozīmi. Mēs paliekam cerībā, ka varēsim ar Jums personiski apspriest vēstījuma saturu, turklāt iespējami drīz, jo, lai arī Ordeņa vadība uzskata, ka var uz Jums paļauties, tai tomēr bažas rada kāda vieta Jūsu vēstījumā, kur runa ir par grūtībām un briesmām, kas nākotnē var apdraudēt amata pienākumu izpildi.

Knehts izlasīja vēstuli bez īpašām cerībām, toties ļoti uzmanīgi. Ka Kolēģijai "radušās bažas", viņam nebija grūti iztēloties, turklāt par to, šķiet, liecināja vēl kāds vērojums. Spēlētāju ciematā nesen bija ieradies viesis no Hirslandes; uzrādījis oficiālu personas apliecību un Ordeņa vadības ieteikumu, viņš lūdza atļauju uzkavēties šeit dažas dienas — it kā darbam arhīvā un bibliotēkā —, tāpat arī atļauju noklausīties dažas Knehta lekcijas. Mazrunīgs un vērīgs — šis jau pavecais vīrs iegriezās turpat visās Ciemata nodaļās un telpās, apvaicājās par Tegulariju un vairākkārt apciemoja netālu dzīvojošo Valdcellas elites skolas direktoru; nevarēja būt šaubu, kā viņš ir novērotājs, atsūtīts, lai pārbaudītu, kas notiek Spēlētāju ciematā, vai nav manāma kāda nolaidība, vai Maģistrs ir vesels un atrodas savā postenī, vai darbinieki neslinko, vai skolnieku vidū nav vērojams satraukums. Veselu nedēļu viņš uzturējās Valdcellā, nepalaizdams garām nevienu Knehta lekciju; šā klusā, visuredzošā cilvēka pētīgums sevišķi uzkrita diviem kalpotājiem. Ordeņa vadība tātad bija nogaidījusi sava izlūka ziņojumu un tikai tad atbildējusi uz Maģistra vēstījumu.

Kā bija vērtējama atbilde, un kas bija tās autors? Stils rakstītāju nenodeva — tas bija vispārpieņemtais, bezpersoniskais kancelejas stils, un rakstības veids atbilda raksta saturam. Rūpīgāk caurskatot vēstuli, tomēr atklājās vairāk īpatnību un personības iezīmju, nekā bija licies, lasot vēstuli pirmoreiz. Dokumenta pamatiezīme bija hierarhiskais Ordeņa gars, taisnīgums un kārtības mīlestība. Bija skaidri noprotams, cik nevēlamu, netīkamu, pat uzmācīgu un ērcinošu iespaidu atstājis Knehta lūgums; atbildēt noraidoši autors droši vien izlēma uzreiz, līdzko izlasīja vēstījumu un vēl nebija uzklausījis citu domas. Bet līdzās nepatikai un nosodījumam atbildē jautās citas jūtas un noskaņas: klajas simpātijas, tieksme izcelt itin visus iejūtīgos un draudzīgos spriedumus un apsvērumus, kas sēdē izteikti par Knehta lūgumu. Knehts nešaubījās, ka atbildi rakstījis Aleksandrs, Ordeņa vadības priekšnieks.

Mūsu ceļš ir galā, mēs ceram, ka pavēstīts viss būtiskais par Knehta dzīvi. Par šā mūža beigu posmu cits — vēlāks biogrāfs, bez šaubām, atklās un darīs zināmu vēl vienu otru detaļu.

Mēs atsakāmies patstāvīgi atainot Maģistra pēdējās mūža dienas, mēs zinām par tām tikpat, cik jebkurš Valdcellas students, un nespētu to paveikt labāk, nekā tas izdarīts "Leģendā par Stikla pērlīšu spēles maģistru", kas daudzos norakstos iet no rokas rokā un ko, jādomā, sacerējuši daži izcili nelaiķa skolnieki. Ar šo leģendu tad arī beigsim savu stāstījumu.

LEĢENDA

Kad klausāmies biedru sarunas par mūsu Maģistra nozušanu, par šīs nozušanas iemesliem, par to, cik pamatoti vai nepamatoti bijuši viņa lēmumi un rīcība, par viņa likteņa jēgu vai bezjēdzību, tās mums atgādina Sicīlijas Diodora spriedelējumus[1] par varbūtējiem plūdu cēloņiem Nīlā — mūsuprāt, būtu ne vien lieki, bet arī nepareizi pievienot šiem iztirzājumiem jaunus minējumus. Izdomu vietā labāk turēsim godā mūsu Maģistra piemiņu, kurš tik drīz pēc savas noslēpumainās došanās pasaulē aizgāja vēl jo svešākā un noslēpumainākā viņā saulē. Mums tik dārgā cilvēka piemiņas vārdā mēs vēlamies uzrakstīt visu, ko par šīm norisēm esam dzirdējuši.

Izlasījis vēstuli, kurā Kolēģija noraidīja viņa lūgumu, Maģistrs, juzdams vieglas trīsas, it kā vēsas rīta stundas dirbas un atžirbu, saprata, ka gaidītais brīdis pienācis un vairs nav ko vilcināties un kavēties. Šo savdabīgo sajūtu, ko pats dēvēja par "atmodu", viņš pazina: tieši tāpat viņš bija juties visos liktenīgajos mūža mirkļos, tā bija spirdzinoša un reizē sāpīga, atvadas savienotas ar gaidām, dziļi zemapziņā sacēlusies pavasarīga vētra. Viņš paskatījās, cik pulkstenis, — pēc stundas viņam jālasa lekcija. Nolēmis veltīt šo stundu apcerei, viņš devās uz kluso Maģistra dārzu. Visu ceļu viņam ausīs skanēja nejauši atmiņā nākusi dzejas rinda:

Un katrā sākotnē mīt slēpta rosme...

Viņš skaitīja rindu vēl un vēl, nevarēdams atcerēties, kura dzejnieka darbā to reiz lasījis; bet pati dzejas rinda tīkami saviļņoja viņu un likās pieskaņota šā mirkļa izjūtām. Dārzā viņš apsēdās uz sola, kas bija nobiris ar pirmajām vītušajām lapām, izlīdzināja elpošanu un, atguvis iekšēju mieru, skaidrotu sirdi gremdējās apcerē, kuras gaitā

---

[1] Sicīlijas Diodora spiedelējumi — nekritiskais sengrieķu vēsturnieks Diodors sarakstījis daudzus ģeogrāfiskus apcerējumus un kultūras un tikumu vēsturi 40 sējumos, kas gandrīz visa gājusi bojā vai nozaudēta. Dzīvojis Cēzara un Augusta laika Romā.

šā mūža mirkļa konstelācija atainojās vispārinātos, pārpersoniskos tēlos. Atceļā, dodamies uz mazo auditoriju, viņš no jauna atcerējās dzejas rindu, no jauna kavējās domās pie tās, līdz izlēma, ka tai jāskan nedaudz citādi. Un pēkšņi rinda atausa atmiņā pavisam skaidri, un viņš klusi noskaitīja:

Bet katrā sākotnē jūt slēptu rosmi,
Kas sargā mūs, mums palīdz dzīvot...

Bet tikai pret vakaru, kad lekcija sen bija nolasīta un bija paveikti daudzi citi dienas darbi, viņš atminējās, no kurienes nāk šīs rindas. Tās nebija lasītas kāda dzejnieka darbā, tās atrodamas dzejolī, ko pats uzrakstījis skolas vai studiju gados, un šis dzejolis beidzās ar rindu:

Sirds, atvadies, tev atjaunotni junda!

To pašu vakaru ataicinājis savu vietnieku, viņš pavēstīja, ka rīt aizbrauc uz nenoteiktu laiku. Vietnieka ziņā viņš atstāja visus steidzamos darbus, īsi norādīja, kas veicams, un atvadījās tikpat laipni un lietišķi kā vienmēr pirms došanās nelielā ceļojumā.

Tas, ka no Tegularija jāšķiras, neatklājot draugam savu nodomu un nesāpinot viņu ar atvadām, Knehtam jau sen bija skaidrs. Tā bija jārīkojas ne vien aiz saudzības pret pārlieku jūtīgo draugu, bet arī aiz bažām, ka neizjūk viss iecerētais. Ar notikušu faktu Tegularijs, jādomā, samierināsies, toties negaidīta atzīšanās un atvadu scēna var to pamudināt spert neapdomātus soļus. Vienu brīdi Knehts dzīrās aizceļot, pat neticies vairs ar draugu. Bet, apsvēris šādu iespēju, viņš tomēr atzina, ka tas atgādinātu vairīšanos no grūtībām. Lai cik pareizi un saprātīgi, liekas, būtu aiztaupīt draugam satraucošus mirkļus, liegt izdevību pastrādāt muļķības — sevi saudzēt viņš tomēr nedrīkstēja. Gulēt jāiet tikai pēc pusstundas, vēl varēja apciemot Tegulariju, īpaši neiztraucējot nedz draugu, nedz kādu citu. Bija jau tumša nakts, kad Knehts šķērsoja plašo pagalmu. Viņš pieklauvēja pie drauga celles durvīm, mulsi atskārzdams, ka dara to pēdējo reizi. Draugs bija viens. Pacēlis acis no grāmatas, ko pašreiz lasīja, tas līksmi atņēma sveicienu, nolika sējumu pie malas un lūdza viesi apsēsties.

— Es šodien atcerējos kādu vecu dzejoli, — Knehts uzsāka sarunu, — pareizāk sakot, pāris dzejas rindiņu. Varbūt tu zināsi pateikt, kur meklējams viss dzejolis?

Un viņš noskaitīja:

Bet katrā sākotnē jūt slēptu rosmi...

Draugam nebija ilgi jālauza galva. Brīdi padomājis, viņš atcerējās dzejoli, piecēlās un izņēma no rakstāmpults atvilktnes Knehta dzejoļu manuskriptu, rokrakstu, ko biedrs reiz bija viņam uzdāvinājis. Pašķirstījis manuskriptu, Tegularijs izvilka divas lapiņas ar dzejoļa pirmuzmetumu un sniedza tās Maģistram.

— Te tas ir, — viņš smaidīdams teica, — lasiet, Godājamais, ja vēlaties! Pagājuši daudzi gadi, kopš jums labpaticis atcerēties šos dzejoļus.

Jozefs Knehts aizkustināts vērīgi aplūkoja abas lapiņas. Reiz studiju gados, uzturēdamies Austrumāzijas tautu institūtā, viņš tika sarakstījis šīs vārsmas; no tām pretī vērās tāla pagājība, itin viss atgādināja pa pusei aizmirstās bijušās dienas, kas tagad kā brīdinot sāpīgi atausa atmiņā: gan padzeltējušais papīrs, gan jauneklīgais rokraksts, gan svītrojumi un labojumi tekstā. Knehtam šķita, ka viņš atceras ne vien gadu un gadalaiku, kad tapa šīs rindas, bet arī dienu un stundu, savu toreizējo noskaņojumu, tās stiprās un lepnās jūtas, kas toreiz pildīja sirdi un darīja viņu laimīgu, razdamas izpausmi dzejā. Rakstītas šīs vārsmas bija vienā no tām īpašajām dienām, kad norisa dvēseliskais pārdzīvojums, ko pats dēvēja par atmodu.

Dzejoļa virsraksts, iecerēts jau agrāk, acīmredzot veidoja pirmo rindu. Lieliem burtiem, plašā rokrakstā viņš bija uzmetis:

Transcendere!

Tikai vēlāk, citā mūža posmā, citā noskaņojumā un dzīves situācijā, viņš nosvītrojis šo virsrakstu līdz ar izsaukuma zīmi un sīkākiem, smalkākiem burtiem pieticīgākā rokrakstā uzrakstījis jaunu, proti: "Pakāpieni".

Tikai tagad Knehts atcerējās, kā viņš toreiz, dzejā paustās domas spārnots, uzšņāpa vārdu *transcendere* — uzmudinājumu un pavēli, brīdinājumu sev, nule formulētu, stingru apņēmību pakļaut savu dzīvi un darbību šai devīzei — pārkāpt robežas, līksmi un drosmi izstaigāt telpu aiz telpas, posmu aiz posma, katrā veicot savu pienākumu un pilnveidojot sevi. Pusbalsī viņš nolasīja dažas rindas:

Aiz telpas līksmi jāizstaigā telpa,
Nevienā nerodot sev dzimtās mājas,
Ne valgot cilvēku, lai solis stājas, —
Aiz kāpes kāpi veikt sauc iras elpa.

273

— Ilgus gadus šīs rindas biju aizmirsis, — viņš teica, — un šodien, nejauši atcerējies vienu no tām, vairs nezināju, kur tās esmu lasījis un kas tās sacerējis. Kāds tev šis dzejolis liekas šodien? Vai tas tev ko izsaka?

Tegularijs kļuva domīgs.

— Tieši pret šo dzejoli man allaž bijusi īpaša attieksme, — viņš pēc brīža teica. — Šis ir viens no tiem nedaudzajiem jūsu dzejoļiem, kas man, patiesību sakot, nekad nav īsti paticis, tajā ir kas tāds, kas mani allaž traucējis vai biedējis. Kas tas īsti ir, es agrāk nesapratu. Šodien, man rādās, es to zinu. Jūsu dzejolis, Godājamais, kuram devāt nosaukumu *Transcendere!* — virsraksts, nudien, izklausās pēc pavēles doties ceļā; vēlāk jūs, paldies Dievam, aizstājāt to ar citu, daudz labāku, — man nekad nav bijis pa prātam, jo tam ir pavēloša, moralizējoša, pamācīga pieskaņa. Ja šā elementa nebūtu, ja šo pieskaņu izdotos novērst, tas būtu viens no jūsu labākajiem dzejoļiem — nupat atkal to nomanīju. Virsraksts "Pakāpieni" itin veiksmīgi norāda uz dzejoļa patieso saturu, bet tikpat labi jūs būtu varējis to nosaukt "Mūzika" vai "Mūzikas būtība". Jo, līdzko atmet dzejoļa moralizējošo, didaktisko pieskaņu, tas faktiski apcer mūzikas būtību vai, teiksim, slavina mūziku, tās pastāvīgo tagadību, tās skaidrotību un noteiktību, tās kustīgumu, nemitīgo gatavību steigties tālāk, atstāt aiz sevis tikko aizņemto telpu vai telpas daļu. Ja jūs būtu aprobežojies ar šādu apceri par mūzikas garu vai tās slavinājumu, ja jūs, acīmredzot jau toreiz audzinātāja godkāres dzīts, nebūtu to pārvērtis par pamācīgu "sprediķi", šis dzejolis liktos īsta pērle. Tāds, kāds tas ir tagad, tas man šķiet ne tikai pārlieku didaktisks, pārlieku skolmeistarisks, bet arī aloģisks. Tikai tādēļ, lai padarītu dzejoli morāli iedarbīgu, mūzika un dzīve tajā pielīdzinātas viena otrai, kas labākajā gadījumā ir apšaubāmi un apstrīdami, mūzikas dabisko moraliskumu, indiferento virzītājspēku vai sviru iztēlojot par "dzīvi", kas tiecas mūs audzināt un pilnveidot ar uzsaucieniem, pavēlēm un labām pamācībām. Vārdu sakot, šajā dzejolī kāds neatkārtojami skaists un dižens redzējums tiek falsificēts un izmantots didaktiskos nolūkos, un tieši tas mani vienmēr noskaņojis pret šo dzejoli.

Maģistrs klausījās ar patiku, vērodams, kā Tegularijs runādams iesilst, pat iekaist niknumā; šī bija viena no tām īpašībām, kuru dēļ viņš draugu mīlēja.

— Pieņemsim, ka tev taisnība, — viņš teica, pa pusei jokodams. — Katrā ziņā tu nekļūdies, apgalvodams, ka manam dzejolim ir sakars ar mūziku. Domu, ka "jāizstaigā telpa aiz telpas", un dzejoļa pamatdomu, man pašam to neapzinoties un nepamanot, tik tiešām izraisījusi mūzika. Nezinu teikt, vai esmu izkropļojis domu un falsificējis redzējumu; varbūt tev ir taisnība. Rakstīdams šīs vārsmas, es vairs nedomāju par mūziku, jo biju kāda cita pārdzīvojuma varā — valdzinošā mūzikas alegorija atklāja man savu ētisko pusi, modināja un brīdināja mani, atklāja man mana mūža aicinājumu. Dzejoļa imperatīvā forma, kas tev jo sevišķi netīk, nepauž vēlēšanos pavēlēt un pamācīt, jo šī pavēle, šis paskubinājums attiecas tikai uz mani. Par to tu, dārgais, būtu varējis pārliecināties, ja vien nezinātu to tāpat, izlasījis dzejoļa pēdējo rindiņu. Es tātad kaut ko atklāju, man radās kāda atziņa, iekšējs redzējums atdarīja man acis, un es vēlējos attiecināt pats uz sevi, iekalt atmiņā šīs atklāsmes morālo satvaru. Tādēļ, pats to nezinādams, nebiju aizmirsis dzejoli. Šīs vārsmas, vienalga, labas vai sliktas, savu panākušas, pamundrinājums turpinājis dzīvot manī un nav bijis aizmirsts. Šodien tas atskan manī no jauna; tas ir skaists pārdzīvojums, ko tavas zobgalības nespēj samaitāt. Bet ir jau vēls, laiks posties! Cik jaukas, draugs, bija senās dienas, kad mēs, studenti, nereti atļāvāmies pārkāpt nolikto kārtību un tērzējot aizsēdējāmies līdz vēlai naktij! Žēl, ka Maģistram tas ir liegts.

— Ak, — attrauca Tegularijs, — liegts jau tas nav, trūkst vienīgi drosmes.

Knehts smiedamies uzlika viņam roku uz pleca.

— Mīļais, ja runa par drosmi, es būtu spējīgs uz daudz lielākiem nedarbiem. Ar labu nakti, vecais mēlgali!

Līksmā noskaņā Knehts pameta celli, bet pa ceļam, iedams pa naksnīgi tukšajiem Ciemata pagalmiem un gaiteņiem, viņš atkal kļuva nopietns, un šī bija atvadu nopietnība. Ardievas allaž modina atmiņas, un viņš šai ceļā atcerējās dienu, kad zēna gados, tikko uzņemts Valdcellas skolā, nojausmu un cerību spārnots, pirmo reizi devās pastaigā pa Valdcellu un *Vicus lusorum,* un tikai tagad, vērodams naksnīgi saltos, mēmos namus un kokus, viņš atskārta dziļi un sāpīgi, ka redz to visu pēdējo reizi, ka pēdējo reizi ieklausās, kā norimst un pamazām iegrimst miegā augu dienu tik rosīgais Ciemats, ka pēdējo reizi redz atspogu, ko baseinā met mazā spuldze virs vārtnieka namdurvīm, pēdējo reizi redz, kā pār Maģistra dārza koku galiem peld naksnīgi padebeši. Lēnā gaitā viņš izstaigāja visus Spēlētāju ciemata takus un nostūrus; viņam iegribējās vēlreiz atvērt vārtiņus un ielūkoties savā dārzā, taču atslēga bija palikusi mājās, un šis apstāklis izgaisināja viņa jūsmu un palīdzēja viņam ātri vien atgūties. Viņš atgriezās savā dzīvoklī, uzrakstīja vēl dažas vēstules, starp citu, paziņoja Deziņori, ka drīz ieradīsies galvaspilsētā, pēc tam, rūpīgi meditēdams, pārvarēja pēdējo stundu satraukumu, lai rīt spētu veikt savu pēdējo pienākumu Kastālijā, proti, runāt ar Ordeņa priekšnieku.

Nākamās dienas rītā Maģistrs piecēlās ierastajā laikā, izsauca ekipāžu un aizbrauca; vien retais ievēroja, ka viņš aizceļo, un it neviens nepievērsa viņa aizbraukšanai ne mazāko uzmanību. Agrīnā rudens rīta miglā viņš devās uz Hirslandi, nokļuva tur ap pusdienas laiku un lika pieteikt sevi Maģistram Aleksandram, Ordeņa vadības priekšniekam. No slepenas atvilktnes savā darbistabā viņš bija paņēmis līdzi drānā ievīstītu glītu metāla kastīti ar augstā amata insignijām, zīmogu un atslēgām.

Ordeņa vadības "galvenās" kancelejas darbiniekus viņa ierašanās mazliet pārsteidza: tā, liekas, bija pirmā reize, kad viens no Maģistriem ierodas nepieteicies vai neaicināts. Ordeņa priekšnieka uzdevumā viņam pasniedza maltīti, pēc tam ierādīja istabu atpūtai senajā krusta ejā un paziņoja, ka Godājamais cerot pēc divām trim stundām rast brīvu brīdi sarunai. Palūdzis Ordeņa statūtu eksemplāru, Knehts atlaidās gultā un, pārlasījis visu sējumiņu, lieku reizi pārliecinājās, cik vienkārši īstenojams un likumīgs ir viņa solis, toties izskaidrot sarunā tā nozīmi un iekšējo pamatojumu viņam arī šobrīd likās bezmaz neiespējami. Viņš atcerējās kādu paragrāfu statūtos, par kuru viņam kādreiz, beidzoties jaunības un studiju dienu brīvībai, lika meditēt, proti, īsi pirms uzņemšanas Ordenī. Viņš izlasīja šo paragrāfu un, nodevies apcerei, juta, cik ļoti pats šobrīd atšķiras no jauneklīgā, pabiklā repetitora, kāds viņš tolaik bijis. "Ja Ordeņa vadība ieceļ tevi kādā amatā," vēstīja paragrāfs, "tad zini: katrs nākamais amats nav vis pakāpiens pretī brīvībai, bet gan jauna atkarība. Jo augstāks amats, jo lielāka atkarība. Jo lielāka amata vara, jo smagāka kalpība. Jo stiprāka personība, jo vairāk nosodāma patvaļa." Cik neapstrīdami un nepārprotami tas viss reiz bija izklausījies, un cik atšķirīga, pat gluži pretēja nozīme viņa izpratnē tagad bija vienam otram vārdam, it īpaši tik riskantiem kā "atkarība", "personība", "patvaļa"! Un tomēr —; cik skaisti, skaidri un sakarīgi bija šie paragrāfi, cik apbrīnojami tie pakļāva cilvēku, cik absolūti, mūžīgi, neapstrīdami patiesi tie varēja likties jauneklīgam prātam! Un tādi tie mūžam arī paliktu, ja Kastālija būtu pasaule, visa pasaule, daudzveidīga un tomēr nedalāma, nevis maza pasaulīte šajā pasaulē vai arī drosmīgi un ar varu nodalīta lielās pasaules daļa. Ja visa pasaule būtu viena vienīga elites skola, ja Ordenis apvienotu visu cilvēci un Ordeņa priekšnieks būtu dievs — cik pilnīgi tad būtu šie paragrāfi un paši statūti! Ai, cik piemīlīga un ziedoša, cik nevainīgi skaista būtu dzīve, ja tas piepildītos! Un reiz tas patiesi tā bija, reiz viņš tieši tā redzēja un uztvēra visu: Ordeņa un Kastālijas gars viņa acīs bija dievišķais un absolūtais. Province — pati pasaule, kastālieši — cilvēce, bet visuma nekastāliskā daļa — sava veida bērnu pasaulīte, pakāpiens ceļā uz Provinci, vēl neapgūta zeme, kas augstākās kultūras un atpestījuma gaidās godbijīgi atzīst Kastālijas pārākumu un reizēm atsūta tai tik laipnus viesus kā jaunais Plīnio.

Cik savāds liktenis piemeklējis viņu pašu, Jozefu Knehtu, un viņa garīgo pasauli! Vai agrāk, jā gan, vēl vakardien, viņš nebija uzskatījis, ka tas viņam raksturīgais īstenības izziņas, izpratnes un uztveres veids, ko pats dēvēja par atmodu, ir pakāpeniska ietiekšanās lietu būtībā, patiesības dzīlēs, kaut kas savā ziņā absolūts, ceļš vai gājums, kas, tiesa, veicams vien soli pa solim, taču pēc idejas ir taisns un nepārtraukts? Vai tad agrāk, jaunībā, viņš nebija uzskatījis par atmodu, par soli uz priekšu, par neapstrīdami vērtīgu un pareizu to, ka Plīnio personā gan atzina ārējo pasauli, taču, būdams kastālietis, apzināti un noteikti no tās norobežojās? Un atkal viņš spēra soli uz priekšu pretī patiesībai, pēc gadiem ilgas svārstīšanās izšķirdamies par Stikla pērlīšu spēli un dzīvi Valdcellā. Un tieši tāpat tas bija toreiz, kad pats piekrita tam, ka Maģistrs Tomass iesaista viņu hierarhijas dienestā un Mūzikas maģistrs ieteic uzņemt viņu Ordenī, un arī vēlāk, kad viņš tika iecelts par Maģistru. Tie visi bija šaurāki vai platāki soļi šķietami taisnā ceļā, tomēr tagad, nonācis ceļa galā, viņš nebūt nebija ietiecies visa būtībā, patiesības dzīlēs, — gluži otrādi, arī šī atmoda nozīmēja tikai to, ka viņam vēlreiz atdarījušās acis un viņš ieraudzījis sevi jaunā situācijā, apgūstot jaunu konstelāciju. Tā pati stingri iezīmētā, skaidri saskatāmā, nemaldīgi taisnā taciņa, kas vedusi uz Valdcellu, uz Mariafelzu, uz Ordeni, uz Maģistra amatu, veda tagad uz āru. Atmodas posmu secība, vienlaikus bija atvadu secība. Kastālija, Stikla pērlīšu spēle, Maģistra gods — tās bija tēmas, kas jāizstrādā un jānovada līdz galam, telpas, kurām jāziet cauri, robežas, kas jāpārkāpj. Tas viss jau bija aiz muguras. Bet arī toreiz, kad pats domāja un rīkojās pretēji tam, kā domāja un rīkojās šodien, viņš acīmredzot tomēr neskaidri bija apzinājies vai apjautis, cik tas viss apšaubāmi; ne velti studiju gados rakstītajam dzejolim, kurā runa par pakāpieniem un atvadām, viņš virsrakstā licis izsaucienu — *Transcendere!*

Ceļš tātad bija vedis pa apli vai elipsi, vai spirāli, vienalga, kā, tikai ne taisni, jo taisnes acīmredzot piederīgas vien ģeometrijai, nevis dabai un dzīvei. Toties viņš nemaldīgi sekojis pašuzmundrinājumam un iedrošinājumam, ko pats sev izteicis dzejolī, — sekojis vēl tad, kad dzejoli un toreizējo atmodu sen aizmirsis, tiesa, sekojis ne viscaur, ne bez vilcināšanās, šaubām, vājuma brīžiem un cīņām, bet veicis viņš kāpi aiz kāpes, izstaigājis telpu aiz telpas, soļodams drosmi, apņēmīgi un puslīdz līksmi, gan ne tik starojoši kā vecais Mūzikas maģistrs, taču nepagurdams un nesamācies, bez atkrišanas un nodevības. Un, ja tagad, pēc kastāliešu uzskatiem, viņš kļūs par atkritēju un nodevēju, ja rīkosies pretēji Ordeņa morālei, vien personisku apsvērumu vārdā, tātad patvaļīgi, tad arī tas notiks tā, kā to prasa mūzikas varoņgars, proti, ritmiski un līksmi, — viss pārējais lai ir likteņa ziņā! Spētu viņš izskaidrot un pierādīt citiem to, kas pašam liekas tik skaidrs, — to, ka viņš, šobrīd rīkodamies "patvaļīgi", patiesībā kalpo un pakļaujas, ka ne jau brīvībai viņš dodas pretī, bet jaunām, nezināmām, biedējošām saistībām, ka viņš ir aicinātais, nevis bēglis, ka viņš paklausa, nevis rīkojas patvarīgi, ka viņš ir upuris, nevis noteicējs. Bet kāda nozīme tādā gadījumā ir tikumiem, līksmei, ritmam, drosmei? Tā, izrādās, ir maza, taču nezūd. Lai arī cilvēks neiet, bet tiek vests, lai arī viņš ne jau pēc paša gribas pārkāpj robežas, lai telpa pati griežas ap to, kas nostājies vidū, tikumi pastāv tik un tā un patur savu vērtību un pievilcību, tie pastāv apstiprinājumā, nevis noliegumā, paklausībā, nevis izvairībā, mazdrusciņ varbūt arī apstāklī, ka cilvēks domā un darbojas tā, it kā pats būtu noteicējs, pats būtu aktīvs, ka viņš, necenzdamies neko pārbaudīt, samierinās ar dzīvi un pašapmānu, šo pašnoteikšanās un atbildības šķituma atspulgu, ka cilvēks aiz nezināmiem iemesliem būtībā tomēr drīzāk radīts darbībai nekā atziņai, vairāk pakļauts dziņām nekā garam. Ak, ja par to visu varētu parunāties ar pāteru Jakobu!

Šādas vai līdzīgas domas vai noskaņas raisījās meditācijas izskaņā. Viņam šķita, ka "atmoda" attiecas nevis uz patiesības izziņu, bet uz īstenību — uz tās pārdzīvojumu un uz pastāvēšanu tajā. Pamostoties neizdodas piekļūt tuvāk lietu būtībai, pietuvoties patiesībai, pamozdamies cilvēks atskārš, īsteno vai pārdzīvo vien sava "es" ievirzi pret lietu acumirklīgo stāvokli. Pamozdamies cilvēks neatklāj likumus. Viņš pieņem lēmumus, nokļūst paša personas, nevis pasaules centrā. Tādēļ viss, ko cilvēks izjūt pamozdamies, tik grūti izsakāms un, lai cik tas dīvaini, nav ietērpjams vārdos un formulējams; informācija, ko sniedz šī dzīves joma, šķiet, neatbilst valodas iespējām. Ja izņēmuma kārtā gadās kāds, kurš puslīdz labāk saprot teikto, tad šis sapratējs ir cilvēks līdzīga situācijā, tāpat cieš vai mostas. Līdz zināmai pakāpei viņu šad tad ir sapratis Tegularijs, vēl tālāk sniegusies Plīnio izpratne. Ko vēl viņš var nosaukt? Nevienu.

Sāka jau krēslot; Knehts, iegrimis savā domu rotaļā un aizsapņojies, pat neatskārta vairs, kur atrodas, kad pie durvīm klauvēja. Tā kā viņš uzreiz nepamodās un neatbildēja, ārā stāvētājs, brīdi nogaidījis, klusi pieklauvēja vēlreiz. Šoreiz Knehts atsaucās un piecēlies devās līdzi ziņnesim, kurš pavadīja viņu uz kancelejas ēku un nepieteicis ieveda priekšnieka kabinetā. Maģistrs Aleksandrs steidzās viņam pretim.

— Žēl, — viņš teica, — ka atbraucāt, nebrīdinājis mūs, jums tādēļ iznāca gaidīt. Esmu ziņkārīgs uzzināt, kādēļ tik negaidīti esat ieradies. Cerams, nav noticis nekas ļauns?

Knehts iesmējās.

— Nē, nekas ļauns nav noticis. Bet vai mana ierašanās jums tiešam ir tik negaidīta un jūs pat iedomāties nevarat, kālab esmu šeit?

Aleksandrs nopietni un bažīgi ielūkojās viņam acīs.

— Nujā, — viņš teica, — šo un to iedomāties varu. Nesen, piemēram, es nodomāju, ka jūs droši vien turpina nodarbināt jautājumi, ko skārāt savā vēstījumā. Kolēģija bija spiesta atbildēt diezgan īsi, turklāt atbildes saturs un tonis jums, *domine*, iespējams, lika vilties.

— Nē, — attrauca Jozefs Knehts, — būtībā neko citu laikam gan nebiju gaidījis, ja runa ir par saturu. Un, kas attiecas uz toni, tad tieši tas iedarbojās uz mani nomierinoši. Lasīdams vēstuli, nopratu, ka rakstītājam bijis smagi, pat skumji ap sirdi un licies nepieciešami pasaldināt tik rūgto un mazliet pazemojošo atbildi, un tas viņam lieliski izdevies, esmu par to viņam pateicīgs.

— Ar vēstules saturu jūs, Godājamais, tātad esat vienisprātis?

— Es pieņēmu to zināšanai un visumā arī sapratu un atzinu par pareizu. Neko citu kā vien atteikumu un taktisku brīdinājumu atbilde laikam gan nevarēja nest. Mans vēstījums bija pārāk neparasts un Kolēģijai diezgan netīkams, par to man šaubu nav. Turklāt, jādomā, īsti veiksmīgi nebija tas, ka vēstījumā ietvēru personisku lūgumu. Ko gan citu varēju gaidīt kā vien noraidošu atbildi!

— Mūs iepriecina, — teica Ordeņa vadības priekšnieks ne bez paskarbas pieskaņas balsī, — ka jums ir šādi ieskati un ka mūsu raksts jūs tātad nav pārsteidzis un aizvainojis. Tas mūs ļoti iepriecina. Taču viens man šobrīd nav saprotams. Ja jūs, rakstīdams un nosūtīdams savu vēstījumu — esmu taču jūs pareizi sapratis? — necerējāt uz panākumiem un pozitīvu atbildi, pat, gluži otrādi, jau priekšlaikus bijāt pārliecināts, ka piedzīvosit neveiksmi, kādēļ tad jūs pabeidzāt vēstījumu, kurš kā nekā prasīja lielu darbu, pārrakstījāt to tīrrakstā un nosūtījāt?

Laipni viņu uzlūkodams, Knehts atbildēja:

— Maģistra kungs, manam vēstījumam bija divējs saturs, divi mērķi, un es nedomāju, ka tas bijis gluži neveiksmīgs un neko nav devis. Vēstījumā iekļāvu personisku lūgumu — atbrīvot mani no amata un izmantot citā darbā; šo personisko lūgumu varu uzskatīt par mazāk nozīmīgu, katra Maģistra pienākums taču ir savas personiskās vēlmes likt pēc iespējas otrā vietā. Lūgums tika noraidīts, ar to man bija jāsamierinās. Bet manā vēstījumā, bija vēl daudz kas cits, ne jau šis lūgums vien, tajā bija daudz faktu un secinājumu, un es domāju, ka mans pienākums ir darīt tos zināmus kolēģiem un pievērst tiem Kolēģijas uzmanību. Visi vai gandrīz visi Maģistri iepazinuši manus argumentus, lai neteiktu — brīdinājumus, un, ja arī daudzi droši vien nelabprāt un visdrīzāk jau viebdamies nobaudīja šo viru, tad izlasīt viņi manu vēstījumu tomēr izlasīja un pieņēma zināšanai to, ko uzskatīju par savu pienākumu pateikt. Apstākli, ka mans vēstījums nav izraisījis sajūsmu, es neuzskatu par neveiksmi, jo ne sajūsmu, ne piekrišanu nemaz negaidīju, drīzāk jau vēlējos satraukt, padarīt nemierīgus savus kolēģus. Es ļoti nožēlotu, ja aiz iemesliem, kurus jūs pieminējāt, nebūtu nosūtījis vēstījumu. Lai cik lielu vai mazu iespaidu raksts atstājis, tas kā nekā ir bijis trauksmes signāls, aicinājums mosties.

— Protams, — vilcinādamies attrauca Aleksandrs, — tomēr man viss nav skaidrs. Ja jūs gribējāt panākt, lai Kolēģija uzklausa jūsu aicinājumus, trauksmes signālus un brīdinājumus, kādēļ tad jūs mazinājāt vai pakļāvāt riskam savu zelta vārdu iedarbību, savienodams tos ar personisku lūgumu, turklāt tādu, kura panākumiem un izpildāmībai pats īsti neticējāt? Šobrīd tas man nav saprotams. Bet es ceru, tas noskaidrosies, kad būsim visu pārrunājuši. Katrā ziņā šī ir pati vājākā vieta jūsu vēstījumā — trauksmes signāla savienojums ar iesniegumu, brīdinājuma — ar lūgumu. Jums taču, rādās, nebija nekādas vajadzības izmantot tik ierasto iesnieguma formu, lai atgādinātu par draudošajām briesmām. Jūs itin ērti varējāt brīdināt kolēģus sarunā vai sarakstoties, ja uzskatījāt, ka tiem jāatdara acis. Lūgums savuties varēja iet oficiālo ceļu.

Knehts draudzīgi paskatījās uz sarunas biedru.

— Jā, — viņš garāmejot izmeta, — var jau būt, ka jums taisnība. Lai gan... aplūkojiet šo sarežģīto jautājumu vēlreiz. Ne manā brīdinājumā, ne iesniegumā nav runas par ko ikdienišķu, parastu, normai atbilstošu, gluži otrādi, jau tas vien saista abus, ka tie ir neparasti, ka tie radušies aiz nepieciešamības un neatbilst tradīcijām. Nebūt nav ierasts un pieņemts, ka cilvēks bez neatliekama ārēja iemesla pēkšņi lūgtin lūgtu kolēģus atcerēties, ka viņi ir mirstīgi un problemātiska ir visa viņu eksistence, tāpat kā ikdienā nav pieņemts, ka kastāliešu Maģistrs lūdz ierindas skolotāja vietu aiz Provinces robežām. Šai ziņā abi manā vēstījumā ietvertie saturi itin labi sader kopā. Lasītājam, kas patiešām censtos izprast visu rakstu, manuprāt, vajadzētu nonākt pie atzinuma, ka tajā, cenzdamies pārliecināt kolēģus, par savām priekšnojautām runā ne jau savādnieks, bet cilvēks, kurš tik nopietni attiecas pret savām domām un raizēm, ka gatavs atteikties no sava augstā amata un savas pagātnes, lai pavisam necilā postenī sāktu visu no jauna, — augstais amats, mierīgās dienas, gods un autoritāte viņam līdz kaklam, viņš alkst tikt vaļā no visa, pamest visu. No tāda atziņuma — es vēl arvien cenšos iztēloties sevi par šī sacerējuma lasītāju —, manuprāt, varētu izrietēt divi secinājumi: vai nu morāles sprediķotājs ir jucis, tātad Maģistra amatam tik un tā vairs nav derīgs, vai arī, ja uzmācīgā sprediķa sacerētājs, skaidri redzams, nav jucis, gluži otrādi, ir pie pilna prāta un vesels, viņa sprediķos un pesimismā jāslēpjas kam vairāk par kaprīzi un dīvainību, proti, kam reālam, kādai patiesībai. Aptuveni tādu es iztēlojos lasītāja domu gaitu, un man jāatzīstas, ka šai ziņā esmu kļūdījies. Mans iesniegums un trauksmes signāls ne tikai nepapildināja un nepastiprināja viens otru — tos abus neņēma par pilnu un ir necentās saprast. Par noraidošo atbildi neesmu nedz īpaši apbēdināts, nedz arī pārsteigts, jo būtībā, tas man jāuzsver, es tomēr gaidīju to un, patiesību sakot, esmu to pelnījis Proti, mans iesniegums, kura panākumiem pats neticēju, bija sava veida finta, žests, formalitāte.

Maģistrs Aleksandrs kļuva vēl nopietnāks, gandrīz sadrūmis. Bet viņš nepārtrauca Knehtu.

— Nosūtīdams savu vēstījumu, — tas turpināja, — es nebūt nopietni necerēju, ka saņemšu labvēlīgu atbildi, un aizlaikus par to nepriecājos, taču tāpat nebiju ar mieru atzīt noraidošu atbildi par negrozāmu lēmumu.

—...Nebijāt ar mieru atzīt Kolēģijas lēmumu par negrozāmu — vai esmu pareizi dzirdējis, Maģistr? — pārtrauca viņu Ordeņa priekšnieks, dzedri uzsvērdams katru vārdu. Acīmredzot viņš pilnībā bija sapratis, cik nopietns ir stāvoklis.

Knehts viegli paklanījās.

— Protams, jūs dzirdējāt pareizi. Tā tas bija — maz ticamas likās izredzes, ka manam lūgumam varētu būt panākumi, tomēr uzskatīju, ka man tas jāiesniedz, lai ievērotu kārtību un formalitātes. Tādā veidā es devu Kolēģijai iespēju ar godu izkļūt no nepatīkamas situācijas. Taču jau toreiz biju cieši izlēmis — gadījumā, ja šāds atrisinājums tai neliksies pieņemams, — neļaut lietu vilkt garumā un nomierināt sevi, bet rīkoties.

— Kā rīkoties? — klusi pavaicāja Aleksandrs...

— Tā, kā liek paša sirdsapziņa un saprāts. Es izlēmu atteikties no amata un uzsākt citu darbu aiz Kastālijas robežām arī bez norīkojuma vai atļaujas.

Ordeņa priekšnieks pievēra acis un, liekas, vairs neklausījās. Knehts noprata, ka sarunas biedrs veic īpašu vingrinājumu, kuru Ordeņa locekļi izpilda negaidītu briesmu vai draudu brīžos, cenšoties nezaudēt savaldību un garīgo līdzsvaru, un kura gaitā pilnīgas izelpas stāvoklī pāris reižu ilgi jāaiztur elpa. Viņš redzēja ne bez vainas apziņas, kā nobāl šis cilvēks, kuru tā sarūgtinājis, pēc tam līdz ar lēnu ieelpu, kas sākas, sasprindzinot vēdera muskulatūru, atgūst agrāko sejas krāsu, redzēja, ka paša tik ļoti cienītā, pat mīlētā cilvēka acis, lēnām pavērdamās, vēl brīdi raugās stingi un mulsi, bet tad noskaidrojas un atgūst izteiksmi, redzēja ne bez viegla nobīļa, ka šis cilvēks, kas bija vienlīdz dižs gan kalpojot, gan pavēlot, pievērš viņam savu skaidro, allaž gribai paklausīgo skatienu; uzlūko viņu salti un savaldīgi, gari nopētī viņu, spriež tiesu. Ilgi viņam klusējot vajadzēja paciest šo skatienu.

— Man šķiet, ka esmu jūs sapratis, — beidzot mierīgi teica Aleksandrs. — Jums, jādomā, jau ilgāku laiku apnicis jūsu amats, apnikusi Kastālija, jūs jau sen moka ilgas pēc pasaulīgās dzīves. Jūs esat izlēmis pakļauties šim noskaņojumam, nevis likumam un savam pienākumam, tāpat kā jūs nevēlējāties uzticēties mums, un padomu un atbalstu meklēt Ordeņa aprindās. Lai formāli viss būtu kārtībā un pašam nebūtu sirdsapziņas pārmetumu, jūs atsūtījāt šo iesniegumu, par kuru zinājāt, ka tas mums nav pieņemams, bet uz kuru varētu atsaukties, ja jautājums tiktu izvirzīts apspriešanai. Pieņemsim, ka jums bijis pamats tik neparastai rīcībai un jūsu nolūki bijuši godīgi un cienījami — neko citu ir iedomāties nevaru. Bet kā tas iespējams, ka jūs ar tādām domām, ar tādām vēlmēm un tādu apņemšanos sirdī, iekšēji jau kļuvis par atkritēju, tik ilgi klusēdams varējāt palikt savā amatā un šķietami nevainojami turpināt darbu?

— Es esmu šeit, — attrauca Stikla pērlīšu spēles maģistrs tikpat laipni kā pirmāk, — lai runātu ar jums par visu, lai atbildētu uz visiem jautājumiem, un es esmu cieši apņēmies, reiz jau eju patvaļas ceļu, neatstāt Hirslandi un jūsu namu tik ilgi, kamēr būšu pārliecinājies, ka jūs kaut cik esat sapratis mani, manu stāvokli un rīcību.

Maģistrs Aleksandrs brīdi padomāja.

— Vai tas nozīmē, ka jūs cerat uz manu piekrišanu jūsu plāniem un rīcībai? — viņš vilcinādamies jautāja.

— Ak, par piekrišanu es ne domāt neuzdrīkstos! Es ceru un sagaidu vienīgi, ka tikšu saprasts un, aiziedams no šejienes, paturēšu kaut drusciņ jūsu cieņas. Šīs atvadas ir pēdējās, kas man vēl atlikušas Provincē. Valdcellu un Spēlētāju ciematu es šodien atstāju uz visiem laikiem.

Aleksandrs atkal uz mirkli pievēra acis. Tas, ko sacīja šis neizprotamais cilvēks, likās pārlieku satriecoši.

— Uz visiem laikiem? — viņš pārvaicāja. — Jūs tātad ir nedomājat vairs atgriezties savā postenī? Man jāteic, pārsteigt otru jūs protat.

Viens jautājums, ja atļauts! Vai jūs vēl uzskatāt sevi par Stikla pērlīšu spēles maģistru?

Jozefs Knehts paņēma rokās kastīti, ko bija atvedis līdzi.

— Līdz vakardienai tas biju, — viņš attrauca, — un ceru, ka, sākot ar šodienu, varu uzskatīt sevi par atbrīvotu, nododams jums un reizē ar to arī Kolēģijai zīmogus un atslēgas. Te tie ir veseli un neskarti, un arī Spēlētāju ciematā, izdarot pārbaudi, atradīsit visu labākajā kārtībā.

Ordeņa priekšnieks lēnām piecēlās no krēsla. Viņš izskatījās noguris un šķita pēkšņi novecojis.

— Lai jūsu kastīte šodien paliek tepat, — viņš sausi bilda. — Ja zīmogu saņemšanai jānozīmē, ka vienlaikus tiekat atbrīvots no amata, man tik un tā nav attiecīgo pilnvaru, klāt jābūt vismaz trešajai daļai Kolēģijas locekļu. Agrāk arī jūs labi izpratāt senu paradumu un formu nozīmi; es tik ātri nevaru iejusties jūsu tagadējā nostājā. Varbūt jūs būtu tik laipns un dotu man dienu laika, iekams turpinām sarunu?

— Esmu visnotaļ jūsu rīcībā, Godājamais. Jūs pazīstat; mani ne vienu vien gadu un zināt, cik ļoti jūs cienu; ticiet man, šai ziņā nekas nav mainījies. Jūs esat vienīgais, no kura atvados, pirms atstāju Provinci, un es atvados no jums ne tikai kā no Ordeņa priekšnieka. Atdevis jums, *domine,* Ordeņa zīmogu un atslēgas, es ceru, ka pēc tam, kad būsim visu pārrunājuši, jūs atbrīvosit mani no zvēresta, ko esmu devis kā Ordeņa biedrs.

Skumju, pētošu skatienu Aleksandrs ielūkojās viņam acīs, valdīdams nopūtu.

— Atstājiet mani tagad vienu, augsti cienītais, šai dienai, pateicoties jums, rūpju man gana un arī vielas pārdomām netrūks. Pagaidām, šķiet, pietiek runāts. Rīt turpināsim sarunu, atnāciet stundu pirms pusdienām.

Viņš atvadījās no Maģistra ar pieklājīgu žestu, un šī kustība, kurā jautās rezignācija un uzsvērta, jau svešiniekam, nevis kolēģim veltīta laipnība, sāpināja Stikla pērlīšu spēles maģistru vairāk nekā priekšnieka vārdi.

Kalpotājs, ieradies pēc brīža, lai pavadītu Knehtu uz vakariņām, aizveda viņu pie viesiem klāta galda un pavēstīja: Maģistrs Aleksandrs devies veikt garāku meditācijas vingrinājumu un izteicis pārliecību, ka Maģistra kungs arī gribēšot šovakar pabūt vienatnē, viņa rīcībā esot kāda viesiem domāta istaba.

Stikla pērlīšu spēles maģistra apciemojums un paziņojums pārsteidza Aleksandru pilnīgi nesagatavotu. Tiesa, Kolēģijas vārdā uzrakstījis atbildi uz Knehta vēstījumu, viņš rēķinājās ar iespēju, ka tas var atbraukt, un ne bez viegla satraukuma domāja par gaidāmo sarunu.

Bet viņš ne iztēloties nevarēja, ka tik disciplinētais Maģistrs Knehts, par spīti labi audzināta cilvēka izsmalcinātajām manierēm, pieticībai un iedzimtai smalkjūtībai, uzradīsies kādu dienu nepieteicies; patvarīgi, neapspriedies ar Kolēģiju, atkāpsies no amata, satriecošā kārtā izrādīdams necieņu visam tradicionālajam, ierastajam. Protams, tas jāatzīst: izturēšanās, runas veida un izteikumu neuzbāzīgās pieklājības ziņā Knehts bija tāds pats kā vienmēr, bet cik šausmīgs, aizvainojošs, jauns un pārsteidzošs, ak, cik bezgala nekastālisks toties bija viņa paziņojuma saturs un gars! Nevienam, redzot nupat Spēles maģistru un dzirdot, kā viņš runā, nerastos aizdomas, ka šis cilvēks varbūt ir slims, pārpūlējies, uzbudināts un pilnībā nevalda pār sevi, turklāt tās rūpīgās pārbaudes gaitā, ko Kolēģija nesen lika izdarīt Valdcellā, Spēlētāju ciemata dzīvē un darbībā nebija atklāta ne mazākā traucējumu, nekārtības vai nolaidības pazīme. Tomēr šis briesmīgais cilvēks, vēl vakar kolēģu vidū sirdij pats tuvākais, ieradās, nodeva glabāšanā lādīti ar amata insignijām, it kā runa būtu par ceļasomu, paziņoja, ka vairs nav Maģistrs, vairs nav Kolēģijas loceklis, vairs nav Ordeņa biedrs un kastālietis un atbraucis tādēļ vien, lai uz ātru roku atvadītos. Vēl nekad, veikdams Ordeņa vadības priekšnieka pienākumus, Aleksandrs nebija nokļuvis tik atbaidošā, sarežģītā un neveiklā stāvoklī; vajadzēja ļoti saņemties, lai nezaudētu līdzsvaru.

Ko darīt? Vai rīkoties varmācīgi, teiksim, apcietināt Spēles maģistru, turēt viņu goda arestā un tūdaļ pat, vēl šajā pašā vakarā, telegrafēt visiem Kolēģijas locekļiem, lai steidzami ierodas? Kas pret to iebilstams? Vai tas nav pats vienkāršākais un pareizākais solis? Un tomēr kāda balss paša sirdī iebilda pret šādu rīcību. Ko tad galu galā izdosies panākt, lietojot represijas? Maģistru Knehtu tās tikai pazemotu, bet Kastālijai nedotu itin neko; daļēji atslogojis sevi, nomierinājis savu sirdsapziņu, augstākais, būtu viņš — priekšnieks, nenesdams vairs viens visu atbildību par šo pretīgo un satraucošo notikumu. Ja šajā kļūmajā lietā vispār vēl kas glābjams, ja vēl iespējama atsaukšanās uz Knehta goda jūtām, iedomājama varbūtība, ka izdodas grozīt viņa nostāju, tad tikai zem četrām acīm. Nevienam citam, vien viņiem abiem, Knehtam un Aleksandram, jāizcīna šī sūrā cīņa. Nonācis pie tāda secinājuma, viņš bija spiests atzīt, ka būtībā Knehts rīkojies pareizi, pat cēli, negriezdamies vis pie Kolēģijas, kuru vairs neatzīst, bet ierazdamies uz pēdējo cīņu un atvadām pie viņa — priekšnieka. Jozefs Knehts, lai arī darīja to, kas aizliegts un nosodāms, tomēr nezaudēja stāju un takta izjūtu.

Maģistrs Aleksandrs nolēma paļauties uz pēdējo apsvērumu un neiejaukt Kolēģiju šajā lietā. Tikai tagad, izspriedis, kas darāms, viņš

284

apdomāja notikušo visos sīkumos un pirmām kārtām jautāja sev, cik atļauti vai neatļauti rīkojas Maģistrs, kas taču, liekas, visnotaļ atstāj tāda cilvēka iespaidu, kurš pārliecināts par savu uzskatu pareizumu un sava nedzirdētā soļa likumīgumu. Cenzdamies atrast formulējumu Spēles maģistra pārdrošajam nodomam un pārbaudīt, ciktāl tas atbilst Ordeņa noteikumiem, kurus zināja labāk par jebkuru citu, viņš, sev par pārsteigumu, bija spiests atzīt, ka Jozefs Knehts tik tiešām nav pārkāpis vai netaisās pārkāpt likuma burtu, jo pēc Ordeņa noteikumiem, kas pēdējos gadu desmitos, tiesa, ne reizi nav piemēroti, katram Ordeņa biedram atļauts jebkurā brīdī izstāties, vienlaikus atsakoties no Kastālijas pilsoņa tiesībām un atstājot Provinci. Atdodams zīmogus, paziņodams par savu izstāšanos un dodamies pāri robežai pasaulē, Knehts spēra gan sensenis nedzirdētu, neparastu, briesmīgu, varbūt arī nepieļaujamu soli, taču Ordeņa noteikumus nepārkāpa. Gatavodamies spert šo nesaprotamo, bet formāli likumīgo soli vaigu vaigā ar Ordeņa vadību, nevis aiz priekšnieka muguras, viņš darīja pat ko vairāk, nekā prasīja likuma burts... Bet kā šis cienījamais cilvēks, viens no hierarhijas balstiem, nāca uz tādām domām? Kā viņš iedrošinājās izmantot savam nodevīgajam nodomam rakstītu likuma pantu, ja pastāvēja neskaitāmas nerakstītas, toties ne mazāk svētas un pašas par sevi saprotamas saistības, kam bija jāliedz viņam spert šo soli?

Sita pulkstenis, Aleksandrs atvairīja neauglīgās domas, nomazgājās vannā, minūtes desmit veltīja rūpīgiem elpošanas vingrinājumiem un tad devās uz savu celli, lai atlikušajā stundā pirms miega meditējot sakopotu spēkus un nomierinājies līdz rītam vairs nedomātu par notikušo.

Jauns kalpotājs, kurš nākamdien atveda Maģistru Knehtu no Ordeņa vadības viesu nama pie priekšnieka, bija liecinieks tam, kā abi Maģistri sasveicinājās. Paradis diendienā redzēt izcilus meditācijas un pašdisciplīnas meistarus un tikties ar tiem, viņš tomēr abu Godājamo ārienē, manierēs un sveicienā pamanīja ko īpašu, nekad neredzētu — kādu ārkārtēju visaugstākās pakāpes koncentrētību un skaidrotību. Tā nebija, kā viņš stāstīja mums, gluži ierasta divu visaugstāko amatpersonu sasveicināšanās, kas atkarībā no apstākļiem varēja būt līksmi nevērīgs ceremoniāls vai svinīgi priekpilns svētku akts, bet dažkārt arī kļuva par ko līdzīgu sacensībai pieklājībā, padevībā un uzsvērtā pazemībā. Šoreiz iespaids bijis tāds, it kā tiktu sagaidīts svešinieks, no tālienes atceļojis dižs jogas lietpratējs, kurš ieradies, lai apliecinātu Ordeņa priekšniekam savu cieņu un mērotos spēkiem ar viņu. Vārdi un žesti bija gaužām pieticīgi un skopi, seja un acu izteiksme toties abiem dižajiem paudusi tik dziļu mieru, apņēmību un koncentrētību, turklāt arī tādu slēptu sasprindzinājumu, it kā abi būtu caurcaurēm izgaismoti, vai uzpildīti ar strāvu. Neko vairāk mūsu galviniekam šajā lietā neizdevās ne redzēt, ne dzirdēt. Maģistri devās uz dibentelpām, domājams, uz Maģistra Aleksandra personisko kabinetu, un palika tur kopā vairākas stundas, turklāt nevienam nebija atļauts viņus traucēt. Visu, kas par šo sarunu kļuvis zināms, vēlāk vienam otram pastāstījis deputāts Deziņori, kuram šo to izpaudis pats Jozefs Knehts.

— Vakar jūs mani pārsteidzāt, — sāka sarunu priekšnieks, — un izsitāt no sliedēm. Tagad man bijis laiks padomāt. Mans viedoklis, protams, paliek nemainīgs — es esmu Kolēģijas un Ordeņa vadības loceklis. Pēc likuma jums ir tiesības paziņot, ka izstājaties, un atteikties no sava amata. Jūs atzināt, ka amats jums kļuvis par nastu, un, spriežot pēc savām izjūtām, uzskatāt, ka jums jāmēģina sākt jaunu dzīvi ārpus Ordeņa. Ko jūs sacītu, ja es ierosinātu šādu mēģinājumu izdarīt, taču ne tā, kā jūs tik strauji esat izlēmis, bet, teiksim, garāka vai pat beztermiņa atvaļinājuma veidā? Kas tāds būtībā taču bija prasīts arī jūsu iesniegumā.

— Ne gluži, — atbildēja Knehts. — Būtu mans lūgums ņemts vērā, es paliktu Ordenī, bet amatā nepaliktu tik un tā. Tas, ko jūs tik laipni man iesakāt, būtu izlocīšanās. Starp citu, arī Valdcellai un Stikla pērlīšu spēlei maz ko līdzētu Maģistrs, kurš uz ilgu laiku devies atvaļinājumā un par kuru nav zināms, vai viņš vispār atgriezīsies. Pat tad, ja viņš pēc gada vai diviem atgrieztos, aizmirstas būtu daudzas iemaņas, kam sakars ar amatu un specialitāti — Stikla pērlīšu spēli, un arī iemācījies viņš neko nebūtu.

Aleksandrs: — Varbūt viņš tomēr šo to iemācītos. Varbūt viņš pārliecinātos, ka pasaule tur ārā ir citāda, nekā bija to iztēlojies, un ka tā viņam vajadzīga tikpat maz, kā viņš vajadzīgs pasaulei; viņš atgrieztos nomierinājies un priecātos, ka atkal var uzturēties vecajā, ierastajā vidē.

— Savā augstsirdībā jūs ejat par tālu. Es pateicos jums, tomēr piekāpties nevaru. Es netiecos remdēt ziņkāri vai alkas pēc pasaulīgās dzīves, es tiecos pēc nenosacītības. Es nevēlos doties pasaulē ar garantiju kabatā, ka vilšanās gadījumā drīkstu atgriezties, negribu būt piesardzīgs ceļotājs, kurš nolēmis mazliet iepazīt pasauli. Es, gluži otrādi, kāroju pēc riska, grūtībām, briesmām, es slāpstu pēc realitātes, pēc īsta darba un veikuma, pēc trūkuma un ciešanām. Ja atļauts, lūdzu jūs nepastāvēt uz savu, neprasīt, lai pieņemu jūsu augstsirdīgo priekšlikumu, vispār necensties padarīt mani svārstīgu un vilināt atgriezties. Tas neko nedos. Šai vizītei manās acīs zustu jebkura nozīme, jebkurš svinīgums, ja tā nestu novēlotu, vairs netīkotu mana lūguma izpildi. Iesniedzis lūgumu, es nepaliku stāvam; ceļš, kurā esmu devies, tagad man ir viss — mans augstākais likums, mana dzimtene, mana klausība.

Nopūzdamies Aleksandrs pamāja par zīmi, ka piekāpjas.

— Labi, pieņemsim, — viņš pacietīgi teica, — ka jūs tik tiešām neesat nedz iespaidojams, nedz pierunājams grozīt savu lēmumu, ka jūs, par spīti ārējam izskatam, kas liecina gluži pretējo, esat kurlais, autoritātes, saprāta, augstsirdības balsi uzklausīt nespējīgs amoka apsēstais vai ārprātīgais, kuram nedrīkst stāties ceļā. Lai notiek, es pagaidām necentīšos jūs iespaidot un noskaņot citādi. Bet tādā gadījumā sakiet man, kas jums bija sakāms, ierodoties šeit, pastāstiet par savu atkrišanu, izskaidrojiet man soļus un lēmumus, ar kuriem esat mūs pārbiedējis. Lai tā būtu grēksūdze, attaisnošanās, apsūdzība — vienalga, es vēlos to dzirdēt.

Knehts pamāja.

— Amoka apsēstais jums pateicas un priecājas. Es netaisos nevienu apsūdzēt. Tam, ko gribu teikt — ja vien nebūtu tik grūti, tik neiespējami grūti to ietērpt vārdos —, manās acīs ir attaisnošanās raksturs, turpretī jums, iespējams, liksies, ka uzklausāt grēksūdzi.

Viņš atzvēlās krēslā un pavērās augšup, uz griestu velvi, kur vietumis vīdēja kādreizējā apgleznojuma bālās aprises, saglabājušās no tiem laikiem, kad Hirslande bija klosteris, — tikko jaušamas, smalkas līniju un krāsu toņu, ziedu un ornamentu pēdas.

— Doma, ka pat Maģistra amats var apnikt un no tā var atteikties, radās man pirmoreiz sešus mēnešus pēc iecelšanas par Stikla pērlīšu spēles maģistru. Kādu dienu, apsēdies dārzā, pašķirstīju sava reiz slavenā priekšteča Ludviga Vasermālera pierakstītu burtnīciņu, kurā viņš, apcerēdams veselu darba gadu Maģistra postenī, dod saviem pēcniekiem norādījumus un padomus, kas tiem katru mēnesi paveicams. Es izlasīju atgādinājumu, ka jau laikus jāsāk domāt par nākamā gada publiskajām Spēlēm un gadījumā, ja nav vēlēšanās to darīt vai trūkst ideju, koncentrējoties attiecīgi jānoskaņo sevi. Juzdamies enerģijas pārpilns, kā jau gadu ziņā pats jaunākais Maģistrs, es, lasot šo atgādinājumu, jauneklīgi pārgudri pavīpsnāju par vecā vīra raizēm; bet jau toreiz es viņa izteikumos saklausīju arī ko nopietnu un biedinošu, draudīgu un nomācošu. Padomājis es izlēmu: ja pienāks diena, kad doma par nākamajām svētku Spēlēm man prieka vietā radīs bažas un lepnuma vietā jutīšu bailes, es neiešu mocīties, cenzdamies izspiest no sevis ko jaunu, — es atkāpšos no amata un atdošu Kolēģijai savas insignijas. Tā man šī doma radās pirmo reizi, lai gan, patiesību sakot, tolaik, ar lielu piepūli tikko iestrādājies un juzdamies spara pilns, sirds dziļumos īsti vēl neticēju, ka arī es reiz būšu vecs, dzīvot un strādāt paguris cilvēks, ka arī man reiz — īgnam un apjukušam — būs jālauza galva, kur ņemt jaunas idejas Stikla pērlīšu spēles partijām. Lai nu kā, tāds lēmums toreiz nobrieda manī. Jūs taču tolaik pazināt mani itin labi, Godājamais, varbūt pat labāk, nekā pats pazinu sevi, jūs bijāt mans vadītājs un padomdevējs pirmajās grūtajās darbadienās jaunajā amatā un tikai nesen bijāt atstājis mani Valdcellā vienu.

Aleksandrs uzmeta viņam pētošu skatienu.

— Tas laikam gan bija viens no patīkamākajiem uzdevumiem manā mūžā, — viņš teica. — Es toreiz biju tik apmierināts ar jums un ar sevi, kādi dzīvē reti mēdzam būt. Ja taisnība, ka par visu, kas dzīvē darījis prieku, mums dārgi jāsamaksā, tad šodien man acīmredzot jācieš par savu toreizējo pacilātību. Es toreiz no tiesas lepojos ar jums. Šodien to vairs nevaru teikt. Ja Ordenim jūsu dēļ jāpiedzīvo vilšanās un Kastālija tiek satricināta, es esmu par to līdzatbildīgs. Iespējams, ka toreiz, kad biju jūsu vadītājs un padomdevējs, man vajadzēja vēl dažas nedēļas uzkavēties Spēlētāju ciematā vai arī būt pret jums drusku bargākam, vēl stingrāk jūs kontrolēt.

Knehts līksmi atsaucās viņa skatienam.

— Ja jūs, *domine,* jūtat sirdsapziņas pārmetumus, būšu spiests atsaukt jums atmiņā dažas pamācības, kuras jums nācās izteikt man, kad es, tikko iecelts par Maģistru, pārāk jau nopietni izturējos pret amata pienākumiem un man uzlikto atbildību. Jūs, nupat atcerējos, tādā brīdī teicāt man: pat tad, ja es, Spēles maģistrs, būtu nelietis vai stulbenis un rīkotos tā, kā Maģistrs rīkoties nedrīkst, jā gan, pat tai gadījumā, ja es, atrazdamies tik augstā amatā, tīšuprāt censtos nodarīt labi daudz ļauna, arī tas mūsu mīļoto Kastāliju neiztraucētu vairāk, nesaviļņotu dziļāk par akmentiņu, kas iemests ezerā. Pāris vilnīšu, pāris loku — un viss ir garām. Tik stipra, tik nesatricināma esot mūsu Kastālijā valdošā kārtība, tik neiedragājams tās gars. Vai atceraties? Nē, jūs noteikti neesat vainojams, ja tiecos kļūt par iespējami sliktu kastālieti un kaitēt Ordenim, cik manos spēkos. Turklāt jūs labi zināt, ka man neizdosies un nevar izdoties nopietni iztraucēt jūsu mieru. Es turpinu savu stāstu... Tam, ka jau savas Maģistra darbības sākumā spēju nolemt ko tādu, arī tam, ka šo lēmumu neaizmirsu un tagad sāku to īstenot, ir sakars ar savdabīgu dvēseles stāvokli, ko laiku pa laikam pārdzīvoju un dēvēju par atmodu. Bet tas jums jau zināms, es ieminējos jums par to dienās, kad bijāt mans mentors un guru, proti, pažēlojos jums, ka šis pārdzīvojums nav atkārtojies, kopš esmu amatā, un kļūst man arvien svešāks.

— Atceros, — apliecināja priekšnieks. — Mani toreiz mazliet pārsteidza jūsu spēja izjust ko tādu, jo mūsu vidū tā reti sastopama, toties tur ārā, pasaulē, izpaužas visai dažādi: šāda spēja piemīt, piemēram, ģēnijiem, pirmām kārtām valstsvīriem un karavadoņiem, taču tāpat arī vāja, pa pusei patoloģiska rakstura, visumā drīzāk jau nepietiekami apdāvinātiem cilvēkiem, piemēram, gaišreģiem, telepātiem, medijiem. Ar abu paveidu ļaudīm — kā varonīgiem karotājiem, tā gaišreģiem un "brīnumrīkstītes" cilātājiem,— jums manās acīs nebija nekā kopīga. Gluži otrādi, jau toreiz un vēl aizvakar jūs man likāties dzimis Ordeņa biedrs — nosvērts, skaidrots, paklausīgs. Man šķita, ka ļaudis, ko piemeklē un pakļauj savai varai dzirdes halucinācijas, noslēpumainas balsis — dievišķas vai dēmoniskas, vai arī tādas, kas atskan cilvēka iekšienē, — nemaz nelīdzinās jums. "Atmodas" stāvokli, kuru jūs man aprakstījāt, tāpēc izskaidroju pavisam vienkārši — kā acumirklīgu pāša augsmes atskārsmi. Šai sakarā man likās arī gluži dabiski, ka minētais iekšējais pārdzīvojums ilgāku laiku nav atkārtojies: jūs taču tikai nupat bijāt stājies amatā un sācis veikt uzdevumu, kas pagaidām atgādināja pārāk platu mēteli, kurā vēl jāieaug. Bet sakiet — vai jums kaut reizi šķitis, ka šīs atmodas ir kas līdzīgs augstāku varu atklāsmei, vēstīm vai aicinājumam no sfērām, kur valda kāda objektīva, mūžīga vai dievišķa patiesība?

— Te nu mēs, — teica Knehts, — esam nonākuši pie grūta uzdevuma, kas man šobrīd jārisina, — izteikt ar vārdiem to, ko nekādi neizdodas ietvert vārdiskā izteiksmē, padarīt racionālu to, kas acīm redzot ir iracionāls. Nē, par dievības vai dēmona, vai kādas absolūtas patiesības manifestāciju es savas atmodas nekad neesmu skaitījis. Spilgtus un pārliecinošus šos pārdzīvojumus dara ne jau tas, cik tajos patiesības, ne jau augsta izcelsme, dievišķums vai kas tamlīdzīgs, bet gan to realitāte. Tie ir satriecoši reāli, tāpat kā spēju fizisku sāpju, negaidītu dabas norišu — vētru vai zemestrīču mirkļos realitātes, tagadības, neizbēgamības lādiņš mums šķiet daudz lielāks nekā ikdienā un ierastos apstākļos. Vēja brāzma, kas vēstī par negaisa tuvošanos, liekot steigšus atgriezties mājās un vēl pēdējā mirklī raujot no rokām ārdurvis, vai tik neciešamas zobu sāpes, ka visas pasaules saspīlējumi, ciešanas un konflikti šķiet sakoncentrēti mūsu žoklī, — tās ir parādības, kuru realitāti vai nozīmību vēlāk varam apšaubīt, ja mums ir nosliece uz tādiem jokiem, taču pārdzīvojuma brīdī tās nepieļauj ne mazākās šaubas un ir līdz pēdējai iespējai reālas. Līdzīga rakstura kāpināta realitāte manā uztverē piemīt manai "atmodai", tāpēc šāds apzīmējums; "atmodas" brīžos es tiešām jūtos tā, it kā ilgu laiku būtu gulējis miegā vai pusmiegā, bet tagad esmu pamodies un jūtos tik možs un tik asi uztveru visu, kā tas citkārt nemēdz būt. Lielu sāpju vai dziļa satricinājuma mirkļiem — tas attiecas arī uz pasaulvēsturiskām norisēm — piemīt pārliecinošas nepieciešamības spēks, tie rada nomācošu autoritātes un saspīlējuma sajūtu. Satricinājuma rezultātā var rasties kas skaists un gaišs vai arī durni drūms; katrā ziņā pati norise, likdamās diža, nepieciešama un nozīmīga, būtiski atšķiras no tā, kas notiek diendienā.

— Bet tagad pamēģināsim, — turpināja Knehts, atvilcis elpu, — aplūkot šo jautājumu vēl no kādas citas puses. Vai atceraties leģendu par svēto Kristapu? Jā? Tad lūk, šis Kristaps bija ļoti stiprs un drosmīgs, taču negribēja kļūt par kungu un valdīt, viņš vēlējās kalpot; kalpošana bija viņa stiprā puse un aicinājums, kalpot viņš prata labi. Bet viņam nebija vienalga, kam viņš kalpo. Kalpot viņš vēlējās pašam lielākajam, pašam varenākajam valdniekam. Padzirdis, ka cits dižais ir varenāks par viņa kungu, viņš piedāvāja tam savus pakalpojumus. Šis dižēnais kalps man vienmēr paticis, es, domājams, esmu viņam drusku līdzīgs. Vismaz tai vienīgajā mūža posmā, kad pats sev biju noteicējs, proti, studiju gados, ilgi meklēju un svārstījos, kuram kungam lai kalpoju. Gadiem ilgi vairījos atzīt un neticīgi vēroju Stikla pērlīšu spēli, lai gan jau sen biju sapratis, ka tā ir pats dārgākais, pats īstākais mūsu Provinces auklējums. Es jau biju pievilināts un zināju, ka zemes virsū nav nekā pievilcīgāka un sarežģītāka par Spēli, biju arī jau samērā agri atskārtis, ka šai apburošajai Spēlei nav vajadzīgi naivi vaļaeprieka tīkotāji, ka tā prasa, lai cilvēks, apguvis zināmas iemaņas, atdod tai sevi visu, kalpo vienīgi tai. Ziedot savus spēkus, upurēt savas intereses uz laiku laikiem šim valdzinājumam — pret to sacēlās manī kāds instinkts, kāda naiva slieksme uz vienkāršo, viengabalaino un veselo, un šis instinkts brīdināja mani no Valdcellas Spēlētāju ciematā valdošā šauras specializācijas un virtuozitātes gara — gara, kas, tiesa gan, augstu attīstīts un ārkārtīgi bagātīgi izkopts, tomēr atrauts no dzīves un cilvēces kopsatvara un norobežojies augstprāta vientulībā. Gadiem ilgi svārstījos un pārbaudīju sevi, līdz nobrieda lēmums un es, lai arī šaubījos, izšķīros par Spēli. To es darīju tādēļ, ka manī mita šī dziņa — meklēt augstāko pilnību un kalpot kungam, kurš dižāks par citiem.

— Saprotu, — teica Maģistrs Aleksandrs. — Bet, lai no kuras puses lūkojos, lai kā jūs iztēlojat visu, arvien no jauna atdūros pret to pašu visu jūsu īpatnību cēloni. Jūs esat pārāk aizņemts pats ar sevi vai arī pārāk atkarīgs pats no sevis, bet tas nebūt nav tas pats, kas būt lielai personībai. Cilvēks, kurš talanta, gribasspēka, izturības ziņā salīdzināms ar pirmā lieluma zvaigzni, var būt tik labi centrēts, ka bez jebkādas berzes un enerģijas zuduma iekļaujas tās sistēmas svārstību ritmā, kurai piederīgs. Citam ir tikpat izcilas dotības, varbūt vēl izcilākas, taču ass nav precīzi centrēta un pusi sava spēka šīs cilvēks izšķiež ekscentriskām kustībām, kas vājina viņu pašu un traucē apkārtējos. Šāda tipa cilvēks, šķiet, esat jūs. Taisnība, tas man jāatzīst, jūs pratāt šo nepilnību lieliski noslēpt. Jo ļaunāk šis trūkums toties izpaužas tagad. Jūs stāstījāt par svēto Kristapu, un man jāteic: lai arī šim tēlam piemīt kas dižens un slavējams, tas tomēr neder par piemēru, kā jākalpo hierarhijai. Kas vēlas kalpot, lai kalpo kungam, kuram apsolījies, uz dzīvību un nāvi, nevis ar slepenu apņemšanos mainīt valdnieku, līdzko atradīs citu — spožāku. Tā rīkodamies, kalps uzmetas par tiesnesi savam kungam, un tieši to darāt arī jūs. Jūs allaž vēlaties kalpot vien pašam augstākajam kungam, turklāt esat tik vientiesīgs, ka uzdrīkstaties pats izlemt, kurš valdnieks ir dižākais.

Knehts vērīgi klausījās. Ne bez vieglas skumju ēnas sejā viņš teica:

— Visu cieņu jūsu spriedumam, neko citu es nevarēju gaidīt. Bet atļaujiet man turpināt savu stāstu — daudz vairs nav atlicis. Es tātad kļuvu par Stikla pērlīšu spēles maģistru un labu laiku tik tiešām biju pārliecināts, ka kalpoju visaugstākajam kungam. Ne jau velti mans draugs Deziņori, mūsu labvēlis Federatīvajā padomē, man kādu dienu visai uzskatāmi pierādīja, kas par arogantu, vīzdegunīgu, blazētu Spēles virtuozu un elites ragulopu biju kļuvis. Vēl man atlicis pastāstīt, kāda nozīme kopš studiju gadiem un pirmās "atmodas", manā dzīvē bijusi vārdam *transcendere*. Man šis vārds, liekas, pielipa, lasot kādu filozofu apgaismotāju, kā arī Maģistra Tomasa fon der Trāves iespaidā, un no tā laika tas līdzīgi "atmodai" kļuva man par īstu burvju vārdiņu — prasīgu un pamudinošu, mierinošu un apsološu. Manam mūžam, es apņēmos, jākļūst par robežu pārkāpšanu, man jāveic kāpe aiz kāpes, jāizstaigā un jāatstāj aiz sevis telpa pēc telpas, tāpat kā mūzika atsedz, atskaņo, izsmeļ un atstāj aiz sevis tēmu pēc tēmas, tempu pēc tempa, nepagurdama, nekad nenorimdama, allaž modra, allaž viscaur tagadīga. Pateicoties savām "atmodām", biju novērojis, ka tādas kāpes un telpas eksistē un katra dzīves posma izskaņai ir vītuma un nāves alku piekrāsa, bet seko tai pāreja jaunā telpā, atmoda, jauns aizsākums. Arī par to, ko pats dēvēju par "robežu pārkāpšanu", stāstu cerībā, ka stāstījums varbūt palīdzēs jums izprast manu dzīvi. Lēmums pie vērsties Stikla pērlīšu spēlei nozīmēja vienu tādu pakāpienu, otru tikpat svarīgu — pirmā saskare ar hierarhiju, iekļaušanās tajā. Kļuvis par Maģistru, es tāpat pārvarēju kāpi aiz kāpes. Pats labākais, ko deva man amats, bija atklājums, ka aplaimot spēj ne vien muzicēšana un Stikla pērlīšu spēle, bet arī skolotāja un audzinātāja darbs. Ar laiku turklāt atklāju, ka audzinātāja darbs priecē mani jo vairāk, jo jaunāki un nepareizas audzināšanas neskartāki ir audzēkņi. Atklājis to un ar gadiem vēl šo to citu, sāku vēlēties, lai man būtu jauni, arvien jaunāki skolnieki, un vislabprātāk es būtu kļuvis par skolotāju pirmskolā, vārdu sakot, iztēlē nereti pārcēlos jomā, kas atradās ārpus manas amata darbības ietvariem.

Uz brīdi viņš apklusa, un priekšnieks piemetināja:

— Jūs pārsteidzat mani arvien vairāk, Maģistr! Jūs stāstāt par savu dzīvi, un runa ir bezmaz tikai par privātiem, personiskiem pārdzīvojumiem, subjektīvām vēlmēm, paša attīstību un lēmumiem. Man, nudien, ne jausmas nebija, ka jūsu ranga kastālietis tā var raudzīties uz sevi un savu dzīvi.

Priekšnieka balsī jautās kas līdzīgs pārmetumam vai skumjām, un tas sāpināja Knehtu, bet saņēmies viņš moži iesaucās:

— Godājamais, mēs taču šobrīd nerunājam par Kastāliju, par Kolēģiju vai hierarhiju, bet tikai par mani, par tāda cilvēka psiholoģiju, kam diemžēl lemts sagādāt jums lielas nepatikšanas. Man nepieklājas spriest par savu amata darbību, pienākuma apziņu, par to, vai esmu labs vai slikts kastālietis un Maģistrs. Mana darbība, manas dzīves ārējā puse redzama katram un viegli pārbaudāma, nekas īpaši nosodāms tajā nebūs saskatāms. Pašreiz runa ir par ko pavisam citu: es tiecos jums parādīt ceļu, kurš jau aizvedis mani no Valdcellas un rīt aizvedīs no Kastālijas. Esiet tik labs, uzklausiet mani vēl brīdi!

Zināšanas par pasauli, kas pastāv aiz mūsu mazās Provinces robežām, man nesniedza studijas, grāmatas, kuras man atklāja to tikai tālas pagātnes aspektā, — par šīm zināšanām man pirmām kārtām jāpateicas savam skolasbiedram Deziņori, viesim no aizrobežas, un pēcāk, uzturoties benediktiešu klosterī, pāteram Jakobam. Pats savām acīm pasauli esmu redzējis maz, bet šis cilvēks palīdzēja man gūt priekšstatu par to, ko sauc par vēsturi, un nav izslēgts, ka šīs zināšanas lika pamatu tai izolācijai, kurā nokļuvu, atgriezies mājās. Es atgriezos zemē, kurai tikpat kā nav savas vēstures, — zinātnieku un Stikla pērlīšu spēles adeptu Provincē, visai cienījamā un arī ļoti patīkamā sabiedrībā, tomēr ar saviem neskaidrajiem priekšstatiem par pasauli, ar savu ziņkāri, ar savām simpātijām pret šo pasauli es te, liekas, biju gluži viens. Tiesa, daudz kas šeit priecēja mani: šeit mita daži cilvēki, kurus dziļi cienīju, kļūt tiem par kolēģi man šķita mulsinoša laime un gods, visapkārt bija daudz labi audzinātu un augsti mācītu biedru, arī darba bija gana un netrūka apdāvinātu, mīlamu skolnieku. Taču, mācīdamies pātera Jakoba vadībā, biju atklājis, kā esmu ne vien kastālietis, bet arī cilvēks, ka man ir sakars ar pasauli, ar itin visu, kas notiek pasaulē, un ka tai ir tiesības prasīt, lai dzīvoju līdzi tās dzīvi. No šā atklājuma izrietēja nepieciešamības, kurām atsaukties, kuras uzņemties nekādā ziņā nedrīkstēju. Pasaulīgā dzīve kastālieša uztverē bija atpalikusi un mazvērtīga, tā bija dzīve, kurā valda nekārtība un rupjība, kaislības un izklaidība, tai nepiemita nekas daiļš un tīkams. Bet pasaule ar tās dzīvi tačļu bija nesalīdzināmi plašāka un bagātāka, nekā to spēja iztēloties kastālietis, tā atradās nemitīgas tapšanas stāvoklī, pati radīja vēsturi, kūsāja nebeidzamā jaunradē; iespējams, tajā valdīja haoss, toties tā bija visu likteņu, visas plauksmes, visu mākslu, visa cilvēciskā klēpis un auglīgais pamats; tā radīja tautas, valodas, valstis, kultūras, tā bija radījusi arī mūs un mūsu Kastāliju, un tā pieredzēs, kā mēs mirstam, un pastāvēs arī pēc mums. Uz šo pasauli mans skolotājs Jakobs manā sirdī bija modinājis mīlestību, kas bez mitas auga un meklēja, kam lai pieslejas, bet Kastālijā nebija nekā, kas to sekmētu; šeit mēs mītam ārpus pasaules, paši esam kļuvuši par mazu, pilnīgu, veidoties pār- stājušu, vairs netopošu pasauli.

Dziļi nopūties, viņš brīdi klusēja. Redzēdams, ka arī priekšnieks neko nesaka, tikai nogaidoši uzlūko viņu, Knehts, domīgi pamājis, turpināja:

— Man bija jānes divkārša nasta, turklāt ne vienu vien gadu. Man bija jāvada liels resors un jāatbild par tā darbību, un man bija jātiek galā ar savu mīlestību. Darbs — tas man no pirmās dienas bija skaidrs — šīs mīlestības dēļ nedrīkst ciest. Gluži otrādi, man likās — tai jānāk par labu darbam. Pat tad, ja es — tiesa gan, es cerēju, ka tas tā nebūs, — tik nekļūdīgi un nevainojami neveiktu savu darbu, kā tas Maģistram būtu jādara, man tomēr paliktu apziņa, ka sirdī esmu možāks un modrāks par vienu otru nepeļamu kolēģi un ka man ir ko dot saviem skolniekiem un līdzstrādniekiem. Es uzskatīju par savu uzdevumu pakāpeniski un piesardzīgi, nepārkāpjot tradīcijas, papla- šināt un sasildīt kastāliešu dzīvi un domāšanu, pievadot tām svaigas asinis, aizgūtas no pasaules un no vēstures, un laimīga sagadīšanās bija lēmusi, ka tai pašā laikā tur ārā, pasaulē, kāds cilvēks, juzdams un domādams līdzīgi man, sapņoja par Kastālijas un pasaules tuvināšanos un savstarpēju caurausmi — tas bija Plīnio Deziņori.

Maģistrs Aleksandrs viegli sašķobīja muti, teikdams:

— Nujā, nekad nebiju gaidījis, ka šis cilvēks iespaidos jūs lab- vēlīgi, tāpat kā jūsu neizdevies aizbilstamais Tegularijs. Tātad tas ir Deziņori, kas jūs pierunājis saraut visas saites ar hierarhiju?

— Nē, *domine,* bet viņš, pa daļai pats to neapzinādamies, šai lietā man palīdzēja. Viņš ienesa spirgtu dvesmu manā sadusumā, pateicoties viņam, es atguvu saskari ar ārpasauli, un tikai tas deva man iespēju atskārst un atzīties sev, ka mana gaita šeit tuvojas beigām, ka darbs būtībā vairs nepriecē mani un pienācis laiks darīt galu šīm mokām.

Atkal viens pakāpiens bija palicis aiz manis, atkal bija izstaigāta kāda telpa, un šoreiz šī telpa bija Kastālija.

— Kā jūs izsakāties! — iesaucās Aleksandrs, pakratīdams galvu.

— It kā Kastālija nebūtu plaša diezgan, lai daudzus jo daudzus pienācīgi nodarbinātu augu mūžu! Vai jūs pavisam nopietni ticat, ka esat izstaigājis un atstājis aiz sevis šo telpu?

— O nē, — strauji atsaucās otrs, — neko tādu nekad neesmu domājis, teikdams, ka šī telpa palikusi aiz manis. Gribēju vienīgi sacīt, ka viss, ko savā postenī kā indivīds spēju paveikt, ir izpildīts. Kopš zināma laika es esmu uz robežas, aiz kuras mana darbība Spēles maģistra postenī kļūst par nebeidzamu atkārtošanos, par tukšu iemaņu un formalitāti, un es veicu to bez prieka, bez pacilātības, dažbrīd arī bez ticības. Bija pēdējais laiks izbeigt to visu.

Aleksandrs nopūtās.

— Tā spriežat jūs, Ordenis un tā noteikumi pārstāv citu viedokli. Tas, ka Ordeņa biedram ir savas noskaņas, ka viņam darbā uznāk paguruma brīži, nav nekas jauns un neparasts. Noteikumi rāda ceļu, kas tādās reizēs ejams, lai atgūtu līdzsvaru un no jauna centrētu sevi. Vai tiešām esat to aizmirsis?

— Šķiet, neesmu vis, Godājamais! Jums nav grūti pārliecināties, kā es strādāju, un vēl pavisam nesen, nupat, šinīs dienās, saņēmis manu vēstījumu, jūs pakļāvāt kontrolei Spēlētāju ciematu un arī mani. Jums bija izdevība konstatēt, ka darbs tiek darīts, ka Arhīvā un kancelejā valda kārtība, ka Spēles maģistrs nav nedz slims, nedz gražīgi noskaņots. Tieši tiem noteikumiem, ar kuriem jūs reiz tik lietpratīgi iepazīstinājāt mani, esmu pateicību parādā, ka izturēju līdz galam, ka nepaguru un nezaudēju nosvērtību. Bet tas prasīja lielu piepūli. Un tagad man diemžēl ne mazāk jānopūlas, lai pārliecinātu jūs, ka manas rīcības pamatā nav noskaņas, kaprīzes vai iekāres. Bet neatkarīgi no tā, vai man izdosies vai neizdosies jūs pārliecināt, es vienu tomēr prasu, proti, lai jūs atzītu, ka līdz brīdim, kad pēdējo reizi pakļāvāt pārbaudei mani un manu veikumu, viss bija pilnā kārtībā. Vai arī tas būtu par daudz prasīts?

Maģistra Aleksandra skatienā pavīdēja kas līdzīgs vīpsnai.

— Cienītais kolēģi, — viņš teica, — jūs runājat ar mani tā, it kā mēs abi būtu privātpersonas un nepiespiesti tērzētu. Bet tas attiecas tikai uz jums, jūs tagad tiešām esat privātpersona. Toties es tāds neesmu — to, ko es domāju un saku, es saku jums kā Ordeņa vadības priekšnieks, kas par katru savu vārdu atbildīgs Kolēģijai. Tam, ko šodien sakāt jūs, seku nebūs; lai cik svarīgi jums liktos paša vārdi, tie ir un paliek privātpersonas izteikumi, jūs aizstāvat vienīgi savas intereses. Bet es tāpat kā agrāk esmu atbildīga amatpersona, un tam, ko es šodien saku vai daru, var būt sekas. Runādams ar jums par jūsu pasākumu, es pārstāvu Kolēģiju. Nebūt nav viss viens, vai Kolēģija samierināsies ar jūsu interpretāciju vai pat, iespējams, atzīs to par pareizu. Jūs tātad iztēlojat visu tā, ka līdz vakardienai, ja neņem vērā dažas īpašas domas, esat bijis labs un nevainojams kastālietis un Maģistrs, ka jums gan bijuši kārdinājuma un paguruma brīži, bet allaž esat pret tiem cīnījies un tos pārvarējis. Pieņemsim, es tam noticu, bet kā tādā gadījumā lai izprot satriecošo faktu, ka nevainojams, krietns Maģistrs, kas vēl vakar ievēroja visus noteikumus, šodien pēkšņi dezertē? Galu galā vieglāk tomēr iztēloties Maģistru, kas jau labi sen iekšēji mainījies, kļuvis garīgi nevesels un, lai gan vēl aizvien uzskata pats sevi par itin krietnu kastālieti, patiesībā jau sensenis tāds vairs nav. Un vēl es vaicāju sev, kādēļ gan jūs tik lielu nozīmi piešķirat atzinumam, ka līdz pēdējam brīdim esat bijis uzticīgs savam pienākumam? Reiz jūs esat spēris šo soli — esat lauzis paklausības solījumu un kļuvis par dezertieri, tāds atzinums jums vairs nevarētu likties svarīgs.

— Piedodiet, Godājamais, kādēļ tas lai neliktos man svarīgs? — iebilda Knehts. — Runa ir par manu labo slavu un vārdu, par piemiņu, ko šeit atstāšu. Runa tātad ir arī par iespēju tur, aiz robežas, darboties Kastālijas labā. Es neatrodos šeit, lai attaisnotu sevi vai pat panāktu, ka Kolēģija atzīst manu soli par pareizu. Es jau paredzēju, ka kolēģu acīs turpmāk būšu apšaubāms cilvēks, problemātiska parādība, un ar to samierinos. Bet es nevēlos, ka mani uzskata par nodevēju vai vājprāti; tāds spriedums man nav pieņemams. Es esmu izdarījis ko tādu, kas jums jānosoda, bet darīju to tādēļ, ka citādi nevarēju, ka tas man uzdots, ka tas ir mans aicinājums, kuram ticu un kuru labprātīgi uzņemos. Ja arī to jūs nevarat atzīt, es esmu cietis sakāvi un mūsu saruna bijusi veltīga.

— Runa visu laiku ir par vienu un to pašu, — atbildēja Aleksandrs.

— Jūs prasāt, lai atzīstu, ka zināmos apstākļos cilvēkam ir tiesības pretstatīt savu gribu likumam, kuram es ticu un kuru man uzdots pārstāvēt. Bet es nevaru ticēt mūsu kārtībai un vienlaikus atzīt, ka jums ir īpašas tiesības šo kārtību lauzt... Lūdzu, nepārtrauciet mani! Es varu atzīt, ka jūs acīmredzot esat pārliecināts par sava kļūmā soļa likumīgumu un jēgu un ka saskatāt tajā savu aicinājumu. Jūs taču negaidāt, ka atzīšu jūsu rīcību par pareizu! Vienu jums tomēr izdevies panākt: es esmu atmetis pirmītējo domu atgūt jūs un piespiest jūs grozīt savu lēmumu. Es neiebildīšu pret jūsu izstāšanos no Ordeņa un ziņošu Kolēģijai par jūsu labprātīgo atkāpšanos no amata. Tas ir viss, ko varu, Jozef Kneht!

Stikla pērlīšu spēles maģistrs apliecināja ar žestu, ka padodas. Pēc tam klusi piemetināja:

— Pateicos jums, priekšnieka kungs! Lādīti jūs jau saņēmāt.

Tagad nododu jums Kolēģijas ieskatam arī dažas piezīmes par stāvokli Valdcellā, pirmām kārtām par repetitoriem un dažām personām, kuras, manuprāt, vispiemērotākās kļūt par manu pēcnieku Maģistra amatā.

Viņš izvilka no kabatas un nolika uz galda dažas salocītas lapiņas. Tad viņš piecēlās, arī priekšnieks piecēlās. Knehts piegāja viņam klāt, skumji laipnu skatienu ilgi lūkojās acīs, pēc tam paklanījies teica:

— Gribēju lūgt, lai uz atvadām atjaujat man paspiest jums roku, bet neuzdrošinos vairs. Jūs allaž bijāt man sevišķi dārgs, un arī šī mūsu saruna manu attieksmi nav mainījusi. Palieciet sveiks, mans mīļais, mans cienījamais draugs!

Aleksandrs klusēja; viņš bija nobālis, vienu brīdi likās — viņš tūdaļ cels roku un sniegs to Knehtam. Juzdams, ka acis top valgas, viņš pielieca galvu un, atņēmis sveicienu, neliedza Knehtam iet.

Kad durvis aiz Knehta aizdarījās, priekšnieks vēl brīdi palika, kur stāvējis, ieklausīdamies soļos, kas pamazām attālinājās, un, kad tie pagaisa pavisam un nekas vairs nebija dzirdams, kādu brīdi staigāja šurpu turpu pa istabu, kamēr ārā atkal kļuva dzirdami soļi un kāds klusi klauvēja pie durvīm. Ienāca jaunais kalpotājs un ziņoja, ka ieradies apmeklētājs, kurš vēlas runāt ar priekšnieku.

— Saki viesim, ka pieņemšu viņu pēc stundas un lūdzu izteikties īsi, man ir neatliekamas darīšanas... Nē, uzgaidi! Aizej uz kanceleju un pasaki sekretāram, lai uz piektdienu steidzami izziņo Kolēģijas pilnsapulci, brīdinot, ka jāsanāk pilnam sastāvam un tikai smaga slimība var attaisnot neierašanos. Pēc tam aizej pie saimniecības pārziņa un brīdini, ka man rīt jādodas uz Valdcellu, rati jāpiebrauc septiņos...

— Atļaujiet ziņot, — teica jauneklis, — jūsu rīcībā ir Stikla pērlīšu spēles maģistra ekipāža.

— Kā tā?

— Godājamais vakar ieradās ekipāžā. Nupat aiziedams viņš paziņoja, ka tālāk dodas kājām un atstāj ekipāžu Kolēģijas rīcībā.

— Labi, tādā gadījumā braukšu ar Valdcellas ekipāžu. Atkārto, lūdzu, ko tev liku!

Kalpotājs atkārtoja:

— Viesim jāierodas pēc stundas, viņam jāizsakās īsi. Sekretāram uz parītdienu jāsasauc Kolēģijas sēde, ierašanās obligāta, tikai smaga slimība attaisno neierašanos. Rīt septiņos no rīta brauciens uz Valdcellu Spēles maģistra ekipāžā.

Palicis viens, Maģistrs Aleksandrs nopūtās, viņš nostājās blakus galdam, pie kura bija sēdējis kopā ar Knehtu; vēl aizvien viņš dzirdēja, kā aiziet šis neizprotamais, kuru viņš mīlējis vairāk par visiem citiem un kurš viņu tik ļoti sāpinājis. Kopš pirmajām dienām, kad tika ievadījis Knehtu darbā, viņš bija mīlējis šo cilvēku, un līdzās citām īpašībām viņam jo sevišķi bija patikusi Knehta gaita, stingra un ritmiska, bet vienlaikus arī viegla, bezmaz gracioza — kas vidējs starp cienīga vīra un bērna, priestera un dejotāja soli, — savdabīgi pievilcīga un cildena gaita, kas lieliski atbilda Knehta balsij un ārienei. Tikpat labi tā saskanēja ar viņa neatkārtojamo kastālieša un Maģistra stāju, ar viņa kundziskumu un skaidrotību, kas dažkārt mazliet atgādināja viņa priekšteča — Maģistra Tomasa aristokrātiski apvaldītās manieres, citkārt atkal — vecā Mūzikas maģistra vienkāršo, sirsnīgo izturēšanos. Tātad viņš nebija šeit, viņš bija pasteidzies aiziet kājām — kas zina, uz kurieni, — un nekad vairs, jādomā, neizdosies tikties, dzirdēt viņa smieklus, redzēt, kā viņa skaisti veidotā roka ar slaikajiem pirkstiem pieraksta kāda Spēles fragmenta hieroglifus. Viņš paņēma no galda lapiņas, kas tur bija palikušas, un sāka tās lasīt. Tas bija īss novēlējums, gaužām aprauts un lietišķs, nereti tikai atsevišķi vārdi teikuma vietā, un raksta nolūks bija atvieglot Kolēģijai darbu, pārbaudot Spēlētāju ciematu un ievēlot jaunu Maģistru. Glītā, sīkā rokrakstā bija uzmestas saturīgas norādes, vārdos un rokrakstā jautās tā pati vienreizējā, tikai Jozefam Knehtam piemītošā savdabība, ko pauda arī viņa āriene, viņa balss un gaita. Jāšaubās, vai Kolēģijai izdosies atrast viņa cienīgu pēcnieku; īstu rīkotāju un dižu raksturu kā nekā pasaulē maz, un katra tāda personība uzskatāma par laimīgu nejaušību un likteņa dāvanu pat šeit, Kastālijā, elites Provincē.

Iešana ielīksmoja Jozefu Knehtu — jau gadiem ilgi viņš nebija ceļojis kājām. Jā gan, ja vien atmiņa nevīla, viņš pēdējo reizi bija devies īstā pārgājienā toreiz, kad no Mariafelzas klostera atgriezās Kastālijā uz Valdcellas gadskārtējām Spēlēm, kuras tik nomācošas vērta "ekselences" Maģistra Tomasa fon der Trāves nāve, — tām pašām, pēc kurām viņam bija lemts kļūt par nelaiķa pēcteci. Citkārt, atcerēdamies šos laikus vai pat studiju gadus un Bambuskoku birzī pavadītās dienas, viņš allaž bija juties tā, it kā no lietišķi salta kambara palūkotos plašā, saules pielijušā tālē — neatgūstamajā, kas iztēlē kļuvis par atmiņu paradīzes dārzu; šādas atgadās allaž, arī tad, ja nemodināja grūtsirdību, pavēra skatienam tālas pagātnes ainas, citu — noslēpumaini svētdienīgu pasauli, kas nemaz nelīdzinājās tagadnes ikdienībai. Toties šodien, šajā līksmi saulainajā septembra pēcpusdienā, kad tepat acu priekšā viss likās tik sulīgi spilgts, bet tāle rotājās vieglā dūmakā tītos, sapņaini glāsos, zilgi violetos krāsu toņos, nesteidzīgi liekot soli aiz soļa un rimti mielojot acis, seno dienu pārgājiens vairs nelikās tāla pagājība, kas met paradīzes atspulgu skumjā tagadībā, — nē, šīsdienas pastaiga atgādināja toreizējo, un šodienējais Jozefs Knehts bija tik līdzīgs toreizējam kā brālis brālim; viss atkal šķita jauns, vēl neiepazīts, daudzsološs, it kā bijušais būtu atgriezies un nestu sev līdzi ne mazumu jauna. Jau sen diena un visa apkārtējā pasaule viņam nebija likušās tik bezrūpīgas, tik skaistas un nevainīgas. Aplaimojošā brīvības un neatkarības izjūta skurbināja viņu kā stiprs vīns; sen viņš nebija ļāvies šai izjūtai, šai saldajai un apburošajai ilūzijai. Brīdi padomājis, viņš atcerējās mirkli, kad šī burvīgā izjūta pirmo reizi tika samaitāta un savažota — tas notika, runājot ar Maģistru Tomasu, kurš uzmeta viņam laipni ironisku skatienu, — viņš labi atcerējās, cik baisi jutās mirklī, kad zaudēja brīvību; tās nebija īstas sāpes, svelošas mokas, drīzāk tās bija bailes, vieglas šermas, brīdinoša smelgoņa pakrūtē, dzīves izjūtas temperatūras un pirmām kārtām tempa maiņa. Šodien viņš jutās izdziedēts, atbrīvojies no tik biedīgās un satraucošās izjūtas, kas tai likteņstundā dzīrās aizžņaugt kaklu un draudēja nosmacēt.

Vakar, dodamies uz Hirslandi, Knehts bija nolēmis: lai kas tur atgadītos, nekādā gadījumā nenožēlot notikušo. Šobrīd viņš liedza sev atcerēties, kā īsti norisa saruna ar Maģistru Aleksandru, atcerēties savu cīņu ar viņu un par viņu. Viss viņš ļāvās tai atslodzes un brīvības izjūtai, kas viņu bija pārņēmusi, tāpat kā svētvakara noskaņa pārņem zemnieku, kad dienas darbi apdarīti. Viņš jutās drošībā, viņam nebija nekādu saistību; viņš apzinājās, ka šobrīd nevienam nav vajadzīgs, ka atraisījies no visa, ka nekas nav nedz jādara, nedz jādomā, un gaišā, rudenīgi košā diena, tik maigi starojoša, bija tikai ainava, tikai tagadne, tā neprasīja neko, tai nebija pagātnes, nebija nākotnes. Brīžam ceļinieks savā nodabā klusītēm dungoja kādu maršu, ko reiz puisēna gados, mācīdamies Ešholcā, trīsbalsīgi vai četrbalsīgi bija dziedājis kopā ar citiem elites skolniekiem, dodoties ekskursijās, un sīkas, gaišas atmiņu atbalsis, atlidojušas no līksmās mūža rītausmas, vīteroja viņā kā putni.

Nonācis pie ķirškoka, kura lapotne vietumis jau purpuroja, Knehts atlaidās zālē. Viņš iebāza roku krūšu kabatā un izvilka mantiņu, ko Maģistrs Aleksandrs ne iedomāties nevarētu ieraudzīt viņa rokās, proti, mazu koka flautu, un ar maigumu aplūkoja to. Šo necilo, rotaļlietiņai līdzīgo instrumentu viņš bija iegādājies nesen, pirms kāda pusgada, un ar labpatiku atcerējās dienu, kad ieguva to savā īpašumā. Toreiz viņš bija devies uz Monporu, lai apspriestu ar Karlo Feromonti dažus mūzikas teorijas jautājumus; runa bija arī par attiecīgo laikmetu koka pūšamajiem instrumentiem, un Knehts lūdza draugu, lai tas parāda viņam Monporas instrumentu kolekciju. Izstaigājuši vairākas zāles un pamielojuši acis gar senu ērģeļu manuāļiem, senām arfām, lautām un klavierēm, viņi iegriezās noliktavā, kur glabājās instrumenti skolu vajadzībām. Tur Knehts ieraudzīja veselu lādīti ar šādām flautiņām, nolūkoja vienu, izmēģināja, kā tā skan, un pavaicāja draugam, vai drīkst to paņemt līdzi. Smiedamies Karlo palūdza viņu izraudzīties kādu, vēl arvien smiedamies, lika viņam parakstīt kvīti un pēc tam sīki jo sīki pastāstīja par instrumenta uzbūvi un spēles tehniku, tāpat arī parādīja, kā tas lietojams. Knehts paņēma līdzi jauko rotaļlietiņu. Ešholcā aizvadītajās zēna dienās viņš bija mācījies pūst vienkāršu koka flautu. Kopš tā laika viņš nevienu pūšamo instrumentu netika spēlējis, kaut vairākkārt apņēmās kāda instrumenta spēli apgūt. Tagad viņš atkal šad tad vingrinājās flautas spēlē. Līdz ar gammām viņš vingrinājās atskaņot senas melodijas, kas apkopotas burtnīciņā, ko Feromonte bija izdevis iesācējiem, un dažu reizi Maģistra dārzā vai guļamistabā bija dzirdama mazās flautiņas maigi saldā balss. Līdz meistarībai Knehtam bija tālu, bet vienu otru korāli un dziesmu viņš tika iemācījies no galvas, turklāt zināja arī vārdus. Viena tāda dziesma, kas šobrīd likās īsti vietā, viņam pēkšņi iešāvās prātā. Pusbalsī viņš noskaitīja dažas rindiņas:

Šie locekļi, šī miesa
Jau bija trūdu tiesa,
Bet piecelts tapa
Mans gars no dzestrā kapa.
Možs atkal zilās debesis raugos.

Pēc tam Knehts pielika pie lūpām flautiņu un nospēlēja meldiju, lūkodamies uz kalnu virsotnēm liegi zaigajā tālē, ieklausīdamies saldajā flautas balsī, līksmi dievbijīgas dziesmas skaņās, un jutās vienots ar debesīm un kalniem, ar dziesmu un dienu. Bija tik patīkami skart ar pirkstiem gludo, apaļo koka stabulīti un domāt par to, ka bez apģērba, kas pašam mugurā, flautiņa ir vienīgā manta, ko viņš atļāvies paņemt līdzi no Valdcellas. Ritot gadiem, ap viņu uzkrājās šis tas, kam vairāk vai mazāk piemita personiska īpašuma raksturs, galvenām kārtām piezīmes, konspektu burtnīcas un dažādi pieraksti; to visu viņš atstāja Spēlētāju ciemata ziņā. Bet flautiņu viņš paņēma līdzi un priecājās, ka tā pavada viņu ceļā; tā bija mīļš un pieticīgs ceļabiedrs.

Nākamajā dienā ceļinieks nonāca galvaspilsētā un ieradās Deziņori namā. Pa kāpnēm lejā nokāpa Plīnio, devās pretī draugam un aizkustināts apkampa viņu.

— Mēs ar nepacietību un bažām gaidījām tevi, — viņš iesaucās.

— Tu esi spēris izšķīrēju soli, draugs, — lai tas mums visiem nes labu! Kā gan viņi tevi atlaida? Pat noticēt grūti!

Knehts iesmējās.

— Kā redzi, esmu šeit! Bet par to parunāsim citu reizi. Tagad es pirmām kārtām gribētu sveikt savu skolnieku un, protams, tavu dzīvesbiedri arī un kopīgi pārspriest visu, kam sakars ar maniem jaunajiem pienākumiem. Es esmu noilgojies pēc darba.

Pasaucis kalponi, Plīnio lika tai ataicināt dēlu.

— Jauno kungu? — kalpone, šķiet, izbrīnījusies pārvaicāja, bet tad aši atstāja istabu. Namatēvs tikmēr ieveda Knehtu viesistabā un aizrautīgi sāka stāstīt, ko visu apdomājis un paveicis, gaidīdams draugu, kurš turpmāk dzīvos kopā ar jauno Tito. Visu izdevies nokārtot tā, kā to vēlējies Knehts; arī Tito māte, īsu brīdi pretojusies, atzinusi Knehta velmēs par pareizām un tām piekritusi. Kalnos Viņiem piederot neliela vasarnīca, ar nosaukumu "Belpunta", tā atrodoties skaistā vietā, ezera malā; tur Knehts kopā ar savu audzēkni sākumā varēšot dzīvot, par abiem rūpēšoties veca virēja, kura nesen jau devusies turp, lai visu sagatavotu. Tur, protams, viņi uzturēšoties tikai pagaidām, augstākais, līdz rudenim, bet tieši pirmajā laikā šāda nošķirtība, bez šaubām, būšot lietderīga. Viņam, Plīnio, šis variants esot pa prātam arī tāpēc, ka Tito ļoti patīkot kalni un pati "Belpunta", zēns jau aizlaikus priecājoties, ka dzīvos tur, augstu kalnos, un bez iebildumiem piekritis vietas izvēlei. Deziņori atcerējās, ka viņam ir fotoalbums ar mājas un apkaimes attēliem; viņš aizvilka Knehtu uz savu kabinetu un, sameklējis un atvēris albumu, sāka rādīt viesim fotogrāfijas un stāstīt par māju — par istabu zemnieku stilā, podiņu krāsni, lapenēm, peldvietu ezera krastā, ūdenskritumu.

— Vai māja tev patīk? — viņš nerimās, — Vai tev tur būs ērti?

— Kādēļ gan ne? — rāmi attrauca Knehts. — Bet kur kavējas Tito? Pagājis jau labs brītiņš, kopš tu sūtīji pēc viņa.

Vēl brīdi tērzējuši, viņi izdzirda soļus; atvērās durvis, un kāds ienāca — ne Tito, ne arī kalpone, kas bija sūtīta viņu meklēt, bet zēna māte, Deziņori kundze. Knehts piecēlās, lai sasveicinātos, viņa sniedza viesim roku, izmocīdama laipnu smaidu, taču Knehts redzēja, ka pieklājīgais smaids slēpj rūpju vai sarūgtinājuma izteiksmi. Pateikusi pāris apsveikuma vārdu, Deziņori kundze pagriezās pret vīru un steigšus pavēstīja jaunumu, kas viņu nomāca.

— Man tiešām neērti! — viņa iesaucās. — Padomā, zēns ir pazudis un nekur nav atrodams!

— Kas tur liels, būs aizgājis pastaigāties, — mierināja viņu Plīnio.

— Gan jau pārnāks.

— Baidos, ne tik drīz, — atbildēja māte. — Viņš nav mājās kopš paša rīta. Es jau sen ievēroju, ka viņa nav.

— Kādēļ tu visu laiku klusēji?

— Es, protams, gaidīju, ka viņš kuru katru mirkli atgriezīsies, un negribēju tevi lieki uztraukt. Pirmajā brīdī jau arī man nekas slikts nebija prātā, es nospriedu, ka viņš aizgājis pastaigāties. Tikai tad, kad viņš neieradās uz pusdienām, sāku bažīties. Tu šodien neēdi pusdienas mājās, citādi uzreiz būtu to uzzinājis. Arī tad vēl centos sev iestāstīt, ka tikai aiz nevērības viņš liek man tik ilgi gaidīt. Bet, izrādās, tā tas nav.

— Atļaujiet vaicāt, — ieminējās Knehts, — zēns taču zināja par manu drīzo ierašanos un jūsu plāniem attiecībā uz mums abiem?

— Pats par sevi saprotams, Maģistra kungs, un viņam, cik noprotams, šie plāni gandrīz vai patika, katrā ziņā viņam vairāk pa prātam bija mācības jūsu vadībā nekā no jauna nokļūt skolā.

— Nu, tad jau viss ir kārtībā, — secināja Knehts. — Jūsu dēls, sinjora, pieradis justies ļoti brīvs, sevišķi pēdējā laikā, tāpēc pats par sevi saprotams, ka izredzes iemantot audzinātāju un dīdītāju viņu ne visai iepriecina. Un tā viņš aizlavījies tieši tajā brīdī, kad viņam vajadzēja nokļūt jauna skolotāja rokās, — mazāk, domājams, aiz cerībām, ka no tiesas izdosies izbēgt savam liktenim, vairāk aiz apsvēruma, ka neko nezaudēs, novilcinādams mācību sākumu. Bez tam viņam, iespējams, sagribējās parādīt garu degunu vecākiem un vecāku nolīgtajam skolmeistaram un izteikt savu protestu visai pieaugušo un pamācītāju pasaulei.

Deziņori jutās atvieglots, ka Knehts neraugās uz notikušo traģiski. Pats viņš toties bija noraizējies un satraukts: mīlošajai tēva sirdij likās, ka dēlam draud visas iespējamās briesmas. Varbūt, viņš nodomāja, Tito tik tiešām aizbēdzis, varbūt viņam pat kas ļauns padomā? Ak, viss, kas, audzinot dēlu, bija nosebots vai izdarīts nepareizi, šķiet, dzīrās atriebties tieši tai brīdī, kad vecāki taisījās labot savu kļūdu.

Pretēji Knehta padomam tēvs uzstāja, ka jārīkojas, kaut kas jādara; nespēdams panesīgi, neko nedarīdams samierināties ar šo triecienu, viņš līdz pēdējai iespējai sakāpināja savu nepacietību un nervozo uzbudinājumu, kas draugam ļoti nepatika. Galu galā tika nolemts aizsūtīt kalpotājus uz mājām, kur Tito mēdza iegriezties, lai apciemotu sava vecuma biedrus. Knehts atviegloti uzelpoja, kad

Deziņori kundze aizgāja, lai dotu attiecīgus rīkojumus, un viņš palika divatā ar draugu.

— Plīnio, — viņš teica, — tu raugies tā, it kā jau glabātu dēlu: viņš nav vairs nekāds mazais un nebūs nedz paskrējis zem mašīnas, nedz saēdies vilkogas. Saņemies, mīļais! Tā kā zēna pagaidām nav, neliedz man pamācīt tevi. Esmu tevi kaut cik pavērojis, un man rādās, tu neesi īsti formā. Mirklī, kad atlēts atvaira negaidītu sitienu vai tvērienu, muskuļi it kā paši no sevis izdara vajadzīgo kustību — izstiepjas vai saraujas, palīdzot viņam noturēties kājās. Tāpat arī tev, skolniek Plīnio, brīdī, kad tevi ķēra sitiens — vai arī tas, ko pārspīlēti noturēji par sitienu, — vajadzēja likt lietā pirmo aizsarglīdzekli pret garīgām traumām, proti, censties palēnināti, mierīgi elpot. Bet tu elpoji kā aktieris, kam jātēlo satriekts cilvēks. Tu neesi pietiekami apbruņots; jūs, pasaulīgās dzīves cilvēki, šķiet, esat kaut kā īpaši neaizsargāti pret raizēm un ciešanām. Tam piemīt kas aizkustinoši bezpalīdzīgs, dažbrīd arī, kad darīšana ar neviltotām ciešanām, kad mocībām ir jēga, pat dižens! Bet ikdienā tāda necenšanās aizsargāties nav nekam derīga; es parūpēšos par to, lai tavs dēls nepieciešamības brīdī būtu labāk apbruņots. Bet tagad, Plīnio, esi tik labs un kopā ar mani veic dažus vingrinājumus, lai redzu, vai tu patiešām esi visu aizmirsis.

Ar elpošanas vingrinājumiem, kurus Knehts vadīja, dodams stingri ritmiskas komandas, viņš novirzīja drauga domas uz citu pusi. Plīnio mitējās tirdīt sevi un pēc brīža, atguvis spēju uzklausīt saprāta balsi, apvaldīja liekās bailes un bažas. Viņi uzkāpa otrajā stāvā un ielūkojās Tito istabā; Knehts ar patiku pārlaida skatienu zēna izmētātajai mantībai, paņēma no nakstgaldiņa blakus gultai grāmatu, ieraudzīja papīra lapiņu, kas no tās rēgojās ārā, un, izvilcis zīmīti, pārliecinājās, ka tā ir vēstulīte, ko atstājis pazudušais. Iesmiedamies viņš sniedza lapiņu Deziņori, un arī tas atplauka smaidā. Tito ziņoja vecākiem, ka šodien rīta agrumā viens devies ceļā uz kalniem un "Belpuntā" gaidīšot jauno skolotāju. Zēns lūdza vecākus neļaunoties par mazo izpriecu, ko viņš sev atļāvies, iekams viņa brīvība no jauna tik netīkami tiks ierobežota; viņam briesmīgi neesot gribējis doties šajā mazajā, jaukajā ceļojumā skolotāja pavadībā kā uzraugāmajam vai gūsteknim.

— Visai saprotami! — nosprieda Knehts. — Rīt tātad sekošu viņam un, jādomā, sastapšu viņu tavā ārpilsētas mājā. Bet tagad pirmām kārtām aizej pie sievas un pastāsti viņai, ka Tito atradies.

Atlikušo dienu mājā valdīja līksma, atraisīta noskaņa. Tajā vakarā Knehts, uzklausīdams Plīnio lūgumu, īsi pastāstīja par pēdējo dienu norisēm un abām sarunām ar Maģistru Aleksandru. Tovakar viņš uzmeta arī zīmīgo vārsmu, kas, rakstīta uz papīra lapiņas, tagad ir Tito Deziņori īpašums. Atgadījās tas šādi.

Pirms vakara maltītes mājastēvs uz brīdi atstāja Knehtu vienu. Ieraudzījis skapi, piebāztu ar senām grāmatām, Knehts kļuva ziņkārīgs. Arī tas bija baudījums, kas, garajos atturības gados gandrīz pavisam aizmirsts, tagad atsauca atmiņā gaišās studiju dienas; cik jauki tā stāvēt pie grāmatām, kas vēl nav iepazītas, uz labu laimi paņemt no plaukta kādu sējumu, kura apzeltījums, autora vārds, formāts vai ādas vāku krāsa vilināt vilina lasītāju! Labsajūta vispirms pārlaidis skatienu grāmatu mugurām, viņš pārliecinājās, ka skapī glabājas tikai deviņpadsmitā un divdesmitā gadsimta daiļliteratūra. Galu galā viņš izšķīrās par grāmatu padilušos audekla vākos, kuras nosaukums — "Braminu gudrības"[1] — viņu ieinteresēja. Vispirms kājās stāvēdams, pēc tam apsēdies, viņš izšķirstīja grāmatu, kurā bija simtiem pamācīgu pantu, kuriozs didaktisku tērgu un patiesas gudrības, filistriskuma un neviltota dzejiskuma jūklis. Šai ērmotajai un aizkustinošajai grāmatai, viņaprāt, ezoteriskuma netrūka, taču tas bija apslēpts rupjas parastības čaulā, un paši jaukākie bija nevis tie dzejoļi, kas itin nopietni tiecās ietvert kādu pamācību vai gudrību, bet citi — tie, kuros izpaudās dzejnieka dvēsele, viņa spēja mīlēt, viņa krietnums un cilvēku mīlestība, viņa pilsoniski cēlais raksturs. Cenzdamies iedziļināties grāmatā, kas reizē iedvesa cieņu un dīvaini uzjautrināja, Knehts pamanīja vārsmu, par kuru izjuta gandarījumu un kuru, piekrizdams tajā paustajai domai, sveica ar smaidu, it kā tā būtu tieši viņam un šai dienai veltīta. Lūk, šī vārsma:

Lai, mūža dienām zūdot, pats tu kļūsti vārgāks,
Par to nekas, ja redzi: top kas sirdij dārgāks,
Rets augs, lai dārzā nezustu par tevi miņa,
Bērns, tevis audzināts, vai paša grāmatiņa.

Viņš pavilka rakstāmgalda atvilktni, parakņājies atrada papīra lapiņu un pārrakstīja vārsmu. Vēlāk viņš to parādīja Plīnio, sacīdams:

— Šī četrrinde man patīk, tai piemīt kas sevišķs: tā ir tik sausa un reizē tik sirsnīga! Turklāt tā lieliski atbilst manam pašreizējam stāvoklim un noskaņojumam. Lai arī neesmu dārznieks un negrasos veltīt savas dienas kādam retam augam, skolotājs un audzinātājs tomēr esmu un dodos pretī savam mērķim, pretī bērnam, ko taisos audzināt. Kā es par to priecājos! Bet, runājot par šo rindiņu sacerētāju — dzejnieku Rikertu, jāsecina, ka viņam, domājams, piemitušas visas trīs

---

[1] "Braminu gudrības" — vācu dzejnieka Frīdriha Rikerta (1788—1866) didaktisku četrrindu krājums.

cildenās aizraušanās, ka viņš bijis gan dārznieks, gan audzinātājs, gan dzejnieks, un tieši pēdējā aizraušanās laikam bijusi pati stiprākā, reiz viņš min to kā pēdējo pašā nozīmīgākajā vietā, un savas aizrautības objektam viņš tik ļoti pieķēries, ka kļūst maigs un grāmatas vietā saka "grāmatiņa". Cik tas aizkustinoši! Plīnio iesmējās.

— Kas zina, — viņš teica, — varbūt mīlīgais deminutīvs nav nekas cits kā rīmkaļa viltībiņa, kam šajā vietā ievajadzējusies garāka atskaņa.

— Nenovērtēsim viņu par zemu! — iebilda Knehts. — Cilvēks, kas savā mūžā uzrakstījis desmitiem tūkstošu dzejas rindu, nepieļaus, ka viņu iedzen strupceļā nožēlojama metriska nepieciešamība. Nē, ieklausies vien, cik maigi un mazdruscīn kaunīgi tas skan — "paša grāmatiņa"! Varbūt tās nav tikai simpātijas, kas grāmatu likušas dēvēt par grāmatiņu. Varbūt tas ir izpušķojums vai samiernieciskums. Varbūt, pat visai iespējams, dzejnieks tik atdevīgi strādājis, ka šo tieksmi rakstīt grāmatas reizēm uzskatījis par sava veida apmātību vai netikumu. Tādā gadījumā vārdam "grāmatiņa" būtu ne vien simpātiju piekrāsa, bet arī izskaistinājuma, zibeņnovedēja, atvainošanās nozīme, kas padomā spēlmanim, aicinot uzspēlēt "acīti", vai dzērājam, lūdzot vēl "glāzīti" vai "malciņu". Nu, tie ir minējumi. Katrā ziņā es pilnīgi saprotu un atbalstu dziesminieka vēlēšanos audzināt bērnu un uzrakstīt grāmatiņu. Jo man ir tuva ne tikai aizrautīgā tieksme audzināt — nē, arī sacerēt grāmatas ir pasija, kura man nav gluži sveša. Tagad, kad esmu atbrīvojies no amata, šī domā no jauna valdzina mani: reiz vaļas brīžos un labā omā uzrakstīt grāmatu, nē, grāmatiņu, nelielu apceri draugiem un domubiedriem.

— Par ko? — ziņkāri pavaicāja Deziņori.

— Ak, vienalga, par ko, tēmai nav nozīmes. Tā būtu tikai ierosa gremdēties darbā, izjust laimi, ko sniedz apziņa, ka tev daudz brīva laika. Rakstot man pats galvenais būtu tonis — kas piedienīgi vidējs starp bijību un vaļību, nopietnību un rotaļīgumu —, ne pamācības, bet draudzīgas pārrunas tonis, tērzējot par šo vai to, ko dzīvē, šķiet, esmu pieredzējis un guvis. Tiesa, veids, kādā Frīdrihs Rikerts savā dzejā jauc pamācības ar pārdomām, atklātību ar tērgām, man neliekas īsti piemērots, tomēr kaut kas viņa manierē man tuvs — tā ir personiska, bet nav patvaļīga, tā šķiet rotaļīga, bet ir pakļauta stingriem formas likumiem, un tas man patīk. Nu, pagaidām man neatliks laika nodoties grāmatiņu sacerēšanas priekiem un problēmām — jātaupa spēki kam citam. Bet pamazām, es ceru, arī man varbūt uzsmaidīs daiļrades laime — tāda, kādu to iztēlojos: tīksmīga, taču rūpīga pievēršanās darbam par prieku ne tikai sev, bet ik mirkli paturot prātā arī nedaudzus labus draugus un lasītājus.

Nākamajā rītā Knents devās ceļā uz "Belpuntu". Iepriekšējā vakarā Deziņori pieteicās pavadīt viņu, bet Knehts nepiekrita un, kad draugs centās viņu pierunāt, gandrīz saskaitās.

— Zēnam tā vien vēl trūkst! — viņš atcirta. — Pietiek, ka viņam jāsastopas un jāaprod ar nevēlamu skolotāju, tikties turklāt ar tēvu — tas būtu par daudz prasīts, diezin vai šāda tikšanās viņu šobrīd iepriecinātu.

Devies ceļā ekipāžā, ko Plīnio bija nolīdzis, Knehts spirgtajā septembra rītā atkal bija tikpat labā omā kā iepriekšējās dienas pārgājienā. Brīžam viņš patērzēja ar kučieri, lūdza to pieturēt vai braukt lēnāk, ieraudzījis īpaši pievilcīgu ainavu, un vairākkārt lika pie lūpām mazo flautiņu. Tas bija skaists un interesants brauciens — no ielejas, kur atradās galvaspilsēta, pretī priekškalnei un pēc tam arvien augstāk kalnos, un reizē no vēlas vasaras pretī rudenim. Ap dienas vidu viņi sasniedza pēdējo kraujo pacēlumu, ceļš plašiem lokiem vijās cauri arvien skrajākiem skuju mežiem, gar burzguļojošiem kalnu strautiem, kas putodami gāzās lejup no klintīm, veda pāri tiltiņiem, garām vientuļām lauku mājām — smagnējām mūra ēkām ar maziem lodziņiem, ietiecās bargā un raupjā kailu akmens grēdu valstībā, un šajā skarbajā ainavā divtik piemīlīgas izlikās daudzās nelielās, ziediem klātās noras.

Necilā vasarnīca, līdz kurai viņi beidzot aizkļuva, atradās kalnu ezera malā, pieplakusi pelēkām klintīm, uz, kuru fona bezmaz nebija saskatāma. Ieraugot celtni, ceļinieks tūdaļ ievēroja tās stingro, gandrīz vai drūmo, skarbajai kalnu ainavai pieskaņoto arhitektūru; bet jau nākamajā mirklī seja viņam atplauka smaidā, jo atvērtajās durvīs viņš ieraudzīja kādu stāvu — zēnu raibā jakā un īsās biksītēs; tas varēja būt tikai Tito, viņa skolnieks, un, lai gan bēgļa dēļ sevišķi raizējies nebija, viņš tomēr atvieglloti uzelpoja. Reiz Tito šeit un sagaida viņu uz mājas slieksņa, viss ir kārtībā un vairs nav jābaidās sarežģījumu, kuru iespēju ceļā kā nekā bija apsvēris.

Zēns devās Knehtam pretī — smaidīgs un laipns, mazliet arī apmulsis — un, palīdzējis viņam izkāpt, teica:

— Es negribēju neko sliktu, likdams jums vienam doties ceļā.

— Un vaļsirdīgi piemetināja, iekams Knehts paguva atbildēt: — Man liekas, jūs esat sapratis, kā tas bija domāts. Citādi jūs būtu ieradies ar tēvu. Es viņam jau ziņoju, ka esmu laimīgi nonācis galā.

Knehts smiedamies sniedza zēnam roku, un tas ieveda viņu mājā, kur abus sagaidīja virēja, teikdama, ka drīz klāšot vakariņu galdu. Izjuzdams neierastu vajadzību pēc atpūtas, Knehts vēl pirms maltītes uz brīdi atlaidās un tikai tad atskārta, ka skaistais brauciens viņu dīvaini nogurdinājis, pat nokausējis, un vakarā, tērzēdams ar savu skolnieku, aplūkodams Tito kalnu ziedu herbāriju un tauriņu kolekciju, viņš manīja, ka nogurums pastiprinās, juta pat ko līdzīgu reibonim, nekad agrāk neiepazītam tukšumam galvā, netīkamam savārgumam un sirdsklauvēm. Kaut gan pašsajūta bija slikta, viņš tomēr pasēdēja kopā ar Tito, kamēr bija jāiet gulēt, un centās neizrādīt, ka jūtas nevesels. Skolnieks klusībā pabrīnījās, ka Maģistrs ir neieminas par mācību sākšanu, nodarbību izkārtojumu, pēdējām skolas atzīmēm un tamlīdzīgām lietām; kad Tito, redzēdams skolotāja labo noskaņojumu, uzdrīkstējās ierosināt rīt no rīta doties garākā pastaigā, lai parādītu audzinātājam apkaimi, tas laipni piekrita.

— Es priecājos par gaidāmo pastaigu, — Knehts piemetināja, — un, izmantodams izdevību, gribu jums ko lūgt. Apskatīdams jūsu ziedu kolekciju, es pārliecinājos, ka par kalnu augiem jūs zināt daudz vairāk nekā es. Viens no mūsu uzdevumiem, uzturoties šeit kopā, ir apmainīties zināšanām, rosināt vienam otru; sāksim ar to, ka jūs pārbaudīsiet manas trūcīgās zināšanas botānikā un palīdzēsiet man šajā jomā mazdrusciņ tikt uz priekšu.

Viņi novēlēja viens otram labu nakti. Juzdamies ļoti apmierināts, Tito cieši apņēmās klausīt jaunajam skolotājam. Maģistrs Knehts arī šoreiz viņam bija ļoti paticis. Tas nesvaidījās ar skaļām frāzēm par zinātni, morāli, dvēseles cildenumu un tamlīdzīgām lietām, par kurām tik labprāt spriedelēja ģimnāzijas skolotāji; šim līksmajam, laipnajam cilvēkam gan iekšēji, gan ārēji piemita kas tāds, kas prasīja pildīt pienākumu un modināja otrā cēlas, krietnas, bruņinieciskas jūtas, augstus centienus un cildenus spēkus. Piemānīt, apvest ap stūri jebkuru skolmeistaru bija izprieca, pat goda lieta, runājot ar šo cilvēku, tādas domas pat prātā nenāca. Viņš... jā, kas gan un kāds viņš bija? Ilgi Tito lauzīja galvu, kas īsti viņam tā patīk un tā imponē svešajā, un galu galā nosprieda, ka tas ir Knehta cildenums, aristokrātiskums, valdnieciskums. Šīs bija tās īpašības, kas saistīja viņu visvairāk. Maģistrs Knehts bija aristokrāts, viņš bija valdnieks, dižciltis, lai gan neviens nezināja, no kurienes viņš cēlies un vai viņa tēvs nav bijis vienkāršs kurpnieks. Knehts bija cildenāks un cienīgāks nekā vairums vīriešu, ko Tito pazina, cienīgāks pat par viņa tēvu. Zēns, kurš augstu vērtēja savas dzimtas patriciešu instinktus un tradīcijas un nespēja piedot tēvam, ka tas šīs tradīcijas lauzis, tagad pirmo reizi mūžā sastapās ar ieaudzinātu gara aristokrātismu, ar spēku, kas labvēlīgos apstākļos dažkārt spēj veikt brīnumus, proti, pārlecot garu senču un paaudžu rindu, viena cilvēka mūžā pārvērst plebeju bērnu par izcilu personību. Zēna dedzīgajā, lepnajā sirdī sarosījās nojausma, ka piederība šādai aristokrātijai, kalpošana tai varbūt arī viņam varētu kļūt par godpilnu pienākumu, varbūt šeit, sastapies ar skolotāju, kurš, lai arī lēnīgs un laipnīgs, tomēr caurcaurēm bija valdnieks, viņš sāks apzināties sava mūža jēgu un viņam lemts izvēlēties savai dzīvei mērķus.

Devies uz ierādīto istabu, Knehts tūliņ neatgūlās, lai gan jutās ļoti saguris. Vakars viņam bija prasījis lielu piepūli, smagi un apgrūtinoši bija bijis tā saņemties, lai jaunajam cilvēkam, kurš, bez šaubām, viņu novēroja, nedz ar sejas izteiksmi, nedz stāju, nedz balss noskaņu neliktu manīt savu dīvaino, arvien pieaugošo nogurumu vai slikto omu, vai saslimšanu. Kā liekas, tas viņam laimīgi bija izdevies. Bet tagad viņam jāpārvar, jāpieveic šis tukšums, šis neveselums, šis biedīgais reibonis, šis dziļais nogurums un nemiers, bet, lai to izdarītu, viss vispirms jāizpētī un jāizprot. Tiesa, tas izdevās itin viegli, lai arī pēc krietna brīža. Vienīgais savārguma iemesls, kā viņš pats sev noskaidroja, bija šodienas ceļojums, no ielejas īsā laika sprīdī paceļoties turpat divi tūkstoši metru augstumā. Viņš slikti panesa šo straujo gaisa maiņu, jo kopš agras jaunības, kad pāris reižu piedalījās šādās ekskursijās, kalnos vairs nebija uzturējies. Jādomā, vēl vismaz dienu vai divas viņš jutīsies nevesels; ja Arī tad nekļūs labāk, viņam neatliks nekas cits kā vien atgriezties pilsētā kopā ar Tito un virēju, tādā gadījumā, ko lai dara, Plīnio plāns par uzturēšanos jaukajā "Belpuntā" paliks nerealizēts. Žēl, protams, lai arī nekāda lielā nelaime notikusi nebūs. Apdomājis to visu, viņš likās gultā un, nespēdams īsti iemigt, pārlaida nakti, te kavēdamies atmiņās par savam gaitām, kopš bija atstājis Valdcellu, te cenzdamies izlīdzināt sirdsdarbību un pārvarēt nervozitāti. arī par savu skolnieku viņš domāja daudz — ar patiku, bet nekaldams nākotnes plānus; viņam šķita, ka rīkosies pareizi, ja šo tīrasinīgo, bet grūti valdāmo kumeļu piejaucēs tikai ar labu, pieradinot pakāpeniski, — steiga un spaidi šeit būtu nevietā. Viņš nosprieda, ka centīsies panākt, lai zēns pamazām apjaustu savus spēkus un dotumus, vienlaikus modinot viņā to svētīgo zinātkāri, to cildeno neapmierinātību pašam ar sevi, kas dod spēku mīlestībai uz zinātni, uz gara un dailes pasauli. Mērķis bija cēls, turklāt pats skolnieks nebija vis kāds tur nejauši sastapts talants, kurš jāatmodina un jānoslīpē; šai ietekmīgas un bagātas patriciešu dzimtas vienīgajai atvasei ar laiku jākļūst par varnesi, par vienu no tiem, kuru rokās ir valsts un tautas sabiedriskie un politiskie likteņi; viņam lemts kļūt par paraugu, par vadītāju. Kastālija bija senās Deziņori dzimtas parādniece; Tito tēvam, kas tai reiz tika uzticēts, tā nebija devusi pietiekami labu audzināšanu, tā nebija viņu pietiekami norūdījusi, gluži otrādi — tā bija viņu nostādījusi grūtā stāvoklī, likdama svārstīties starp laicīgām un garīgām interesēm, un tādā kārtā ne tikai apdāvināto un simpātisko jauno Plīnio padarījusi par nelaimīgu neizlīdzināta un neveiksmīga mūža cilvēku — apdraudēts bija arī viņa vienīgais dēls, kuru nodarbināja tās pašas problēmas, kas nomāca tēvu. Te daudz kas bija dziedējams un par labu vēršams, bija jāizpērk kas līdzīgs vainai, un Knehtu priecēja, viņam zīmīgi likās tas, ka šis uzdevums lemts tieši viņam — nepaklausīgajam, šķietami atkritušajam.

Rīta agrumā, sadzirdējis mājā rosību, Knehts piecēlās, atrada blakus gultai noliktu peldmēteli, uzvilka to, paturēdams mugurā plāno pidžamu, un pa pakaļdurvīm, kuras viņam vakar bija parādījis Tito, izgāja pusatvērtajā galerijā, kas veda no vasarnīcas uz peldbūdu ezera krastā.

Iezaļi pelēks un gluds viņa priekšā pletās nelielais ezers, otrā malā augšup slējās klints krauja ar asi robotu virsotni, kas cirstin iecirtās dzidrajās, zaļganīgi dzedrajās rīta debesīs, — skarba un salta ēnas pusē. Bet jau aiz virsotnes jautās saules lēkts, šur tur uzzibsnīja pa staram, metot sīkas dzirkstis gar asajām klints šķautnēm, vēl dažas minūtes — un virs robotās smailes pakāpsies saule, pārplūdinādama ar savu gaismu ezeru un kalnu ieleju. Svinīgi noskaņots, Knehts uzmanīgi vēroja šo ainu, saskatīdams tās klusajā, bargajā skaistumā ko svešu un tomēr uz sevi attiecināmu un brīdinošu. Vēl spilgtāk nekā vakarējā brauciena laikā viņš izjuta ledaino varenību un majestātisko svešatnīgumu, kas piemita šai kalnu pasaulei, kura neuzsmaida cilvēkam, neaicina viņu, tik tikko pacieš ceļinieka klātbūtni. Un Knehtam dīvains un dziļi nozīmīgs šķita tas, ka pats pirmais solis pretī pasaulīgās dzīves brīvībai atvedis viņu tieši šurp, šā mēmā un saltā dižuma valstībā.

Ieradās Tito, tērpies peldbiksītēs, sniedza Maģistram roku un teica, norādīdams uz klintīm ezera otrā pusē:

— Jūs esat atnācis īstajā brīdī, tūlīt lēks saule. Ak, cik labi šeit augšā!

Knehts laipni pamāja. Viņš jau zināja, ka Tito mēdz agri celties, ka viņam patīk skrieties, lauzties, doties pārgājienos kaut vai aiz protesta pret tēva laisko, nevīrišķīgo stāju un dzīves veidu, šā paša iemesla dēļ viņš nedzēra arī vīnu. Šādas indeves un noslieces, tiesa, dažbrīd mudināja Tito nostāties dabasbērna un gara dzīves nīdēja pozā — tieksme pārspīlēt, šķiet, visiem Deziņori bija iedzimta —, taču Knehtam šīs sliekmes bija pa prātam un viņš cieši izlēma izmantot arī sporta nodarbības, lai iekarotu un disciplinētu straujo puisēnu. Šis līdzeklis viņa acīs bija viens no daudziem, turklāt ne jau viens no galvenajiem, mūzika, piemēram, viņaprāt, spēja dot vairāk. Knehts, protams, netaisījās sacensties ar zēnu fiziskās gatavības ziņā vai pat pārspēt savu audzēkni. Pietiks ar vienkāršu līdzdalību, lai pierādītu tam, ka audzinātājs nav nedz gļēvulis, nedz istabā tupētājs.

Tito saspringts lūkojās pāri ezeram uz drūmo klinšu krauju, aiz kuras rīta blāzmā sārtojās debesis. Te pēkšņi kraujas virsotne spēji uzliesmoja kā nokaitēts un kust sācis metāls, krants aprises kļuva neskaidras, tā negaidot likās zemāka, šķiet, kusdama slīdēja lejup, un ugunīgajā klints spraugā žilbinoši spoža iznira saule, apspīdēdama zemi, māju, peldētavu, visu krastmalu, un abi skatītāji, stāvēdami spilgtajā gaismā, drīz vien sajuta, ka saule tīkami silda. Šā mirkļa svinīgā skaistuma iejūsmināts, juzdamies aplaimojoši jauns un spirgts, zēns izstaipījās, ritmiski vēzēdams rokas, pēc tam arī augumu, un ekstātiskā dejā sumināja topošo dienu, pauda savu dziļo vienotību ar stihijām, kas virmoja un liesmoja visapkārt. Līksmi sveikdams saules uzvaru, viņš te sniedzās spīdeklim pretī, te godbijīgi kāpās atpakaļ, izplestās rokas it ka apskāva un spieda pie sirds kalnus, ezeru, debesis; nometies ceļos, viņš, likās, slavināja māti Zemi, izpletis rokas — ezera ūdeņus, nesdams par svētupuri dabas spēkiem sevi, savu jaunību, savu brīvību, savu dziļi izjusto, uzliesmojušo dzīvesprieku. Viņa brūnie pleci spīdēja saulē, žilbās acis viņš bija pa pusei pievēris, jauneklīgā seja bija pārvērtusies maskā, sastingusi jūsmīgas, bezmaz fanātiskas nopietnības izteiksmē.

Arī Maģistru satrauca un saviļņoja mostošās dienas svinīgais skats šajā klusajā akmeņu valstībā. Bet vairāk par šo ainu viņu satrauca un saistīja cilvēciskā norise tepat acu priekšā — viņa audzēkņa rituālā deja, sveicot rītu un sauli; vēl nenobriedušo, reizēm gražīgo zēnu tā darīja pacilāti nopietnu kā liturģijas dalībnieku, un viņam, vērotājam, vienā mirklī tikpat spēji un žilbinoši, noraujot visus plīvurus, atklāja dejotāja dziļākās un cildenākās tieksmes, dotības un sūtību, tāpat kā uzlēkusi saule bija apspīdējusi un pilnam atsegusi šo salto un drūmo kalnu ezera ieplaku. Stiprāks un nozīmīgāks, nekā līdz šim bija domājis, viņam šķita zēns, arī cietāks, nepieejamāks, garam svešāks, pagāniskāks. Pāna jūsmas apsēstā zēna svētku un upura deja bija kas vairāk par jaunā Plīnio tērgām un vārsmām, tā darīja viņu galvas tiesu pārāku par tēvu, taču vienlaikus radīja iespaidu, ka viņš ir svešāks, netveramāks, aicinājumam neaizsniedzamāks.

Zēns, ko bija sagrābusi šī kvēla sajūsma, pats neapzinājās, kas ar viņu notiek. Deja, kurā viņš griezās, nebūt nebija kas jau zināms, agrāk dejots vai apgūts; tā nebija ierasts, paša sadomāts rituāls, slavinot sauli un rītu, — šo deju un maģisko apsēstību, kā viņš nedaudz vēlāk saprata, modināja ne tikai kalnu gaiss, rīta saule, savas neatkarības izjūta, bet arī mūža rītausmā sagaidāmā pārvērtība, pacelšanās jaunā — augstākā pakāpē, par ko vēstīja tikpat laipnā, cik cienījamā Maģistra ierašanās. Šajā rīta stundā Tito liktenī un dvēselē saskanīgi iezīmējās daudz kas tāds, kas izcēla viņu starp tūkstošiem citu, tā bija īpaši cildena, svinīga, svaidīta. Pats neapzinādamies, ko dara, nešaubīdamies un neprātodams viņš rīkojās tā, kā to prasīja šis aplaimojošais mirklis, izteica dejā savas svētsvinīgās izjūtas, pielūdza sauli, atdevīgām kustībām un žestiem pauda savu līksmi, ticību dzīvei, goddevīgo pielūgsmi; lepns un pazemīgs Tito dejā upurēja savu bijīgo dvēseli saulei un dieviem, arī cilvēkam, kuru apbrīnoja un no kura baidījās, prātniekam un mūziķim, no noslēpumainām sfērām šurp atnākušajam maģiskās Spēles meistaram, savam nākamajam audzinātājam un draugam.

Tas viss, tāpat kā saullēkta krāsu bakhanālija, ilga tikai dažas minūtes. Aizgrābtībā Knehts vēroja brīnumaino norisi, redzēja, kā skolnieks viņa acu priekšā pārvēršas, atklāj sevi, stājas pretī jauns un neiepazīts, visnotaļ līdzvērtīgs viņam. Abi stāvēja uz laipas, kura no mājas veda uz peldbūdu, spožas gaismas palos, kas plūda no austrumiem, nupat pārdzīvotā dziļi satraukti, tad Tito, spēris pēdējo dejas soli, atžirba no laimes transa un it kā dzīvnieks, kas, iztraucēts vientuļas rotaļas brīdī, sastinga uz vietas, atskārzdams, ka nav viens, ka pārdzīvojis ne vien ko neparastu un neparasti izturējies, bet ticis arī novērots. Zibenīgi viņš pieķērās pirmajai domai, kas iešāvās prātā un likās piemērota, lai izkļūtu no situācijas, kura viņam pēkšņi šķita bīstama, apkaunojoša, un lauztu mirkļa burvību, kas viņu savalgojusi un pieveikusi.

Zēna vaibsti, nupat vēl nenosakāma vecuma un stingi kā maska, ieguva bērnišķīgu, pamuļķu izteiksmi — kā cilvēkam, kurš negaidot piecelts no dziļa miega; pašūpojies ceļgalos, viņš uzmeta skolotājam dumji izbrīnītu skatienu un tad pēkšņā steigā, it kā nule atcerētos ko svarīgu, teju, teju nokavētu, izstiepis labo roku, norādīja uz pretējo krastu, ko — tāpat kā pusi ezera — klāja dziļa ēna, kura, rīta saules pieveiktās kraujas mesta, pamazām atkāpās uz klintāja pusi.

— Ja peldēsim labi ātri, — viņš aši zēna dedzībā iesaucās, — mēs vēl pirms saules būsim viņā krastā!

Tikko paguvis izkliegt šos vārdus, izaicināt otru uz sacensību, lai peldot apsteigtu sauli, Tito, sparīgi palēcies, uz galvas metās ezerā, it kā aiz apjukuma vai pārgalvības nevarētu pietiekami ātri nozust, ar straujo izdarību liekot aizmirst nupatējo svinīgo izdarību. Uzšļakstīja ūdens un apraka viņu, mirkli vēlāk iznira galva, pleci, rokas un, peldētājam strauji attālinoties, palika saskatāmi virs zilgani zaļā līmeņa.

Nākdams šurp, Knehts ir nedomāja peldēties: rīts bija vēss, un pēc nakts savārguma viņš jutās saguris. Tagad, kad viņš stāvēja saulē, nupat redzētā saviļņots, audzēkņa biedriski aicināts un uzmudināts, risks vairs nelikās tik liels. Vairāk viņu biedēja doma, ka tas, ko šī rīta stunda ievadījusi un solījusi, var atkal pagaist un iet zudumā, ja šai brīdī pievils un pametīs zēnu vienu, pieauguša cilvēka vēsajā prātīgumā atteikdamies no spēku pārbaudes. Nedrošības un nevarības sajūta, radusies pēc straujā ceļojuma kalnos, gan brīdināja viņu, bet — kas zina — varbūt ieteicams pārvarēt sagurumu, rīkoties strauji, nežēlojot sevi. Izaicinājums bija stiprāks par brīdinājumu, griba pieveica instinktu. Steigšus noģērbis vieglo peldmēteli, viņš dziļi ievilka elpu un metās ūdenī tai pašā vietā, kur pirmīt ienira viņa audzēknis.

Ezerā, kurā ieplūda šļūdoņa ūdeņi, pat vasaras karstumā peldēties varēja tikai ļoti norūdīts cilvēks; ledains saltums apņēma viņu griezīgi naidīgs. Knehts bija sagatavojies tam, ka dabūs krietni vien padrebināties, taču ne jau tik niknam aukstumam, kas ieskāva viņu kā versmainās liesmās un, apsvilinājis augumu, pārņēma miesu līdz kauliem. Viņš aši iznira virspusē, ieraudzīja tālu priekšā Tito, juta, ka ledainā, mežonīgā, naidīgā stihija tiecas viņu pieveikt un, domādams, ka vēl aizvien cenšas panākt Tito, ka cīnās par uzvaru, par zēna cieņu un draudzību, par viņa dvēseli, patiesībā jau cīnījās ar nāvi, kas aicināja viņu uz divkauju un cieši apkampa cīniņam. Cīnīdamies, cik spēka, viņš pretojās tai, līdz sisties pārstāja sirds.

Jaunais peldētājs ik pa brīdim pavērās atpakaļ un ar gandarījumu pārliecinājās, ka Maģistrs, sekodams viņam, metas ūdenī. Atskatījies vēlreiz un nekur vairs neredzēdams peldētāju, viņš kļuva nemierīgs, atskatījās atkal un atkal un sauca skolotāju, pēc tam pagriezies steidzās tam palīgā. Bet tas nebija atrodams, un Tito turpināja peldēt un nirt, meklēdams slīcēju, līdz ledaini saltajā ūdenī pašam sāka zust spēki. Grīļodamies, aizelsies viņš beidzot iznāca krastā, ieraudzīja zemē peldmēteli, neko nedomādams, pacēla to un sāka norīvēties — berza augumu, rokas un kājas —, līdz stingajos locekļos atgriezās siltums. Ka nemaņā viņš apsēdās piesaulē, nemitīgi lūkojās ūdenī, zaļganzilajā klājā, kas tagad vērās pretī ērmoti tukšs, svešs un naidīgs, un arvien dziļāka neziņa, arvien dziļākas bēdas sagrāba viņu, zūdot fiziskajam nogurumam un līdz ar apziņas atgriešanos mostoties šausmām par notikušo.

Ak vai, zēns izmisis domāja, es esmu vainīgs viņa nāvē! Un tikai, tagad, kad pašlepnums bija kļuvis lieks un nebija vairs kam pretoties, viņš savas izbiedētās sirds sāpes noprata, cik stipri jau iemīlējis šo cilvēku. Un brīdī, kad Tito, atmetis visas atrunas, atzina sevi par vainīgu Maģistra nāvē, viņš svētsvinīgās šermās atskārta, ka šī vaina pārveidos viņu pašu un visu viņa dzīvi, ka tā prasīs no viņa daudz vairāk, nekā līdz šim pats no sevis bija prasījis.

JOZEFA KNEHTA ATSTĀTIE RAKSTI

SKOLAS UN STUDIJU GADU DZEJOĻI

Gaušanās

Mums esme liegta. Mūsu tiesa — plūst.
Mēs ietekam it visā, kam vien krasts,
Aiz veida veids uz brīdi mūsu kļūst,
Mēs mūždien ritam, alkstot esmi rast.

Tā viss, kas tālā gaitā jāsastop, —
Nakts, diena, diža katedrāle, kaps —
Ne prieku sola mums, ne māja top;
Mūs neiekārina ne ļauns, ne labs.

Mēs nezinām, kāds radītāja prāts,
Viņš mīca mūs, mēs viņa rokā māls,
Kas vienmēr paliks neapdedzināts,
Mēms veidu mijā, nejutīgs un bāls.

Reiz pastāvēt, reiz atrast irā vietu
Mūs ilgas māc, bet mūžam dairas šalkas
Mums ceļā mitu liedz, lai cik mēs ietu,
Un mūžam veltīgas ir esmes alkas.

Pretimnākšana

Kam acij netveramais liekas nīstams,
To, protams, satrauks mūsu šaubu balss.
Nē, dzīļu nav — tāds stūri savu mals;
Tie esot mīti, prāta nomalds bīstams.

Jo, ja jau pastāvot trīs dimensijas,
Ne divas vien, sen ierastas un tuvas,
Kas zina, varot iebrukt griestu sijas,
Kas zina, varot aiziet postā druvas.

Lai tātad saglābtu virs galvas jumu,
Šķiet, drošāk noliegt vienu mērījumu.

Jo, ja jau stūrie nekļūdās nenieka
Un ielūkoties dzīlēs tik maz prieka,
Tad trešā dimensija mums ir lieka.

Bet klusībā mēs tvīkstam...

Mūžs aizrit, domas rosai saderēts, —
Liegs prāta vijums, apgaroti vieds,
Rads elfu dejas arabeskam — zieds,
Kam īsais dzīves mirklis upurēts.

Viļ domas daile, skaistās rotaļas,
Tā dzidrā saskaņa, ko saprāts auž, —
Zem gaišā sapņa sagšas alka snauž
Pēc asinīm, pēc nakts un patvaļas.

Mest atraisītus lokus, zilgmi šķirt
Spēj brīvi gars, ja spēlē tīksmi jūt,
Bet klusībā mēs tvīkstam īsti kļūt,
Dzimt irai radītājai, ciest un mirt.

Burti

Mēs visi dažkārt ņemam rokā spalvu,
Un baltu lapu rakstu rindas klāj...
Ko izteic burti, lieki lauzīt galvu,
Šai spēlē nekas jauns nav jāatklāj.

Bet viesis tāls no citas galaktikas
Vai skits, ko Liedēs ērmo, rūnu lauks,
Pie acīm lapu cēlis, ne bez nepatikas
Un dziļas neizpratnes pieri rauks
Par viņa prātam svešo burvju spēli.
Ik burtā viņam rādīsies kas dzīvs:
Vai cilvēks pretī mās, vai šaudīs mēli
Te lēns, te negants teiku pūķis dīvs.
Kā pēdu rakstus, kurus vēstī sniegs,
Viņš zīmes pētīs, atpūtu sev liegs,
Līdz guris atskārtis, ka tas, ko glabā
Šo melno švīku stabi, cilpas, vijas,
Ir visur atrodams un iemīt dabā —
Kā mīlas guns, tā sāpju konvulsijas.
Viņš plecus raustīs izbrīnā un bailēs,
Kad ieraudzīs, ka režģotajās ailēs
Viss it kā sarūk, saplūst vienuviet,
Ko pasaule redz aklā steigā ritam,
Un paliek burti vien un važās iet
Tik vienādi, tik līdzīgi cits citam,
Ka ciešanas ar baudas alkām tiekas
Un dzīvība un nāve māsas liekas.
Visbeidzot, jauzdams nezināmas briesmas,
Viņš iekliegsies un sārtā metīs rakstus,
Un, ceļos kritis, skandēs upurdziesmas,
Līdz rūnām klāto lapu aprīs liesmas,
Tad aizkusis uz brīdi pievērs plakstus
Un jutīs, ka šis murgs, šis baisais ēns
Zūd nebūtībā, pagaist, uguns kliedēts,
Ka sapnis galā, pieveikts lietuvēns,
Un uzelpos, un atkal smaidīs dziedēts.

Lasot sena prātnieka darbus

Dižs asa prāta guvums, slavas vīts,
Kam gadu simtiem bija spilgta loma,
Kļūst pēkšņi nesakarīgs, saraustīts
Kā partitūra, kurā pārtrūkst doma,

Ja diēzs zūd vai atslēga, — ne nots
Vairs neskan ritmā, sabrūk melodija,
Bez atbalss irst, kas bija sabalsots,
Un troksnī griezīgā gaist harmonija.

Tā vecs un apgaroti cildens vaigs,
Ko mīlot apbrīnojām, spēji sagumst,
Dziest pierē domas atspulgs zaigs,
Un gurdās acis gara naktī satumst.

Tā sirdij, pilnai gaviļainu jūtu,
Vēl nule tīkamais tik pretīgs kļūst,
Tā derdzas, it kā tai sen zināms būtu,
Ka visam jāvīst, jāmirst, jāsagrūst.

Bet pār šo posta leju, važas metis,
Gars izmocītais, veikdams iznīcību,
Kāpj augšup, ugunīgus spārnus pletīs,
Un nāvē ceļu rod uz nemirstību.

Pēdējais Spēles pratējs

No Spēles rīka — pērlēm nešķirams
Sēž sirmgalvis. Ir mēra sērgā nams
Sen izmiris, karš nopostījis druvas,
Guļ drupās viss, un efejas vij gruvas.
Gurds riets ar bišu sanēšanu klusu
Pār zemi nāk. Un gadsimts iet uz dusu.
Bet vecais vīrs pie pērles pērli ver,
Te zilu tausta viņš, te baltu tver,
Drīz lielu ņem, drīz mazu saujā sver
Un raugās, lai tās rakstā kopā der.
Viņš agrāk atzīts zīmju pratējs bija,
Daudz pieredzējis, liela personība,
Kā zinātnē, tā mākslā slavenība,
Kam lauru vainagus it visur vija
Gan mācekļi, gan Spēles pazinēji...
Vairs viņu nav. Visapkārt krāsmatas,
Pēc padoma vairs nenāk iesācēji,
Uz vārdu cīņu nelūdz pretinieks.
Pagalam skolas, templi, grāmatas,
Pagalam Kastālija... Viens un lieks,
Bez pajumtes, bez domubiedru cilts
Viņš drupu vidū dēd ar pērlēm rokā —
Šiem simboliem, kas izteica reiz daudz.
Dreb roka, pērles izslīd, izbirst lokā,
Un stikla skambām pāri klājas smilts.

Baha tokātu klausoties

Vēl klusums valda. Vāliem tumsa veļ...
Te skaudra gaismas šautra nakti šķeļ,
No nebūtības izrauj zvaigžņu telpu,
Ver salto Visumu, lemj dienai aust,
Ģist kores ļauj un bezdibeni jaust,
Liek tālei zilgot, iedveš mālam elpu.

Uz darbību, kur spēku pretspēks veic,
Stars pāršķir iru, kura topot vērpjas,
Un visur, kur vien spožā sēkla krīt,
Dzen asnus dzīvība, lai plauktu rīt,
Rod vietu dabā, krāšņā rotā tērpjas
Un saulei — radītājai slavu teic.

Tad atpakaļ uz pirmsākumu tiecas
It viss tai alkā, kuru gaisma šķīla,
Un tomēr augt ne mirkli nenorimst,
Tik veidu maina — vārdā, tēlā dzimst,
Simt varavīksnēs pāri zemei liecas
Ir dziņa, gars, ir cīņa, laime, mīla.

Sapnis

Reiz, apciemojis kalnu klosteri,
Es iemaldījos kādā klusā vietā,
Kad mūki pulcējās uz svētceri.
Tā bija lasāmzāle. Saules rietā
Tur zvīļoja gar sienām folianti —
Gan pamācīgi traktāti, gan panti.
Uz labu laimi vienu tvēra roka:
"Par apļa kvadratūru"[1] saucās tas.
Drīz, alki pētot senās grāmatas,
Man acīs dūrās zeltīts iesējums
Ar greznu margojumu: "Ticējums,
Ka Ādams baudījis no otra koka"[2].
No otra? Tātad Dzīvības? Un Ādams
Ir nemirstīgs? Vēl aši nodomādams,
Ka sokas man, es ieraudzīju vāku,
Kurš, darināts ar apskaužamu māku,
Kā varavīksne dzesnā mirdzināja.
Ar roku rakstīts tituls ēnā māja:
"Par krāszieda un skaņu sakarībām.
Ar norādēm uz slēptām atkarībām,
Kas pielikumā sīkāk izskaidrotas".
Aiz valdzinošās zvīļo krāsu rotas
Sirds apskaidrību noģida. Ik sējums
Man vēstīja ar viņpasaules dvesmu,
Ka Paradīzes lasāmtelpās esmu...
Lai kādi jautājumi, kādas alkas,
Gan brīnuma, gan zināšanu šalkas
Sen prātu māktu, liekot izsamist, —
Te visam rastos atbilde. Lai kur
Uz mirkli skatu mestu, tūdaļ tur
Aiz rakstiem atdarītos laika tāles

---

[1] "Par apļa kvadratūru" — apļa kvadratūra, neatrisināms matemātikas uzdevums, no senatnes līdz baroka laikmetam iecienīts reliģiski filozofisks simbols, risinot Dieva un cilvēka, laika un mūžības līdzsvara problēmas.

[2] ...ka Ādams baudījis no otra koka — Ēdenē, kā vēstī Vecā derība, līdzās Atziņas kokam, kura ābolu nobaudīja Ādams un Ieva, atradās arī Dzīvības koks; tā augļi deva nemirstību un pilnību.

Un gaisma austu, kurai nenodzist.
Še maize domai bija, burvju zāles,
Pēc kurām adepts allaž bijā liecies
Un spīta drošā gara milzis tiecies.
Te viedā slepenrakstā bija uzkrāts
Vispēdējs saturs tam, kas pagātnē
Gūts prātniecībā, mākslā, zinātnē —
Tīrs cilda, dzidrināta gara substrāts
Ar atslēgām un kodu, — neatsverams,
Ja prātus mulsina tumšs jautājums
Vai neizdibināts, dziļš noslēpums, —
Kā salds un ietecējies auglis tverams,
Kam vēlīgs, apburts mirklis lēmis rist.

Es, rokām drebot, ādas vākus knaši
Tad atvēru, un krāšņie raksti paši
Man atklāja, kas manuskriptā teikts, —
Tā sapņos puspajokam liekam omā
Ir to, kas nomodā nekad nav veikts, —
Un pēkšņi jutos pacelts augstā jomā,
Kur domas spozmē brīvi lido prāts
Un itin viss, kas līdzībās un tēlos
Rasts atklāsmē vai pētot apzināts,
Ir ietverts zodiaka šifros cēlos —
Ik atziņa vai simbols, atklājums,
Turklāt tik cēloņsakarīgi pausts,
Ka katrā atbildē jauns vaicājums
Kā domas velkos audi liekas austs.
Tā lasot stundu, varbūt arī dienu,
Ceļš, kuru laiku laikos gājis gars,
Man vēlreiz vēra simtiem pavērsienu,
Līdz atsedzās it visa kopsakars.
Es lasīju, un rakstu zīmes dzīrās
Uz brīdi tikties, sastapušās šķīrās,
Pa pāriem stājās, vietām apmainījās,
Tad atkal cieši kopā sasaistījās
Ik reizi jaunās simboliskās vijās,
Kam saturs, nemitīgi topot, mijās.

Darbs veicās man, es acis neatrāvu
No grāmatas, bet, viedēt apžilbis,

No tiesas iztrūkos, mulss paģidis
Pie lasītavas plauktiem kādu stāvu.
Tas bija sirmgalvis, šķiet, arhivārs,
Kas tur starp foliantu rindām klīda
Tik izrīcīgs, ka brīnum zinātkārs
Sev vaicāju, kāds nemiers veco dīda.
Viņš tieši tobrīd roku cēla vārgs
Pēc sējuma, kas likās visai dārgs,
Un, saburtojis virsrakstu uz vāka —
Šis tituls vien jau skaidri pauda,
Ka lasīt manuskriptu būtu bauda, —
Tam elpu uzdvesa, tad triņāt sāka
Ar pirkstu burtu zīmes, dzēsa kluss
Tās, pasmaidīdams uzskrīpāja citas,
Klīst apkārt atsāka, šur tur bez mitas
Pa vienam deldināja vecos titulus
Un dzēsto zīmju vietā vilka citas.

Šo rosmi, kuru neapjēdza saprāts,
Vēl dažu mirkli vērojis kā apmāts,
Es aizgriezos, lai lasīt turpinātu.
Bet lappuses, kur kūsādama paisa
Nupat kā dzīva doma, sedza birga.
Tā zīmju valstība, ko skaidrinātu
Pirms brīža pazemīgi pētīt cēlos,
Kur dziļus atzinumus dāsni smēlos,
Man acu priekšā nomākusies gaisa,
Un viedo zīmju vietā pretī vērās
Vien tukšas, baltas lapas mirga.

Es jutu, man uz pleca roka gulst,
Un, cēlies kājās, centos nesamulst,
Kad grāmatai, ko lūdza vecais vīrs,
Vāks vienā dvašas pūtā kļuva tīrs.
Es salu, dirbas valdīt nespēdams,
Bet vecais nolieca pār vāku galvu,
Un, spalvas vilkti, citi vārdi tapa,
Līdz jaunu domu pauda titullapa.
Tad, paņēmis ir grāmatu, ir spalvu,
Viņš aizgāja, ne vārda nebilzdams.

Kalpošana

Šo zemi svētīt visus labos garus
Reiz godā cēla pirmo ļaužu cilts,
Lai druva ražu nes, lai nezeļ vilts
Un likums noteic upurus un svarus
Pēc mēra, kuru nospraudusi vara,
Kas acij zvaigžņu gaitā jāatzīst
Un mūžam gaišu debess telpu dara,
Kur sāpju nav un nāvi nepazīst.

Sen zudis agrā dievu kulta tikums
Un cilvēks dziļā vienpatībā klimst
Starp ciešanām un baudu, kamēr ļimst
Bez iras, kurā valda mērs un likums.

Bet mūžam nezust īstās dzīves miņai,
Un krēslas dienās tiekam saukti mēs
Ar līdzībām, ar dziesmām paaudzēs
Likt kvēlot svētas saderības dziņai.

Varbūt ar laiku gaisma tumsu veiks,
Varbūt reiz zemes virsū nebūs biedu
Un Saule valdīs, cilvēks viņu sveiks —
Un dieve pieņems viņai nesto ziedu.

Ziepju burbuļi

Sver, apcer patiesību gads aiz gada
Un, iekams atzīst, ilgi svārstās vīrs,
Līdz mūža rietā viedu darbu rada,
Kur garu veldzē domas guvums tīrs.

Jauns censonis, kas zināšanas smeļ
No grāmatām par prāta rosmi tālu,
Trauc degsmē, kuru godkārība sveļ,
Veikt kaut ko dižu, dziļi ģeniālu.

Pūš atdevīgi zēns, tam rokā salms,
Un ziepju burbuļi ris elpas laismā
Kā sajūsmīgu cildu spārnots psalms
Un rotājas, un lāso saules gaismā.

Tā cilvēks parādību grūsmā klīst,
Ved atspulgs viņu — mājas putu taka,
Un sapņi dzimst, kas esmi neizsaka,
Vien sevi smaidot tajos iepazīst
Še gaisma mūžīgā un līksmāk līst.

Pārlasot "Summa contra gentiles"[1]

Reiz īstāks, rādās, bija dzīves risums,
Prāts viedāks bija, saskanīgāks Visums
Un vienots vesels — zinātne un zintis.
Jā, līksmāk dzīvoja tās teiksmās ģintis,
Par kurām vecos rakstos lasīt varam, —
Cits — pilnāks saturs toreiz bija garam.
Ak, tiekoties ar akvīnieša prātu,
Ik reizi liekas, it kā pretī mātu
Jau notālis tik tīkama un salda
Tā saskaņa, kas Summu templī valda.
Tur dzidrots viss un daba garīgota,
Un cilvēks dievības un zemes rota,
It visur sakars, likumi tur spēkā —
Nevienas plaisas staltā domas ēkā...
Turpretī mēs, šīs dailes mantinieki,
Ciest nolādēti, šaubu mākti, lieki,
Tik cīņām, rūgtam smīnam izraudzīti,
Bez ceļa klimstam, aklu dziņu dzīti.

Var būt, ka mūsu pēcnācējiem vēliem
Reiz ies tāpat un tālo senču tēliem
Tie neredzēs vairs it nekādas vainas,
Jo mūsu juklās dzīves skumjās ainas,
Pat mūsu postu, kļūmos maldus, spītu
Laiks vērtis būs par harmonisku mītu.
Tā tieši tam, kas pinas pretrunās
Un ceļā nomaldās, ir lemts varbūt
Pēc gadu simtiem viedā slavu gūt,
Un audzēs viņa veiksmi daudzinās;
Tā tam, ko nomāc paša mazvērtība,
Reiz vaigu skaidros dīva pārvērtība,
Par viņu teiks: ne sirdsapziņas ēdu

---

[1] *Summa contra gentiles* — "Summa pret pagāniem" (*latīņu val.*), līdzās "*Summa theologiae*" ("Teoloģijas summa") viens no galvenajiem Akvīnas Toma (1225—1274) darbiem. Sacerējuma pilns nosaukums — *Summa fidei catholicae contra gentiles*. Abas grāmatas ir mēģinājums dot pilnīgu kristīgās kultūras satura apkopojumu.

Tas pazina, ne neveiksmju, ne bēdu
Un staroja kā bērns aiz svētlaimes.

Jo arī mūsu sirdīs deg kāds stars,
Ko šķīlis laikos neiznīcīgs gars —
Tas mūžam pastāvēs —, ne tu vai es.

Pakāpieni

Kā visi ziedi vīst un katrai dienai
Ir jākrēslo, lai jauna diena nāktu,
Tā tikumam un atskārsmei ikvienai
Laiks atvēlējis īsu, skopu plauksmi.
Tā sirds, lai kuro reizi gaitu sāktu,
Ik ardievās smej pārveidībai drosmi,
Bez žēlām atbalsojot dzīves sauksmi,
Un jaunam guvumam spēj sevi brīvot.
Bet katrā sākotnē jūt slēptu rosmi,
Kas sargā mūs, mums palīdz dzīvot.

Aiz telpas līksmi jāizstaigā telpa,
Nevienā nerodot uz laikiem mājas,
Ne valgot cilvēku, lai solis stājas, —
Aiz kāpes kāpi veikt sauc iras elpa.
Jo tiklīdz aprast, ieaugt, iedzīvoties
Mums kādā vidē pavedies, most bažas,
Ka nespēsim nekad vairs ceļā doties
Un saraut trulās ierastības važas.

Varbūt, kas pateiks, arī nāves stunda
Mūs jaunotus reiz jaunā gaitā raidīs,
Nav gala kustībai, ceļš mūžam gaidīs...
Sirds, atvadies, tev atjaunotni junda!

Stikla pērlīšu spēle

Gan Visuma, gan zemes skaņu tulkus
Tīk uzklausīt mums dziļā godbijībā,
Uz gara dzīrēm pulcēt brāļu pulkus,
Kas mita spožā pagājībā.

Mūs ielīksmo tā slēptā domas spīve,
Kas liek, lai maģiskajās rūnās rimst
Šī nepārredzamā, šī trauksmā dzīve
Un dzidras līdzības lai dzimst.

Kā zodiaks tās dzilgā lokā liecas,
Tām kalpojot, mums tversmi saskatīt,
Un arī tas, kas atstāt apli sliecas,
Pret visu loku centru krīt.

TRĪS DZĪVES GĀJUMI

LIETUS PIESAUCĒJS

Tas notika pirms dažiem gadu tūkstošiem, kad pie varas bija sievietes: dzimtā un kopienā mātes un vecāsmātes bija tās, kuras godāja un kurām paklausīja, par meitenes nākšanu pasaulē toreiz priecājās vairāk nekā par zēna piedzimšanu.

Kādā apmetnē mita ciltsmāte, laikam gan simt vai pat vairāk gadu veca, visu bijāta un sumināta kā īsta karaliene, lai gan kopš neatminamiem laikiem ne pirkstu nebija kustinājusi un tikai paretam bilda pa kādam vārdam. Diendienā viņa sēdēja uz būdas sliekšņa, pakalpīgu tuvinieku ielenkta, un apmetnes sievietes nāca pie viņas, lai apliecinātu viņai cieņu, pastāstītu par savām likstām, parādītu savus bērnus un lūgtu tiem svētību, nāca grūtnieces, lai ciltsmāte pieskartos viņu miesām un dotu vārdu gaidāmajam bērnam. Ciltsmāte dažkārt piedūra atnācējai roku, citkārt tikai pamāja vai pakratīja galvu, vai arī nepakustējās nemaz. Runāja viņa reti, viņa gluži vienkārši bija te — viņa bija te, sēdēja un valdīja, sēdēja nekustīga, dzeltenīgi sirmajiem matiem plānām šķipsnām nokarājoties pār vecīgi kalsno seju ar ērgļa profilu un acīm, kas dzēlās tālumā, sēdēja un pieņēma dāvanas, uzklausīja pagodinājumus, lūgumus, vēstis, sūdzības, sēdēja un bija visiem zināma — septiņu meitu māte, vecāmāte neskaitāmiem mazbērniem un mazmazbērniem, sēdēja un glabāja aiz vēja aprautās pieres un asu grumbu izvagotajiem vaibstiem apmetnes gudrību, tradīcijas, tiesības, tikumus un godu.

Bija pavasara vakars, apmācies un agri sakrēslojis. Ciltsmātes māla būdas priekšā sēdēja viņas meita, nevis viņa pati, un meita bija gandrīz tikpat sirma un cienījama kā māte, un arī gadu tai nebija daudz mazāk. Viņa atpūtās, sēdēdama uz būdas sliekšņa — plakana laukakmeņa, kuru aukstās dienās apsedza ar zvērādu, un nostāk puslokā — smiltīs vai zālē — tupēja daži bērni, pāris sievu un puišeļu; tie pulcējās te katru vakaru, ja vien nelija vai nebija par saltu, lai paklausītos, kā ciltsmātes meita stāsta pasakas vai skandē senus sakāmvārdus. Agrāk to darīja pati ciltsmāte, tagad viņa bija par vecu un vairs nevēlējās runāt un viņas vietā uz sliekšņa sēdēja un stāstīja meita, un mantojusi viņa bija no mātes ne tikai nostāstus un sakāmvārdus, bet arī balsi, izskatu, rāmi cienīgo stāju, valodu, arī kustības, un gados jaunākie klausītāji pazina viņu daudz labāk nekā māti un gandrīz neatskārta vairs, ka viņa te sēž kādas citas vietā un vēstī cilts teiksmas un zintis. No viņas lūpām vakaros raisījās viedi vārdi, viņas sirmā galva glabāja cilts bagātību krājumus, aiz vecīgās, sīki grumbotās pieres mita dzimtas atmiņa un gars. Ja kādam netrūka zināšanu, ja kāds zināja sakāmvārdus un nostāstus, tas bija klausījies viņas valodā. Bez viņas un mūžvecās ciltsmātes dzimtā bija vēl kāds gudrais, bet tas turējās nomaļus, un šis noslēpumainais, gaužām nerunīgais vīrs bija laika reģis, lietus piesaucējs.

Klausītāju bariņā tupēja arī puisēns, saukts par Kalpu, un līdzās viņam — sīciņa meitenīte, vārdā Ada. Puisēnam meitenīte patika, viņš nereti uzmetās tai par pavadoni un sargu, ne jau īsti aiz mīlestības — par šīm jūtām viņam nebija ne jausmas, viņš vēl bija bērns; meitenītei viņš tuvojās tādēļ, ka tā bija lietus piesaucēja meita. Adas tēvu, lietus piesaucēju, Kalps bijāja un apbrīnoja — pēc ciltsmātes un tās meitas viņu vairāk par visiem. Abas pirmās bija sievietes. Tās varēja bijāt un godāt, bet nevarēja nedz domu lolot, nedz klusībā vēlēties kļūt par ko līdzīgu tām. Tiesa, lietus piesaucējs bija nepieejams cilvēks — puisēnam bija grūti viņam tuvoties: vajadzēja meklēt aplinku ceļus, un viens tāds aplinku ceļš bija Kalpa rūpes par lietus piesaucēja bērnu. Līdzko radās izdevība, zēns iegriezās pēc meitenītes lietus piesaucēja nomaļajā būdā, lai vakarā ar viņu kopā pasēdētu ciltsmātes būdas priekšā, klausītos, ko stāsta tās meita, un pēc tam pavadītu mazo uz mājām. Tā viņš bija darījis arī šodien un tagad blakus Adai tupēja ļaužu bariņā, kas melnēja tumsā, un klausījās, ko vēstī vecā sieva.

Vecā šovakar runāja par Raganu ciemu. Viņa stāstīja:

— Gadās, ka ciematā dzīvo ļauna sieviete, kura nevienam cilvēkam nevēl labu. Parasti tādām sievietēm nav bērnu. Viena otra mēdz būt tik ļauna, ka ļaudis vairs nevēlas dzīvot ar viņu kopā. Tie ierodas naktī, sasien vīru, noper sievu ar rīkstēm, nolādējuši viņu, padzen no ciemata un pamet vienu tālu mežos un purvos. Vīram pēc tam sasēju atraisa, un viņš, ja vien nav par vecu, var apņemt citu sievieti par sievu. Bet padzītā, ja nav dabūjusi galu, malstās pa mežiem un purviem, iemācās zvēru valodu un, kad gana malusies un klīdusi apkārt, kādudien nonāk nelielā apdzīvotā vietā, kuru sauc par Raganu ciemu. Tur salasās visas ļaunās sievietes, kas padzītas un nodibinājušas savu apmetni. Tur tās dzīvo, dara ļaunu un pesteļo; īpaši labprāt, tā kā pašām bērnu nav, viņas aizvilina bērnus no īstajiem ciematiem; ja kāds bērns apmaldās mežā un vairs neatgriežas, tas, iespējams, nav noslīcis purvā un arī vilki to nav saplosījuši — bērnu varbūt ievilinājusi biezājā ragana un aizvedusi sev līdzi uz Raganu ciemu. Kad biju vēl maza un ciematā valdīja mana vecāmāte, kāda meitenīte kopā ar citiem bērniem aizgāja mellenēs; ogojot nogurusi, viņa mežā aizmiga; meitenīte bija tik sīciņa, ka papardes apsedza viņu, un pārējie, neko nepamanījuši, devās tālāk, un tikai vakarā, atgriezušies apmetnē, bērni ievēroja, ka meitenītes viņu vidū vairs nav. Aizsūtīja uz mežu jaunus puišus: tie sauca un meklēja pazudušo, līdz satumsa nakts, un tad, neatraduši neko, atgriezās mājās. Bet mazā, izgulējusi miegu un pamodusies, devās arvien dziļāk mežā. Jo lielākas kļuva bailes, jo ātrāk viņa skrēja, jau sen vairs neatskārzdama, kur īsti atrodas, un skrēja tik uz priekšu, arvien tālāk projām no apmetnes, līdz nokļuva malā, kur neviens vēl nebija spēris kāju. Kaklā, pītā aukliņā iesiets, viņai karājās mežacūkas ilknis, to meitenītei bija dāvājis tēvs; ilkni viņš atnesa no medībām un ar akmens šķembu izurbināja tajā caurumu, kur ievērt aukliņu, bet pirms tam trīs reizes vārīja ilkni mežacūkas asinīs un skaitīja stiprus buramvārdus, un tam, kas nēsā šādu ilkni, vairs nekait nekādi burvesti. Pēkšņi no biezajā iznāca sieviete — tā bija ragana; viņa sataisīja laipnu seju un teica: "Labdien, mīļais bērns, tu laikam būsi apmaldījies? Nāc vien man līdzi, es aizvedīšu tevi uz mājām!" Meitenīte devās viņai līdzi. Bet iedama meitenīte atcerējās, ko viņai teikuši tēvs un māte: nevienam svešam nav brīv rādīt mežacūkas ilkni, un viņa zagšus atraisīja ilkni un noglabāja to aiz jostas. Svešā veda meitenīti stundām ilgi sev līdzi; bija jau vēla nakts, kad abas ieradās apmetnē, tikai tā nebija mūsu apmetne — tas bija Raganu ciems. Tur meitenīti ieslodzīja tukšā kūtiņā, bet ragana pati aizgāja gulēt savā būdā. No rīta ragana vaicāja: "Vai tev ir mežacūkas ilknis?" Meitene teica: nē, neesot vis, savu mežacūkas ilkni viņa esot pazaudējusi mežā, un viņa parādīja raganai pīto aukliņu, kurā ilknis vairs nekarājās. Tad ragana atnesa akmens podu; tajā bija zeme, un zemē auga trīs laksti. Ieraudzījusi lakstus, meitenīte jautāja, kas tās esot par zālītēm. Norādījusi uz pirmo lakstu, ragana teica: "Tā ir tavas mātes dzīvība." Tad, norādījusi uz otro, sacīja: "Tā ir tava tēva dzīvība." Pēc tam, norādījusi uz trešo, bilda: "Šī ir tava dzīvība. Tik ilgi, kamēr laksti zaļo un aug, jūs esat dzīvi un veseli. Kolīdz viens nodzeltē, saslimst tas, kura dzīvību saknīte glabā. Ja vienu izrauj — un es to tūlīt izdarīšu —, jāmirst cilvēkam, kura dzīvība tanī mīt." Viņa satvēra lakstu, kurš glabāja tēva dzīvību, un dzīrās to izraut, un, līdzko redzama kļuva baltā saknīte, laksts sāpīgi ievaidējās...

Te meitenīte, kas sēdēja blakus Kalpam, pielēca kājās kā dzelta, iekliedzās un pa galvu pa kaklu metās bēgt. Labu brīdi viņa bija centusies novaldīt bailes, ko iedvesa pasaka, taču galu galā nebija izturējusi. Kāda veca sieva iesmējās. Citi klausītāji baidījās ne mazāk par meiteni, tomēr valdījās un palika savās vietās. Kalps, nokratījis pasakas valdzinājumu un dairas, arī pietrūkās kājās un metās meitenītei pakaļ. Tikmēr vecā turpināja savu stāstu.

Lietus piesaucējs mita netālu no ciemata dīķa — turp devās Kalps, meklēdams bēgli. Cenzdamies pievilināt meitenīti, viņš sauca aicinājuma un mierinājuma vārdus, dudināja, dungoja, ūbināja balsī, kādā sievietes sauc kopā vistas, — gari stiepti, saldi, kā pielabinoties. — Ada, — viņš sauca un trallināja, — Ada, Adiņ, nāc pie manis! Ada, nebaidies, tas esmu es, Kalps! — Tā viņš dūdoja vienā laidā, līdz, vēl nesaklausījis un nesaskatījis meitenīti, pēkšņi juta, ka plaukstā ieglaužas maza, mīksta rociņa. Ada bija stāvējusi, takas malā, cieši pieplakusi būdas sienai, un gaidījusi puisēnu, tiklīdz sadzirdējusi viņa balsi. Atviegloti nopūtusies, meitenīte piebiedrojās draugam, kurš tai likās tik liels un stiprs, it kā jau būtu pieaudzis vīrs.

— Tu laikam sabijies? — viņš jautāja. — Nebīsties, neviens tev nedarīs pāri, Ada visiem ir mīļa. Nāc, iesim mājās!

Viņa vēl drebēja un klusītēm šņukstēja, bet tad pamazām nomierinājās un pateicīga un paļāvīga tecēja zēnam līdzi.

Būdas durvju spraugā vāri spīgoja sarkanīga gaisma, iekšā, nolīcis pār pavardu, tupēja lietus piesaucējs; matu šķieznās rotājās gaiši sārteni atspulgi — viņš bija iekūris uguni un kaut ko vārīja divos nelielos podos. Iekāms abi kopā iegāja būdā, Kalps dažus mirkļus ziņkāri vēroja lietus piesaucēju; viņš uzreiz noprata, ka podos nevārās vira, — šim nolūkam izmantoja citus traukus, turklāt bija pārāk vēls, lai gatavotu ēdienu. Bet lietus piesaucējs jau bija saklausījis soļus.

— Kas tur stāv aiz durvīm? — viņš skaļi sauca. — Nāciet iekšā! Tā esi tu, Ada? — Uzlicis podiem vāciņus, sarušinājis tiem apkārt ogles, viņš pagriezās uz durvju pusi.

Kalps vēl aizvien kārām acīm skatījās uz abiem noslēpumainajiem podiem; katru reizi, ienākot šajā būdā, viņu māca ziņkāre un bijīga mulsa. Viņš ieradās, cik vien bieži iespējams, sagudroja dažādus iemeslus un ieganstus, bet atnācis ik reizi juta to pašu pa pusei kairo, pa pusei brīdinošo vieglo nemieru, kurā prieks un alkatīga ziņkārība jaucās ar bailēm. Vecais nevarēja nemanīt, ka Kalps jau sen uzrauga katru viņa soli un allaž uzrodas tur, kur ir cerība viņu sastapt, ka tas kā mednieks iet pa viņa pēdām un, nebilzdams ne vārda, piedāvā viņam savus pakalpojumus, pats sevi.

Turu, lietus piesaucējs, pievērsa zēnam savas balsenās plēsīga putna acis.

— Ko tu te meklē? — viņš salti vaicāja. — Šis nav īstais laiks, lai klaiņotu pa svešām būdām, puisēn!

— Es atvedu Adu, meistar Turu. Viņa bija pie ciltsmātes, mēs klausījāmies nostāstus par raganām, un pēkšņi Ada sabijās, viņa iekliedzās, un es pavadīju viņu uz mājām.

Tēvs pievērsās meitenītei:

— Zaķpastala tu esi, Ada! Prātīgām meitenēm no raganām nav jābīstas. Un tu tačū esi prātīga, vai ne?

— Esmu gan... Bet raganas zina ļaunus buramvārdus, un ja tev nav mežacūkas ilkņa...

— Ak tā, tev vajadzīgs mežacūkas ilknis? Paskatīsimies! Bet es zinu vēl ko labāku. Es zinu kādu saknīti, to es tev atnesīšu, tā mums jāatrod un jāizrauj rudenī; šī saknīte pasargā prātīgas meitenītes no visam burvībām un padara tās vēl skaistākas.

Ada priecīgi pasmaidīja: viņa tūdaļ nomierinājās, līdzko saoda ierastos smārdus un ieraudzīja vāro uguns atspīdumu uz būdas sienām.

Kalps bikli ievaicājās:

— Vai es nevarētu pameklēt saknīti? Pastāstiet tikai, kāda tā izskatās...

Turu piemiedza acis.

— Tu neesi vienīgais puišelis, kas to gribētu zināt, — viņš teica mazliet zobgalīgā, bet ne dusmīgā balsī. — Tam laika vēl gana. Varbūt rudenī...

Kalps, atstājis būdu, ienira tumsā, dodamies virzienā uz zēnu mītni, kurā viņš nakšņoja. Vecāku puisēnam nebija, viņš bija bārenis — varbūt arī tādēļ Adas vecāku būda viņam likās tik pievilcīga.

Turu, lietus piesaucējs, tērgas necieta, pats viņš runāja nelabprāt un nemīlēja arī klausīties, ko runā citi; daudziem viņš likās ērmots, viens otrs turēja viņu par īgnu. Bet īgņa viņš nebija. Par to, kas notiek visapkārt, viņš pat zināja vairāk, nekā ļaudis varēja iedomāties, pazīstot viņa mācīta vientuļnieka izklaidību. Viņš, starp citu, skaidri redzēja, ka šis mazliet uzmācīgais, toties glītais un, jādomā, saprātīgais puisēns seko viņam un vēro katru viņa soli, — jau sen viņš bija to pamanījis, tas turpinājās kādu gadu vai pat ilgāk. Viņš arī itin labi zināja, ko tas nozīmē. Tas nozīmēja daudz ko puisēnam un arī viņam, vecajam vīram. Tas nozīmēja, ka zēnu valdzina lietus piesaucēja amats un viņš vairāk par visu vēlas apgūt šo darbu. Laiku pa laikam ciematā gadījās pa tādam zēnam. Viens otrs jau bija mēģinājis tuvoties lietus

335

piesaucējam. No dažiem izdevās viegli atkratīties, tie ātri zaudēja cerības, citus turpretī šķēršļi nebaidīja, un veseli divi gadiem ilgi bija viņa mācekļi, bet pēc tam, aizprecējušies uz tālām apmetnēm, kļuva tur par lietus piesaucējiem un dziednicības augu vācējiem. Kopš tā laika Turu bija viens, ja arī viņš vēl reizi pieņemtu mācekli, tad tikai tādēļ, lai atstātu sev pēcnieku. Tā tas mūždien bija bijis, tas bija likumsakarīgi un citādi būt nevarēja: arvien no jauna, lemts uzrasties apdāvinātam puisēnam, pieķerties un kļūt par mācekli cilvēkam, kurā saskata amata lictpratēju. Kalps bija apdāvināts, viņam piemita viss nepieciešamais, turklāt meistars saskatīja viņā dažas pazīmes, kas liecināja, ka zēns ir īpaši piemērots, — pirmām kārtām tas bija pētošais, reizē asais un sapņainais skatiens, apvaldītais, klusais raksturs un kas tāds sejas izteiksmē un galvas pavērsienā, it kā viņš bez mitas kaut ko izsekotu, saostu, it kā viņš modri uztvertu trokšņus un smārdus, — zēns atgādināja te putnu, te mednieku. Jā, šis puišelis varētu kļūt par laika pazinēju, varbūt arī par magu, no viņa iznāks lietaskoks. Bet steiga būtu nevietā: zēns vēl par jaunu, viņam nekādā gadījumā nav jāliek noprast, ka meistars raugās uz viņu atzinīgi, nedrīkst viņam atvieglot uzdevumu, aiztaupīt grūtības. Ja viņš ir iebiedējams, atvairāms, ja viņam zustu drosme — lai iet, no kurienes nācis! Bet pagaidām lai gaida un kalpo, lai lodā ap viņu un cenšas iegūt viņa labvēlību.

Apmierināts un tīkami satraukts, Kalps vakara tumsā lēnītēm soļoja uz ciemata pusi. Debesis bija nomākušās, mirgoja vien divas trīs zvaigznes. Ciemata ļaudīm ne jausmas nebija par tām izpriecām, skaistuma alkām un izsmalcinātajām baudām, kas mūsdienu cilvēkam — arī pašam nabagākajam — liekas pašas par sevi saprotamas un nepieciešamas, viņiem svešas bija izglītība un māksla, viņi nepazina citas mītnes kā vien savas greizās māla būdas, nebija redzējuši ne dzelzs, ne tērauda darbarīkus, ne tādus produktus kā kvieši un vīns, bet svece vai spuldze viņiem liktos debesu brīnums. Taču Kalpa dzīve un priekšstatu pasaule tādēļ nebija mazāk bagāta; pasaule viņam šķita neaptverami noslēpumaina, krāsaina bilžu grāmata, kurā pats dienu aiz dienas vēra jaunu lappusi, arvien dziļāk iepazīdams dabu, sākot ar dzīvnieku dzīvi un augu valsti un beidzot ar zvaigžņotajām debesīm, un starp mēmo, noslēpumaino Visumu un drebošo vienpatņa dvēseli biklā puisēna krūtīs pastāvēja tuva radniecība, tajā pulsēja, viss satraukums, visas bailes, visa tā zināšanu un ieguves kāre, uz kādu vien spējīgs cilvēka gars. Puisēna pasaulē nebija rakstītu zināšanu, nebija vēstures, grāmatu, alfabēta, itin viss, kas atradās trīs četru stundu gājuma attālumā no dzimtā ciemata, viņam bija nezināms un neaizsniedzams, toties savā pasaulē, savā ciematā viņš dzīvoja ciešā vienotībā ar visu apkārtējo.

Ciemats, dzimtene, kopiena ciltsmāšu vadībā sniedza viņam visu, ko cilvēkam spēj dot tauta un valsts, — augsni ar tūkstoš saknēm, kuru savijumā viņš pats bija sīka šķiedriņa, līdzdalīga itin visā.

Apmierināts viņš gāja savu ceļu, lapotne šalkoja nakts vēsmas, klusi krakšķēja koki, oda pēc valgas zemes, pēc meldriem un dūņām, pēc dūmiem, svilot slapjai malkai, — un šis stiprais un saldenīgais smārds spilgtāk par visu citu izteica dzimtenes jēdzienu; bet tad, tuvojoties zēnu mītnei, uzvēdīja citas dvakas — oda pēc zēniem, pēc jaunām, cilvēciskām būtnēm. Nedzirdami viņš zem meldru pīteņa ielīda siltajā, elpas piedvašotajā tumsā un, atlaidies uz salmiem, atcerējās stāstu par raganām un mežacūkas ilkni, domāja par Adu, par lietus piesaucēju un podiem, zem kuriem kurējās uguns, līdz iemiga.

Turu visai atturīgi nāca pretī zēnam, viņš neatviegloja tam nevienu soli. Bet puisēns sekoja viņam uz pēdām, allaž tīkoja būt vecā vīra tuvumā, bieži vien pats neapzinādamies, kādēļ. Dažkārt, kad vecais kādā paslepenā vietā mežā, purvā vai virsājā izlika slazdus, ostīja zvēra pēdas, raka sakni vai vāca sēklas, viņš pēkšņi juta sev pievērstu zēna skatienu; zēns stundām ilgi neredzams un nedzirdams bija viņam sekojis, vērojis viņu. Reizēm Turu izlikās, ka neko nemana, reizēm skaitās un nelaipni padzina lencēju, reizēm, pamājis ar roku, aicināja zēnu pie sevis un paturēja augu dienu savā tuvumā, lika palīdzēt sev, atminēt kaut ko, parādīja šo to, pārbaudīja iemaņas, pastāstīja, kā sauc dažu labu augu, uzdeva pasmelt ūdeni vai iekurt uguni — un, lai kādu darbu veiktu zēns, vecais vīrs mācīja viņam ērtākos paņēmienus, noslēpumus, burvju vārdus, cieši piekodinādams, ka tie jātur slepenībā. Visbeidzot, kad Kalps bija drusku paaudzies, Turu paturēja viņu pavisam, atzina viņu par savu mācekli un, licis atstāt zēnu mītni, pieņēma savā būdā. Tā rīkodamies, Turu visas dzimtas priekšā atzina Kalpu par savu palīgu; viņš vairs nebija puišelis — viņš bija lietus piesaucēja māceklis, un tas nozīmēja, ka, izturējis pārbaudi un atzīts par derīgu, viņš kļūs par Turu pēcteci.

Sākot ar brīdi, kad vecais uzņēma Kalpu savā būdā, barjera starp abiem bija zudusi — ne godbijības un paklausības, bet neuzticības un atturības barjera. Turu bija padevies, neatlaidīgais lencējs bija viņu pieveicis, vairs viņš nevēlējās neko citu kā vien izaudzināt Kalpu par īstu lietus piesaucēju un savu pēcnieku. Apmācītāja rīcībā nebija ne jēdzienu, ne teorijas, ne metodes, ne rakstības, ne skaitļu, bija tikai visai ierobežots vārdu krājums, un meistars drīzāk attīstīja Kalpa jutekļus nekā prātu. Jāapgūst bija ne vien daudzas tradīcijas un bagāta pieredze, visas tā laika cilvēka zināšanas par dabu, bet jāiemācās arī tās likt lietā un jāprot nodot apgūto tālāk. Pakāpeniski un vēl neskaidri zēnam pavērās plaša un pilnestīga pieredzes, vērojumu, instinktu, pētniecības iemaņu sistēma, gandrīz nekas nebija ietverts jēdzienos, bezmaz viss bija jāuztver, jāiemācās, jāpārbauda ar paša jutekļiem. Bet šo zināšanu pamats un kodols bija mācība par Mēnesi, par tā fāzēm un iedarbību, par to, ka tas arvien no jauna dilst un aug, ka to apdzīvo mirušas dvēseles, kurām tas no jauna liek piedzimt zemes dzīvei, lai atbrīvotos vieta jauniem mirušiem.

Tāpat kā tas vakars, kad viņš no pasaku teicējas aizsteidzās pie vecā vīra podiem un pavarda, Kalpam atmiņā iespiedās kāda stunda starp nakti un rītu, kad meistars pamodināja viņu otrajos gaiļos un pasauca līdzi dziļajā āra tumsā, lai parādītu, kā pēdējo reizi pie debesīm paceļas dilstošā Mēness sirpis. Ilgi abi gaidīja, nostājušies uz kailas klints radzes mežiem apaugušu pauguru vidū, — meistars nekustīgs un kluss, zēns drusku baiļodamies, neizgulējies un nosalis —, līdz vietā, ko Turu bija norādījis, tieši tāds, kādu meistars bija to aprakstījis, parādījās šaurais sirpis — trausla, liekta svītriņa. Bikls, kā noburts Kalps stingi vēroja bālo spīdekli, kurš lēnām iznira no tumšajiem mākoņiem un rāmi peldēja dzidrajā gaismas spraugā.

— Drīz tas mainīs izskatu un atkal sāks augt, tad būs īstais laiks sēt griķus, — teica lietus piesaucējs, skaitīdams dienas uz pirkstiem. Pēc tam viņš no jauna apklusa. It kā būtu palicis viens, Kalps notupās uz spožās, rasotās klints, drebēdams aiz aukstuma. Dziļi lejā, mežā, stiepti iebrēcās pūce. Ilgi klusēja vecais, nogrimis domās, tad piecēlies uzlika Kalpam roku uz galvas un klusu, kā sapņodams bilda:

— Kad es nomiršu, mans gars aizlidos uz Mēnesi. Tu tad jau būsi vīrietis un tev būs sieva — mana meita Ada būs tava sieva. Kad viņa no tevis ieņems dēlu, mans gars atgriezīsies un iemājos jūsu dēlā, un tu nosauksi viņu par Turu, vārdā, kurā sauc mani.

Izbrīnījies māceklis uzklausīja veco vīru, neuzdrīkstēdamies bilst ne vārda, — šaurais, sudrabotais sirpis kāpa arvien augstāk un pa pusei jau ienira mākoņos. Zēna dvēselē modās jausma par neskaitāmām saitēm un sakarībām, par parādību un notikumu atkārtojumiem un krustojumiem, brīnumaini viņam šķita, ka nolikts par vērotāju un līdzdalībnieku visam, kas noris šais svešajās, naksnīgajās debesīs, pie kurām, kā meistars nekļūdīgi tika paredzējis, pāri mežu un pakalnu neizmērojamam plašumam bija pacēlies asais, šaurais sirpis; dīvots, tūkstoš noslēpumu ieskauts viņam likās pats meistars, cilvēks, kurš apcerēja savu galu, cilvēks, kura dvēsele mitīs uz Mēness un no turienes atgriezīsies, lai iemiesotos būtnē, kas būs viņa — Kalpa dēls un sauksies mirušā meistara vārdā. Dīva viņam pavērās nākotne, vietumis skaidrota kā šīs mākoņainās debesis, pavērās, šķiet. cilvēku likteņi;

tas, ka šos likteņus varēja paredzēt, ietērpt vārdos, ka par tiem varēja runāt, viņam atgādināja ielūkošanos nepārredzamās tālēs, brīnumainās, tomēr stingrai kārtībai pakļautās, īsu mirkli viņam šķita, ka viss ir pieejams garam, viss ir izzināms, viss ir saklausāms — gan spīdekļu klusā, nemaldīgā gaita tur, augšā, gan cilvēku un zvēru mūži, viņu biedrošanās un naids, saskarsmes un cīņas, itin viss dižais un sīkais līdz ar nāvi, kas iemājo katrā dzīvā radībā, — to visu viņš skatīja vai izjuta šai pirmajā trauksmainas atskārtas brīdī kā vienotu veselu, kurā pats ietverts un ierindots kā jau kas tāds, kas pakļauts noteiktai kārtībai, likumiem, izzināms prātam. Pirmā noģieda par lielajiem noslēpumiem, par to nozīmīgumu, dziļumu un izdibināmību kā neredzama roka skāra zēnu šai naksnīgi saltajā pirmsausmas stundā mežā, viņam stāvot uz klints augstu virs šalkojošām koku galotnēm. Zēns nespēja to izteikt vārdos — ne tobrīd, ne visā savā turpmākajā mūžā, bet jādomā par to viņam bija bieži — jā gan, lai ko viņš vēlāk mācītos vai izzinātu, šis mirklis, šā mirkļa pārdzīvojums pavadīja viņu uz katra soļa. "Paturi prātā," atgādināja kāda balss, "paturi prātā, ka tas viss pastāv, ka starp tevi un Mēnesi, un Turu, un Adu plūsmo strāvas un stari, ka pastāv nāve un dvēseļu valstība, un atgriešanās no tās un ka visām redzamās pasaules lietām un parādībām rodama atbilde tavā sirdī, ka tev par visu daļa, ka par visu tev jāzina tik, cik vien cilvēkam iespējams zināt!" Aptuveni tā runāja šī balss. Pirmo reizi Kalps izdzirda gara balsi, saklausīja tās aicinājumu, prasījumu, maģisko vilinājumu. Jau dažu reizi viņš bija vērojis Mēness ritumu, jau dažu pūces brēcienu dzirdējis un no meistara mutes, lai cik mazrunīgs tas bija, uzklausījis ne vienu vien viedas senatnes vai vienatnīga vērojuma atziņu, taču šajā stundā viss likās jauns un citāds, viņu skāra nojausma par veselo, par saitēm un sakarībām, par kārtību, kas ietvēra un darīja atbildīgu arī viņu. Tam, kuram izdotos rast atslēgu, vajadzētu prast ne vien pēc pēdām sazīmēt zvēru, pēc saknēm vai sēklām noteikt augu, tam vajadzētu spēt aptvert pasaules visumu — spīdekļus, garus, cilvēkus, dzīvniekus, ārstniecības augus un indes — kā nedalītu veselo un pēc atsevišķām veselā daļām un pazīmēm noteikt jebkuru citu tā daļu. Mēdz būt labi mednieki, tiem pēdas, izmetumi, pamests spalvas kumšķis pauž ko vairāk nekā citiem: atraduši pāris sīku spalviņu, tie pasaka ne to vien, kādas pasugas ir meklējamais dzīvnieks, bet noteic arī, vai tas ir vecs vai jauns, tēviņš vai mātīte. Citi pēc mākoņu apveidiem, pēc smakām, kas saožamas gaisā, pēc dzīvnieku un augu izturēšanās vairākas dienas uz priekšu paredz laiku; šai ziņā viņa meistars bija nepārspējams, turpat vai nekļūdīgs. Vēl citiem piemīt iedzimtas iemaņas, pagadās zēni, kas, mezdami akmeni, no trīsdesmit soļu attāluma trāpa putnam; viņi nav to mācījušies, viņi vienkārši to spēj, paveic to bez pūlēm burvības vai īpašu dotību dēļ; akmens pats lido vajadzīgajā virzienā, akmens vēlas trāpīt putnam, un putns vēlas, lai tam trāpa. Esot sastopami cilvēki, kas prot ielūkoties nākotnē un pateikt, vai slimnieks izveseļosies vai mirs, vai grūtniece dzemdēs zēnu vai meiteni; ciltsmātes meita ir slavena pareģe, un arī lietus piesaucējam, kā stāsta, piemīt šādas spējas. Sakarību milzu tīklā, sprieda Kalps, tātad jābūt kādam viduspunktam, no kura raugoties viss ir apzināms, viss bijušais un gaidāmais ir saskatāms un nolasāms. Tanī, kas stāvētu šai viduspunktā, zināšanām jāsatek tāpat, kā ūdeņi satek ielejā un kā zaķis tek uz kāpostiem, viņa spriedumam jābūt trāpīgam un nekļūdīgam kā akmenim laba mednieka rokā; pateicoties garam, tādam cilvēkam jāapvieno sevī un jāliek lietā visas šīs brīnumainās spējas un dotības: šis tad arī būtu pats pilnīgākais cilvēks, vieds un nepārspējams. Kļūt par tādu cilvēku, mēģināt līdzināties viņam, tiekties uz viņu — tas bija visu ceļu ceļš, tas bija īstais mērķis, kas dzīvi dara raženu, piešķir mūžam saturu. Apmēram tādas bija Kalpa noskārtas, un tas, ko mēs savā viņam svešajā jēdzienu valodā cenšamies par tām pastāstīt, nesniedz ne mazāko priekšstatu par viņa atklāsmes šermām un pārdzīvojuma svēli. Piecelšanos nakts vidū, došanos līdzi meistaram cauri drūmajam, pierimušajam mežam, pilnam noslēpumu un briesmu, gaidīšanu, stāvot pirmsausmas saltumā uz klints radzes, šaurā, rēgainā Mēness sirpja parādīšanos, viedā vīra skopos vārdus, šo divvientulību tik neparastā stundā — to visu Kalps izjuta un paturēja atmiņā kā svētsvinīgu mistēriju, iesvaidījuma svētbrīdi, uzņemšanu savdabīgā savienībā, kulta kopienā, stāšanos pakļautā, taču godpilnā sakarā ar vārdā nenosaucamo, ar pasaules noslēpumu. Kļūt par domu vai pat rast vārdisku izteiksmi šis pārdzīvojums, tāpat kā citi — tam līdzīgie, nevarēja, un vēl jo svešāka un neiespējamāka par jebkuru citu būtu apmēram šāda doma: "Vai tas, ko pārdzīvoju, noris tikai manī, jeb tā ir objektīva tiešamība? Vai meistars izjūt to pašu, ko jūtu es, jeb klusībā smaida par mani? Vai domas, ko manī modina šis pārdzīvojums, ir jaunas, tikai man piederīgas, neatkārtojamas, jeb vai arī meistars un viens otrs jau pirms viņa pārdzīvojis un domājis tieši to pašu?" Nē, tādas izkliedes un diferenciācijas nebija, viss bija tiešamība, piesātināts ar tiešamību kā mīkla ar raugu. Mākoņi, Mēness, mainīgā debess ainava, saltais, mitrais kaļķakmens zem baso kāju pēdām, miklas rasas pieritusī, palsā nakts migla, nomierinošie dzimtā pavarda dūmu un vītušu lapu smārdi, patvērušies zvērādā, kurā ietinies meistars, cienības atēna viņa raupjajā balsī, tikko saklausāma pieskaņa, kas liecina par vecumu un gatavību mirt, — tas viss bija vairāk nekā reāls un bezmaz varmācīgi iedarbojās uz zēna jutekļiem. Bet atmiņām jutekļu iespaidi ir nesalīdzināmi auglīgāka augsne par vispilnīgākajām sistēmām un domāšanas metodēm. Lai gan lietus piesaucējs bija viens no nedaudzajiem, kas darīja noteiktu darbu, bija attīstījuši īpašu amata māku un prasmi, viņa ikdiena ārēji maz atšķīrās no pārējo dzimtas locekļu ikdienas. Viņam bija augsts stāvoklis, un viņš tika cienīts, viņam maksāja arī nodevas, viņu atalgoja, ja strādāt vajadzēja kopienas labā, taču tas notika tikai sevišķos gadījumos. Viņa svarīgākais, vissvinīgākais, pat svētākais pienākums bija pavasarī noteikt, kurā dienā kādi augļi un augi stādāmi un sējami; šai ziņā viņš cieši vadījās no Mēness griežiem, likdams lietā gan mantotas zināšanas, gan paša pieredzi. Toties sējas sākuma svinīgo ceremoniju, kad kopienas zemē tika izsēta pirmā riekšava graudu, lietus piesaucējs nevadīja — tāda goda cienīgs nebija neviens vīrietis; gads gadā to darīja pati ciltsmāte vai kāda pavecāka viņas radiniece. Par svarīgāko personu apmetnē Turu kļuva brīžos, kad viņam patiešām bija jārūpējas par laiku. Tas notika tad, kad ieildzis sausums, lietus vai salnas apdraudēja ražu un bija gaidāms bads. Šādās reizēs Turu vajadzēja likt lietā tādus līdzekļus kā upurēšana, buršana, lūgšanas, kas, cik zināms, novērsa sausumu un neražu. Kā vēstīja nostāsti, nebeidzama sausuma vai nemitīga lietus gadījumos, kad nekas cits nav līdzējis un gari nav bijuši iežēlināmi nedz pielabinoties, nedz lūdzot vai draudot, atlicis vēl viens nemaldīgs līdzeklis, kas agrāk, sensenos laikos, esot nereti lietots, proti, dzimta upurējusi pašu lietus piesaucēju. Stāstīja, ka ciltsmāte to vēl redzējusi savām acīm.

Bez rūpēm par laiku lietus piesaucējam bija sava veida privāta prakse: viņš piesauca garus, izgatavoja amuletus un burvju zāles, darbojās arī kā dziednieks, ciktāl tā nebija ciltsmātes privilēģija. Jebkurā citā ziņā meistars Turu dzīvoja tāpat kā visi pārējie. Viņš palīdzēja, ja bija viņa kārta, apstrādāt kopienas tīrumus un līdzās būdai kopa pats savus mazos stādījumus. Viņš vāca augļus, lasīja sēnes, gādāja kurināmo ziemai. Viņš zvejoja un medīja, turēja arī pāris kazu. Kā zemes kopējs viņš neatšķīrās no citiem, toties kā mednieks, zvejnieks un augu vācējs nelīdzinājās nevienam, bija vienpatnis un ģēnijs; ļaudis mēļoja, ka viņš zinot daudzus gan dabā noskatītus, gan pārdabiskus stiķus, paņēmienus, burvestus, atjautīgus gājienus. Runāja, ka nevienam zvēram neizrauties no kārklu klūgu cilpas, ko viņš pinis, ēsmu zivīm viņš protot padarīt īpaši kārdinošu un gardu, viņš mākot pievilināt vēžus, un netrūka ļaužu, kas ticēja, ka viņš iemācījies daudzu zvēru valodu. Lietus piesaucēja īstais darbalauks tomēr bija un palika viņa maģiskā zinātne: Mēness un zvaigžņu vērojumi, laika zīmju iepazīšana, prasme paredzēt laika pārmaiņas un druvu auglību, noņemšanās ar visu, kas pastiprina maģiskās iedarbības spēku. Tā, piemēram, viņš bija lietpratējs augu un dzīvnieku valsts veidojumu vākšanā, no kuriem izgatavo indes, burvju dzērienus, amuletus un aizsarglīdzekļus pret ļaunajiem gariem. Viņš pazina un prata atrast jebkuru augu, arī pašu retāko, viņš zināja, kur un kad tas zied un dod sēklas, kad ir īstais brīdis izrakt auga sakni. Viņš pazina un prata uziet jebkuru čūsku un krupi, zināja, kā izmantojami nagi, ragi, sari, labi pārzināja visu gaudeno, kroplo daba, visas spocīgās un biedīgās formas — uzrepējumus, paresninājumus, uzaugumus, punus un bumbuļus uz koku stumbriem, lapām, graudiem, riekstiem, ragiem un nagiem.

Kalpam bija jāmācās vairāk ar jutekļiem, ar kājām un rokām, ar redzi, tausti, dzirdi un ožu nekā ar prātu, un Turu skoloja viņu vairāk ar piemēru un rādīšanu nekā ar vārdiem un pamācībām. Visai reti meistars izteicās sakarīgi, un arī tad vārdi bija tikai mēģinājums darīt vēl saprotamākus ārkārtīgi izteiksmīgos žestus. Kalpa mācības maz atšķīrās no veida, kādā labs amata pratējs iedīda jaunu mednieku vai zvejnieku, un viņš mācījās ar lielu patiku, jo apguva vien to, kas viņā jau slēpās. Zēns mācījās uzglūnēt medījumam, ausīties, pielavīties, vērot, būt piesardzīgs, modrs, saost un sajust, bet medījums, kuram abi — viņš un meistars — uzglūnēja, nebija tikai lapsa un āpsis, odze un krupis, putni un zivis — tas bija gars, veselais, jēga, kopsakars. Noteikt, pazīt, uzminēt, paredzēt mainīgo, grozīgo laiku, zināt, kuras ogas sulā, kuras čūskas kodienā slēpjas nāve, censties izdibināt noslēpumu, kas nosaka mākoņu un vētru atkarību no Mēness fāzēm un liek tām iedarboties uz sējumiem un augu attīstību tāpat kā uz cilvēka un dzīvnieka augsmi un bojāeju, — lūk, pēc kā viņi tiecās. Tā rīkodamies, viņi laikam gan tiecās pēc tāda paša mērķa kā vēlāko gadu tūkstošu zinātne un tehnika, proti, pakļaut dabu, prast izmantot tās likumus, — tikai ceļš, ko viņi gāja, bija pavisam cits. Viņi nenodalīja sevi no dabas un necentās ielauzties tās noslēpumos ar varu, viņi nekad nenostatīja sevi pretī dabai, nebija tai naidīgi noskaņoti, viņi allaž bija tās daļa un godbijīgi nesa tai upurus. Iespējams, viņi pazina dabu labāk un izturējās pret to gudrāk nekā vēlāko paaudžu cilvēki. Bet bija kas tāds, ko viņi nepavisam nespēja: tuvoties dabai, kalpot tai un garu pasaulei bez bailēm vai pat justies pārākiem par dabu un garu pasauli. Tik noziedzīgu augstprātu viņi ne iztēloties nespēja; dabas spēku, nāves, dēmonu priekšā just ko citu — kā vien bailes — viņiem liktos neiedomājami. Cilvēka dzīvē noteicošās bija bailes, pārvarēt tās šķita neiespējami. Bet, lai šīs bailes mazinātu, lai tām noliktu zināmas robežas, tās pārvarētu ar viltu un nomaskētu, pakļautu kopējam dzīves plūdumam, tika radīta vesela upuru sistēma. Bailes bija tas slogs, kas augu mūžu māca ļaudis; zūdot šim smagajam slogam, izzustu gan šausmas, bet gaiss būtu arī spriegums. Cilvēks, kam izdevās bailes daļēji cildināt, pārvēršot tās bijīgā pielūgsmē, bija guvis daudz; tāda kaluma cilvēki, ļaudis, kam bailes pārauga svētbijā, jāuzskata par sava laika krietnākajiem un visvairāk attīstītajiem pārstāvjiem. Upurēts tika daudz, un upuri bija ļoti dažādi; veikt zināmas upurnešanas ceremonijas un ar tām saistītos rituālus bija laikdara pienākums.

Kopā ar Kalpu lietus piesaucēja būdā uzauga mazā Ada, glīta meitene, vecā vīra mīlule, un, kad tēvam šķita, ka pienācis laiks, viņš atdeva meitu savam māceklim par sievu. Sākot ar šo dienu, Kalps tika uzskatīts par lietus piesaucēja palīgu, Turu stādīja viņu priekšā ciemata ciltsmātei kā savu znotu un pēcnieku un turpmāk lika viņam savā vietā veikt vienu otru darbu un amata pienākumu. Pamazām, mijoties gadalaikiem un aizritot gadiem, vecais, sirmais lietus piesaucējs iegrima sirmgalvjiem tik raksturīgajā vientuļajā apcerīgumā, atstādams Kalpa ziņā visus pienākumus, un, kad Turu šķīrās no dzīves — viņu atrada mirušu pie pavarda uguns, nolīkušu pār podiem ar burvju dziru, liesmās apsvilušiem matiem, — viņa māceklis jau sen visā ciematā bija pazīstams kā lietus piesaucējs. Kalps lūdza ciemata vecajos, lai neliedz viņam ar godu apbedīt savu skolotāju, un upurēdams sadedzināja uz nelaiķa kapa veselu klēpi reti sastopamu, smaržīgu zāļu un sakņu. Arī tas aizgāja pagājībā, un starp Kalpa bērniem, kam Adas būda jau kļuva par šauru, bija zēns, kuru sauca par Turu: viņā, atgriezies no ceļojuma uz Mēnesi, bija iemiesojies vecais lietus piesaucējs.

Kalpam klājās tāpat, kā sendienis bija klājies viņa skolotājam. Svētbija un kalpošana garam palīdzēja arī viņam daļēji pārvarēt bailes. Jauno gadu degsme un dziļās ilgas pa daļai bija saglabājušās viņa sirdī, pa daļai, ritot gadiem, tās atmira un pagaisa darbā, mīlestībā uz Adu, rūpēs par bērniem. Bet vēl aizvien viņš aizrautīgi un neatlaidīgi vēroja Mēnesi un tā iespaidu uz gadalaikiem un laika apstākļiem; šai ziņā Kalps neatpalika no sava skolotāja Turu un galu galā pat pārspēja viņu. Un, tādēļ ka Mēness augšana un dilšana tik cieši saistīta ar cilvēka dzimšanu un nāvi, tādēļ ka visu to baiļu vidū, kādās lemts dzīvot cilvēkam, bailes no nāves ir pašas stiprākās, Mēness pielūdzēja un pazinēja tuvība un dzīvās saites ar spīdekli svaidītu un skaidrotu vērta arī Kalpa attieksmi pret nāvi: mūža otrajā pusē viņš mirt baidījās mazāk nekā citi. Viņš prata runāt ar Mēnesi goddevīgi — gan lūdzoši, gan maigi, viņš apzinājās, ka saistīts ar to smalkām, garīgām saitēm; viņš labi pazina visas Mēness norises un dziļi pārdzīvoja tā pārvērtības un likteņstundas, dzīvoja līdzi tā zušanai un atdzimšanai, it kā tā būtu mistērija, un viņš cieta kopā ar Mēnesi un baiļojās, ja notika nelaime un spīdekli, šķiet, piemeklēja slimības, ja tam draudēja briesmas, pārmaiņas, bojājumi, ja tas zaudēja mirdzumu, mainīja krāsu, tiktāl aptumšojās, ka likās: tūliņ tas nodzisīs pavisam. Tādās reizēs, tiesa, ikviens bija noraizējies par Mēnesi, trīcēja un drebēja par to, saskatīja draudus un tuvu postu tā aptumsumā un baiļpilns, acis nenovērsdams, lūkojās spīdekļa vecīgajā, slimīgajā vaigā. Bet tieši tad izrādījās, ka lietus piesaucējs Kalps ciešāk saistīts ar sirdzēju un zina par to vairāk nekā citi; viņš gan sāpīgi pārdzīvoja tā nelaimi, sirds viņam sažņaudzās bailēs, taču viņa atmiņas par līdzīgām nestundām bija precīzākas un sakarīgākas, viņa paļāvība bija pamatotāka, viņa ticība mūžībai un atjaunotnei, nāves novēršamībai un pārvaramībai bija stiprāka; lielāka bija arī viņa pašaizliedzība, šādās dienās viņš bija gatavs iet bojā un atdzimt līdz ar spīdekli, jā gan, dažkārt viņš pat juta sevī ko līdzīgu pārdrošībai, neprāta drosmei un gatavībai spītēt nāvei, pretstatot tai garu, apliecināt savu "es", ziedojoties pārcilvēcisku likteņu vārdā. Kas tāds sāka izpausties viņa raksturā un kļuva manāms arī citiem: viņu uzskatīja par zinošu un svētbijīgu, par bezgala savaldīgu cilvēku, kas īpaši nebīstas mirt, par tādu, kas ir labās attiecībās ar augstākajām varām.

Šīs viņa spējas, šie viņa tikumi dažbrīd tika pakļauti bargai pārbaudei. Reiz viņam bija jānovērš neraža un nelabvēlīgi laika apstākļi, kas turpinājās veselus divus gadus, — tas bija pats grūtākais pārbaudījums viņa mūžā. Likstu un ļaunu zīmju toreiz netrūka jau vairākkārt atliktās sējas dienās, pēc tam sējumus piemeklēja visas iedomājamās vainas un nelaimes un nopostīja tos gandrīz pavisam; kopiena cieta badu, tāpat arī Kalps, un jau tas vien, ka viņš pārcieta šo sūro gadu, ka viņš, lietus piesaucējs, nezaudēja jebkuru ietekmi un uzticību un pacietībā un pazemībā spēja palīdzēt dzimtai pārvarēt postu, liecināja par daudz ko. Kad nākamajā gadā pēc bargas ziemas, kurā daudzi nomira, atkal sākās pērnās vasaras posts un bēdas, kad kopienas zeme aiz sausuma izkalta un saplaisāja, kad baismīgi savairojās grauzēji, kad lietus piesaucēja vientuļās lūgsnas un upurēšanas palika neuzklausītas un nelīdzēja, tāpat kā panākumu nebija kopīgiem pasākumiem — bungu rībināšanai, visas dzimtas procesijām, kad atklājās nepielūdzami skaidri, ka lietus piesaucējs šoreiz ir bezspēcīgs, — tā vis vairs nebija nieka lieta, un vajadzēja būt kam vairāk par vidusmēra cilvēku, lai uzņemtos visu atbildību un nezaudētu cieņu pārbiedētās un satrauktās tautas acīs. Divas vai trīs nedēļas Kalps toreiz bija gluži viens, pret viņu nostājās kopiena, sazvērējās bads un izmisums, un gaismā celts tika senais ticējums: lai gandarītu augstākās varas, jāupurē pats lietus piesaucējs. Viņš uzvarēja piekāpjoties. Viņš nepretojās upurēšanas domai, pats piedāvāja sevi par ziedu, bez tam ar nepieredzētu neatlaidību un pašaizliedzību palīdzēja mazināt postu, arvien no jauna atklāja kādu ūdens avotu, strautu vai urdziņu, pretojās tam, ka visdziļākā posta brīdī tiktu nokauti visi lopi, un, galvenais, ar padomu, atbalstu, draudiem, burvju vārdiem un lūgsnām, ar paša piemēru iebiedējošā posta dienās liedza sabrukt ciemata ciltsmātei, vecai sievietei, kura bija kritusi galējā izmisumā un mazdūšībā, un ļaut vaļu neprātam. Šoreiz pierādījās, ka vispārēja satraukuma un nemiera dienās cilvēks kļūst jo noderīgāks, jo vairāk dzīvojis garīgām, pārpersoniskām interesēm, jo vairāk mācījies bijāt, vērot, pielūgt, kalpot un ziedoties. Šie baismie gadi, kuri teju, teju laupīja viņam dzīvību un padarīja viņu par upuri, galu galā atnesa viņam dziļu cieņu un uzticību, protams, ne jau daudzo bezatbildīgo, bet gan to nedaudzo vidū, kas bija atbildīgi un spēja novērtēt šādu cilvēku.

Šos un vēl citus pārbaudījumus Kalpam uzlika dzīve, iekams viņš sasniedza vīra un brieduma gadus. Savā mūžā viņš palīdzēja apbedīt divas cilts vecākās, viņš zaudēja jauku, sešus gadus vecu puisēnu — to aiznesa vilks, viņš bez citu palīdzības pārcieta smagu slimību, pats izdziedēja sevi. Viņš cieta badu un salu. Tas viss atstāja pēdas viņa ārienē un dvēselē. Viņš pārliecinājās arī, ka cilvēks, kurš kalpo garam, citos dīvainā kārtā rada zināmu neērtības sajūtu un netīksmi, ka tādu cilvēku ciena no attāluma un vajadzības brīdī izmanto viņa pakalpojumus, taču nekādā gadījumā viņu nemīl un neuzskata par savējo, gluži otrādi, vairās ar viņu tikties. Tāpat viņš pieredzēja, ka slimie un vārgdieņi daudz labprātāk uzklausa no senčiem mantotus vai jaunsacerētus buramvārdus un dažādas zintes nekā saprātīgu padomu, ka cilvēks drīzāk pārcietīs postu un ārēji nožēlos padarīto nekā mainīsies iekšēji vai kaut vien pārbaudīs sevi, ka tas vairāk tic burvībām nekā prātam, gatavām zintēm nekā pieredzei, — tās visas ir parādības, kas aptērbujušo gadu tūkstošu laikā nebūt nav tā pārmainījušās, kā cenšas iegalvot dažas vēstures grāmatas. Bet viņš bija arī atzinis, ka meklētājs, cilvēks, kas kalpo garam, nedrīkst zaudēt spēju mīlēt, ka pret ļaužu iegribām un aplamībām jāizturas bez augstprātības, tomēr nepakļaujoties tām, ka no gudrā līdz šarlatānam, no priestera līdz acu apmānītājam, no brālīgas palīdzības sniedzēja līdz patmīlīgam liekēdim arvien ir tikai solis un būtībā ļaudis daudz labprātāk maksā krāpniekam, neliedz sevi izmantot šarlatānam nekā bez atlīdzības pieņem pašaizliedzīgi sniegtu palīdzību. Ļaudīm netīk norēķināties ar uzticēšanos un mīlestību, viņi labāk samaksā naudā un graudā. Viņi pievil cits citu un gaida, ka arī paši tiks pievilti. Vajadzēja aprast ar domu, ka cilvēks ir vāja, patmīlīga un gļēva būtne, bija jāatzīst, ka visas šīs ļaunās īpašības un dziņas lielā mērā piemīt arī pašam, tomēr bija jātic un jāspēcina sevi ticībā, ka cilvēkam piemīt arī gars un mīlestība, ka viņā iemājo kas tāds, kas stājas pretī dziņām un alkst tās cildenot. Bet šādas domas, liekas, ir pārāk abstraktas, pārāk precīzi formulētas, lai tās piedēvētu Kalpam; viņš bija ceļā uz tām; ceļš, ko viņš aizsāka, veda uz šādām pārdomām un arī tālāk — pāri tām.

Iedams šo ceļu, ilgodamies pēc domas, bet dzīvodams pirmām kārtām jutekliskajā, Mēness starojuma, auga smaržas, saknes sulas, mizas garšas savaldzināts, audzēdams dziednieciskus stādus, vārīdams ziedes, atdevīgi sekodams laika pārmaiņām un atmosfēras parādībām, Kalps attīstīja sevī vienas otras spējas, arī tādas, kuru mums, pēcnācējiem, nav un kuras mēs īsti neizprotam. Pati galvenā, protams, bija spēja piesaukt lietu. Lai arī vienā otrā ārkārtējā gadījumā debesis palika nepielūdzamas un, šķiet, nežēlīgi ņirgājās par maga pūliņiem, viņš tomēr simtiem reižu piespieda lietu līt, gandrīz katru reizi lietodams nedaudz citādus paņēmienus. Tiesa, upurēšanas ceremonijā, lūdzēju procesiju, garu piesaukuma un bungu rībināšanas rituālos viņš neuzdrošinājās itin neko grozīt vai arī ko izlaist. Bet šī bija tikai viņa darbības oficiālā, atklātībai redzamā puse, viņa amata un priestera darbības fasāde; protams, bija gaužām jauki un bezgala pacilājoši, ja vakarā pēc upurēšanas un procesijām debesis padevās, apvārsnis apmācās, vējš kļuva mikls un krita pirmās lietus lāses. Bet arī šai gadījumā bija nepieciešama lietus piesaucēja pieredze, lai izraudzītos īsto dienu, nevis rīkotos akli, bez izredzēm uz panākumiem; varēja lūgtin lūgt augstākās varas, pat uzmākties tām, taču nezaudējot mēra sajūtu un pakļaujoties debesu gribai. Dārgāki par šiem skaistajiem triumfālu panākumu un apžēlas brīžiem viņam bija pārdzīvojumi, par kuriem zināja vienīgi pats, turklāt arī pats apzināja tos vien nedroši, vairāk ar jutekļiem nekā ar prātu. Mēdza būt tādi laika apstākļi, tāds spriegums gaisā un temperatūrā, tādi mākoņi un vēji, tādi ūdens, zemes, putekļu smārdi, tādi draudi vai apsolījumi, tādas laika dēmonu kaprīzes un omas, ko Kalps sajuta acumirklīgi, tai pašā brīdī vai pat aizlaikus ar visām miesas porām, ar matiem, ar visiem jutekļiem, tā ka nekas nespēja viņu pārsteigt nesagatavotu, nekas nespēja viņu pievilt, — uztverdams laika pārmaiņas, svārstīdamies tām līdzi, viņš tiktāl koncentrēja tās sevī, ka spēja pavēlēt vējiem un mākoņiem, protams, ne jau patvarīgi, ne pēc saviem ieskatiem, bet tai saskaņā un saistībā ar dabu, kas nojauca visas robežas starp viņu un vidi, starp iekšējām un ārējām norisēm. Tādos mirkļos viņš aizgrābts sastinga un klausījās, aizgrābts pietupās un ne tikai ar visiem miesas audiem juta katru vēja un mākoņu kustību, bet arī spēja radīt un vadīt to — aptuveni tāpat, kā mēs atsaucam atmiņā pazīstamu muzikālu frāzi un reproducējam to sevī. Tādos mirkļos viņam vajadzēja tikai aizturēt elpu — un lietus vai pērkons pierima, vajadzēja tikai noliekt vai pakratīt galvu — un sāka birt vai mitējās krist krusa, vajadzēja tikai pasmaidot paust pretmetu izlīgumu sevī — un jau augšā pašķīrās mākoņu krokas, pavērdamas gaišu zilgmes spraugu. Dienās, kad dvēselē valdīja īpaši dzidra saskaņa un līdzsvarotība, viņš juta sevī un precīzi un nekļūdīgi paredzēja, kāds tuvākajās dienās būs laiks, it kā asinīs viņam būtu ierakstīta visa partitūra, pēc kuras jāvadās ārējai pasaulei. Šīs bija labākās, gaišākās dienas viņa mūžā, tās bija viņa balva, viņa svētlaime.

Ja turpretī šīs ciešās saites ar ārējo pasauli pārtrūka, ja laiks un Visums kļuva sveši, neizprotami un neaprēķināmi, traucēta bija arī viņa iekšējā saskaņa un strāvojumi pārtrūka; tad viņš jutās tā, it kā nebūtu nekāds lietus piesaucējs, un paša amats un atbildība par laika apstākļiem un ražu viņam šķita apgrūtinoša, netaisni uzlikta nasta. Tādās dienās viņš uzturējās mājās, bija paklausīgs un atsaucīgs vīrs Adai, kopā ar sievu čakli rosījās saimniecībā, gatavoja darbarīkus, rotaļlietas bērniem, vira dažādus dziedēkļus, alka mīlestības un centās pēc iespējas mazāk atšķirties no pārējiem vīriešiem, pilnīgi pakļauties dzimtas ieražām un tikumiem un pat uzklausīt Adas un kaimiņu sievu citkārt apnicīgās tērgas par ciema ļaužu gaitām, pašsajūtu un izrīcībām. Toties mūža labajās dienās viņu mājās redzēja maz, viņš klaiņoja apkārt, uzturējās zem klajas debess, ķēra zivis, medīja, meklēja saknes, gulēja zālē vai rāpās kokos, ostīja, ausījās, atdarināja zvēru balsis, iekūris nelielus ugunskurus, salīdzināja dūmu mutuļus ar mākoņu apveidiem, un viņa āda un mati pielija ar miglu, ar lietu, ar Saules un Mēness vizmu, un, tāpat kā augu mūžu tika darījis viņa meistars un priekštecis Turu, viņš vāca priekšmetus, kuri pēc būtības un ārējā izskata, šķiet, bija piederīgi dažādām sfērām un kuros viedā vai gražīgā daba it kā atklāja kādu likumību vai radības noslēpumu, — priekšmetus, kuros simboliski apvienots bija šķietami nesavienojamais, piemēram, zaru izaugumu, kam piemita cilvēka vai dzīvnieka izskats, ūdens apslīpētus oļus ar tādām svēdrām, it kā tie būtu no koka, aizvēsturisku dzīvnieku pārakmeņotās paliekas, kroplus vai dubultus ogu kauliņus, akmeņus, kam sirds vai nieres veids. Viņš pētīja lapu stiegrojuma rakstus, tīklveida līnijas uz lāčpurnu cepurītēm, jauzdams ko noslēpumainu, garīgu, topošu, varbūtēju: zīmju maģiju, ciparu un burtu pirmveidolus, bezgalīgā un daudzveidīgā iekļāvumu sistēmā, jēdzienā. Jo visas šīs pasaules izziņas iespējas taču iemita viņā, tiesa, pagaidām vārdā nenosauktas, apzīmējumu neguvušas, bet ne jau neīstenojamas, ne jau neatskāršamas, vēl dzietā, pumpurā apslēptas, tomēr arī viņam raksturīgas, viņam piederīgas un viņā organiski augošas. Un arī tad, ja mēs pārceltos vēl par dažiem gadu tūkstošiem tālāk pagātnē — vēl aiz šā lietus piesaucēja un viņa laikmeta, kurš mums liekas tik agrīns un primitīvs, — mēs, tāda ir mūsu pārliecība, līdzās cilvēkam allaž sastaptu arī garu, to garu, kuram sākuma nav un kurš mūžam ietvēris sevī itin visu, ko pats jebkad radījis.

Lietus piesaucējam nav bijis lemts iemūžināt kaut vienu no savām atskārtām, kaut aptuveni pierādīt to, kam viņa acīs pierādījumi, domājams, bija lieki. Viņš nekļuva nedz par vienu no daudzajiem rakstu zīmju atradējiem, nedz arī par ģeometrijas, medicīnas vai astronomijas atklājējiem. Viņš palika nezināms ķēdes loceklis, tikpat nepieciešams kā jebkurš cits: viņš nodeva tālāk mantojumu, ko bija saņēmis, un pievienoja tam paša gūtas un izcīnītas atziņas. Jo arī viņam bija mācekļi. Divus viņš, gadiem ritot, izmācīja par lietus piesaucējiem, un viens no tiem kļuva par viņa pēcnieku.

Ilgus gadus viņš rosījās viens, neizsekots nodarbojās ar savu amatu, un, kad pirmoreiz — tas notika drīz pēc neražas un lielā bada gadiem — kāds zēns sāka sērst viņa būdā, novēroja viņu, uzglūnēja viņam, dievināja un izsekoja viņu, proti, viens no tiem, kas jūt aicinājumu kļūt par lietus piesaucēju, Kalps ērmoti smeldzīgu sirdi atskārta, ka lemts atkārtoties, lai arī ar citu, viņa lielajam pārdzīvojumam, un pirmo reizi pats izbaudīja brieduma gadu bargo, vienlīdz spiedīgo un spirdzinošo sajūtu, saprazdams, ka jaunība pagājusi, ka puse mūža aizvadīta, ka zieds kļuvis par augli. Un, sev par pārsteigumu, viņš izturējās pret puisēnu tieši tāpat, kā vecais Turu reiz bija izturējies pret viņu, un šī nepielaidīgā, noraidošā, nogaidošā, novilcinošā nostāja izveidojās pati no sevis, instinktīvi, tā nebija nedz mirušā meistara atdarināšana, nedz arī tās pamatā bija morāla vai pedagoģiska rakstura apsvērumi, kaut vai tādi, ka vispirms rūpīgi jāpārbauda, vai jaunieša attieksme ir pietiekami nopietna, ka nevienam nedrīkst atvieglot ceļu uz amata noslēpumiem, gluži otrādi, ceļš jāpadara iespējami grūts, vai vēl citi — šiem līdzīgi. Nē, pret savu mācekli Kalps izturējās gluži vienkārši tā, kā pret saviem pielūdzējiem un skolniekiem izturas kurš katrs gados jau pavecāks, vientuļš un mācīts savādnieks, — mulsi, bikli, noraidoši, izvairīgi, baidīdamies zaudēt savu jauko vientulību un brīvību, iespēju netraucēti klaiņot meža biezoknī, vienatnē brīvi medīt, vākt gan šo, gan to, sapņot un ieklausīties klusumā, glabāt greizsirdīgu piekēŗību saviem ieradumiem un vājībām, saviem noslēpumiem un savām apcerēm. Viņš nebūt nesteidzas apkampt stomīgo jaunieti, kas tuvojās viņam goddevīgā ziņkārē, nebūt nepalīdzēja tam

348

pārvarēt biklumu un neuzmundrināja to, nebūt nejutās priecīgs un aplaimots, atzīts un glaimojošu panākumu guvis, redzēdams, ka svešā pasaule beidzot atsūtījusi pie viņa savu pārstāvi un apliecina viņam savu mīlestību, ka uzradies kāds, kas cenšas iemantot viņa labvēlību, uzskata sevi par viņa piekritēju un gara radinieku, par aicinātu kalpot tām pašām noslēpumainajām varām, kurām kalpoja viņš. Nē, pirmajā brīdī viņš izjuta to kā netīkamu traucējumu, kā uzbrukumu savām tiesībām un ieradumiem, mēģinājumu laupīt viņam viņa neatkarību, kas, kā viņš tikai tagad pārliecinājās, pašam bija bezgala dārga; viņš pretojās tam, gaužām atjautīgi centās pārspēt otru viltībā, slēpties, nojaukt pēdas, izvairīties un izlavīties. Bet arī šai ziņā viņam klājās tāpat, kā reiz bija klājies Turu; zēna neatlaidīgie, klusie mēģinājumi tuvoties pamazām iežēlināja viņu, lēnītēm iedragāja un salauza viņa pretestību, un viņš, zēnam pakāpeniski nostiprinot savas pozīcijas, soli pa solim pievērsās tam, kļuva atklātāks, vairs nepretojās lencēja vēlmēm un jaunajā — nereti tik apnicīgajā pienākumā mācīt un audzināt skolnieku sāka saskatīt nenovēršamību, likteņa dotumu, gara pavēli. Pamazām vien bija jāteic ardievas sapnim, saldajai izjūtai, ka viņu gaida neierobežotas iespējas, daudzveidīga nākotne. Sapnim par nebeidzamu attīstību, visa vieduma apkopojumu ceļā stājās skolnieks, niecīga, tuva, prasīga tiešamība, nelūgts viesis, kas iztraucējis viņa mieru, neatraidāms un neatvairāms — vienīgais ceļš uz patiesu nākotni, vienīgais, pats svarīgākais pienākums, vienīgā šaurā taka, kuru ejot lietus piesaucējs var glābt no iznīcības sava mūža veikumu, savus uzskatus, savas domas un nojausmas, lai tās turpinātu dzīvot jaunā, sīkā pumpurā. Nopūzdamies, griezdams zobus, smaidīdams viņš uzņēmās šo pienākumu.

Bet arī šai svarīgajā, varbūt pašā svarīgākajā darbības jomā, proti, mantojuma nodošanā tālāk un pēcnieka audzināšanā, lietus piesaucējam netika aiztaupīta kāda visai smaga un rūgta pieredze un vilšanās. Pirmais jaunietis, kurš centās iegūt Kalpa labvēlību un pēc ilgas gaidīšanas, daudzas reizes atraidīts, beidzot kļuva par viņa mācekli, saucās par Maro, un taisni šis audzēknis sagādāja Kalpam vilšanos, kuru viņš nekad vairs nespēja aizmirst. Maro bija pazemīgs un glaimīgs un ilgi tēloja bezierunu paklausīgo, lai gan viņam bija daudzi trūkumi, pirmām kārtām trūka drosmes, proti, viņu biedēja nakts un tumsa, ko viņš centās visādi slēpt, tā ka Kalps, tomēr pamanījis šīs bailes, noturēja tās par bērnišķību, kura ar laiku izzudīs. Tās tomēr neizzuda. Tāpat šis skolnieks nemaz nespēja pašaizliedzīgi un nesavtīgi nodoties vērojumiem, saviem pienākumiem un amata rituāliem, pārdomām un apjautām. Viņš bija gudrs, viņam piemita gaišs, apķērīgs prāts, un visu to, ko varēja iemācīties bez pašatdeves, viņš apguva ātri un nekļūdīgi. Bet pamazām atklājās, ka lietus piesaucēja prasmi viņš tiecas apgūt aiz patmīlīgiem apsvērumiem un nolūkiem. Vispirms viņš kāroja izcelties, būt nozīmīga persona, atstāt iespaidu; viņam piemita apdāvināta, nevis aicināta cilvēka godkāre. Viņš tiecās gūt atzinību, vienaudžu vidū lielījās ar savām zināšanām un iemaņām — arī tā, iespējams, bija bērniškība, kas ar laiku varbūt izzustu. Taču viņš tiecās ne vien pēc atzinības, bet arī pēc varas pār citiem, pēc priekšrocībām; pamanījis to, meistars satrūkās un sirdī pamazām novērsās no viņa. Pēc tam kad Maro jau vairākus gadus bija mācījies Kalpa vadībā, viņš divas vai trīs reizes tika pieķerts smagos pārkāpumos. Paļāvies vilinājumam, viņš patvarīgi, bez meistara ziņas un atļaujas, par samaksu ņēmās ar zālēm ārstēt slimu bērnu vai ar burvju vārdiem no kādas būdas izdzīt žurkas, un, kad viņš, par spīti brīdinājumiem un solījumiem laboties, no jauna tika notverts līdzīgos pārkāpumos, meistars padzina viņu, pastāstīja par notikušo ciltsmātei un centās izdzēst no atmiņas tik nepateicīgo un necienīgo mācekli.

Pārvarēt vilšanos vēlāk palīdzēja divi citi skolnieki, it īpaši otrais — viņa dēls Turu. Šo savu mācekli, pašu pēdējo un gados jaunāko, Kalps ļoti mīlēja, jo ticēja, ka tas sasniegs ko vairāk par viņu; šaubu nebija — zēnā iedzimis vectēva gars. Kalpam jaunus spēkus sniedza apziņa, ka viņš nodevis tālāk visas savas zināšanas, visu savu ticību, ka līdzās ir cilvēks, divkārt viņa dēls, kam viņš jebkuru mirkli var uzticēt amatu, ja pašam zustu spēki. Bet pirmo — neizdevušos skolnieku viņam tomēr neizdevās pavisam izraidīt no savas dzīves un savām domām, tas kļuva ne vienā vien būdā par itin iemīļotu un ietekmīgu, lai arī ne augsti godājamu vīru, bija apsievojies, uzjautrināja ļaudis, izlikdamies par tādu kā ākstu vai jokdari, uzmetās pat par galveno bundzinieku bungu rībinātāju korim un palika slepens lietus piesaucēja naidnieks un nīdējs, nodarīdams tam vienu otru sīku un pat lielu pārestību. Kalps nekad nebija tiecies pēc draugiem, pēc kopības, viņš alka būt viens un brīvs, nekad viņš nebija centies iemantot cieņu vai mīlestību, ja nepiemin zēna gadus un meistaru Turu. Tagad viņš juta, ko tas nozīmē, ja cilvēkam ir naidnieks un nīdējs; tā samaitāja viņam dažu labu dienu.

Maro bija viens no tiem skolniekiem, viens no tiem visai spējīgajiem audzēkņiem, kuri, lai gan ir apdāvināti, tomēr visos laikos ir par nastu un apgrūtinājumu saviem skolotājiem, tādēļ ka talants tiem nav iedzimts, no dzīles izaudzis, iekšēji nopamatots organisks spēks, labas iedabas un asiņu, laba rakstura smalkā iezīme, kas cilvēku dara cildenu, bet kaut kas it kā no ārienes ievazāts, nejaušs, pat uzurpēts vai nozagts. Skolnieks, kam mazisks raksturs, bet izcilas prāta spējas vai spoža iztēle, neizbēgami mulsina skolotāju: viņam jāsniedz šādam audzēknim pārmantotas zināšanas un metodes, jāpalīdz iesaistīties gara dzīvē, bet pats nevar nejust, ka viņa patiesais, augstākais pienākums būtu pasargāt mākslu un zinātni no tādu cilvēku pieplūduma, kuri ir tikai apdāvināti, jo skolotājam nav jākalpo skolniekam, bet gan abiem — skolotājam un skolniekam ir jākalpo garam. Šis ir īstais iemesls, kādēļ tas vai cits spožs talants biedē un šausmina skolotājus; katrs tāds skolnieks falsificē visu mācību darba lietderību un jēgu. Palīdzot skolniekam, kas gan prot spīdēt, bet neprot kalpot, būtībā tiek kaitēts šai kalpībai, tiek nodots gars. Mēs zinām dažu tautu vēsturē periodus, kuros laikā, kad gara dzīve bija satricināta līdz pašiem pamatiem, "tikai apdāvinātie" vārda tiešā nozīmē metās uzbrukumā, lai sagrābtu vadošos posteņus kopienās, skolās un akadēmijās, un itin visur par vadītājiem bija izcili apdāvināti ļaudis, kas itin visi alka valdīt, neprazdami kalpot. Laikus iepazīt šāda veida talantus, iekams tie pārņēmuši savā zināšanā intelektuālo profesiju pamatus, un, izrādot nepieciešamo bardzību, novirzīt tos neintelektuālas darbības sfērās, dažkārt, protams, ir ārkārtīgi grūti. Arī Kalps kļūdījās: viņš pārāk ilgi pacieta mācekli Maro, uzticēja paviršam pašlabuma meklētājam dažu amata noslēpumu, ko tagad nožēloja. Sekas arī viņam bija smagākas, nekā pats jebkad būtu domājis.

Pienāca gads — bārda Kalpam tolaik jau sāka sirmot —, kad dēmoni ar neparastu spēku un viltu sagrozīja un izjauca ierasto kārtību starp debesīm un zemi. Šie traucējumi sākās rudenī baismi un vareni, dziļi biedējot katru, liekot bailēs sažņaugties katra sirdij, ar nekad agrāk neredzētām debesu norisēm drīz pēc vasaras saulgriežiem, kurus lietus piesaucējs allaž vēroja īpaši uzmanīgi, gandrīz svinīgi un svētbijīgi. Sakrēsloja vakars, liegi vējots un pavēss, debesis bija stiklaini dzidras, tikai daži nemierīgi mākonīši slīdēja augstu jo augstu, neparasti ilgi atstarodami rožaino saulrietu, — steidzīgi, gaisīgi, putaini gaismas lāsumi salti blāvajā visumā. Kalps jau pirms vairākām dienām bija nomanījis ko spilgtāku, neparastāku par to, kas, dienām pamazām sarūkot, katru gadu ap šo laiku bija jūtams, — debess varu rosīšanos, zemes augu un dzīvnieku valsts uzbudinājumu, nemieru gaisā, kaut ko nenoteiktu, nogaidošu, baisu jausmu piestrāvotu visapkārt dabā, un tādi bija arī šie vakarstundas mākonīši, kas, vēl ilgi līpēdami, atspulgoja rietu, tādas bija viņu šaudīgās kustības, kas neatbilda vēja virzienam uz zemes, tāda bija sārtā atblāzma, kas it kā lūdzoties ilgi un sērīgi vairījās izdzist, līdz beidzot, dziestot un pagaistot tai, mākonīši vairs nebija saredzami. Ciematā viss bija mierīgi, sērsēji un bērni, kas ciltsmātes būdas priekšā mēdza klausīties vecās sievas nostāstus, jau bija izklīduši, vien daži puišeļi vēl skraidelēja apkārt un plūcās, visi citi jau bija savās būdās, un vakariņas jau sen bija paēstas. Daudzi jau gulēja; lietus piesaucējs, jādomā, bija vienīgais, kas vēroja sarkanīgos rieta mākoņus. Ilgi viņš staigāja šurp un turp mazajā dārziņā aiz savas būdas, lauzīdams galvu par laiku, satraukts un nemiera mākts, reizēm pa mirklim piesēda uz kluča, kas, nolikts nātrēm aizaugušā stūrī, noderēja malkas skaldīšanai. Nodziestot pēdējam gaismas atspogam mākoņos, zvaigznes vēl gaišajās, zaļganīgas blāzmas apspīdētajās debesīs pēkšņi kļuva labāk saskatāmas, tās iemirdzējās aizvien spilgtāk cita aiz citas; tur, kur nupat vēl bija redzamas tikai divas trīs, jau margoja veselas divdesmit trīsdesmit. Daudzas zvaigznes, atsevišķus zvaigžņu pudurus un zvaigznājus lietus piesaucējs pazina, viņš bija tos vērojis simtiem reižu; tas, ka zvaigznes allaž atradās savā vietā, viņu nomierināja, tās apremdināja sirdi; tālas un saltas — tās, tiesa gan, neizstaroja siltumu, toties stāvēja negrozāmi, cieši līdzās cita citai, vēstīdamas, ka valda kārtība, solīdamas pastāvību. Zemes dzīvei, cilvēka dzīvei šķietami tik tālas un svešas, un pretmetīgas, tik neaizsniedzamas dzīves siltumam, konvulsijām, ciešanām un ekstāzēm, ar savu cienīgi salto majestātiskumu un mūžīgumu līdz izsmieklam pārākas par šo dzīvi — zvaigznes tomēr bija saistītas ar mums, iespējams, vadīja mūs, valdīja pār mums, un, ja cilvēkam izdevās kaut ko uzzināt, padarīt par savu garīgo īpašumu, izcīnīt un apliecināt gara pārākumu pār iznīcību, šis guvums atgādināja zvaigznes, tāpat kā tās, staroja ledaini rimts, mierināja ar saltu spozmi — mūžīgs un drusku izsmējīgs. Tā nereti domāja lietus piesaucējs, un, lai gan ar zvaigznēm viņam nebija tikpat tuvas, satraucošas, mijas un atjaunotnes nemainībā pārbaudītas attiecības kā ar Mēnesi — lielo, tuvo, mitro spīdekli, trekno brīnumzivi debesu jūrā, viņš tomēr tās dziļi bijāja un viņu ar tām saistīja ne viens vien ticējums. Ilgi vērties zvaigznēs, ļaujoties to iedarbībai, atklājot tām savas pārdomas, savu sirdi, pavērt savus rūpestus zvaigžņu saltajiem, mēmajiem skatieniem viņam bija kļuvis par ko līdzīgu atsvaidzinošai peldei un burvju dzērienam.

Arī šodien zvaigznes lūkojās lejup tāpat kā vienmēr, tikai spožākas nekā citkārt, it kā uzasinātas sastringtajā, retinātajā gaisā, bet viņš nerada sevī mieru, lai tās atdevīgi vērotu; no nezināmām tālēm nākusi, viņā ielauzās svešatnīga vara, sāpīgi iezīdās visās porās, zīda vai acis no pieres ārā, iedarbojās neredzami un bez mitas it kā strāva, it kā brīdinošas tirpas. Tepat blakus tumši sārta blāvajās uguns pār pavarda oglēm būdā, ritēja sīkā, siltā dzīvīte, atskanēja kluss pasauciens, smiekli, kāds skaļi nožāvājās, oda pēc cilvēka, pēc sasilušiem augumiem, mātišķuma, bērna miega, un šīs miermīlīgās īstenības tuvums it kā vēl dziļāku darīja nule iestājušās nakts tumsu, it kā aizraidīja zvaigznes vēl jo tālāk prom neizdibināmi augstajā debesu tālē.

Un tieši brīdī, kad Kalps izdzirda, kā būdā Ada, aijādama bērnu, zemā balsī dungo kādu melodiju, debesīs sākās katastrofa, ko ciemats pieminēja vēl gadiem ilgi. Rāmo, spožo zvaigžņu tīkls pēkšņi vietumis uzmirgoja un noplaiksnīja, it kā šā tīklāja citkārt neredzamie pavedieni aizdegušies uzliesmotu; slīpi lejup kā neredzamas rokas mesti akmentiņi, uzliesmodamas un tūdaļ atkal apdzisdamas, krita zvaigznes — te viena, tur divas, cituviet vēl dažas, un acs vēl nebija beigusi vērot, kā krīt un pagaist pati pirmā, sirds, pamirusi aiz bailēm par redzēto, vēl nebija atsākusi sisties, kad gunis debesīs cita aiz citas ieslīpi, viegli izliektā līknē krizdamas, riekšām mestas, lidoja lejup jau desmitiem, veseliem simtiem — neskaitāmām virdzēm, kā milzu vētras triektas, gunis iešķērsu brāzās klusajā naktī, it kā Visuma rudens būtu notraucis visas zvaigznes kā vītušas lapas no debesu koka un dziļā klusumā dzītu tās pretī nebūtībai. Kā vītušas lapas, kā vēja nestas sniega pārslas tās baisā klusumā tūkstošu tūkstošiem lidoja lejup, izzuzdamas aiz mežiem apaugušajiem kalniem dienvidaustrumos, kur itin nekad, cik vien tēlu pagātnē sniedza cilvēka atmiņa, vēl nebija rietējusi neviena zvaigzne, un pagaisa kaut kur bezgalībā.

Aiz bailēm vai sastindzis, acīm kaistot, stāvēja Kalps, ierāvis galvu plecos, pārbiedētu un tomēr alkatīgu skatienu urbdamies pārvērtību skartajās, noburtajās debesīs, neticēdams pats savām acīm, tomēr dziļi pārliecināts, ka notiek kas briesmīgs. Tāpat kā citi, kas vēroja nakts norisi, viņš nešaubījās ne mirkli, ka acu priekšā grīļojas pašas sen iepazītās zvaigznes, šķīst uz visām pusēm, gāžas lejup, un gaidīja, ka debesu velve, ja vien zeme pirms tam neaprīs viņu, drīz vien vērsies pretī melna un tukša. Pēc brīža viņš, tiesa, saskatīja to, ko citi saskatīt neprata, proti, ka sen zināmās zvaigznes gan še, gan tur, gan itin visur vēl arvien ir katra savā vietā, ka baismais Visuma putenis plosās ne jau veco, labi zināmo zvaigžņu vidū, bet gan starptelpā starp debesīm un zemi un ka šīs krītošās vai lejup mestās svešādās gunis gaist tikpat ātri, kā parādās, un izstaro nedaudz citādas krāsas gaismu nekā vecās, īstās zvaigznes. Šis atklājums mazliet nomierināja Kalpu, līdzēja viņam atgūties, bet, lai arī zvaigznes, kas virmoja debeslaukā, bija citas — zudīgas, jaunas, tās, drausmas un ļaunas, tomēr vēstīja postu un jukas, un no izkaltušās rīkles viņam izlauzās dziļas nopūtas. Viņš palūkojās uz zemi, viņš ieklausījās apkārtējās skaņās, lai noskaidrotu, vai viņš ir vienīgais, kas vērojis rēgaino ainu, jeb vai to redzējuši arī citi. Pēc brīža viņš apkārtējās būdās izdzirda vaidus, spalgus brēcienus, baiļu kliedzienus; arī citi bija to redzējuši, kliedzot pavēstījuši tālāk, piecēluši no miega gulētājus, tos, kas vēl neko nezināja, — drīz bailes un panika pārņēma visu ciematu. Dziļi nopūties, Kalps padevās savam liktenim. Viņu pirmo skāra šī nelaime, viņu, lietus piesaucēju, — viņu, kas savā ziņā bija atbildīgs par kārtību debesīs un gaisos. Līdz šim viņš arvien laikus bija paredzējis vai nojautis tuvas dabas katastrofas: plūdus, krusu, viesuļvētras, katru reizi bija brīdinājis mātes un vecajās, bija novērsis pašu ļaunāko, ar savām zināšanām, savu drosmi, paļāvību uz augstākajām varām bija glābis ciemata ļaudis no izmisuma. Kādēļ viņš šoreiz neko nebija paredzējis, nebija devis nekādus rīkojumus? Kādēļ viņš nevienam ne vārda netika bildis par tumšo, biedīgo priekšnojautu, kas pašu tomēr bija mākusi?

Kalps pacēla pīteni, kas aizsedza ieeju būdā, un klusiņām pasauca sievu. Viņa iznāca ārā, piespiedusi pie krūtīm pašu mazāko, viņš paņēma bērnu un, ienesis atpakaļ būdā, noguldīja salmos, pēc tam satvēra Adu aiz rokas, piedūra pirkstu pie lūpām, likdams klusēt, izveda viņu laukā un pēc mirkļa redzēja, ka viņas rāmos, pazemīgos vaibstus pēkšņi izķēmo šausmas.

— Lai bērni guļ, viņiem tas nav jāredz, vai dzirdi? — viņš aprauti čukstēja. — Nelaid nevienu ārā, arī Turu ne. Un arī pati paliec būdā.

Brīdi viņš vilcinājās, nezinādams, ko vēl lai saka, ciktāl lai atklāj savas domas, un beidzot stingri piemetināja:

— Tev un bērniem nekas nenotiks.

Viņa uzreiz noticēja vīram, lai gan nedz iekšēji, nedz ārēji vēl nebija atguvusies no pārciestā izbīļa.

— Kas tas īsti ir? — viņa jautāja, no jauna novērsusi skatienu no vīra, lai palūkotos debesīs. — Vai tā ir slikta zīme?

— Slikta, — viņš maigi attrauca, — man rādās, ka ļoti slikta. Bet tevi un bērnus tas neskars. Palieciet būdā, raugies, lai pītenis cieši piesedz durvis. Man jāiet pie ļaudīm, jārunā ar tiem. Ej iekšā, Ada!

Viņš iestūma sievu būdā, rūpīgi nolaida pīteni, pastāvēja vēl brīdi, pievērsis seju zvaigžņu lietum, tad nodūra galvu, vēlreiz smagi nopūtās un, ieniris tumsā, ašu soli devās ciemata virzienā — uz ciltsmātes būdu.

Tur jau pulcējās puse ciemata, dzirdama bija dobja dunoņa, aiz bailēm vai pamiruši, ļaudis vēl valdījās, šausmu un izmisas mākti. Bija vīrieši un sievietes, kas šai drausmu un bojāejas noskaņā ļāvās sava veida sirdīgai saldkaislei, kā ekstāzē stāvēja nekustīgi un stīvi vai arī, nevaldīdami pār savām kustībām, svaidīja rokas un kājas. Kāda sieviete, kurai uz lūpām bija putas, savā nodabā dejoja izmisīgu un reizē piedauzīgu deju, veselām šķipsnām plēsdama garos matus. Kalps saprata: jau ir sācies, gandrīz visi jau apmātības varā, krītošo zvaigžņu noburti un apstulboti, kuru katru mirkli var sākties ārprāta, dusmu un pašiznīcināšanās trakuma orģija, pēdējais laiks pulcēt ap sevi nedaudzos drosmīgos un apdomīgos, stiprināt tos. Mūžvecā ciltsmāte bija mierīga, viņa nešaubījās, ka visam pienācis gals, taču nepretojās un raudzījās pretī liktenim apņēmīgu, pārakmeņotu vaigu, sakniebusi lūpas bargā, bezmaz izsmējīgā smīnā. Kalps piespieda ciltsmāti uzklausīt viņu. Viņš centās vecajai pierādīt, ka izsenis zināmās zvaigznes vēl arvien ir savās vietās, bet to viņa nespēja apjēgt — varbūt tieši tādēļ, ka acis bija par vārgām, lai tās ieraudzītu, varbūt arī aiz tā iemesla, ka viņas priekšstati par zvaigznēm un attieksme pret tām pārāk atšķīrās no lietus piesaucēja priekšstatiem un attieksmes, lai abi viens otru saprastu. Viņa purināja galvu, savilkusi seju bezbailīgā smīnā, bet, līdzko Kalps dedzīgi lūdza veco nepamest likteņa un dēmonu varā baiļu apmātos ļaudis, tā tūdaļ piekrita viņam. Ap ciltsmāti un lietus piesaucēju salasījās pulciņš baiļu māktu, taču prātā nesajukušu cilvēku, lai uzklausītu, kas darāms.

Vēl pirms brīža Kalps bija cerējis, ka, rādīdams piemēru, teikdams saprātīgus vārdus, paskaidrodams un iedrošinādams spēs novērst paniku. Bet īsā saruna ar ciltsmāti pārliecināja viņu, ka tas vairs nelīdzēs. Kalps bija cerējis, ka izdosies pastāstīt pārējiem par savām izjūtām, apdāļājot ļaudis, liks tiem just to pašu, ko tika jutis viņš, — bija cerējis, ka, viņa iedrošināti, ļaudis pirmām kārtām sapratīs, ka ne jau zvaigznes pašas, vismaz ne visas, krīt lejup un aiztrauc Visuma viesuļvējā, un pēc tam, darbīgam vērojumam nomainot bezpalīdzīgās bailes un izbrīnu, spēs pārvarēt šausmas, kas tos satriekušas. Bet visā ciematā — par to viņš pārliecinājās ātri — šādai ietekmēšanai pakļautos tikai nedaudzi, un, kamēr izdotos iespaidot kaut dažus, pārējie galīgi sajuktu prātā. Nē, šai gadījumā, kā tas notiek tik bieži, ar prāta apsvērumiem un gudrām valodām nekas nebūtu panākams. Par laimi, netrūka citu līdzekļu. Ja nāves bailes nav novēršamas, liekot tām pretī saprātu, tās vismaz ir vadāmas, organizējamas, tām var piešķirt veidu un izteiksmi, saliedējot bezcerīgo vājprāta jūkli ciešā vienībā, sakļaujot atsevišķās, neapvaldītās, mežonīgās balsis vienotā korī. Kalps uz vietas sāka rīkoties, un līdzeklis, ko viņš lika lietā, iedarbojās uzreiz. Nostājies pūļa priekšā, viņš izkliedza visiem labi zināmās lūgsnas vārdus, ar kuru mēdza ievadīt dzimtas grēku nožēlas un sēru sanāksmes, apraudot mirušu ciltsmāti, upurējot un svinīgi nožēlojot grēkus, ja visam ciematam draudēja briesmas, piemēram, sākās sērgas vai plūdi. Viņš izkliedza vārdus noteiktā ritmā, ar plaukstām sizdams takti, un tai pašā ritmā, kliegdams un plaukstas kuldams, zemu pietupās un no jauna izslējās, atkal pietupās, atkal izslējās, un, raugi, jau daži desmiti cilvēku atdarināja viņa kustības, un arī sirmā ciltsmāte, pietraususies kājās, murmināja kaut ko dejas ritmā un ar viegliem galvas mājieniem norādīja rituālās kustības. Tie, kas vēl atsteidzās no apkārtējām būdām, uz vietas pakļāvās ceremonijas ritmam un noskaņai, bet daži galīgi apsēstie aiz spēku izsīkuma drīz vien sabruka un gulēja nekustīgi vai arī, rituālās norises aizrauti, iekļāvās daudzbalsīgās murdoņas un kustību ritmā. Kalps bija uzvarējis. Izmisuma mākta, satracināta pūļa vietā bija stājusies uz upuriem un grēku nožēlu gatava bijīgu ļaužu kopa, kurā ikviens jutās atvieglots un sirdī stiprināts, ka nav jāglabā sevī nāves bailes un šausmas vai jāizkliedz tās vienam, ka var pievienoties skanīgam daudzu balsu korim, kliegt ritmā, iekļauties garu apvārdošanas ceremonijā. Daudzas noslēpumainas varas darbojas līdzi šādā rituālā, taču lielāko gandarījumu sniedz vienveidība, divtik stipru vērsdama kopības apziņu, un galvenais tajā ir samērs un kārtība, ritms un mūzika.

Nakts debesis vēl aizvien klāja krītošo zvaigžņu tūkstoši kā neskanīgi lejup ritošu gaismas pilienu kaskāde, kas vēl stundas divas šķieda savas lielās, sarkanīgās uguns lāses. Bet ciema ļaužu šausmas bija pārvērtušās zemīgā padevībā liktenim, piesauksmē un nožēlā, un debesu nekārtību priekšā cilvēka bailes un vājums ietērpās kārtībā un kulta harmonijā. Iekāms zvaigžņu lietus paguris sāka līt retāk, brīnums bija paveikts un izstaroja dziedinošu spēku, bet, kad debesis, likās, palēnām sāka nomierināties un atspirgt, līdz nāvei nogurušos rituāla dalībniekus itin visus pārņēma pacilājoša sajūta, ka ar savu deju iežēlinājuši augstākās varas un atjaunojuši kārtību debesu velvē.

Ļaudis neaizmirsa šo baismu nakti, vēl augu rudeni un ziemu par to tika spriests, taču drīz vien ne jau čukstus vairs, ne ar baiļu pieskaņu, bet gan ikdienišķā balsī, ar gandarījumu pieminot, cik vīrišķīgi paši izturējušies nelaimē, cik veiksmīgi novērsuši briesmas. Ar labpatiku atcerējās nenozīmīgas norises; ikvienu kaut kā citādi bija pārsteigusi nepieredzētā aina, ikviens apgalvoja, ka ieraudzījis to pirmais, ļaudis pat uzdrīkstējās pazoboties par tiem, kurus notiekošais bija sevišķi nobiedējis un satraucis, un vēl ilgi ciemata iemītnieki nevarēja norimties: kaut kas bija piedzīvots, bija noticis kas varens, kas neparasts.

Kalpu šāds noskaņojums neskāra, viņš nespēja, tāpat kā citi, pamazām nomierināties un aizmirst dižo norisi. Viņam šis baisais piedzīvojums bija un palika neaizmirstams brīdinājums, dzelonis, kas nav izraujams, viņa izpratnē nekas nebija galā, nekas nebija novērsts tāpēc vien, ka notikums pagājis, ka ar procesijām, lūgšanām un grēku nožēlu izdevies iežēlināt augstākās varas. Gluži otrādi, ritot dienām, notikušais viņam likās arvien nozīmīgāks, jo viņš centās piešķirt tam jēgu, lauzīja galvu, tiekdamies saprast un izskaidrot norisi. Viņa acīs pats notikums, pati brīnumainā dabas norise bija bezgala liela un sarežģīta problēma ar daudzām varbūtējām sekām; cilvēkam, kas pieredzējis ko tādu, par to laikam gan jādomā visu mūžu. Ciematā bija viens vienīgs cilvēks, kurš apmēram tāpat, ar tādām pašām acīm būtu vērojis zvaigžņu lietu, — viņa dēls un skolnieks Turu; vien šā liecinieka spriedumus un labojumus Kalps būtu uzklausījis. Bet dēlu viņš nebija atļāvis modināt, un, jo ilgāk viņš lauzīja galvu, kādēļ tā rīkojies, kādēļ, ieraudzījis tik neparasto norisi, atsacījies no vienīgā uzticības cienīgā liecinieka un līdzvērotāja, jo pārliecinātāks viņš kļuva, ka šoreiz darījis pareizi, ļaudamies viedai nojautai. Viņš bija gribējis pasargāt savējos, lai tie neredz šo ainu, — arī savu mācekli un biedru, turklāt mācekli jo sevišķi, jo nevienu tā nemīlēja kā Turu. Viņš bija apslēpis un noklusējis dēlam zvaigžņu lietu, jo pirmām kārtām ticēja miega labajiem gariem, it īpaši ja runa par jaunības gadu miegu, un bez tam, ja vien atmiņa viņu nevīla, jau tobrīd, sākoties debesu zīmēm, bija saskatījis tajās ne tik daudz dzīvības briesmas visiem, cik ļaunu zīmi, kas vēstī par gaidāmu nelaimi, turklāt par tādu, kura nevienu citu neskars un nepiemeklēs tik smagi kā viņu, lietus piesaucēju. Kaut kas tuvojās — kāds bieds vai drauds no sfērām, ar kurām viņu saistīja amats, un šīs briesmas, lai kādā veidā tās izpaustos, vispirms un tieši aiztvers viņu. Modri un apņēmīgi stāties pretī briesmām, sirdī gatavoties tām, pieņemt tās, bet neļaut tām pieveikt un pazemot sevi — tāda bija mācība, tāds bija secinājums, ko viņš guva, apcerēdams ļauno zīmi. Liktenis, kas viņu gaida, prasīs drosmi un pieredzi, tādēļ nebūtu bijis saprātīgi iesaistīt dēlu, padarīt to par ciešanu biedru, kaut vai par liecinieku, jo, lai cik augstās domās viņš bija par dēlu, tomēr nejutās drošs, vai tik jaunam un nepārbaudītam cilvēkam kas tamlīdzīgs būtu pa spēkam.

Viņa dēls Turu, protams, bija gaužām neapmierināts, ka palaidis garām un nogulējis lielo norisi. Lai kā to iztulkotu, tas tomēr bija kas varens, varbūt visā mūžā vairs neizdosies redzēt ko tādu, secen bija gājis rets piedzīvojums, nogulēts bija īsts pasaules brīnums — vēl ilgi dēls bozās uz tēvu. Bet bozīgums pamazām pārgāja, jo vecais izturējās pret viņu sevišķi maigi un uzmanīgi un biežāk nekā jebkad agrāk iesaistīja viņu amata pienākumu veikšanā; gaidāmu norišu priekšnojautā Kalps acīmredzot īpaši centās izaudzināt Turu par iespējami lietpratīgu un zinošu pēcnieku. Tiesa, sarunās ar dēlu viņš tikai paretam pieminēja zvaigžņu lietu, toties aizvien vaļsirdīgāk atklāja tam savus noslēpumus, savu darbošanos, savas zināšanas un savus meklējumus, arvien ņēma to līdzi, neliedza tam piedalīties eksperimentos un dabas vērojumos, ko līdz šim allaž bija veicis viens.

Atnāca un pagāja ziema, mitra un drīzāk jau pasilta. No debesīm nekrita vairs neviena zvaigzne, nebija lielu un neparastu notikumu, ciemats bija nomierinājies, mednieki cītīgi medīja; sakārtas uz sklandām, aukstās dienās pie būdām vējā grabēja saišķos sasietās, ragā sasalušās, cietās zvērādas, uz garām, gludi tēstām šķilām ļaudis pa sniegu vilka mājās kurināmo. Tieši tādā īsā sala periodā ciematā nomira kāda veca sieva, viņu nevarēja uzreiz apbedīt, un dienām ilgi, kamēr zeme atkal mazliet atlaidās, sasalušais līķis čurnēja līdzās durvīm, atsliets pret būdu.

Tikai pavasarī daļēji apstiprinājās lietus piesaucēja drūmās nojautas. Tas bija īpaši slikts, Mēness svētību neguvis, skumīgs pavasaris bez audzelības un sulām; Mēness mūždien aizkavējās, un ne reizi nesakrita dažādās zīmes, kas nepieciešamas, lai noteiktu sējas dienu, vāras saziedēja puķes meža dziļoksnī, nedzīvi koku zaros vīta neizplaukuši pumpuri. Kalps bija dziļi noraizējies, viņš gan centās neizrādīt savas bažas, taču Ada un īpaši Turu redzēja, kā tās saēd viņa veselību. Viņš veica ne vien ierastās vārdošanas, bet upurēja arī pats uz savu roku, vārīja dēmoniem smaržīgus, saldkaisli modinošus virumus un uzlējumus, apcirpa īsi bārdu, sajaucis ar sveķiem un mitrām mizām, jauna Mēness naktī sadedzināja matus, tā ka augšup cēlās biezi dūmi. Cik vien ilgi varēdams, viņš novilcināja kopīgos pasākumus — dzimtas upurus, piesaukuma procesijas, bungu rībināšanu, cik vien ilgi iespēdams, viens centās pieveikt šā nemīlīgā pavasara nolādētos laika apstākļus. Beidzot, kad ierastais sējas laiks jau sen bija garām, viņam tomēr neatlika nekas cits kā vien ziņot ciltsmātei par visu, un raugi, arī šeit viņš uzdūrās neveiksmei un likstām. Vecā ciltsmāte, uzticams draugs, kas izturējās pret Kalpu ar mātes labvēlību, nespēja uzklausīt viņu, tā jutās nevesela, necēlās vairs no savas guļvietas un visus pienākumus un rūpestus bija atstājusi māsas ziņā, bet māsa īsti necieta lietus piesaucēju, viņai nepiemita vecās ciltsmātes bargais, taisnais raksturs, turklāt bija slieksme uz izpriecām un rotaļām, un šī nosliece satuvināja ciltsmātes vietnieci ar bundzinieku un ākstu Maro, kurš prata viņu izklaidēt un glaimot viņas godkārei, un Maro bija Kalpa ienaidnieks. Jau no pirmās sarunas Kalps noskārta, ka vecā noskaņota vēsi un nelabvēlīgi, lai gan neiebilda ne vārda. Lietus piesaucēja atzinumi un priekšlikumi, proti, atlikt sēju, kā arī varbūtējās upurēšanas un procesijas, tika atzīti par pareiziem un pieņemti, tomēr vecā runāja ar viņu salti, kā ar padoto, un viņa vēlme apraudzīt slimo ciltsmāti vai vismaz pagatavot tai kādas zāles tika noraidīta. Apbēdināts, juzdamies tā, it kā būtu kļuvis vēl nabagāks, ar sāju piegaršu mutē viņš devās mājup pēc šīs sarunas, un pusi Mēness fāzes darīja visu, ko vien prata, lai radītu sējai labvēlīgus laika apstākļus. Bet laiks, nereti tik saskanīgs ar strāvojumiem viņa dvēselē, izturējās nepiekāpīgi, izsmējīgi un naidīgi, nelīdzēja nedz burvju vārdi, nedz upuri. Lietus piesaucējam nekas netika aiztaupīts, viņš bija spiests atkal doties pie ciltsmātes māsas — šoreiz jau ar lūgumu paciesties, vēl atlikt sēju — un tūdaļ nomanīja, ka vecā sieva acīmredzot apspriedusies ar Maro, šo jokupēteri, par viņu un viņa lūgumu, jo, runādama par nepieciešamību nolikt sējas dienu vai arī rīkot kopīgas piesaukuma procesijas, tā sprieda pārlieku jau viszinīgi un lietoja dažus izteicienus, ko bija varējusi aizgūt tikai no Maro, kādreizējā lietus piesaucēja mācekļa. Kalps izlūdzās vēl trīs dienas, pēc tam no jauna noteica zvaigžņu stāvokli, kas šoreiz likās nedaudz labvēlīgāks, un ieteica sākt sēju trešā Mēness ceturkšņa pirmajā dienā. Vecā piekrita, beigdama sarunu ar ierasto rituālo frāzi; lēmums tika pavēstīts ļaudīm, un visi sāka gatavoties sējas svinībām. Bet taisni tobrīd, kad jau šķita, ka visu izdevies nokārtot, dēmoni no jauna apliecināja savu nelabvēlību. Tieši dienu pirms ilgi gaidītās un rūpīgi gatavotās sējas nomira ciltsmāte, sējas svinības nācās atlikt, bija jāizsludina bēres un jāgatavojas tām. Apbedīšana notika ļoti svinīgi: aiz jaunās ciema vecajās, tās māsām un meitām gāja lietus piesaucējs, tērpies lielo lūgšanas procesiju kulta ģērbā, smailu lapsādas cepuri galvā, sava dēla Turu pavadīts, kurš vicināja divskanīgu cietkoka klabatu. Mirušajai, tāpat kā tās māsai, jaunajai ciltsmātei, tika parādīts pienācīgs gods. Maro ar saviem bundziniekiem aizspraucās citiem priekšā un guva ievērību un atzinību. Ciemats lēja asaras un godināja aizgājēju, izbaudot gan apraudāšanu un svētku noskaņu, gan bungu rīboņu un upurēšanas; tā itin visiem bija neaizmirstama diena, bet sēju no jauna vajadzēja atlikt. Kalps stāvēja citu vidū cienīgs un savaldīgs, taču bija dziļi norūpējies; viņam šķita, ka līdz ar ciltsmāti apbedī sava mūža gaišās dienas.

Drīzumā pēc jaunās ciltsmātes rīkojuma īpaši krāšņi tika svinēti sējas svētki. Svinīgi procesija apstaigāja tīrumus, svinīgi vecā izsēja kopienas zemē pirmās riekšavas graudu, līdzās tai gāja visas māsas, katra nesa pa maišelim, no kura vecā pagrābās sēklu. Kalps atviegloti uzelpoja, kad ceremonija bija galā.

Bet tik svinīgi izsētajiem graudiem nebija lemts nedz priecēt, nedz nest augļus — gads bija pārlieku bargs. Sācies ar ziemas atgriešanos un saliem, laiks šajā pavasarī un vasarā sagādāja ļaudīm arvien jaunas nepatikšanas un errastības, un vasaras vidū, kad tīrumos beidzot sazēla reta, zema, vārga augu sega, atgadījās pats ļaunākais — uznāca tāds sausums, kādu neviens neatcerējās pieredzējis. Nedēļu pēc nedēļas versmoja saule, bālganā tveices dūmakā tīta; izsīka strauti, un ciemata dīķis pārvērtās par dubļu peļķi — tīro paradīzi spārēm un milzum lieliem odu bariem; izkaltušajā zemē pletās dziļas plaisas, atlika vien noskatīties, kā vārgst un iet bojā sējumi. Reizēm savilkās mākoņi, bet pērkons nenesa valgmi, un, ja arī dažbrīd pasijāja sīks lietutiņš, tam uz pēdām sekoja austrenis, kas pūta dienām ilgi, nereti zibens iespēra augstos kokos, un pa pusei nokaltušās virsotnes, strauji uzliesmojušas, sadega vienā mirklī.

— Turu, — Kalps kādudien uzrunāja dēlu, — tas labi nebeigsies, pret mums sazvērējušies visi ļaunie gari. Viss sākās ar zvaigžņu lietu. Man rādās, tas maksās man dzīvību. Iegaumē: ja vajadzēs mani upurēt, tu tai pašā brīdī stāsies manā vietā un pirmām kārtām prasīsi, lai manu līķi sadedzina un pelnus izkaisa vējā. Jums būs jācieš bads. Bet posta vara būs lauzta. Tev jāgādā, lai ļaudis neizlaupa kopienas sēklu; ja kāds to darīs, tas jāsoda ar nāvi. Nākamais gads būs labāks, un visi sacīs: "Cik labi, ka mums ir jauns lietus piesaucējs!"

Ciematā valdīja izmisums. Maro rīdīja ļaudis, lietus piesaucējam nereti bija jāuzklausa draudi un lāsti. Ada saslima: viņu kratīja drudzis, un viņa nemitīgi vēma. Procesijas, upurēšanas, nebeidzamā, sirdi satricinošā bungu rīboņa — it nekas vairs nelīdzēja. Kalps vadīja rituālos pasākumus, tas bija viņa pienākums, bet, līdzko ļaudis izklīda, viņš atkal palika viens — visi no viņa vairījās. Viņš zināja, kas darāms, un zināja arī, ka Maro jau prasījis, lai ciltsmāte upurē lietus piesaucēju. Alkdams glābt savu un sava dēla godu, viņš spēra pēdējo soli: ietērpis Turu lielo svētku apģērbā, devies kopā ar to pie ciltsmātes, viņš lūdza atzīt dēlu par savu pēcnieku un atteicās no amata, piedāvādams pats sevi par upuri. Vecā brīdi ziņkāri vēroja viņu, tad piekrizdama pamāja.

Upurēšana notika tai pašā dienā. Saskrējis būtu viss ciemats, bet daudzi sirga ar vēderguļu, arī Ada bija smagi slima. Turu savā kulta tērpā un augstajā lapsādas cepurē bezmaz saķēra siltumdūrienu. Visas augstās un cienījamas personas, kas vēl bija veselas, piedalījās gājienā — ciltsmāte ar divām māsām, vecajie, bundzinieku vadonis Maro. Aiz viņiem juku jukām vilkās bars ciema ļaužu. Neviens negānīja veco lietus piesaucēju, visi mulsi klusēja. Gājiens devās uz mežu, uz klaju lauci, ko Kalps bija izraudzījies par upura vietu. Vairums vīru līdzi nesa akmens cirvjus, lai sacirstu malku sārtam. Nonākuši meža laucē, vīri sastājas lokā ap lietus piesaucēju, attālāk turējās pūlis. Redzēdams, ka ļaudis vilcinās un neziņā klusē, lietus piesaucējs ierunājas pirmais:

— Es biju jūsu lietus piesaucējs, — viņš teica, — un ilgus gadus darīju savu darbu, cik vien labi prazdams. Tagad dēmoni sacēlušies pret mani, nekas man vairs neizdodas. Tādēļ es nesu sevi par upuri. Tas iežēlinās ļaunos garus. Mans dēls Turu turpmāk būs jūsu lietus piesaucējs. Tagad nogaliniet mani un, kad būšu miris, izpildiet visus Turu norādījumus. Ardievu! Kas nogalinās mani? Es lieku priekšā, lai to dara bundzinieks Maro, viņš ir īstais vīrs tādam uzdevumam.

Kalps apklusa, bet neviens ir nepakustējis. Turu, pietvīcis gluži sarkans zem smagās ādas cepures, izmocītu skatienu pavērās visapkārt, tēvs savilka lūpas zobgalīgā smīnā. Tad ciltsmāte dusmās piecirta kāju un, pasaukusi Maro, uzkliedza tam:

— Uz priekšu! Ņem cirvi un dari, kas darāms!

Maro, satvēris cirvi, nostājās sava bijušā skolotāja priekšā; šai mirklī viņš ienīda Kalpu tā, kā vēl nekad nebija ienīdis: zobgalīgais vaibsts ap lietus piesaucēja vecīgo, cieši sakniebto muti dziļi aizskāra viņu. Viņš pacēla cirvi, savēcināja to virs galvas, nomērķējis turēja paceltu, blenza upurim sejā un gaidīja, ka tas aizvērs acis. Bet Kalps nepakļāvās, nelokāmi turēja acis atvērtas un bezmaz neizteiksmīgu skatienu lūkojās vīrā ar cirvi — ja skatienā tomēr kas bija salasāms, tad vien žēlums un izsmējība.

Saniknots Maro nosvieda cirvi.

— Es to nedarīšu, — viņš nomurdēja, izlauzās cauri cienījamo ļaužu lokam un nozuda pūlī. Daži paklusu iesmējās. Ciltsmāte nobāla aiz dusmām, skaizdamās ne vien uz gļēvo, neizdarīgo Maro, bet arī uz augstprātīgo lietus piesaucēju. Viņa pamāja kādam no vecajiem — godājamam, nerunīgam vīram, kurš stāvēja, atbalstījies pret cirvja kātu, un, šķiet, kaunējās par šo necienīgo ainu. Viņš iznāca priekšā, vieglītēm, laipni pameta upirim ar galvu — abi pazina viens otru kopš zēna gadiem —, un upuris labprātīgi pievēra acis, cieši tās aizdarīja un nedaudz pieliecās. Vecais zvēla viņam ar cirvi, un viņš saļima. Turu, jaunais lietus piesaucējs, nespēja izteikt ne vārda, vienīgi ar žestiem viņš norādīja, kas darāms, un drīz vien bija sakrauts sārts un uz tā novietots nedzīvais ķermenis. Svinīgais uguns ieguves rituāls, lietojot divas iesvaidītas nūjiņas, bija Turu pirmais amata akts.

BIKTSTĒVS

Tas notika dienās, kad svētais Hilarions vēl bija dzīvs, lai arī jau gadu nastas saliekts; toreiz Gazas pilsētā mita kāds vīrs, ko sauca par Jozefu Famulu; līdz trīsdesmitajam mūža gadam vai pat ilgāk viņš bija dzīvojis pasaulīgu dzīvi un pētījis pagānu rakstus, bet pēc tam, pateicoties kādai sievietei, pēc kuras bija tīkojis, iepazina kristīgās mācības un tikumu dievišķo saldmi, lika sevi kristīt svētajā ticībā, svinīgi nožēloja grēkus un vairākus gadus pavadīja, sēdēdams pie savas pilsētas draudzes vecajo kājām un ar alkanu zinātkāri uzklausīdams iecienītos nostāstus par svētu vientuļnieku dzīvi tuksnesī, līdz kādu dienu — gadus trīsdesmit sešus vecs — devās tai ceļā, ko jau bija gājuši svētais Pāvils un svētais Antonijs, un pēc viņiem vēl daudzi jo daudzi dievbijīgi vīri. Visu, kas viņam vēl bija atlicis, viņš nodeva pilsētas vecajiem, lai sadala draudzes nabagu vidū, pie vārtiem atvadījās no draugiem un, pametis pilsētu, devās tuksnesī — no nelietīgās pasaules aiziedams vientuļa grēku nožēlnieka trūcīgajā dzīvē.

Garus gadus viņu svilināja un kaltēja saule, lūgdams Dievu, viņš noberza ceļgalus jēlus gar klintīm un smilti, gavēja diendienā līdz saules rietam, lai tad apēstu dažas dateles; velni mocīja viņu ar kārdināšanām, izsmieklu un pavedināšanu — viņš uzveica tos ar lūgsnām, grēku nožēlu, sevis noliegšanu, kā tas viss aprakstīts svēto tēvu dzīves stāstos. Daudzas naktis viņš pavadīja bez miega, lūkodamies zvaigznēs, bet arī zvaigznes mulsināja un kārdināja viņu, viņš saskatīja pie debesīm zvaigznājus, no kuriem reiz bija mācījies nolasīt dievu teikas un cilvēka dabas līdzības, — tā bija zinātne, ko draudzes vecajie necieta ne acu galā un kas vēl ilgi vajāja viņu ar pagānisko mūža gadu sapņiem un domām.

Visvisur, kur tās puses kailajā un neauglīgajā tuksnesī urdza pa strautam, zaļoja pa koku pudurim, pa mazai vai lielākai oāzei, tolaik mita eremīti: daži pavisam vieni, citi nelielās brālībās, kā tas attēlots kādā freskā Pizas *Campo Santo*[1], mita, ciezdami trūkumu, mīlestībā

---

[1] Pizas *Campo Santo* — Pizas Kampo Santo kapsētas sienas gleznojums, cietis Otrā pasaules kara laikā. Freska ataino nāves triumfu un tuksnesi, kurā apcerē un pārrunās laiku vada anahorēti.

palīdzēdami savam tuvākajam, — īsti sava veida kvēlas *ars moriendi*[1] adepti — mākslas nomirt, atmirt pasaulei, mirdinot sevi, piekritēji, lai mirstot tuvotos viņam, pestītājam, gaismā un nezudībā. Eremītus apciemoja eņģeļi un velni, viņi sacerēja himnas, izdzina dēmonus, dziedināja un svētīja, it kā ar varenu dedzīgas pašaizliegsmes uzliesmojumu, ar ekstātiska pasaules nolieguma paraugu būtu apņēmušies vērst par labu daudzu pagājušo un neskaitāmu nākamo gadsimtu nīcību, netiklību, miesas kāri. Viens otrs no viņiem, jādomā, pazina senus, pagāniskus šķīstīšanās paņēmienus, sevis garīgošanas metodes un vingrinājumus, kas Āzijā gadsimtu ritumā bija izkopti līdz pilnībai, taču runāts par to netika, šīs metodes un jogas iemaņas būtībā neviens vairs nemācīja, tās bija aizliegtas, tāpat kā viss pagāniskais, pret ko aizvien bargāk un bargāk vērsās kristiānisms.

Viens otrs grēku nožēlnieks ar degsmi, kas piemita šādam dzīves veidam, attīstīja īpašas spējas: spēju pielūgt, dziedēt ar rokas pieskārienu, spēju pravietot, izdzīt velnus, spēju tiesāt un sodīt, mierināt un svētīt. Arī Jozefam bija kāda apslēpta spēja, un ar gadiem, kad galva viņam jau metās sirma, šī spēja pamazām nobrieda. Tā bija spēja klausīties. Ja pie Jozefa ieradās kāds brālis no vientuļnieku apmetnēm vai sirdsapziņas moku vajāts laicīgās dzīves cilvēks un pastāstīja par savu rīcību, pār savām ciešanām, kārdināšanām un kļūdām, par savu dzīvi, par saviem centieniem kļūt labākam vai arī par kādu zaudējumu, kādām sāpēm un bēdām, Jozefs prata uzklausīt nelaimīgo, atdarīt tam savas ausis un sirdi, uzņemties un noglabāt sevī nelaimīgā ciešanas un raizes, bet pašu cietēju atvieglotu un nomierinātu atlaist mājās. Pamazām, ejot gadiem, Jozefs kļuva par sava pienākuma vergu, par rīku, par ausi, kurai cilvēki uztic savas bēdas. Liela pacietība, zināma pasivitāte, spējīga uzsūkt sevī visu, un prasme klusēt bija viņa tikumi. Aizvien biežāk pie viņa ieradās ļaudis, lai izkratītu sirdi, lai noveltu nastu, kas kļuvusi par smagu; vienam otram, kaut arī līdz Jozefa meldru būdai bija veikts tāls ceļš, pēc ierašanās un apsveicināšanās tomēr pietrūka atklātības un drosmes, lai runātu vaļsirdīgi, tas laipoja un klīrējās, it kā augstu vērtēja savus grēkus, nopūtās un ilgi, stundām ilgi klusēja, bet Jozefs izturējās pret visiem vienādi, vienalga, vai tie muti vēra labprāt vai negribīgi, runāja tekoši vai stomīdamies, ar riebumu vai dižodamies atklāja savus noslēpumus. Jozefam visi bija vienādi, vienalga, vai tie vainoja Dievu vai sevi vai pārspīlēja vai mazināja savus grēkus un savas ciešanas, vai atzinās slepkavībā jeb tikai netiklībā, vai apraudāja vien neuzticamu

---

[1] *Ars moriendi* — māksla nomirt (*latīņu val.*), viduslaiku reliģiski pamācīgās literatūras termins.

mīļāko vai zaudētu dvēseles mieru. Viņu nebiedēja arī stāsti par tuviem sakariem ar dēmoniem un pīšanos ar pašu nelabo, tāpat viņš nesaīga, ja kāds runāja gari un plaši, bet acīm redzami noklusēja pašu galveno, nedz arī kļuva nepacietīgs, ja kāds apsēstais apsūdzēja sevi iedomātos grēkos. Itin visas žēlabas, atzīšanās, apsūdzības un sirdsapziņas mokas, ko uzklausīja Jozefs, šķiet, izzuda viņā kā ūdens tuksneša smiltīs; viņam, šķiet, ne par ko nebija sava sprieduma, viņš, liekas, nejuta ne līdzjūtību, ne nicināšanu pret grēku nožēlnieku, tomēr — varbūt tieši tādēļ — grēki nebija sūdzēti veltīgi, bet gan grēksūdzes brīdī, Jozefam klausoties, šķiet, pārvērtās, kļuva it kā vieglāki un izzuda. Tikai retu reizi viņš bilda kādu uzmudinājuma vai brīdinājuma vārdu, vēl jo retāk izteica padomu vai pavēli; tā, liekas, nebija viņa sūtība, un runātāji it kā juta to. Viņa sūtība bija modināt un iemantot uzticību, pacietīgi un ar mīlestību klausīties, palīdzot vēl nenobriedušai grēksūdzei rast izteiksmi, paverot ceļu un liekot noplūst visam, kas dvēselē sastāvējies un sasāpējis, aprepējis, uzņemt to un, ciešot klusu, paturēt sevī. Tikai katras grēksūdzes beigās, vienalga, vai tā bija nevainīga vai briesmīga, satriekta vai augstprātīga, viņš lika grēku nožēlniekam mesties ceļos sev līdzās, noskaitīja tēvreizi un, pirms atvadījās, noskūpstīja viesi uz pieres. Likt izpirkt grēkus un sodīt nebija viņa sūtība, tāpat kā viņš nejutās pilnvarots baznīcas vārdā piedot nodarījumu; viņa uzdevums nebija nedz tiesāt, nedz piedot. Uzklausīdams, saprazdams otru, viņš, šķiet, uzņēmās daļu tā vainas, palīdzēja tam nest savu krustu. Klusēdams viņš, liekas, apbedīja un nodeva aizmirstībai to, ko bija dzirdējis. Lūgdams kopā ar grēku nožēlnieku, viņš, šķiet, atzina to par savu brāli, par sev līdzīgu. Skūpstīdams svešo, Jozefs, liekas, svētīja to drīzāk kā brālis, nevis kā priesteris, drīzāk maigi nekā svinīgi.

Valodas par viņu izplatījās visā Gazas aptuvienē, tālu visapkārt pazina viņu un reizēm pieminēja pat kopā ar augsti godājamo, lielo biktstēvu un vientuļnieku Dionu Pugilu, kura slava, starp citu, bija gadus desmit senāka un dibinājās uz pavisam citām spējām, jo Diona tēvu slavenu darīja māka lasīt otra sirdī kā atvērtā grāmatā, vēl iekams grēcinieks, uzticēdamies viņam, bija sācis runāt, tā ka viņš nereti pārsteidza biklus grēku nožēlniekus, apvainodams tos vēl neizsūdzētos grēkos. Šis dvēseļu pazinējs, par kuru Jozefs dzirdēja simtiem brīnumainu nostāstu un ar kuru ne savu mūžu neuzdrīkstētos salīdzināt sevi, bija izcils noklīdušu avju gans, bargs tiesātājs, soģis un aprūpis: viņš noteica grēku izpirkumu, lika šaustīt miesu, doties svētceļojumos, svētīja jaunlaulātos, piespieda izlīgt naidniekus un ietekmes ziņā neatpalika no daža bīskapa. Viņš dzīvoja Askalonas apkaimē, bet lūdzēji nāca pie viņa no pašas Jeruzalemes un vēl attālākām vietām.

Tāpat kā vairums grēku nožēlnieku — eremītu, Jozefs Famuls ilgus gadus bija aizvadījis kaismās un novārdzinošās cīņās ar sevi. Viņš gan bija atteicies no pasaulīgās dzīves, atdevis citiem mantu un māju un pametis pilsētu, kur cilvēku vilināja neskaitāmas laicīgas, jutekliskas baudas, tomēr nebija spējis aiziet pats no sevis, un viņam piemita visas miesas un dvēseles vājības, kas ved kārdināšanā un dzen postā cilvēku. Pirmajā laikā viņš galvenām kārtām karoja ar savu miesu, bija pret to bargs un nežēlīgs, radinājās pie karstuma un aukstuma, pie bada un slāpēm, pie brūcēm un tulznām, līdz miesa pamazām savīta un nokalta, bet arī askēta kārnajā čaulā vecais Ādams apkaunojoši pārsteidza un kaitināja viņu ar negaidītām iekārēm un iegribām, necerētiem sapņiem un vaikstiem; mēs taču zinām, ka pasaulīgās dzīves noliedzējiem un grēku nožēlniekiem velns veltī īpašu uzmanību. Kad viņu reizēm apciemoja ļaudis, kas meklēja mierinājumu vai juta nepieciešamību izsūdzēt grēkus, viņš pateicīgs uzskatīja to par žēlastības izpausmi un vienlaikus arī par savas grēku nožēlnieka dzīves atvieglojumu: tā ieguva pārpersonisku jēgu un saturu, viņam bija uzticēts pienākums, viņš varēja kalpot citiem vai arī noderēt Dievam par rīku, ar kuru piesaistīt dvēseles. Tā tik tiešām bija brīnišķīga un patiesi pacilājoša sajūta. Bet ar laiku izrādījās, ka arī dvēseles bagātības ir piederīgas laicīgajai pasaulei un var kļūt par kārdinājumu un lamatām. Proti, nereti gadījās, ka brīdī, kad kājām vai jāšus ieradās ceļinieks, apstājās klintī cirstās alas priekšā, lūgdams vispirms malku ūdens un pēc tam atļauju izsūdzēt grēkus, Jozefs izjuta gandarījumu un labpatiku — pašapmierinātību, iedomību un patmīļu, jūtas, par kurām, līdzko bija tās atskārtis, dziļi satrūkās. Ne vienu reizi vien viņš uz ceļiem lūdza Dievam piedošanu, lūdza, lai pie viņa, pie necienīgā, nenāktu vairs neviens grēku nožēlnieks nedz no brāļu apmetnes būdām tepat netālu, nedz no pasaules ļaužu ciematiem un pilsētām. Bet arī tad, kad laiku pa laikam patiešām neieradās neviens nožēlnieks, viņš nejutās neko labāk, un, kad pēc kāda laika atkal nāca daudzi, Jozefs pieķēra sevi jaunā grēkā: gadījās, ka, uzklausīdams vienu otru atzīšanos, viņš izjuta ko līdzīgu vienaldzībai, pat nepatikai pret nožēlnieku. Nopūzdamies viņš uzņēmās arī šo cīniņu un dažkārt pēc katras uzklausītas grēksūdzes, palicis viens, šaustīja un sodīja sevi. Bez tam viņš uzlika sev par pienākumu izturēties pret visiem grēku nožēlniekiem ne tikai kā pret brāļiem, bet izrādīt tiem īpašu goddevību, turklāt jo lielāku, jo mazāk viņam patika nožēlnieks: viņš uzņēma tos it kā Dieva sūtņus, kas ieradušies, lai pārbaudītu viņu. Ar gadiem, jau pavēlu, kļuvis vecs, viņš atrada zināmu līdzsvaru dzīvē, un tiem, kas mita tepat līdzās, šķita, ka viņš ir īsts svētais, kas, kalpodams Dievam, iemantojis mieru.

Bet arī miers nav nekas nemainīgs, arī tam, tāpat kā visam, kas dzīvs, lemts augt vai dilt, pielāgoties, izturēt pārbaudījumus un ciest pārvērtības; un tāds bija arī Jozefa Famula miers: tas bija svārstīgs, brīžam redzams, brīžam neredzams, brīžam tuvs kā svece, ko nesam rokā, brīžam tāls kā zvaigzne pie ziemas debesīm. Un ar laiku kāds īpašs — pavisam jauna veida grēks un kārdinājums aizvien biežāk grūtu darīja viņa mūžu. Tas nebija spēcīgs, kaisls jūtu saviļņojums, uzbangojums vai pacēlums, tās, drīzāk jau gluži otrādi, bija jūtas, kas sākumā likās itin viegli panesamas, pat gandrīz vai nemanāmas — nedz kas īsti sāpēja, nedz arī pietrūka, bija kāds gurdens, remdens, vienaldzīgs noskaņojums, kurš tikai negatīvi apzīmējams, prieka panīkums, apsīkums, galīgs izzudums. Mēdz būt dienas, kad nespīd saule un nelīst arī lietus, debesis nomācas un klusām it kā nogrimst un ievērpjas sevī — pelēkas, bet ne melnas, tveicīgas, bet bez negaisa draudiem, un tādas pamazām kļuva vecā Jozefa dienas: rīts arvien vairāk līdzinājās vakaram, svētku dienas — darbdienām, pacēluma mirkļi — paguruma brīžiem, laiks ritēja gausi, vārgā nevarībā un netīksmē. Tas ir vecums, viņš nosprieda skumīgs. Bet skuma viņš tādēļ, ka vecumā, pamazām aprimstot dziņām un kaislībām, bija gaidījis gaišākas, vieglākas dienas, tuvošanos ilgotajai harmonijai un nobrieda gadu dvēseles mieram, taču vecums, šķiet, pievīla un apmānīja viņu, nesdams sev līdzi tikai šo gurdo, pelēcīgo, drūmo tukšumu, šo neizdziedināmo apnikuma izjūtu. Apnicis viņam bija viss, apnikusi bija pati dzīve, nepieciešamība elpot, gulēt naktī, dzīvot alā mazās oāzes malā, vērot mūžīgo rīta un vakara miju, ceļotāju un svētceļnieku karavānas, jātniekus uz kamieļiem, jātniekus uz ēzeļiem, bet vairāk par visiem citiem ļaudis, kas nāca tieši pie viņa, — šos aplamos, baiļu māktos un tik lētticīgi ticīgos cilvēkus, kas alka klāstīt viņam savu dzīvi, savus grēkus un nobīļus, savus kārdinājumus un savas pašapsūdzības. Reizēm viņam likās: tāpat kā oāzes avota ūdeņi uzkrājas ar akmeņiem izliktajā ieplakā un tad aiztek zālienā, veidodami sīku urdziņu, un aizplūst tuksneša smiltīs, un tur, īsu brīdi vēl tecējuši, apsīkst un mirst, arī visas šīs grēksūdzes, šie grēku reģistri, dzīves gājumi, šīs sirdsapziņas ēdas — kā lielās, tā mazās, kā nopietnās, tā iedomātās — saplūst viņa ausī desmitiem, simtiem, bez skaita un rimas. Bet auss nebija nedzīva kā tuksneša smilts, auss bija dzīva, tā nespēja diendienā dzert, norīt un uzsūkt visu, tā jutās pagurusi, nelietīgi izmantota, pārpildīta, tā kāroja, lai reiz mitētos vārdu, atzīšanās, rūpju, apsūdzību, pašpārmetumu tekums un čaloņa, lai šo nebeidzamo plūsmu reiz nomainītu miers, klusums, nāve. Jā, viņš vēlējās, lai visam pienāktu gals, viņš bija noguris, viņam visa pietika liku likām, sāja un nevērtīga viņam bija kļuvusi dzīve, un galu galā viņš nonāca tiktāl, ka reizēm juta kārdinājumu darīt sev galu, sodīt un iznīcināt sevi, kā pakārdamies tika rīkojies nodevējs Jūdass. Tāpat kā agrākajos grēku nožēlnieka dzīves posmos velns slepus modināja viņa dvēselē jutekliskās un pasaulīgās dzīves vēlmes, priekšstatus un sapņus, tā tagad piemeklēja viņu ar pašnāvības domām, tā ka Jozefs ar acīm pārbaudīja katru zaru kokā, vai tas stiprs diezgan, lai pie tā pakārtos, katru klints radzi apkārtnē, vai tā stāva un augsta diezgan, lai no tās mestos lejā un nosistos. Viņš pretojās kārdinājumam, viņš cīnījās, viņš nepadevās, taču dienu un nakti versmoja naidā pret sevi un nāves alkas, dzīve viņam bija kļuvusi neciešama un nīstama.

Tāds, raugi, liktenis piemeklēja Jozefu. Kādu dienu, stāvēdams atkal uz augstas klints radzes, viņš tālē starp zemi un debesīm ieraudzīja divus trīs sīkus stāvus — tie, domājams, bija ceļotāji, varbūt svētceļnieki, ļaudis, kas, iespējams, devās pie viņa, lai izsūdzētu grēkus, — un tai pašā brīdī viņu sagrāba nevaldāma vēlēšanās nekavējoties, steigšus aiziet, pamest šo vietu, izbeigt šo dzīvi. Vēlēšanās bija tik spēja un stipra, ka nogalēja jebkuras citas domas, satrieca jebkurus iebildumus, aizmēza visas šaubas, kuru, protams, nebija mazums; kā gan lai dievbijīgs grēku nožēlnieks bez sirdsapziņas drebām spētu sekot aklai dziņai? Jau viņš metās skriet, jau bija atgriezies savā alā, mājoklī, kurā gadiem ilgi cīnījies ar sevi, tik daudzu uzvaru un sakāvju vietā. Drudžainā steigā viņš pagrāba dažas saujas dateļu, ielēja malku ūdens dobā ķirbī, salika to visu savā vecajā tarbā, uzkāra to plecā un, satvēris zizli, pameta savas mazās, zaļojošās oāzes miera ostu kā tekulis, kam sveša atpūta, kas bēg no Dieva un cilvēkiem, bet pirmām kārtām no tā, ko pats reiz uzskatījis par savu lielāko dārgumu, savu pienākumu un sūtību. Sākumā viņš skrēja kā trenkts, it kā stāvi, kas iznira tālē un ko viņš vēroja no klints, tiešām būtu viņa vajātāji un naidnieki. Bet, aizvadījis ceļā stundu, viņš pārvarēja bailes un steigu, iešana tīkami nogurdināja viņu, un, pirmo reizi apmetoties uz atpūtu, bet liedzot sev nobaudīt kādu dateli, jo viņam bija kļuvis par svētu ieradumu neēst pirms saulrieta, saprāts, rūdīts vientuļās apcerēs, atkal sāka rosīties un vērtējot apsvēra nepārdomāto soli. Un saprāts nenosodīja šo soli, lai cik bezprātīgs tas likās, drīzāk jau vēroja to vēlīgi — pirmo reizi kopš ilga laika paša rīcība viņam likās laba un nevainīga. Tiesa gan, tā bija bēgšana, turklāt pēkšņa un nepārdomāta, taču paļājama tā nebija. Viņš pametis savu posteni, kas viņam vairs nebija pa spēkam, aiziedams viņš gan sev, gan tam, kas, iespējams, vēroja viņa rīcību, atzinies savā nespēkā, viņš atteicies no diendienā atkārtojamas, veltīgas cīņas un atzinis sevi par pieveiktu un uzvarētu. Tas, lēma saprāts, nav nekāds dižais solis un nav nedz varoņa, nedz svētā cienīgi, tomēr šāda rīcība liekas godprātīga un neizbēgama; tagad viņš brīnījās, kādēļ tik ilgi vilcinājies bēgt, kādēļ tik ilgi, tik bezgala ilgi cieties. Tā neatlaidība un nepiekāpība, ar kādu viņš tik ilgi centies noturēt zaudētu pozīciju, tagad paša acīs bija malds, vēl jo ļaunāk — patmīlas, vecā Ādama agonija, un viņam šķita, ka sāk saprast, kādēļ šim spītam bijušas tik sliktas, pat velnišķīgas sekas, kādēļ tas novedis pie tādas sašķeltības un dvēseles paguruma, jā gan, pie tik dēmoniskām nāves un pašiznīcības alkām. Lai gan kristietim nav jābīstas mirt, lai gan grēku nožēlniekam un svētajam visnotaļ pienākas uzskatīt savu mūžu par upuri, doma par labprātīgu nāvi tomēr bija caurcaurēm velnišķa un varēja rasties tikai tādā dvēselē, kurai par kungu un noteicēju Dieva eņģeļa vietā uzmeties ļauns dēmons. Kādu brīdi, tā sēdēdams, viņš jutās pavisam nomākts un apjucis, galu galā pat dziļi nospiests un satriekts, ieraudzījis un apzinājies no attāluma, ko veicis dažu stundu gājuma laikā, savu nule aizvadīto dzīvi, veca, trenkta cilvēka dzīvi, kurš izvēlēto mērķi nav sasniedzis un kuru nemitīgi moka drausmīgs kārdinājums pakārties kāda koka zarā, tāpat kā darījis pestītāja nodevējs. Ja doma par labprātīgu nāvi iedvesa tādas šausmas, tad šajās šausmās jautās arī kādas aizvēsturiskas, senas, pagāniskas pirmskristiānisma ēru miņas atskārta — miņas par mūžseno cilvēka upura tradīciju laikos, kad par upuri izvēlējās karali, svēto, cilts izraudzīto un tam nereti bija pašam jānogalina sevi. Šausmināja ne tikai atskārta par peļamo ieradumu, kas palicis atmiņā no pagāniskās aizvēstures dienām, — vēl jo vairāk biedēja doma, ka galu galā arī krustā sistā pestītāja nāve nav nekas cits kā vien labprātīgs cilvēka upuris. Un tik tiešām, ja viņš tā īsti apdomājās, neskaidra šīs atziņas apjausma viņam jau bija pavīdējusi, mostoties kārei darīt sev galu, spītīgi ļaunai, mežonīgai kārei upurēt sevi un tā būtībā neatļautā veidā atdarināt pestītāju vai tikpat nepieļaujamā veidā likt noprast, ka pestītājam nebūt nav izdevies atpestīt visus. Viņš dziļi satrūkās par šo domu, taču tūdaļ saprata, ka briesmas tagad ir garām.

Ilgi viņš lūkojās sevī, grēku nožēlniekā Jozefā, par kuru bija kļuvis un kurš tagad, vairīdamies sekot Jūdasa vai krustā sistā paraugam, bija aizbēdzis, no jauna nododams sevi Dieva ziņā. Kauns un bēdas augtin auga, arvien skaidrāk pašam apzinoties, no kādas pekles viņš izrāvies, un beigu beigās paša posts it kā kamols spiedās viņam kaklā, smacēja viņu nost, līdz pēkšņi rada izeju un atrisinājumu asaru lēkmē, kas brīnumaini atviegloja sirdi. Ak, cik sen viņš nebija raudājis! Asaras plūda aumaļām, aizmigloja acis, bet nāvējošā elpas trūkuma vairs nebija; atguvies un sajutis sāļu garšu uz lūpām, atskārtis, ka raud, viņš brīdi jutās tā, it kā atkal būtu bērns, kas nezina ļauna. Jozefs pasmaidīja, viņš mazliet kaunējās par savām asarām, beidzot piecēlās un turpināja ceļu. Viņš jutās nedroši, nezināja, kurp īsti dodas, kas notiks ar viņu, pats sev likās bērns, taču necīnījās vairs ar sevi, neko vairs nevēlējās: viņam bija viegli ap sirdi, tā, it kā kāds vestu viņu aiz rokas, it kā viņu sauktu un aicinātu tāla, laipna balss, viņam šķita, ka nebēg, bet dodas mājup. Visbeidzot, viņš pagura, nokusa arī prāts, tas pierima un nomierinājās vai arī saprata, ka kļuvis lieks.

Dzirdināmā vietā, kur Jozefs taisījās pārlaist nakti, viņš redzēja vairākus no saiņiem atbrīvotus kamieļus; pamanījis ceļinieku pulciņā divas sievietes, viņš tikai klusu sveicināja un sarunās neielaidās. Toties vēlāk, satumstot naktij, apēdis dažas dateles, noskaitījis lūgsnu un apgūlies, viņš negribot kļuva par liecinieku kādai sarunai: pusbalsī valodoja divi vīrieši, viens jaunāks, otrs gados pavecāks, — abi gulēja turpat netālu. Visu sarunu Jozefs nedzirdēja — vēlāk abi sačukstējās. Bet tās aprautās frāzes, ko Jozefs saklausīja, piesaistīja viņa uzmanību, ieinteresēja viņu un pusi nakts lika viņam aizvadīt pārdomās.

— Tas ir labi, — viņš izdzirda sakām gados vecāko, — tas ir labi, ka tu posies pie svēta vīra, lai izsūdzētu tam grēkus. Šie ļaudis nav zemē metami, tici man, tiem ir ķēriens, un viens otrs prot arī pesteļot. Pietiek tādam vārdiņu bilst — un lauva, razbainieks, jau pietupies lēcienam, aizlavās, asti ierāvis. Tici vai netici, tā tas ir — arī lauvas šie padara rāmus, un vienam, tas bija aplam svēts, paša piejaucētas lauvas pat izraka bedri, kad šis nomira, un pēc tam atkal glīti aizkārpīja ciet, un ilgu laiku pa divi lauvas dienu un nakti tupēja sardzē pie svētā vīra kapa. Un ne jau lauvas vien šie ļaudis padara rāmus — viens tāds svētais reiz ņēma priekšā romiešu centurionu, zvēru, ne cilvēku, lielāko maukuru visā Askalonā, un tā apstrādāja romieša nocietināto sirdi, ka tas, pataisīts melns un maziņš, aiz kauna vai zemē būtu ielīdis. Ne pazīt šo zelli pēc tam vairs nevarēja — tik kluss un pazemīgs bija kļuvis. Tiesa gan, gluži tīra tā lieta nebūs bijusi, jo pēc tam šis ņēma un nomira.

— Svētais, vai?

— Tad ne jau svētais — centurions! Varrons bija šim vārdā. Kad svētais aplauza viņam ragus un atmodināja viņa sirdsapziņu, viņš itin ātri sakritās, reizes divas saķēra drudzi un pēc dažiem mēnešiem bija beigts un pagalam. Nu, nav ko viņu žēlot! Lai tur vai kā, man tomēr tā vien rādās, ka svētais būs izdzinis ne jau velnu vien, bet arī kādu vārdiņu bildis, lai šo aizraidītu uz viņpasauli.

— Tik svēts cilvēks? Tam es neticu.

— Tici vai netici, mīļais, tikai kopš tās dienas centurionu ne pazīt vairs nevarēja, viņš tīri vai noburts likās un pēc dažiem mēnešiem...

Brīdi valdīja klusums, tad gados jaunākais atsāka sarunu:

— Te dzīvo kāds svētais, tam jābūt tepat netālu, viņš mītot pavisam viens neliela strauta malā pie ceļa uz Gazu, par Jozefu viņu saucot, par Jozefu Famulu. Man par viņu daudz stāstīts.

— Ko tad tev stāstīja?

— Viņš esot briesmīgi svēts un nekad neuzlūkojot nevienu sievieti. Ja gadoties, ka šajā nomaļajā vietā iemaldās karavāna un uz kāda kamieļa tup sieviete, viņš, lai cik cieši tā būtu aizplīvurojusies, tūdaļ uzgriežot karavānai muguru un nozūdot savā alā. Daudzi devušies pie viņa izsūdzēt grēkus, ļoti daudzi.

— Tukšas valodas vien būs, citādi arī es būtu ko padzirdējis. Ko tad šis prot — tas tavs svētais?

— Viņš vienkārši uzklausa grēksūdzes, un, ja viņš nebūtu labs un neko neprastu, ļaudis pie viņa vis neskrietu. Stāsta, starp citu, ka šis nebilstot ne vārda, nevienu nebarot un nelamājot, nevienam neuzliekot sodu vai ko tamlīdzīgu, viņš esot maigas, pat biklas dabas.

— Ko tad šis dara, ja nerājas un nesoda, un ir muti never?

— Viņš tikai klausoties, brīnumaini nopūšoties un metot krustus.

— E, kas tas par svēto! Tu taču nebūsi tik dulns un nejozīsi meklēt šo mēmiķi?

— Meklēšu gan, un atrast es viņu atradīšu, tas nevar būt tālu no šejienes. Šovakar viens tāds nabaga brālis slamstījās te gar avotu, rīt agri pajautāšu viņam — viņš arī izskatās pēc grēku nožēlnieka.

Vecais apskaitās.

— Liec mierā to biktnieku, lai tup savā alā! Kas tas par svēto, kurš tikai nopūšas un klausās vien, un bīstas no sievietēm, un neko nemāk un nesaprot! Labāk uzklausi mani, es pateikšu, pie kā tev jādodas. Tiesa, no šejienes tas ir patālu, vēl aiz Askalonas, toties labāka svētā un biktstēva ir ar uguni meklēdams neatradīsi. Par Dionu viņu sauc, un ļaudis iegodājuši viņu par Dionu Pugilu, proti, par dūru cīnītāju, tādēļ ka šis ar visiem velniem vicojas, un, ja kāds izsūdz viņam savus kauna darbus, tad Pugils, mīlīt, vis nenopūšas un netur mēli aiz zobiem, bet sper zemes gaisā un sadod grēciniekam tādu sutu, ka tirpas skrien pār kauliem. Vienu otru viņš esot piemizojis, citiem licis mesties ceļos un augu nakti tupēt uz plikiem akmeņiem, un pēc tam vēl par sodu ziedot nabagiem četrdesmit grašu. Tas tik, brālīt, ir vīrs, tev aiz brīnumiem mute paliks vaļā; pietiek šim tā pa īstam nopētīt tevi, lai tev jau saļodzītos kājas, — viņš otram redz cauri. Tas vis neies vaimanāt, tam vīram spēks rokā. Ja kāds sirgst ar neguļu vai redz nelabus sapņus un visādus mošķus vai ko tādu, Pugils kaiti kā ar roku atņem. Tās nav sievu valodas, to es tev saku, tādēļ ka pats pie viņa esmu bijis. Jā gan, es pats — lai kāds diedelis esmu, reiz ierados pie grēku nožēlnieka Diona, dūru cīnītāja un dievavīra. Turp es devos nožēlojams, kauna un negoda pārpilnu sirdi, bet projām gāju tīrs un šķīsts kā auseklītis, un tā ir svēta patiesība, tik tiešām, kā mani sauc par Dāvidu! Paturi prātā, kas šim vārdā — Dions, un iesauka viņam ir Pugils. Viņu tu uzmeklē, cik ātri vien varēdams, — tu redzēsi zilus brīnumus. Pat prefekti un vecajie, pat bīskapi nāk pie viņa pēc padoma.

— Jā, — attrauca otrs, — es padomāšu par to, ja gadīsies nokļūt tai pusē. Bet šodien es esmu šeit, un, ja jau tepat netālu mājo tas pats Jozefs, par kuru dzirdēts tik daudz laba...

— Laba! Tu jau esi kā uzburts uz šo Famulu.

— Man patīk, ka viņš nebaras un nav sirdīgs. Teikšu tev vaļsirdīgi: tas man tīk. Neesmu jau nekāds centurions, nedz arī bīskaps; es esmu sīks cilvēciņš, drīzāk jau tramīgas dabas, un piķis un zēvele mani biedē; man, nudien, nekas nav pretī, ja mani drusku pažēlo, — tā nu tas ir.

— Skat, ko sagribējies! Lai šo pažēlo! Nu, labs ir, kad grēki izsūdzēti un nožēloti, kad esi uzņēmies sodu un šķīstījies, tad varbūt der tevi pažēlot — ne jau tad, kad tu netīrs un smirdīgs kā šakālis stājies sava biktstēva un soģa priekšā.

— Tiesa jau, tiesa. Nerunā taču tik skaļi, ļaudīm nāk miegs...

Pēkšņi viņš uzjautrināts iesmējās.

— Starp citu, man stāstīja par viņu arī ko jocīgu.

— Par kuru?

— Par to pašu, par grēku nožēlnieku Jozefu. Redzi, šim esot tāds paradums: kolīdz kāds visu izstāstījis un izsūdzējis grēkus, viņš atvadām svētījot viesi, skūpstīdams to uz pieres vai vaiga.

— Ko tu neteiksi, nudien ērmots svētais!

— Turklāt, zini, viņš baidoties sieviešu. Reiz kāda apkaimes padauza atnākusi pie viņa, pārģērbusies par vīrieti, un viņš, neko nenomanīdams, noklausījies viņas pasaciņas un, kad šī bijusi galā, paklanījies jo zemu un noskūpstījis viņu.

Vecais skaļi iesmējās. — Cst! Cst! — otrs aši iesaucās, un Jozefs nesaklausīja vairs neko citu kā vien apslāpētus smieklus, kas nerima vēl labu brīdi.

Viņš pavērās debesīs. Ass un šaurs aiz palmu galotnēm vīdēja mēness sirpis, un Jozefs nodrebēja aiz nakts aukstuma. Brīnumaini — kā greizā spogulī, tomēr visai zīmīgi — viņš abu kamieļu dzinēju vakara sarunā tika saredzējis gan pats sevi, gan uzdevumu, kuram bija kļuvis neuzticīgs. Pat kāda padauza tātad pasmējusies par viņu. Nu, tas nebija pats ļaunākais, lai arī bija ļauni diezgan. Vēl ilgi viņš apdomāja abu svešo vīru sarunu. Pret rītu Jozefs beidzot iemiga, bet iemigt spēja vien tādēļ, ka pārdomas nebija bijušas veltīgas. Tām bija rezultāts, nobriedis bija kāds lēmums, un ar šo jauno lēmumu sirdī viņš mierīgi dusēja dziļā miegā līdz pašai rītausmai. Un izlēmis viņš bija tieši to, par ko nebija spējis izšķirties gados jaunākais kamieļu dzinējs. Viņš bija izlēmis uzklausīt gados vecākā dzinēja padomu un doties pie Diona, saukta par Pugilu, par kuru jau sen tika dzirdējis un kuru vecais tik neatlaidīgi bija cildinājis. Slavenais biktstēvs, dvēseļu soģis un padomdevējs arī viņam zinās dot kādu padomu, turēs tiesu, uzliks sodu, norādīs ceļu; šim cilvēkam viņš izlēma uzticēties it kā Dieva vietniekam un pazemīgi uzklausīt, ko tas viņam liks darīt.

Agrā rīta stundā, kad abi kamieļu dzinēji vēl gulēja, viņš atstāja oāzi un pēc grūta dienas gājuma nonāca vietā, kur, viņš zināja, mita svētie brāļi; no šejienes viņš cerēja izkļūt uz lielā ceļa, kas veda uz Askalonu.

Pret vakaru, tuvodamies ceļamērķim, viņš ieraudzīja nelielas oāzes piemīlīgo ainavu. Kuploja palmas, blēja kazas, un viņam šķita, ka zaļajā pavēnī saskata jumtu aprises un jauš cilvēku tuvumu; vilcinādamies spēris vēl dažus soļus, Jozefs juta — kāds vēro viņu. Apstājies viņš palūkojās visapkārt un ieraudzīja, ka zem kokiem ceļa malā, atspiedies pret palmas stumbru, taisni izslējies, sēž vecīgs vīrs ar sniegbaltu bārdu un cienīgiem, bet bargiem un nekustīgiem sejas vaibstiem; vecais vēroja viņu un, jādomā, darīja to jau labu brīdi. Skatiens bija ciešs un ass, bet neizteiksmīgs; tā raugās cilvēks, kurš paradis novērot citus, taču nav ziņkārīgs un turas savmaļus, — cilvēks, kurš neliedz ļaudīm un lietām tuvoties un cenšas redzēto izprast, taču netiecas neko pavilkt sev tuvāk vai kādam tuvoties pats.

— Lai slavēts Jēzus Kristus! — teica Jozefs.

Par atbildi sirmgalvis kaut ko nomurmināja bārdā.

— Lai atļauts man vaicāt, — atsāka Jozefs, — vai esat šeit svešinieks, tāpat kā es, vai arī šejienietis šajā tik jaukajā oāzē?

— Svešinieks, — atbildēja sirmbārdis.

— Godājamais, varbūt jūs man pateiktu, vai no šejienes var nokļūt uz ceļa, kas ved uz Askalonu?

— Var, — attrauca vecais, lēnām, pastīviem locekļiem pietrausdamies kājās, — īsts milzis, garš un kalsens. Izslējies viņš lūkojās tuksneša tālē. Jozefs noprata, ka sirmais milzis nav noskaņots sarunai, tomēr sadūšojies izteica vēl vienu jautājumu.

— Atļaujiet jums, godājamais, vēl pavaicāt, — viņš pieklājīgi bilda, manīdams, ka vecais vīrs atkal pievērš viņam skatienu un salti nopēta viņu. — Varbūt jums ir zināms, kur mīt Diona tēvs, saukts par Dionu Pugilu?

Svešais vieglītēm sarauca uzacis, un viņa skatiens kļuva vēl saltāks.

— Tas man ir zināms, — viņš strupi attrauca.

— Jūs pazīstat viņu? — iesaucās Jozefs. — Ak, jel pasakiet man, kur viņš mājo, jo esmu ceļā pie viņa, pie Diona tēva! Garais uzmeta viņam urbīgu skatienu. Atbilde bija jāgaida ilgi. Vecais vīrs atgriezās pie palmas, lēnām apsēdās, atspiedās pret koka stumbru, tāpat kā tika darījis pirmīt, un ar vieglu rokas mājienu aicināja piesēst arī Jozefu. Padevīgi tas paklausīja aicinājumam un sēzdamies īsu mirkli juta, cik viņš noguris, taču tūdaļ aizmirsa to, pievērsdams visu uzmanību sirmgalvim. Tas, liekas, bija nogrimis pārdomās, cienīgajā sejā pavīdēja bargs, noraidošs vaibsts, bet pāri tam klājās vēl cita izteiksme, pat it kā cita seja, līdzīga caurspīdīgai maskai, — senu, apslēptu ciešanu izteiksme, ko parādīt liedz lepnums un pašcieņa.

Pagāja krietns brīdis, iekams godājamais atkal pievērsa Jozefam skatienu. Asi jo asi šis skatiens nopētīja viņu, un pēkšņi vecais pavēloši noprasīja:

— Kas jūs esat?

— Grēku nožēlnieks, — atbildēja Jozefs. — Ilgus gadus esmu viens mitis tuksnesī.

— Tas redzams! Kas jūs esat, es vaicāju.

— Mani sauc par Jozefu, par Jozefu Famulu.

Līdzko Jozefs izrunāja savu vārdu, vecais, citādi palikdams nekustīgs, tik stipri sarauca uzacis, ka acis kļuva pavisam šauras; liekas, viņš bija pārsteigts, izbiedēts vai vīlies par atbildi, bet varbūt tas bija tikai acu sagurums, uzmanības atslābums, viegls savārgums, tik raksturīgs veciem ļaudīm. Tomēr viņš ir nepakustējās, brīdi turēja acis piemiegtas, un, kad tās atkal atdarījās, skatiens, šķiet, bija mainījies un, ja vien tas iespējams, kļuvis vecīgāks, noslēgtāks, stingrāks un piesardzīgāks. Lēnām viņš vēra lūpas, lai vaicātu:

— Esmu par jums dzirdējis; vai jūs esat tas, pie kura ļaudis dodas izsūdzēt grēkus?

Jozefs apjucis pamāja — pazīts viņš jutās tā, it kā būtu netīkami atmaskots un jau otru reizi paša slavas apkaunots.

Vecais vīrs atkal vaicāja tikpat dzedri:

— Un jūs ejat apciemot Dionu Pugilu? Kālab?

— Es vēlos izsūdzēt grēkus.

— Ko tas jums dos?

— Nezinu. Es uzticos viņam, un man pat ir tāda sajūta, it kā tā būtu balss no augšienes, kāda augstāka vara, kas mani sūta pie viņa.

— Un ko jūs domājat darīt, kad būsit izsūdzējis grēkus?

— To, ko viņš man liks.

— Un ja nu viņš ieteiks vai liks jums darīt ko nepareizu?

— Es nelauzīšu galvu, vai pavēle ir pareiza, es paklausīšu.

Vecais vīrs vairs nebilda ne vārda. Saule jau bija zemu, koka lapotnē ieķērcās putns. Redzēdams, ka sirmgalvis nevēlas runāt, Jozefs piecēlās. Bikli viņš pajautāja vēlreiz:

— Jūs teicāt, ka zinot, kur mīt Diona tēvs. Vai drīkstu lūgt, lai jūs nosauktu man vietu un pastāstītu, kā turp nokļūt?

Vecais savilka lūpas tādā kā smaidā.

— Vai esat pārliecināts, — viņš maigi vaicāja, — ka Dions priecāsies jūs redzēt?

Ērmoti satrūcies par šo jautājumu, Jozefs palika atbildi parādā. Brīdi mulsi klusējis, viņš izdvesa:

— Vai varu vismaz cerēt, ka vēl redzēšu jūs? Vecais vīrs, atvadām pamājis, teica:

— Es pārlaidīšu nakti tepat un uzkavēšos oāzē līdz saullēktam. Ejiet, jūs esat noguris un izsalcis.

Godbijīgi atvadījies, Jozefs devās tālāk un līdz ar tumsu ieradās nelielā apdzīvotā vietā. Šeit tādā kā klosterī dzīvoja tā sauktie eremīti, kristieši no dažādām pilsētām un apmetnēm, viņi šejienes nošķirtībā bija uzcēluši sev mitekli, lai netraucēti nodotos vienkāršai, šķīstai dzīvei un klusībā gremdētos sevī. Jozefam neliedza malku ūdens, ēdienu un vietu naktsguļai un, redzot, ka viņš bezgala noguris, necentās viņu iztaujāt un iesaistīt sarunā. Kāds anahorēts noskaitīja vakara lūgsnu, pārējie klausījās, nometušies ceļos, un "āmen" teica visi kopā. Šī dievbijīgā kopiena citā reizē tīkami saviļņotu un priecētu Jozefu, taču šobrīd viņam tikai viens bija prātā, un jau pašā rīta agrumā viņš steidzās atpakaļ uz turieni, kur vakar bija sastapis veco vīru. Tas gulēja uz kailas zemes, ieritinājies plānā segā. Jozefs apsēdās zem nomaļa koka, lai nogaidītu, kad sirmgalvis modīsies. Visai drīz gulētājs nemierīgi sarosījās, uztrūkās no miega, atritināja segu, smagnēji piecēlās un izlocīja stīvos locekļus, pēc tam nometās ceļos un noskaitīja lūgsnu. Kad vecais no jauna pietrausās kājās, Jozefs tuvojās viņam un klusēdams paklanījās.

— Vai tu jau paēdi? — jautāja svešais.

— Nē, es ēdu tikai reizi dienā, pēc saulrieta. Vai jūs, godājamais, esat izsalcis?

— Mēs atrodamies ceļā, — tas atbildēja, — un abi vairs neesam nekādi jaunie. Mēs darīsim pareizi, ja iekodīsim drusku, pirms dodamies tālāk.

Jozefs atvēra somu un piedāvāja sirmgalvim dažas dateles; laipnie ļaudis, kuru pajumtē viņš tika pavadījis nakti, piedevām bija iedevuši viņam prosas plāceni, kurā viņš dalījās ar veco vīru.

— Tagad varam iet, — teica sirmgalvis, кad viņi bija paēduši.

— Vai mēs iesim kopā? — līksmi vaicāja Jozefs.

— Protams, tu taču lūdzi, lai aizvedu tevi pie Diona. Nāc, iesim!

Pārsteigts un aplaimots Jozefs uzlūkoja svešo.

— Cik labs jūs esat! — viņš iesaucās, grasīdamies izplūst pateicības apliecinājumos. Bet svešais ar asu žestu lika viņam apklust.

— Labs ir tikai Dievs, — viņš teica. — Tagad ejam! Un saki man "tu", tāpat kā es uzrunāju tevi. Mums, diviem veciem nožēlniekiem, ārišķības un laipnības ir liekas.

Garais sirmgalvis sāka sparīgi soļot, un Jozefs turējās cieši aiz viņa — bija sākusies diena. Ceļvedis, šķiet, nekļūdīgi zināja pareizo virzienu un pavēstīja, ka ap dienas vidu viņi nokļūs ēnainā vietā, kur varēs pārlaist pašas svelmaināās stundas. Tālāk abi gāja klusēdami.

Tikai tad, kad pēc gara gājuma saules tveicē viņi aizsniedza atpūtas vietu un atlaidās kraujas klints radzes pavēnī, Jozifs no jauna uzrunāja savu ceļvedi. Viņš apvaicājās, cik dienas jāiet, lai nokļūtu pie Diona Pugila.

— Tas atkarīgs tikai no tevis, — attrauca vecais vīrs.

— No manis? — iesaucās Jozefs. — Ak, ja tas būtu manā varā, es jau šodien stāvētu viņa priekšā!

Vecais vīrs arī šobrīd nebija noskaņots turpināt sarunu.

— Gan jau redzēsim, — viņš īsi attrauca un pagriezies aizvēra acis. Jozefam likās neērti vērot guļošo, viņš klusītēm pagājās nostāk un atlaidās zemē. Nemanot iemiga arī viņš, jo gandrīz visu nakti bija pavadījis nomodā. Ceļvedis pamodināja viņu, kad bija pienācis laiks doties tālāk.

Vēlu pēcpusdienā viņi nokļuva atpūtas vietā, kur bija ūdens, auga koki un zāle; te viņi dzesēja slāpes, nomazgājās, un vecais izlēma uzkavēties oāzē, bet Jozefs nebija ar mieru un bikli cēla iebildumus.

— Tu šodien teici, — viņš sacīja, — tas esot tikai no manis atkarīgs, cik agri vai vēlu sastapšu Diona tēvu. Esmu ar mieru iet vēl stundām ilgi, ja tiešām šodien vai rīt varu nokļūt pie viņa.

— Nē, nē, — pretojās ceļabiedrs, — šai dienai pietiks.

— Piedod, — teica Jozefs, — vai mana nepacietība tev nemaz nav saprotama?

— Tā man ir saprotama, tikai tā tev nelīdzēs.

— Kādēļ tad tu teici, tas esot no manis atkarīgs?

— Kā es teicu, tā tas ir. Līdzko tu droši zināsi, ka vēlies izsūdzēt grēkus, un būsi tam sagatavojies un nobriedis, tu varēsi to darīt.

— Vēl šodien?

— Vēl šodien.

Brīnīdamies Jozefs pavērās rāmajā, vecīgajā sejā.

— Vai tas iespējams? — viņš iesaucas saviļņots. — Tu esi Diona tēvs?

Vecais pamāja.

— Atpūties šeit, koku pakājē, — viņš laipni bilda, — bet neguli, apkopo savas domas, arī es atpūtīšos un apkopošu savējās. Pēc tam tu man pastāstīsi, kas tevi nomāc.

Tā Jozefs negaidot uzzināja, ka ceļš ir galā, un vairs nekādi nespēja izskaidrot sev, kādēļ jau agrāk nav atskārtis un sapratis, kas ir godājamais vīrs, ar kuru kopā gājis veselu dienu. Pakāpies sāņus, Jozefs nometās ceļos, noskaitīja lūgsnu un tad visas domas pievērsa tam, kas viņam bija sakāms savam biktstēvam. Pēc stundas viņš atgriezās un vaicāja, vai Dions gatavs viņu uzklausīt.

Beidzot viņš varēja izsūdzēt grēkus. Beidzot viss, ko viņš šajos gados bija pārdzīvojis, kas jau sen viņa acīs, šķiet, bija zaudējis jēgu un nozīmi, guva veidu, kļuva par stāstu, par gaušanos, pašapsūdzību, vaicājumu — tas bija stāsts par kristieša un nožēlnieka mūžu, iecerētu un sāktu, lai šķīstītos un skaidrinātu sevi, mūžu, kurš galu galā bija nesis vien mulsumu, grūtsirdību un izmisumu. Viņš neklusēja arī par to, ko bija pārdzīvojis pēdējās dienās, pastāstīja par savu bēgšanu, par atvieglojuma sajūtu, kas viņu pārņēmusi, par savām cerībām, par to, kā viņam radusies doma doties pie Diona, par satikšanos ar svešo un par to, ka viņš pret gados vecāko uzreiz izjutis paļāvību un mīlestību, bet arī šīs dienas laikā vairākkārt noturējis viņu par saltu un savādu, pat untumainu.

Saule jau bija zemu, kad viņš beidza savu stāstu. Vecais Dions bija klausījies ar neatslābstošu interesi, atturēdamies pārtraukt runātāju vai ko jautāt. Un arī tagad, kad bikts bija galā, viņš nebilda ne vārda. Ar grūtībām pietrausies kājās, viņš dziļā vēlībā uzlūkoja Jozefu, pieliecies noskūpstīja uz pieres un pārmeta tam krustu. Tikai vēlāk Jozefs atģidās, ka šis taču bija tas pats mēmais, brālīgais, nenosodošais žests, ar kuru pats tika atlaidis tik daudzus grēku nožēlniekus.

Pēc tam abi paēda, noskaitīja vakara lūgsnu un devās pie miera. Jozefs vēl brīdi prātoja un lauzīja galvu — viņš, patiesību sakot, bija gaidījis lāstus vai bardzīgu sprediķi, tomēr nejutās vīlies vai satraukts — Diona skatiena un brāļa skūpsta bija pieticis, lai viņš atgūtu mieru, un visai drīz viņš iegrima spirdzinošā snaudā.

Lieki nerunādams, vecais nākamajā rītā pasauca viņu, un abi gāja augu dienu un pēc tam vēl dienas četras piecas, līdz sasniedza eremīta Diona mitekli. Tur viņi palika, Jozefs palīdzēja Dionam veikt visus sīkos dienas darbus, iepazina viņa ikdienu, kas maz atšķīrās no dzīves, kādu pats gadiem ilgi bija dzīvojis. Tikai tagad viņš vairs nebija viens, viņš mita otra ēnā un aizsardzībā, tādēļ dzīve šeit tomēr bija pavisam citāda. No apkārtējiem ciematiem, no Askalonas un vēl attālākām vietām ieradās arvien jauni padoma lūdzēji un grēku nožēlnieki. Pirmajā laikā Jozefs allaž steigšus aizlavījās, līdzko saradās šādi apmeklētāji, un pārnāca tikai tad, kad tie bija aizgājuši. Bet arvien biežāk Dions lika Jozefam palikt, izturēdamies pret to kā pret padoto, pavēlēja atnest ūdeni vai izdarīt kādu citu pakalpojumu un ar laiku pieradināja Jozefu kopā ar viņu uzklausīt vienu otru grēksūdzi, ja nožēlniekam nebija iebildumu. Daudziem, pat vairumam, likās itin patīkami, ka nevajadzēja palikt divatā ar bargo Pugilu — stāvēt, sēdēt vai mesties ceļos viņa priekšā, ka viņam līdzās bija šis klusais, laipnais un pakalpīgais palīgs. Tā Jozefs pakāpeniski iepazina veidu, kādā Dions mēdz uzklausīt grēksūdzes, kā viņš mierina, kādi viņa paņēmieni un rīcība, kā viņš soda un pamāca. Vien retu reizi Jozefs atļāvās ko pajautāt, kā, piemēram, toreiz, kad pie Diona pa ceļam iegriezās kāds zinātņu vīrs vai estēts.

Šim viesim, kā izrietēja no sarunas, bija daudz draugu magu un astrologu vidū; apmeties oāzē uz atpūtu, viņš stundu vai divas pavadīja kopā ar abiem vecajiem vientuļniekiem — laipns un runātnīgs ciemiņš, kurš mācīta vīra daiļrunībā gari un plaši spriedelēja par spīdekļiem un par ceļu, kas cilvēkiem un dieviem veicams vienas mūžības laikā, izstaigājot zodiaka zīmju loku. Viņš runāja par Ādamu, par pirmo cilvēku, un tā vienpatību ar krustā sisto Jēzu un krustā sistā pestīšanas misiju dēvēja par Ādama gājumu no Atziņas koka līdz Dzīvības kokam, bet Paradīzes čūsku sauca par svētā pirmavota, tumšās dzīles sargātāju — tās pašas dzīles, no kuras naksnīgajiem ūdeņiem cēlušies visi apveidi, visi dievi un cilvēki. Dions uzmanīgi klausījās, ko stāsta viesis, kurš, runādams sīriski, lietoja daudzus grieķu vārdus, un Jozefs jutās pārsteigts un pat sašuta, ka Dions nikni un dedzīgi nenoraida šos pagāniskos maldus, neatspēko un nenolād tos, ka viszinīgā svētceļnieka gudrās valodas, gluži otrādi, šķiet, izklaidē un pat saista Dionu, jo viņš ne tikai aizrautīgi klausījās, bet arī smaidīja un bieži vien pamāja par atbildi runātājam, it kā teiktais viņam patiktu.

Kad šis cilvēks bija aizgājis, Jozefs ar tādu kā aizkaitas un pārmetuma pieskaņu balsī vaicāja:

— Kā tas iespējams, ka tu tik pacietīgi uzklausīji šā neticīgā pagāna maldu mācības? Man pat rādās, ka tu klausījies ne vien iecietīgi, bet tīri vai līdzdalīgi, pat ar zināmu patiku. Kādēļ tu neko neiebildi? Kādēļ tu necenties atspēkot šā cilvēka uzskatus, sodīt viņu un pievērst ticībai mūsu kungam?

Pagrozījis galvu līdz ar tievo, krunkaino kaklu, Dions atbildēja:

— Es nemēģināju neko iebilst, tādēļ ka tas neko nelīdzētu, turklāt tas man nebūtu bijis pa spēkam. Daiļrunībā un siloģistikā, mitoloģijā un astroloģijā šis cilvēks, bez šaubām, ir nesalīdzināmi pārāks par mani, es netiktu ar viņu galā. Bez tam, mans dēls, nedz man, nedz tev nav jāapstrīd citu cilvēku ticība, apgalvojot, ka tas, kam viņi tic, ir meli un maldi. Es, jāatzīstas, ar zināmu patiku uzklausīju šo gudro vīru, un tev tas nepaslīdēja garām nepamanīts. Man bija gandarījums, ka viņš teicami runā un daudz zina, bet vēl jo vairāk man patika tas, ka viņš man atsauca atmiņā manas jaunības dienas, jo jaunībā arī es daudz laika veltīju tādām pašām studijām un zināšanu jomām. Mīti, par kuriem svešais tik jauki tērzēja, nebūt nav maldi. Tie ir reliģiski priekšstati un simboli, kas mums kļuvuši lieki, tādēļ ka esam iemantojuši ticību Jēzum, vienvienīgajam pestītājam. Toties tiem, kas vēl nav atklājuši mūsu ticību un varbūt arī nekad to neatklās, šādi ticējumi, kuru izcelsmes avots ir senču gudrības, pamatoti liekas visai godājami. Mūsu ticība, mīļais, ir citāda, tā, protams, ir pavisam citāda. Bet tādēļ, ka mūsu ticībā mācība par spīdekļiem un mūžībām, par pirmūdeņiem un Visuma mātēm kļuvusi lieka, šie ticējumi nebūt vēl nav maldi, meli un māņi.

— Bet mūsu ticība, — iesaucās Jozefs, — tomēr ir pati pārākā, un Jēzus ir miris par mums visiem; tātad tiem, kas šo ticību iepazinuši, jāapkaro novecojušās mācības un jāievieš jaunā — pareizā.

— To mēs jau sen esam izdarījuši — gan tu, gan es, gan daudzi citi, — rāmi attrauca Dions. — Mēs esam ticīgie, tādēļ ka ticība, proti, pestītāja un visu grēku izpircēja nāve, mūs pārņēmusi savā varā. Toties pārējos, visus šos mītu pazinējus un zodiaka zīmju un seno mācību tulkus, mūsu ticība vēl nav skārusi — vēl ne, un nav mūsu ziņā padarīt tos piespiedu kārtā par ticīgiem. Vai tu, Jozef, neievēroji, cik jauki un gaužām atjautīgi šis mītu pazinējs tērzēja, cik rotaļīgi viņš virknēja savas līdzības un cik tīksmi, to darot, pašam bija ap sirdi, cik netraucēti līdzsvarots viņš jutās savā tēlaino līdzību valstībā? Kā nekā tas liecina, ka šo cilvēku nemāc bēdas, ka viņš ir apmierināts, ka viņam klājas labi. Bet cilvēkam, kuram klājas labi, tādiem kā mēs nav ko teikt. Lai cilvēkā mostos ilgas pēc pestījuma un pēc pestījošas ticības, lai viņam zustu prieks par paša domu viedumu un harmoniju un lai viņš uzdrīkstētos noticēt lielajam atpestīšanas brīnumam, viņam jāklājas slikti, ļoti slikti, viņam jāpiedzīvo vilšanās un ciešanas, rūgtums un izmisums, viņam jājūt, ka ūdens smeļas mutē. Nē, Jozef, lai šis mācītais pagāns netraucēts mīt savā labklājībā, lai netraucēts izbauda savu gudrību, savu domu, savu runas mākslu! Varbūt rīt, varbūt pēc gada vai gadu desmita viņu piemeklēs bēdas, kas sagraus viņa mākslu un gudrību, varbūt nosista tiks sieviete, ko viņš mīl, vai arī nogalināts tiks viņa vienīgais dēls, varbūt viņš saslims vai kļūs nabags — tad, satikuši viņu no jauna, parūpēsimies par nelaimīgo un pastāstīsim viņam, kā mēs centāmies pieveikt savas bēdas. Un, ja viņš tad vaicās: "Kādēļ jūs to neteicāt man jau vakar, jau pirms desmit gadiem?" — mēs atbildēsim: "Toreiz tev vēl neklājās slikti diezgan."

Sadrūmis Dions brīdi klusēja, tad, it kā kavēdamies atmiņās, piemetināja:

— Es pats reiz ne mazumu parotaļājos ar sentēvu gudrībām un izklaidējos ar tām, un arī tad vēl, kad biju nostājies uz krusta ceļa, teoloģizēšana nereti sagādāja man prieku un, tiesa gan, arī bēdas. Visvairāk mani nodarbināja doma par pasaules radīšanu un par to, ka pēc pasaules radīšanas visam kā nekā būtu bijis jābūt vislabākajā kārtībā, jo rakstos taču teikts: "Un Dievs apskatījās visu, ko viņš bija darījis, un raugi, tas bija ļoti labs." Bet patiesībā labs un pilnīgs tas bija tikai vienu vienīgu Paradīzes mirkli, un jau nākamajā mirklī šo pilnību izjauca vaina un lāsts, jo Ādams nobaudīja augli no koka, no kura baudīt viņam bija liegts. Gadījās rakstu mācītāji, kas teica: Dievs, kurš līdz ar Visumu radījis Ādamu un Atziņas koku, nav vienīgais un visaugstākais Dievs, viņš ir tikai Dieva daļa vai padots Dievs, Demiurgs, un radība nav laba, tā ir neizdevusies, un tas, kas radīts, uz veselu mūžību ir nolādēts un atstāts ļaunuma varā, līdz viņš pats, vienvienīgais Dievs gars, laizdams pasaulē savu dēlu, neizlēma darīt galu nolādējuma mūžībai. Sākot ar šo brīdi, tā viņi mācīja, un tā spriedu arī es, sākusies Demiurga un viņa radītās pasaules atmiršana, un pasaule palēnām mirst un vīst, līdz jaunā mūžībā vairs nebūs ne radības, ne pasaules, ne miesas, ne grēka un iekāres, ne miesīgas ieņemšanas un dzimšanas, un nāves, bet gan taps pilnīga, garīgota un atpestīta pasaule, brīva no Ādama lāsta, brīva no nebeidzamā lāsta un spaida iekārot, ieņemt, dzemdēt un mirt. Pastāvošās pasaules trūkumos mēs vairāk vainojām Demiurgu nekā pirmo cilvēku, mēs uzskatījām, ka Demiurgs, bijis tas tiešām Dievs, bez grūtībām būtu spējis radīt Ādamu citādu vai aiztaupīt viņam kārdinājumu. Un tā mēs nonācām pie secinājuma, ka pastāv divi dievi — Dievs radītājs un Dievs tēvs, un mēs nekautrējāmies tiesāt un noniecināt pirmo. Atradās starp mums pat tādi, kas gāja vēl tālāk un apgalvoja, ka radība vispār ir velna, nevis Dieva roku darbs. Mēs bijām pārliecināti, ka ar savām pārgudrībām palīdzam pestītājam un topošajai gara mūžībai, un tā mēs paši darinājām dievus un pasaules un lēmām pasauļu likteņus, un disputējām, un teoloģizējām, līdz es kādu dienu sasirgu ar drudzi un guļēju uz nāvi slims, un drudža murgos es bez mitas noņēmos ar Demiurgu, man bija jākaro un jāizlej asinis, un rēgi, kas man rādījās, un mani biedi kļuva arvien briesmīgāki, līdz kādu nakti, kad drudzis bija sevišķi stiprs, man likās, ka man jānogalina sava māte, lai izpirktu savu piedzimšanu. Drudža murgos velns vajāja mani, palaidis no ķēdes visus savus suņus. Bet es atspirgu un, par vilšanos vecajiem draugiem, atgriezies dzīvē, biju kļuvis aprobežots, sekls un nerunīgs cilvēciņš; tiesa, miesas spēkus es drīz vien atguvu, toties prātošana vairs nepriecēja mani. Jo tajās dienās un naktīs, kad palēnām atlabu, kad šaušalīgie drudža murgi bija rimuši un es bezmaz visu laiku guļēju dziļā miegā, katru nomoda brīdi jutu sev līdzās pestītāju, jutu spēku, ko viņš izstaroja un iedvesa man, bet atveseļojies skumu, ka vairs nejūtu viņu savā tuvumā. Tā vietā mani māca kvēlas ilgas pēc šīs tuvības, un tad izrādījās: līdzko no jauna sāku klausīties disputus, atkal jutu, ka šīs ilgas — tās toreiz man bija dārgākas par visu — ir apdraudētas, tiecas izzust, pagaist domās un vārdos, tāpat kā ūdens iznīkst tuksneša smiltīs. Un tā, mīļais, manai prātošanai un teoloģiskajai spriedelēšanai pienāca gals. Kopš tā laika es piederu pie vientiesīgo saimes. Bet ļaudīm, kam ir zināšanas filozofijā un mitoloģijā un kas saprot rotaļas, kurās arī pats reiz izmēģināju spēkus, es nevēlos stāties ceļā vai izrādīt necieņu. Ja reiz biju spiests samierināties ar atziņu, ka Demiurgs ir Dieva gars, ka radība un pestīšana savā neizdibināmajā mijiedarbībā un vienlaicībā man ir neatrisināma mīkla, tad esmu spiests pieticīgi atzīt, ka nav manos spēkos padarīt prātnieku par ticīgo. Tas nav mans uzdevums.

Reiz, uzklausījis slepkavas un laulības pārkāpēja grēksūdzi, Dions teica savam palīgam:

— Slepkavot un pārkāpt laulību — tas izklausās itin nelietīgi un vareni. Un nekas labs jau arī tas nav, jānudien! Bet es tev saku, Jozef, patiesībā šie pasaulīgās dzīves ļaudis nav nekādi īsti grēcinieki. Katru reizi, kad cenšos iejusties kādā no tiem, man rādās, ka viņi ir tīrie bērni. Tie nav rātni, nav labiņi, nav cildeni, tie ir patmīlīgi, miesaskāri, uzpūtīgi, aizkaitīgi, tas tiesa, bet būtībā, kodolā savā, tie ir nevainīgi — nevainīgi tai vīzē, kādā nevainīgi ir bērni.

— Un tomēr, — iebilda Jozefs, — tu nikni strostē tos un iztēlo tiem visas elles šausmas.

— Taisni tādēļ! Šie ļaudis ir kā bērni un, sajutuši sirdsapziņas pārmetumus un ieradušies izsūdzēt grēkus, vēlas, lai pret viņiem izturas nopietni un viņus ne pa jokam izdrebina. Tā vismaz domāju es. Savā laikā tu, tiesa, rīkojies pretēji: tu nerājies un nesodīji, un neliki nožēlot grēkus, tu, gluži otrādi, biji laipnīgs un atvadījies no šiem ļaudīm ar brāļa skūpstu. Es nenosodu tevi, nebūt ne — tikai es to nespētu.

— Nu labi, — vilcinādamies teica Jozefs. — Bet saki — kādēļ tu pēc tam, kad biju izsūdzējis grēkus, neizturējies pret mani tāpat kā pret citiem nožēlniekiem, kādēļ tu klusēdams noskūpstīji mani un neko man nepārmeti?

Dions Pugils pievērsa viņam savu aso, vērīgo skatienu.

— Vai tas, ko darīju, nebija pareizi? — viņš jautāja.

— Es nesaku, ka tas nebija pareizi. Tas noteikti bija pareizi, citādi grēksūdze nebūtu mani tā spirdzinājusi.

— Tādā gadījumā pietiks par to runāt. Galu galā es toreiz uzliku tev bargu uņ ilgstošu grēku nožēlu, lai arī neko neteicu. Es pasaucu tevi sev līdzi, izturējos pret tevi kā pret kalpu, piespiedu tevi no jauna uzņemties pienākumu, no kura tu dzīries atteikties.

Viņš novērsās, jo necieta garas valodas. Bet Jozefs šoreiz neatlaidās:

— Tu zināji aizlaikus, ka klausīšu tevi, es apsolīju to pirms grēksūdzes, vēl nezinādams, kas tu esi. Nē, pasaki man — kāds bija patiesais iemesls tam, ka tu tā izturējies pret mani?

Dions pagājās pāris soļu šurpu turpu, apstājās Jozefa priekšā, uzlika viņam roku uz pleca un teica:

— Mans dēls, laicīgie ļaudis ir bērni. Un svētie... nu, tie nemēdz mums sūdzēt grēkus. Bet mēs, tu un es, un mums līdzīgie, mēs, atzinēji, meklētāji, anahorēti, — mēs neesam bērni un nevainīgi, un ar sprediķiem mums nav līdzēts. Mēs, tieši mēs esam īstenie grēcinieki, mēs, zinošie un domājošie, no Atziņas koka baudījušie, un neder mums izturēties citam pret citu kā pret bērnu, kam sadod žagarus un neliedz pēc tam no jauna paskraidelēt. Pēc grēksūdzes un grēku nožēlas mēs tačs vairs neatgriežamies bērnišķības pasaulē, kur svin svētkus un kārto darījumus, un laiku pa laikam slepkavo cits citu, mums apgrēcība nav īss, ļauns sapnis, no kura atgaiņājas, izsūdzot grēkus un upurējot; mēs mītam tajā, mēs ne mirkli neesam nevainīgi, mēs vienmēr esam grēcīgi, mēs mītam apgrēcībā un degam uz savas sirdsapziņas sārta, un mēs zinām, ka nekad nespēsim izpirkt savu lielo vainu, ja vien Dievs pēc mūsu nāves neiežēlosies par mums un neuzņems mūs savā žēlastībā. Šis, Jozef, ir īstais iemesls, kādēļ ne tev, ne sev nevaru lasīt sprediķus vai uzlikt grēku nožēlu. Mums nav darīšana ar pārkāpumu vai ļaundarību, mums allaž jāsaduras ar pirmgrēku pašu; tādēļ cits citam varam apliecināt tikai izpratni un brāļa mīlestību, nevis sodot izdziedināt cits citu. Vai tad tu to nezināji?

— Jā, tā tas ir, es to zināju, — klusītēm atbildēja Jozefs.

— Nu, tad nerunāsim tukšu, — strupi attrauca vecais un devās pie akmens alas priekšā, uz kura, nometies ceļos, mēdza lūgt Dievu.

Pagāja vairāki gadi, un Diona tēvs aizvien biežāk jutās tik vārgs, ka bez Jozefa palīdzības no rīta vairs nejaudāja pietrausties kājās. Piecēlies viņš gāja lūgt Dievu un arī pēc lūgsnas saviem spēkiem vien nespēja tikt uz kājām. Jozefam vajadzēja viņu piecelt, un pēc tam viņš augu dienu sēdēja un raudzījās tālē. Bet vienmēr tas tā nebija, citudien vecais vīrs pieslējās kājās pats. Arī grēksūdzes viņš nespēja uzklausīt katru dienu, un reiz, kad kāds bija izsūdzējis Jozefam grēkus, Dions pasauca viņu un teica:

— Manas dienas ir skaitītas, mans dēls, un mans gals ir tuvu. Pasaki ļaudīm: šis te Jozefs būs mans pēcnieks.

Un, kad Jozefs vairījās un grasījās ko iebilst, sirmgalvis uzmeta viņam vienu no tiem briesmīgajiem mirkļiem, no kuriem sirds krūtīs pamira.

Kādu dienu, piecēlies pats saviem spēkiem, likdamies arī ņiprāks nekā parasti, Dions pieaicināja Jozefu un aizveda viņu uz nomaļu nostūri mazajā dārzā.

— Šeit, — viņš teica, — ir tā vieta, kur tev jāapbedī mani. Kapu raksim abi kopā, es domāju, laika mums pietiks. Ej atnes lāpstu!

Kopš tās dienas viņi katru rītu kādu brīdi raka kapu. Ja Dions jutās žirgts, viņš pats izcēla dažas lāpstas zemes — gan ar lielu piepūli, tomēr ar manāmu možumu, it kā darbs priecētu viņu. Možā noskaņa pēc tam nezuda viņam augu dienu; kopš abi raka kapu, viņš allaž bija labā omā.

— Uz mana kapa tev jāiestāda palma, — viņš reiz, cilādams lāpstu, teica. — Varbūt tu vēl nobaudīsi tās augļus. Ja ne, ēdīs citi. Šad tad esmu iestādījis pa kokam, tiesa, maz, daudz par maz! Mēdz teikt, vīrietim, iekams tas nomirst, jāiestāda koks un jāatstāj dēls. Nu, es atstāšu palmu un tevi — tu esi mans dēls.

Viņš bija tik mierīgs un līksms, kādu Jozefs agrāk netika viņu pazinis, un no dienas dienā kļuva vēl jo mierīgāks un līksmāks. Kādu vakaru — metās jau tumšs, un abi bija paēduši un noskaitījuši pa lūgsnai — Dions, atlaidies savā guļvietā, pasauca Jozefu un lūdza to kādu brīdi pasēdēt līdzās.

— Es gribu tev kaut ko pastāstīt, — viņš laipni teica; viņš, liekas, nejutās gurds un miegains. — Vai tu, Jozef, vēl atceries, cik grūti tev toreiz klājās savā vientuļnieka miteklī tur, Gazas pusē, un kā tev bija apnicis dzīvot? Un kā tu pēc tam meties bēgt un izlēmi doties pie vecā Diona, lai pastāstītu tam par savām mokām? Un kā tu brāļu ciematā sastapi veco vīru un izvaicāji to, kur īsti mājo Dions Pugils? Nujā, un vai tev nelikās brīnumaini, ka šis vecais vīrs bija pats Dions? Es tagad pastāstīšu tev, kā tas gadījās; Arī man, proti, tas likās neparasti un gaužām savādi.

Tu zini, kā mēdz būt, ja eremīts un biktstēvs kļūst vecs un ir uzklausījis daudzus jo daudzus grēku nožēlniekus, kas uzskata viņu par bezgrēcīgu un svētu, nezinādami, ka viņš ir lielāks grēcinieks nekā tie. Tādā brīdī viss, ko pats darījis, viņam liekas nevajadzīgs un nīcīgs, un tas, kas viņam reiz, šķita svēts un svarīgs — ka Dievs, proti, nolicis viņu šajā vietā un pagodinājis, likdams uzklausīt cilvēkus un atvieglot ļaužu netīrās un saskretušās dvēseles, — tas viss viņam pēkšņi top par smagu, pārlieku smagu nastu, pat lāstu, un galu galā viņu pārņem šausmas, ieraugot jaunu nelaimīgo, kurš ieradies ar saviem bērniškīgajiem grēkiem, viņš vēlas, lai tas ietu prom, un arī pats labprāt aizietu — kaut vai lai pakārtos virvē, kas iesieta koka zarā. Tā toreiz klājās tev. Tagad arī man situsi grēksūdzes stunda un es atzīstos tev: arī man klājās tāpat, arī es šķitu sev nevajadzīgs, garīgi miris un vairs nevarēju paciest, ka ļaudis paļāvībā nāk pie manis, nesdami man itin visus cilvēka dzīves netīrumus un smirdumus, ar kuriem paši vairs netiek un arī es vairs netieku galā.

Tolaik nereti dzirdēju nostāstus par kādu grēku nožēlnieku, sauktu par Jozefu Famulu. Arī pie viņa, tā man stāstīja, labprāt dodas ļaudis, lai sūdzētu grēkus, un daudzi labāk griezās pie viņa nekā pie manis, jo viņu daudzināja par maigu, laipnīgu cilvēku, runāja arī, ka viņš neko neprasot no ļaudīm un nebarot tos, viņš apejoties ar tiem kā ar brāļiem, tikai uzklausot tos un atvadām dodot skūpstu. Manā dabā tas nav, tu to zini, un, kad pirmoreiz padzirdu valodas par šo Jozefu, man viņa izturēšanās likās drīzāk jau ģeķīga un aplam bērniškīga; bet tobrīd, kad sāku tik dziļi apšaubīt pats savas rīcības lietderīgumu, man bija pilnīgs pamats atturēties no sprieduma par šā Jozefa nostāju un nedomāt, ka zinu labāk par viņu, kā jāizturas. Kas tie bija par spēkiem, kas piemita šim cilvēkam? Es zināju, ka viņš ir jaunāks par mani, lai gan arī jau gados, un tas man bija pa prātam, jaunam cilvēkam es tik lēti vis nespētu uzticēties. Bet pēc šā cilvēka es sailgojos, un tā es izlēmu doties ceļā pie Jozefa Famula, lai atzītos viņam savā postā un lūgtu padomu vai arī, ja viņš man padomu liegtu, varbūt tomēr smeltos viņa mājoklī mieru un spēku. Jau pats šis lēmums bija man tīkams, un man kļuva vieglāk ap sirdi.

Es tātad devos ceļā un lēnām tuvojos vietai, kur, kā vēstīja valodas, atradās vientuļnieka mītne. Bet tikmēr brālis Jozefs bija pārdzīvojis to pašu, ko tiku pārdzīvojis es, un darījis to pašu, ko darīju es, un arī viņš bija devies ceļā, lai lūgtu otram padomu. Un, kad es, nepaguvis aizsniegt Jozefa mitekli, sastapu viņu, man jau pirmās sarunas laikā kļuva skaidrs, ka tas ir viņš, — Jozefs izskatījās tieši tāds, kādu es biju viņu iztēlojies. Bet viņš bija bēglis, viņam bija klājies grūti, tikpat grūti kā man vai pat vēl grūtāk, un viņš nemaz nebija noskaņots uzklausīt grēksūdzes, gluži otrādi, viņš pats vēlējās izsūdzēt grēkus, dalīties savā postā ar otru. Tobrīd tā man bija liela vilšanās, un es gaužām noskumu. Ja arī šis Jozefs, kurš mani nepazina, bija paguris kalpot un zaudējis ticību savas dzīves jēgai, tad tas laikam gan nozīmēja, ka mēs abi esam maldījušies, ka esam dzīvojuši veltīgi un cietuši sakāvi.

Es stāstu tev to, ko tu jau zini, tādēļ runāšu īsi. Tonakt es ciemata nomalē paliku viens, bet tu atradi pajumti pie brāļiem, vienatnē es gremdējos sevī, centos iejusties Jozefa ādā un domāju: ko gan viņš darīs rīt, uzzinājis, ka arī Pugils ir bēglis un šaubu plosīts cilvēks? Jo vairāk iejutos Jozefa ādā, jo vairāk man kļuva viņa žēl, jo neatlaidīgāk man uzmācās domas, ka pats Dievs man sūtījis viņu, lai es, izprotot viņu, izprastu un dziedētu pats sevi. Es nomierinājos un ap pusnakti aizmigu. Nākamajā dienā tu devies ceļā kopā ar mani un kļuvi par manu dēlu.

Tas ir viss, ko gribēju tev pastāstīt. Es dzirdu, tu raudi. Raudi vien, asaras atvieglo sirdi. Un reiz jau esmu kļuvis tik runātnīgs, uzklausi, lūdzams, vēl šos vārdus un noglabā dziļi sevī: cilvēks ir ērmots radījums, paļauties uz viņu nevar, tāpēc nav izslēgts, ka senās mokas un šaubas ar laiku no jauna uzmāksies tev un lūkos tevi pieveikt. Lai tad Dievs tas kungs sūta tev tikpat laipnu, pacietīgu un iepriecējošu dēlu un audzēkni, kādu tas piešķīra man! Bet, ja runa par zaru, kam kārdinātājs lika rādīties tev sapnī, un par nelaimīgā Jūdasa Iskariota galu, varu tev vienīgi teikt: gatavot sev tādu nāvi nav tikai grēks un aplamība, lai gan mūsu pestītājam arī šo grēku nav grūti piedot. Tas tomēr ir ļoti bēdīgi, ja cilvēks mirst izmisis. Dievs neliek mums izsamist, lai mūs nogalinātu, viņš dzen mūs izmisumā, lai modinātu jaunai dzīvei. Bet, ja Dievs mums, Jozef, sūta nāvi, ja viņš raisa mūsu miesas un zemes saites un aizsauc mūs pie sevis, tas ir liels prieks. Cik brīnum labi, ka vari aizmigt, kad esi paguris, ja drīksti novelt nastu, ko bezgala ilgi esi nesis! Kopš esam izrakuši kapu — neaizmirsti, ka tev uz kapa jāiestāda palma! — kopš mēs sākām rakt kapu, es jūtos tik apmierināts un priecīgs, kāds gadiem ilgi nebiju juties.

Es kļuvu pļāpīgs, mans dēls, tu būsi noguris. Ej atdusies savā būdā, lai Dievs tevi pasargā!

Nākamajā rītā Dions neiznāca uz rīta lūgšanu un nesauca arī Jozefu. Satraukts klusītēm ielavījies Diona būdā un piegājis pie vecā vīra guļvietas, Jozefs ieraudzīja, ka viņš aizmidzis uz mūžu un skaidrotajā sejā rotājas gaišs bērna smaids.

Jozefs apbedīja viņu, uz kapa iestādīja palmu un vēl pieredzēja gadu, kad koks pirmo reizi nesa augļus.

INDIEŠA DZĪVES GĀJUMS

Kāds dēmonu pavēlnıeks, ko Višnu — vai Rāma[1], kurā daļēji bija iemiesojies Višnu, — nogalināja vienā no savām niknajām kaujām ar dēmoniem, raidīdams bultu no mēness sirpim līdzīgā loka, reinkarnāciju ritumā atdzima cilvēka izskatā, saucās par Ravanu un mita lielās upes Gangas krastā, kur dzīvoja kareivīga valdnieka dzīvi. Tas bija Dasas[2] tēvs. Māte Dasam nomira agri, un, kad pamāte, skaista un godkāra sieviete, dzemdēja valdniekam dēlu, mazais Dasa stāvēja tai ceļā; viņa — pirmdzimtā vietā tā tīkoja celt valdnieka godā pati savu dēlu Nalu, pamanījās atsvešināt tēvu no Dasas un dzīrās izdevīgā brīdī novākt padēlu no ceļa. Kādam Ravanas galma braminam, upuru zinātājam Vasudevam, viņas nodoms tomēr nepalika apslēpts, un šim gudrajam vīram izdevās novērst nelaimi. Braminam puisēna bija žēl, turklāt viņam šķita, ka mazais princis no mātes mantojis slieksmi uz dievbijību un taisnības mīlestību. Viņš paturēja Dasu acīs, lai tam nenotiktu kas ļauns un, līdzko rastos izdevība, paglābtu zēnu no nelaimes.

Radžam Ravanam piederēja ganāmpulks, ko turēja par godu Brahmam, — tās bija svētās govis, un pienu un sviestu, ko no tām ieguva, izmantoja upurziedam, kuru bieži nesa dievam. Šīm govīm taupīja pašas labākās ganības. Kādu dienu galmā ieradās viens no ganiem, kas kopa svētās govis, lai nodotu sviestu, un ziņoja, ka apvidū, kurā līdz šim uzturējies ganāmpulks, gaidāms liels sausums, tādēļ viņi, gani, vienojušies aizdzīt govis tuvāk kalniem, kur arī pašā sausākajā laikā neizsīkstot strauti un netrūkstot zaļbarības. Šim ganam, ko bramins pazina sen, viņš nolēma uzticēties — tas bija labs un godājams cilvēks, un, kad nākamajā dienā mazais Dasa, Ravanas dēls, nozuda un nekur vairs nebija atrodams, tikai Vasudeva un gans zināja, kur tas palicis. Gans aizveda Dasu sev līdzi uz pauguraini, tur abi panāca ganāmpulku, kas lēni virzījās tālāk, un Dasa mīļu prātu piebiedrojās

---

[1] Rāma — hinduisma literatūrā iemīļots varonis un dievs (*sanskritā*: mēness), viena no dieva Višnu inkarnācijām.

[2] Dasa — Kalps (*hindu*), tāpat kā *Knecht* vācu un *famulus* latīņu valodā.

ganiem un sadraudzējās ar tiem, viņš kļuva par ganuzēnu, auga ganu vidū, palīdzēja tiem ganīt govis un pārdzīt tās uz citām ganībām, iemācījās slaukt govis, rotaļājās ar telītēm, gulēja koku pavēnī, dzēra saldu pienu, un basās kājas viņam allaž bija aplipušas ar mēsliem. Tas viss Dasam ļoti patika, viņš iepazina ganu dzīvi, ganāmpulka pieradumus, mācījās pazīt mežu, kokus un augļus, sevišķi iemīļoja mango, meža vīģes un varinga kokus, zaļajos meža ezeriņos meklēja saldo lotosa sakni, svētku dienās nesa sarkanu ugunsziedu vainagu, iemanījās sargāties no džungļu zvēriem, vairīties tīģera, draudzēties ar gudro mungo un jautro ezi, pavadīt lietus laiku krēslainā zaru būdā; tajā ganuzēni rotaļājā kā jau bērni, skandēja dziesmas vai pina grozus un meldru pīteņus. Savu agrāko dzīvi un kādreizējo dzimteni Dasa gan neaizmirsa pavisam, taču tā likās viņam kā sapnis.

Kādu dienu, kad ganāmpulks bija mainījis vietu, Dasa devās uz mežu, lai pameklētu medu. Viņš bezgala mīlēja mežu, kopš bija to iepazinis, un šis turklāt likās īpaši skaists: cauri zariem un lapotnei kā zeltainas čūskas lodāja saules stari, un putnu vīterošana, lapu šalkoņa, pērtiķu klaigas — visas šīs skaņas, krustodamās cita ar citu, saplūda gaišā, maigi vizošā vītenē, un tāpat uzvēdīja, saplūda kopā un atkal nošķīrās, atgādinot gaismas rotaļu zarotnē, meža smārdi — ziedu, mizu, lapu, ūdeņu, sūnu, zvēru, augļu, zemes un trūdu smaržas — rūgtas un saldas, uzmundrinošas un iemidzinošas, spirgtas un reibinošas. Brīžiem no kādas gravas dziļokšņa vidū atlidoja strauta čalas, citubrīd pāri baltajiem ziedu čemuriem, plivinādams dzelteni un melni plankumotos spārnus, laidelējās samtaini zaļš tauriņš, reizēm nobrikšķēja kāds zars meža zilajā pakrēslī, iečabējās pērnās lapas, tumsā ierēcās kāds zvērs vai strīdīga pērtiķu mātīte bārās ar savējiem. Dasa aizmirsa par medu un, ieklausīdamies koši zaigojošo paradīzes putnu balsīs, pēkšņi ievēroja, ka augsto paparžu biezājā, kas atgādināja mazu mežu lielā meža vidū, ved tāda kā taciņa, kas līdzīgs celītei, šauram, tikko samanāmam kājceliņam. Iebridis papardājā, Dasa klusu un piesardzīgi devās uz priekšu, līdz takas galā žuburota koka pakājē ieraudzīja būdiņu, sava veida saslietni, aizpītu ar paparžu lapām, un līdzās būdiņai — taisni un nekustīgi sēdošu cilvēku; rokas tam atdusējās starp sakrustotajām kājām, bet acis zem platās pieres, gar kuru nokarājās sirmi mati, lūkojās lejup — mierīgas un neko neredzošas, atvērtas, taču iekšup vērstu skatienu. Dasa noprata, ka redz svētu vīru, jogu, šis nebija pirmais, ko viņam gadījies sastapt, — tie bija godājami, dievu ieredzēti ļaudis, un pareizi darīja tas, kurš viņiem nesa ziedu un apliecināja cieņu. Bet jogs, kurš, taisni izslējies, nekustīgs sēdēja savas būdas priekšā, kas bija tik rūpīgi apslēpta, un gremdējās sevī, zēnam patika īpaši, likās viņam neparastāks un cienījamāks par tiem, kurus bija redzējis citkārt. Šo cilvēku, kurš sēdēja tā, it kā nejustu savas miesas svaru, un aizsapņojies, šķiet, tomēr redzēja un zināja visu, ieskāva savdabīga svētuma aura, cieņas burvju loks, saspringta jogas spēka liesmains, ugunīgs lauks, kurā zēns neuzdrīkstējās ielauzties, uzrunājot vai sveicinot svešo. Joga cienīgums un dižums, iekšējā gaisma, ko izstaroja viņa seja, sasprindzinātas domas, tēraudcietas neaizskaramības izteiksme vaibstos raidīja starus un viļņus, kuru vidū viņš sēdēja cēls un neaizsniedzams kā debesu spīdeklis, un garīgā spēka uzkrājums, rimtas gribas apkopojums, ko pauda joga āriene, auda ap viņu tādu maģisku apli, ka bija jūtams: šis cilvēks ar vēlmes vai domas piepūli vien, ir nepacēlis acis, spētu nogalināt un atkal atdzīvināt cilvēku.

Nekustīgāk par koku, kas, elpojot lapām un zariem, tomēr kustas, nekustīgs kā akmenī cirsts elku tēls sēdēja jogs, un tik pat nekustīgs, ieraudzījis viņu, stāvēja zēns — kā pienaglots, kā važās iekalts un redzētā noburts. Dasa stāvēja un stingu skatienu vēroja jogu, redzēja saules spulgus uz viņa pleca un pavērtās plaukstas, redzēja, ka saules atspulgi lēnām pārvietojas, ka veidojas jauni, un pārsteigts atskārta, ka saules mirgai nav sakara ar šo cilvēku, tāpat kā sakara ar viņu nav putnu čivināšanai un pērtiķu kliedzieniem visapkārt mežā, un brūnajai kamenei, kas nosēdās uz apcerē nogrimuša joga sejas, apostīja viņu, parāpoja pa viņa vaigu un pacēlusies atkal aizlaidās, un arī visai pārējai tik daudzveidīgajai meža dzīvei, — tam visam, juta Dasa, itin visam, ko redz acs, dzird auss, visam, kas ir daiļš vai neglīts, piemīlīgs vai biedīgs, nav nekāda sakara ar svēto vīru, lietus nespētu viņu nedz izmērcēt, nedz sabojāt viņam omu, uguns nesvilinātu viņu, visa apkārtējā pasaule kļuvusi viņam kas virspusējs un nozīmi zaudējis. Nojausma, ka visa pasaule tik tiešām, iespējams, ir tikai rotaļa un kas virspusējs, tikai vējpūta un viļņu ņirba pār neizdibinātām dzīlēm, princim un ganuzēnam, kas skatoties bija aizmirsies, atausa ne jau kā doma, bet it kā trīsas, kuras pārskrien augumam, it kā viegls reibonis, it kā šausmu un draudošu briesmu, vienlīdz arī vilinošu alku izjūta. Jo viņam rādījās, ka cauri pasaules virspusei, cauri ārējai pasaulei jogs gremdējas esības dzīlēs, visu parādību noslēpumā, ka viņš sarāvis un nometis jutekļu, gaismas rotaļu, skaņu, krāsu, sajūtu burvju tīklu un cieši iesakņojies būtiskajā un nemainīgajā. Zēns, lai gan braminu audzināts, kas viņā bija šķēluši vienu otru garīgas gaismas dzirksti, tomēr neuztvēra to visu ar prātu un nespētu ietērpt vārdos, viņš atskārta visu tā, kā svētītā stundā mēdz atskārst dievišķā tuvumu, viņš noģida to godbijības un apbrīnas trīsās, redzot šo cilvēku, noģida mīlestībā uz jogu, ilgās pēc dzīves, kādu, šķiet, dzīvoja apcerē nogrimušais. Un tā Dasa vēl aizvien kavējās tai pašā vietā paparžu biezokņa malā, pateicoties vecajam vīram, brīnumainā kārtā atcerējies savu izcelsmi, savu valdnieka un radžas godu un, dziļi saviļņots, vairs nedzirdēja ne spārnu švīkoņu, lidojot putniem, ne lapu zuzēšanu, sačukstoties kokiem, aizmirsa ir mežu, ir ganāmpulku, ļāvās nobūrumam un vēroja meditējošo vientuļnieku, viņa neizprotamā miera un neaizskaramības, vaibstu gaišās apskaidrības, pozas spēka un saspringuma, viņa galējās atdevības savaldzināts. Vēlāk Dasa vairs nebūtu varējis pateikt, vai līdzās būdai pavadījis divas vai trīs stundas vai vairākas dienas. Atguvies no sava nobūruma, viņš klusām aizlavījās, iedams pa taciņu, kas vijās paparžu biezājā, uzgāja ceļu, kurš veda ārā no meža, galu galā izkļuva klajās ganībās pie ganāmpulka, bet darīja to visu neapzināti, dvēselē vēl aizvien atrazdamies valdzinājuma varā, un attapās vien tad, kad izdzirda kāda gana balsi. Gans metās viņu skaļi lamāt par ilgo prombūtni, bet, pamanījis, ka Dasa raugās izbrīnījies, plati iepletis acis, it kā nesaprazdams, ko viņam saka, pierima, juzdamies pārsteigts par zēna ērmoto, svešādo skatienu un svinīgo sejas izteiksmi. Pēc brīža viņš, tomēr pavaicāja:

— Kur tad tu, draugs, biji? Kādu dievu, vai, būsi redzējis vai sastapis meža garu?

— Es biju mežā, — attrauca Dasa, — man uznāca kāre pameklēt medu. Bet par medu es aizmirsu, jo mežā ieraudzīju cilvēku, kādu vientuļnieku, viņš sēdēja, nogrimis domās vai lūgšanā, un, kad es ieraudzīju, kā staro viņa seja, man bija jāapstājas un jāskatās uz viņu ilgi, ilgi. Vakarā es gribētu aiziet turp un aiznest viņam ko ēdamu — tas ir svēts cilvēks.

— Ej vien, — teica gans, — aiznes viņam pienu un saldu sviestu; viņi, šie svētie, jātur godā, un arī dāvanas viņiem jādod.

— Bet kā man uzrunāt viņu?

— Tev, Dasa, viņš nav jāuzrunā, paklanies viņam un noliec pie kājām ziedu — tas ir viss, kas tev jādara.

Tā Dasa arī rīkojās. Pagāja labs brīdis, iekams viņš no jauna atrada būdu. Bet būdas priekšā neviena nebija, un ieiet būdā viņš neuzdrīkstējās, tādēļ nolika nesumu zemē pie ieejas slietenī un pats aizgāja.

Tik ilgi, kamēr govis ganījās šai apvidū, Dasa ik vakaru nesa jogam veltes un reiz, aizgājis turp dienā un ieraudzījis godājamo, nogrimušu apcerē, ielīksmots no jauna padevās vilinājumam uztvert kaut staru tās spozmes, ko izstaroja svētā labdarīgais spēks. Un arī vēlāk, kad gani atstāja šo apvidu un Dasa bija palīdzējis aizdzīt ganāmpulku uz jaunām ganībām, viņš vēl ilgi nespēja aizmirst to, ko bija pārdzīvojis mežā, un reizēm, kā jau zēni mēdz darīt, palicis viens, ļāvās sapņiem, iztēlodamies par vientuli un jogas pratēju. Bet ar laiku šīs atmiņas un sapņu ainas zaudēja savu spilgtumu, un tās gaisa jo straujāk, jo lielāks auga Dasa, veidodamies par spēcīgu jaunekli, kurš līksmi un dedzīgi sacentās spēkā un izveicībā ar saviem vienaudžiem. Taču dziļi dvēselē neizzuda kāds atspulgs, kāda neskaidra nojausma, ka jogas mācība, tās dižums un vara reiz varētu viņam aizstāt zudušās prinča un valdnieka tiesības.

Reiz, kad govis ganījās pilsētas tuvumā, kāds gans atnesa no turienes vēsti, ka gaidāmi lieli svētki: sirmais radža Ravana, zaudējis agrākos spēkus un savārdzis, noteicis dienu, kurā viņa dēls Nala kļūs par viņa pēcnieku un tiks pasludināts par valdnieku. Dasa ļoti vēlējās redzēt svētkus un apskatīt pilsētu, par kuru viņam no bērna dienām bija palikušas vien neskaidras atmiņas, un paklausīties mūziku, nolūkoties dižciltīgo svētku gājienā un sacensībās un kaut reizi pavērot pilsētas ļaužu un valsts varenajo dzīvi, par kuru vēstī tik daudzas teikas un pasakas un par kuru viņš — varbūt arī tā bija tikai teika vai pasaka, varbūt vispār nebija taisnība — zināja, ka reiz sendienās tā bijusi arī viņa pasaule. Gani saņēma rīkojumu piegādāt galma svētku upurēšanām sviestu, un, par lielu prieku Dasam, viņš bija viens no tiem trim, kam vecākais gans lika veikt šo uzdevumu.

Svētku priekšvakarā viņi ieradās galmā, lai nodotu sviestu, un nesumu saņēma bramins V sadeva, jo tas bija viņš, kas vadīja upurēšanas ceremoniju, taču jaunekli bramins nepazina. Ar lielu ziņkāri visi trīs pēc tam noskatījās svētkus, jau rīta agrumā redzēja, kā bramina vadībā notika rituāls un zeltaino sviestu iemeta ugunī, kā tas aizdegās, kā uzšāvās augstā liesmā, kā uguns plīvā līdz ar tauku smārda piesātinātajiem dūmiem cēlās augšup, pretī bezgalībai, priecējot trejus desmitus dievu. Viņi redzēja svētku gājienu, kurā soļoja ziloņi, nesdami apzeltītus baldahīnus, zem kuriem, sēdēja raitnieki, redzēja ziediem rotātos valdnieka ratus un jauno radžu Nalu, dzirdēja apdullinošo bungu rību. Viss bija varen krāšņi un grezni un arī drusku smieklīgi, vismaz tā likās jaunajam Dasam; viņš bija noreibis un apskurbis, pat apstulbis no negantā trokšņa, no ratu dārdoņas un pušķotajiem zirgiem, no visas šīs greznības un plātīgās izšķērdības, viņš bija sajūsmā par bajaderām, kas dejā locījās valdnieka ratu priekšā slaidas un vijīgas kā lotosa kāti, brīnījās par to, cik liela un skaista ir pilsēta, tomēr, lai arī valdīja skurba svētku noskaņa, nolūkojās uz visu ar vēsu prātu — kā jau gans, kas būtībā nicina pilsētniekus. Dasa nedomāja par to, ka patiesībā viņš ir pirmdzimtais, ka šeit viņa acu priekšā iesvaida, svētī, ceļ valdnieka godā viņa pusbrāli Nalu, kuru pats

vairs neatcerējās, ka patiesībā tas ir viņš, Dasa, kam jābrauc ziedien'
izrotātajos ratos. Totıes vıņam ne acu galā nepatika jaunais radža, tas
viņam likās aprobežots un ļauns savā izlutumā un neciešami iedomīgs
savā pārspīlētajā pašapbrīnā; labprāt viņš būtu izspēlējis kādu joku
ar šo jaunekli, kurš tēloja radžas lomu, būtu to pārmācījis, taču tādas
izdevības nebija un Dasa drīz vien aizmirsa radžu, jo bija tik daudz
ko redzēt, ko dzirdēt, par ko smieties un līksmot. Pilsētas sievietes
bija skaistas, gaita, acis un valoda tām bija satraucoši draiska, visi trīs
gani saklausījās ne vienu vien vārdu, kas vēl ilgi skanēja ausīs. Tiesa,
vārdi, ko viņiem uzsauca, skanēja zobgalīgi, jo pilsētnieks raugās uz
ganu tāpat, kā gans raugās uz pilsētnieku, — viens nicina otru, tomēr
šie skaistie, spēcīgie jaunekļi, kas pārtika no piena un siera un turpat
cauru gadu mita zem klajas debess, pilsētniecēm ļoti patika.

Atgriezies no šiem svētkiem, Dasa juta, ka kļuvis par vīrieti,
sāka lenkt meitenes un dažu labu reizi bija spiests mesties dūru cīņā
vai iet lauzties, lai aizstāvētu savas tiesības. Pēc kāda laika gani ar
ganāmpulku atkal pārvietojās uz citu apvidu, kur bija plašas, līdzenas
pļavas un daudz ezeru, aizaugušu ar meldriem un bambusa niedrēm.
Tur Dasa sastapa daiļu meiteni, vārdā Pravati, un neprātīgi iemīlējās
šajā skaistulē. Viņa bija kāda nomnieka meita, un Dasas mīlestība
bija tik liela, ka viņš aizmirsa un pameta itin visu citu, lai tikai iegūtu
meiteni. Kad gani šo apvidu gatavojās atstāt, Dasa liedzās uzklausīt
viņu brīdinājumus un padomus, atvadījās no biedriem un gana dzī-
ves, ko tik ļoti bija iemīļojis, apmetās šai apvidū uz dzīvi un panāca
savu: Pravati kļuva viņa sieva. Viņš kopa sievastēva prosas un rīsa
sējumus, gāja tam talkā gan dzirnās, gan cirsmā, uzcēla sievai un sev
būdu no bambusiem un māla un turēja tajā Pravati ieslēgtu. Tam jābūt
varenam spēkam, kas piespiež jaunu cilvēku atteikties no ierastajiem
priekiem, draugiem un paradumiem, liek mainīt visu dzīvi un svešā
saimē uzņemties neapskaužamo iegātņa lomu. Tik skaista bija Pravati,
tik liels un vilinošs bija mīlas prieka solījums, ko izstaroja šīs sievietes
augums un seja, ka Dasa kļuva akls pret visu citu un pilnīgi atdevās
mīļotās varā, un viņas skavās Dasa tik tiešām izbaudīja pārvarīgu
laimi. Par dažiem dieviem un svētajiem stāsta, ka viņi, valdzinošas
sievietes noburti, dienām, mēnešiem, gadiem ilgi turējuši to apskautu
un, saldkaislē saplūzdami ar mīļoto, aizmirsuši visu pasauli. Tādu
likteni, tādu mīlu būtu vēlējies arī Dasa. Bet viņam bija lemts kas
cits, un viņa laimei ātri pienāca gals. Tā ilga apmēram gadu, un arī
šo vienu gadu neaizpildīja laimes stundas vien — laika atlika visam
kam: apnicīgām sievastēva prasībām, svaiņu dzēlieniem, jaunās sievas
gražiem. Bet, līdzko viņš gulēja tai līdzās, viss cits bija aizmirsts un

zaudēja nozīmi — tik valdzinošs likās sievas burvīgais smaids, tik saldi šķita glāstīt šīs slaikās kājas, tik krāšņi tūkstoš ziediem, vilinādams tūkstoš smaržām un ēnavām, ap viņas jaunavīgo augumu saplauka saldkaisles dārzs.

Ne gadu vēl nebija ilgusi Dasas laime, kad tai pusē sākās trokšņainas, nemierpilnas dienas. Atjāja vēstneši un paziņoja, ka šurp dodas jaunais radža, un tad jātnieku, zirgu, visas savas svītas pavadībā ieradās Nala, lai šajā apvidū medītu; gan te, gan tur tika uzceltas teltis, sprauslāja zirgi, tūtoja ragi. Dasa nelikās par to ne zinis, viņš strādāja tīrumā un rosījās dzirnavās, vairīdamies no medniekiem un galma ļaudīm. Reiz, pārnācis mājās un neatradis būdā sievu, kurai stingri jo stingri bija noteicis nespert ne soli pāri slieksnim, viņš, sajuzdams dūrienu sirdī, noprata, ka tuvojas nelaime. Viņš aizsteidzās pie sievastēva — arī tur Pravati nebija; radi apgalvoja, ka nav viņu redzējuši. Sāpes žņaudza Dasam sirdi, viņš apstaigāja kāpostdārzu un druvas, dienu, divas dienas bez mitas skraidīja šurpu turpu starp savu būdu un sievastēva mājokli, noslēpies tīrumā, gaidīja, vai neparādīsies Pravati, meklēdams sievu, nokāpa akā, lūdza dievu, sauca viņas vārdu, labināja viņu, lādējās, meklēja viņas pēdu nospiedumus. Jaunākais svainis, vēl zēns, beidzot izpauda viņam: Pravati esot radžas miteklī, mītot tā teltī, ļaudis esot viņu redzējuši uz radžas zirga. Dasa uzglūnēja Nalas telšu nometnei, neviena nepamanīts, līdzi paņēmis lingu, ko bija lietojis gana gaitās. Kolīdz šķita, ka valdnieka telts uz brīdi palikusi bez apsardzes, viņš — vienalga, dienu vai nakti, — lavījās turp, bet katru reizi parādījās sardze un Dasam bija jābēg. Paslēpies koka lapotnē, viņš novēroja nometni un reiz ieraudzīja radžu, kura vaibsti jau pilsētā — lielo svētku dienās — viņam bija dergušies, redzēja, ka Nala kāpj zirgā, lai izjātu, un, kad tas pēc vairākām stundām atgriezās, nokāpa no zirga un pavēra telts aizkaru, Dasa telts nokrēslī saskatīja jaunu sievieti, kas apsveica pārnākušo. Ieraudzījis, ka sieviete ir Pravati, viņa sieva, Dasa bezmaz novēlās no koka. Tagad viņš zināja, kas noticis, un sirds krūtīs viņam vai pamira. Lai cik lielu mīlas laimi viņam bija sniegusi Pravati, ne mazāk lielas, ja ne lielākas, tagad bija viņa ciešanas, dusmas, zaudējuma un aizvainojuma jūtas. Tā atgadās, ja cilvēks visu mīlestību veltī kaut kam vienam vienīgam, — zaudēdams šo vienu vienīgo, viņš zaudē visu un nabags stāv gruvu vidū.

Veselu diennakti Dasa klaiņoja apkārtnes mežos, piesēdis uz mirkli, lai atvilktu elpu, viņš, sirds izmisas trenkts, ik reizi pārguris atkal trausās kājās — viņam vajadzēja skriet, vajadzēja būt kustībā, viņš jutās tā, it kā būtu jājoņo līdz viņai pasaules malai, jābēg no šīs dzīves, kas zaudējusi savu pievilcību un nozīmi. Tomēr viņš nekur neaizskrēja, nekur neaizmaldījās, bet vienā laidā riņķoja ap sava posta vietu, ap savu būdu, ap dzirnavām, tīrumiem, valdnieka telti. Galu galā viņš atkal noslēpās koka lapotnē virs telts, sēdēja tur, aizsvilies rūgtā naidā, un glūnēja kā izsalcis, plēsīgs zvērs, līdz sita stunda, kuru gaidīja, sasprindzinājis pēdējos spēkus, un no telts iznāca radža. Tad viņš klusu nolēca no koka, atvēzās, savēcināja lingu, un akmens trāpīja nīstajam taisni pierē: Nala pakrita un palika nekustīgs guļam. Tuvumā, liekas, neviena nebija; saldkaismo atriebības vētru, kas plosījās Dasas dvēselē, pēkšņi nomainīja biedīgs, ērmoti dziļš klusums. Un, iekams ap nogalināto saskrēja kalpi un sacēlās brēka, Dasa ienira krūmājā un nozuda bambusu saaudzē līdzās, atkalnes pusē.

Nolēkdams no koka, atriebes skurbumā vēzēdams lingu, lai raidītu nāvi, viņš bija juties tā, it kā vienlaikus darītu galu savam mūžam, it kā atdotu pēdējos spēkus un, lidodams līdzi nāvi nesējam akmenim, pats mestos iznīcības dzīlē, būdams ar mieru iet bojā, ja vien nīstais pretinieks krīt pirmais. Toties tagad, kad nodarījumam tik negaidīti sekoja klusuma mirklis, alka dzīvot, no kuras nupat vēl ne miņas nebija bijis, parāva viņu nost no atvērtā bezdibeņa, varu pār viņa prātiem un locekļiem guva dzīvības instinkts, lika viņam patverties mežā, bambusu biezoknī, pavēlēja bēgt, kļūt neredzamam. Un tikai tagad, kad bija izdevies paglābties, kad lielākās briesmas bija garām, viņš atskārta, kas īsti noticis. Aiz paguruma saļimis, cīnīdamies ar elpas trūkumu, bezspēkā zūdot atriebes skurbumam un skaidrojoties apziņai, viņš pirmajā brīdī jutās vīlies, ka palicis dzīvs un aizbēdzis. Bet, līdzko viņš atguva elpu un pagaisa pārguras reibonis, šo pretīgo vienaldzību pieveica spīts un griba dzīvot, un sirdi no jauna pārņēma mežonīgs prieks par to, ko viņš bija izdarījis.

Drīz vien mežā kļuva nemierīgi, sākās meklēšana, dzina pēdas slepkavām, medības turpinājās augu dienu, un viņš netika atrasts tikai tādēļ, ka nekustīgs palika savā slēptuvē un vajātāji, baidīdamies no tīģeriem, dziļi brikšņos nelīda. Brīdi nosnaudies, viņš atkal gulēja ausīdamies, parāpoja tālāk, no jauna atpūtās, līdz trešajā dienā pārkļuva pāri pauguru grēdai un nepaguris turpināja kāpt kalnos.

Palicis bez pajumta, Dasa klīda no vietas uz vietu, dzīve nocietināja viņu un darīja vienaldzīgāku, tiesa, arī gudrāku un mierīgāku, taču naktīs, sapņos, viņš vēl aizvien redzēja Pravati un savu kādreizējo laimi vai to, ko pats uzskatīja par laimi; daudzreiz viņam sapņos rādījās vajāšana un bēgšana, briesmīgi, sirdi nomācoši murgi, piemēram, šāds: viņš bēg cauri mežam, viņu vajā, dzirdama bungu rīboņa, skan mednieku ragi, un viņš, steigdamies cauri mežam un dzelksnājam, pāri purvam un puvušām, lūstošām laipām, nes kādu nastu, kādu saini, kaut ko ievīstītu, apslēptu, neiepazītu, ko tādu, par ko viņam vienīgi zināms, ka tas ir kaut kas dārgs, ko nekādos apstākļos nedrīkst izlaist no rokām, kaut kas vērtīgs un apdraudēts, varbūt dārglieta, zagta manta, ietīta lakatā, raibā audumā, kuru rotā sarkanīgi brūni un zili raksti — tāds raksts bija Pravati svētku tērpam —, un, apkrāvies ar šo saini, laupījumu vai dārgumu, viņš bēg, draudot briesmām, ciezdams mokas, zemu pieliecies, lavās zem koku zariem un pārkaru klintīm, garām čūskām vai pa šaurām laipām — galvu reibinošā augstumā — pāri upēm, kas murd no krokodiliem, notramdīts un izmocīts apstājas, knibinās ap auklām, ar kurām apsiets sainis, atraisa dažus mezglus, atvīsta audumu un ierauga, ka dārgums, ko, drebēdams aiz šausmām, tur rokās, ir paša galva.

Viņš dzīvoja slapstīdamies, vienmēr atrazdamies ceļā, drīzāk vairīdamies nekā bēgdams no ļaudīm. Kādu dienu viņš nokļuva zaļā, pļavām bagātā paugurainē, apvidus likās skaists un, šķiet, līksmi sveica viņu, it kā būtu sens paziņa: te zināma likās pļava, kur vējā liegi līgoja ziedošā zāle, te kārklu puduris atsauca atmiņā līksmās, nevainīgās dienas, kad viņam vēl sveša bija gan mīlestība, gan greizsirdība, gan naida un atriebības jūtas. Tā bija tā pati puse, kur viņš reiz kopā ar biedriem tika ganījis govis, tās bija viņa jaunības gaišākās dienas — no tālas, neatgriežamas pagājības pretī vērās bijušais. Saldā grūtsirdībā Dasas sirds atsaucās balsīm, kas viņu šeit sveicināja, — baltajam vītolam, kura lapotne liegi šalkoja vējā, straujajai, možajai ceļadziesmai, ko urdzēja sīkie strauti, putnu dziesmām un zeltaino kameņu zemajai dūkoņai. Te viss solīja patvērumu, ik skaņa, ik smarža liecināja, ka viņš ir dzimtenē, — neviens cits apvidus viņam, apradušam ar ganu — nomadu dzīvi, nekad nebija licies tik tuvs un radniecīgs.

Dvēselē skanot balsīm, kas veda un vadināja viņu, mostoties jutoņai, it kā viņš būtu pārnācējs, Dasa lēnām pārstaigāja šo piemīlīgo nostūri, kopš gariem briesmu mēnešiem pirmo reizi matīdams, ka nav vairs svešinieks, vajāts bēglis, nāvei nolemtais, — gāja atvērtu sirdi, neko nedomādams, neko nekārodams, viscaur atdodamies tagadības klusajai līksmei, uzņemdams sevī mirkļa iespaidus, pateicīgs un mazliet izbrīnījies par sevi pašu un par šo tik neierasto, pirmo reizi jūsmīgi pārdzīvoto jauno garīgo stāvokli, par šo uztvērību bez vēlmēm, šo nesaspringto līksmi, šo vērīgo un pateicīgo gatavību apcerīgi baudīt un vērot. No zaļajām ganībām mežs aicināja viņu koku pavēnī, saules vizuļiem piebirušajā mijkrēslī, un tur sajūta, ka viņš pārnācis un ir dzimtenē, vēl pastiprinājās un lika iet ceļus, ko viņa kājas, šķiet, atrada pašas, līdz viņš, izlauzies cauri paparžu biezājam, kurš atgādināja mazu mežu lielā meža vidū, nokļuva pie nelielas būdas, un būdas priekšā nekustīgs zemē sēdēja jogs, ko viņš reiz zagšus bija vērojis un kam bija nesis pienu.

Kā no miega pietrūcies, Dasa apstājās. Šeit viss bija tāpat kā toreiz, šeit neritēja laiks, šeit neviens nebija nedz slepkavojis, nedz cietis, šeit laiks un dzīve likās iemūžināti cietā, nekustīgā kristālā. Viņš vēroja veco vīru, un sirds viņam atvelga tai apbrīnā, tvīkā un mīlā, ko bija jutis, ieraudzīdams jogu pirmo reizi. Viņš nopētīja būdu un klusībā nodomāja, ka vēl pirms nākamā lietus perioda to laikam gan derētu pielabot. Sadūšojies viņš spēra dažus soļus, piesardzīgi iegāja būdā un, aplaidis apkārt acis, pārliecinājās, ka nekas liels tajā nav atrodams: visa joga mantība bija lapu guļvieta, no ķirbja pagatavots trauks, kurā glabājās nedaudz ūdens, un no lūkiem darināta, tukša turza. Paņēmis turzu, viņš atgriezās mežā, lai pameklētu ko ēdamu, un pēc brīža atnesa augļus un saldas saknes, pēc tam paņēma sauso, izdobto ķirbi un pasmēla svaigu ūdeni. Tagad bija padarīts viss, kas šeit bija darāms. Cik maz gan vajadzīgs cilvēkam, lai dzīvotu! Notupies zemē, Dasa ieslīga sapņos. Viņam bija pa prātam šis klusais, sapņainais meža miers, viņš jutās apmierināts ar sevi, pateicīgs sirdsbalsij, kas atvedusi viņu šurp, kur viņš jau agrā jaunībā bija jautis ko līdzīgu mieram, laimei, dzimtenei.

Viņš palika pie klusētāja. Viņš apmainīja lapas joga guļvietā, vāca abiem pārtiku, pielaboja veco būdu un sāka sliet jaunu, ko cēla pats sev. Vecais vīrs, liekas, pacieta viņa klātbūtni, lai gan nebija īsti noprotams, vai tas vispār viņu pamanījis. Pamodies no savas apceres, jogs piecēlās un darīja to tikai tādēļ, lai dotos būdā pie miera — apēstu kādu kumosu vai uz īsu brīdi nozustu mežā. Dasa mita līdzās godājamam, kā kalps mīt līdzās savam kungam, pareizāk sakot, kā sīks mājas dzīvnieks, piejaucēts putns vai mungo mīt līdzās cilvēkam — pakalpīgs un bezmaz neievērots. Viņam, kas ilgi bija bēguļojis un slapstījies, juties apdraudēts, cietis sirdsapziņas mokas, ik brīdi baidījies vajātāju, šī tik mierīgā dzīve, vieglais darbs, tuvība cilvēkam, kurš, liekas, nepievērsa viņam ne mazāko uzmanību, kādu laiku bija gaužām labdarīga — viņš miegā vairs nemurgoja un dažkārt veselām dienām ne reizi neatcerējās notikušo. Par nākotni viņš nedomāja, un viņa vienīgā vēlēšanās, viss, pēc kā viņš ilgojās, bija palikt šeit, lai jogs ievadītu viņu vientuļnieka dzīves noslēpumos un svaidītu tai, kļūt pašam par jogu, apgūt jogu nesatricināmo mieru. Viņš bieži centās atdarināt godājamā vientuļnieka pozu, tāpat kā tas, sēdēt nekustīgi, sakrustotām kājām, līdzīgi tam ielūkoties nezināmā, jutekļiem netveramā pasaulē, kļūt nejūtīgam pret visu apkārtējo. Tiesa, parasti viņš drīz vien pagura, viņam notirpa kājas, iesāpējās mugura, traucēja uzmācīgie odi vai ieniezējās, iekņudējās āda, spiežot sakustēties, pakasīties un galu galā trūkties augšā. Bet vienu otru reizi viņš juta arī ko citu, proti, tādu kā iztukšojumu, atvieglojumu, lidojumu — kaut ko radniecīgu tam, ko cilvēks dažkārt izjūt sapnī, — pietiek vien mirkļiem skart kājām zemi un vieglītēm no tās atgrūsties, lai paceltos gaisā un laidelētos līdzīgi pūciņai. Tādos brīžos viņš apjauta, kā tas būtu, ja izdotos lidot ilgstoši, ja miesai un dvēselei zustu svars un tās vibrētu kādas dižākas, tīrākas, saulaināskas esmes elpā, pacēlušās un patvērušās aizpasaulīgajā, bez-laicīgajā, nemainīgajā. Bet tās bija tikai mirkļa apjausmas. Atgriezies ierastībā pēc šādiem pacēluma mirkļiem, Dasa vīlies nodomāja, ka viņam jāpanāk, lai meistars kļūtu par viņa skolotāju, lai tas ierādītu viņam savus vingrinājumus, atklātu savas mākslas noslēpumus un padarītu viņu par jogu. Kā to sasniegt? Radās iespaids, ka vecais vīrs nekad neieraudzīs viņu pa īstam, ka nekad neizdosies pārmīt ar viņu kādu vārdu. Vecais, šķiet, mita pasaulē, kurā nebija vārdu, tāpat kā tajā nebija ne dienu un stundu, ne meža un būdas.

Un tomēr jogs reiz izrunāja kādu vārdu. Atkal bija pienācis laiks, kad Dasa katru nakti redzēja sapņus — te mulsinoši saldus, te mul-sinoši pretīgus, te sapnī viņam rādījās viņa sieva Pravati, te bēgļa dzīves briesmu ainas. Un arī dienā, nomodā, nekas viņam neveicās, viņš nespēja ilgi nosēdēt uz vietas un vingrināties, domāja par sie-vietēm, par mīlu, klaiņoja apkārt mežā. Vainīga, iespējams, bija laika pārmaiņa — sākās sutīgas dienas ar tveicīga vēja brāzmām. Arī šī bija viena no sliktajām dienām, sīca odi, naktī Dasa atkal bija redzējis mokošu sapni, baismu un nomācošu, un, lai gan viņš neatcerējās, ko īsti bija redzējis, tagad, nomodā, sapnis viņam likās nožēlojama un būtībā nepieļaujama, dziļi apkaunojoša atgriešanās pagātnē, pagājušā dzīves posmā. Augu dienu viņš drūms un satraukts klimta ap savu būdu, neviens darbs viņam negāja no rokas, vairākkārt viņš apsēdās, lai pamēģinātu gremdēties sevī, bet tūdaļ juta drudžainu nemieru, viņam sāka tirpt kājas, it kā pa tām skraidītu sīkas skudriņas, smeldza pakausis, ne dažus mirkļus viņš nespēja nociesties nepakustējies un bikls un apkaunots vēroja veco, kurš sēdēja pilnīgi nekustīgs, iekšup vērstu skatienu, sejai starojot klusā, atraisītā līksmē, vien galvai viegli šūpojoties kā ziedam kāta galā.

Līdzko jogs todien piecēlās, lai dotos uz savu būdu, Dasa, kurš ilgi bija gaidījis šo mirkli, aizšķērsoja tam ceļu un baiļu mākta cilvēka drosmē teica:

— Piedod man, godājamais, ka ielaužos tavā svētlaimē. Es alkstu miera, nirvānas, es gribu dzīvot tāpat kā tu un kļūt tev līdzīgs. Raugi, esmu vēl jauns, bet jau daudz izcietis, liktenis pret mani bijis nežēlīgs.

Es piedzimu, lai valdītu, bet tiku padzīts un, kļuvis par ganu, augu līksms un spēkpilns kā vērsēns, un biju šķīsts sirdī. Tad man atvērās acis, es iepazinu sievietes un, ieraudzījis pašu daiļāko, visu savu dzīvi pakļāvu viņai, un būtu nomiris, ja viņa nekļūtu mana. Es pametu ganus, savus biedrus, es lūdzu Pravati roku un ieguvu viņu, es kļuvu par iegātni viņas ģimenē, man bija sūri jāstrādā, bet Pravati bija mana un mīlēja mani, vismaz es domāju, ka viņa mani mīl; katru vakaru es atgriezos viņas apkampienos, dusēju pie viņas sirds. Te pēkšņi tai apvidū ieradās radža, tas pats, kura dēļ bērnībā tiku padzīts; viņš ieradās un atņēma man Pravati, un es ieraudzīju savu sievu viņa skavās. Tās bija lielākās sāpes, kādas jebkad esmu izcietis, tās mainīja mani un visu manu dzīvi. Es nogalināju radžu, es kļuvu par slepkavu un dzīvoju noziedznieka un tekuļa dzīvi, mani vajāja, ne mirkli nebiju drošs par savu dzīvību, līdz nokļuvu šeit. Godājamais, es esmu neprātis, slepkava, varbūt mani vēl notvers un saraustīs četros gabalos. Es nespēju vairs paciest šo briesmīgo dzīvi, es gribu tikt vaļā no tās.

Jogs, nodūris acis, mierīgi klausījās. Pēc tam, pacēlis tās, viņš ielūkojās Dasam sejā. Šis skatiens bija skadrs, asi vērīgs, gandrīz neizturami ciešs, saspringts un gaišs, un, jogam vērojot Dasu un apdomājot tik sasteigto stāstu, lūpas viņam lēni savilkās smaidā, viņš iesmējās, neskanīgi smiedamies, pakratīja galvu un smiedamies teica:

— Maja[1], maja!

Pagalam apjucis un apkaunots, Dasa palika turpat, kur bija stāvējis, bet vecais vīrs pirms azaida izlocīja kājas, rāmā, ritmiskā gaitā paiedamies šurpu turpu pa taku paparžu biezajā; veicis dažus simtus soļu, viņš atgriezās savā būdā, un seja viņam atkal bija tāda pati kā parasti, pievērsta kam citam, nevis ārējo parādību pasaulei. Kas gan tas bija par smaidu, ko Dasa atbildes vietā ieraudzīja šajā mūždien nekustīgajā vaigā? Ilgi viņš lauzīja par to galvu. Vai tie bija vēlīgi vai izsmējīgi — šie briesmīgie smiekli, kas atskanēja Dasas izmisuma vaļsirdībais, viņa kvēlā lūguma brīdī, vai tie bija mierinoši vai nosodoši, dievišķi vai dēmoniski? Vai ciniski blēja vien vecis, kas neko vairs neuztver nopietni, vai arī viedais uzjautrinājās par otra neldzību? Varbūt tie pauda atteikumu, ardievas, aizraidījumu? Vai arī tajos jautās padoms, aicinājums sekot viņa piemēram, smieties kopā ar viņu? Dasa nespēja atrisināt šo mīklu. Līdz vēlai naktij viņš prātoja par šiem smiekliem, ar kuriem vecais, liekas, nolūkojās uz viņa dzīvi, laimi un postu, domās nemitīgi noņēmās ar šiem smiekliem, kā mēdz noņemties ar sakaltušu

---

[1] Maja — priekšmetu jutekliskās daudzveidības iluzorā šķietamība, reālās pasaules ilūzija brahmanisma filozofijā.

sakni, kuru košļā tādēļ vien, ka tā tomēr vēl nav zaudējusi savu garšu un smaržu. Tāpat viņš noņēmās ar vārdu, ko vecais vīrs tik skani, tik līksmi, neizprotami uzjautrināts, smiedamies bija izgrūdis, — lauzīja galvu par šo vārdu, velti cenzdamies izprast tā nozīmi. "Maja, maja!" Vārda aptuveno nozīmi viņš pa pusei zināja, pa pusei noģida, turklāt arī tas, kā vecais smiedamies bija to izgrūdis, šķiet, ļāva apjaust izsauciena saturu. Maja — tā bija Dasas dzīve, Dasas jaunība, viņa laimes saldme un viņa sūrais posts, tā bija daiļā Pravati, maja bija mīla un tās prieki, maja bija visa dzīve. Gan Dasas dzīve, gan cilvēka dzīve vispār — tas viss vecā joga acīs bija maja, bija bērnišķīga aušošanās, sava veida kumēdiņi, teātris, mirāža, raiba čaula, kurai vidus tukšs, ziepju burbulis — kas tāds, par ko ne bez iejūsmas var pasmieties un kas tomēr ir tikai nicināms, nevis par pilnu ņemams.

Bet, ja vecajam jogam šķita, ka ar šiem smiekliem un ar vārdu "maja" pateikts itin viss, kas sakāms par Dasas dzīvi, tad paša Dasas acīs tas tā nebūt nebija, un, lai kā viņš vēlētos kļūt par jogu, kas smiedamies saskata savā dzīvē tikai māju, viņa dvēselē šajās nemierpilnajās dienās un naktīs atkal sarosījās un atdzīvojās viss, ko pēc bēgļa gaitu pārguruma šeit, šajā patvēruma vietā, kādu laiku, šķiet, bija aizmirsis. Pavisam apšaubāma likās cerība, ka reiz tiešām izdosies apgūt jogas mākslu vai pat līdzināties vecajam vīram. Bet, ja tas tā, kāda tad jēga vēl uzkavēties šeit, mežā? Mežs bija devis patvērumu, viņš te kaut cik atvilcis elpu, uzkrājis spēkus, mazliet atguvies — arī tas ir labi, arī tas nav maz. Varbūt tikmēr tur, valstī, mitējušies vajāt valdnieka slepkavu un viņš bez īpašām briesmām var doties tālāk? Izlēmis nepalikt mežā, viņš nosprieda jau nākamdien posties ceļā — pasaule ir plaša, nevar taču uz mūžu palikt šajā slēptuvē. Apņemšanās nedaudz nomierināja viņu.

Dasa bija nodomājis aiziet rīta agrumā, bet, pamodies pēc ilga miega, ieraudzīja, ka saule pakāpusies pie debesīm un jogs jau gremdējas sevī, bet neatvadījies laisties ceļā negribēja, bez tam viņam vēl kas bija jautājams vecajam vīram. Viņš gaidīja vairākas stundas; beidzot jogs piecēlās, izstaipīja rokas un kājas un sāka pastaigu. Tad Dasa atkal aizšķērsoja tam ceļu, paklanījās un neatstājās tik ilgi, līdz jogs, pacēlis acis, uzlūkoja viņu.

— Skolotāj, — viņš pazemīgi bilda, — es tūdaļ iešu savu ceļu un vairs netraucēšu tavu mieru. Bet vēl šo vienu reizi neliedz man, augsti godājamais, griezties pie tevis ar lūgumu. Uzklausīji stāstu par manu dzīvi; tu smējies un iesaucies — maja! Es ļoti lūdzu tevi, paskaidro man, kas ir maja.

Vecais devās uz savu būdu, ar skatienu norādīdams, lai Dasa nāk līdzi. Paņēmis trauku ar ūdeni, jogs sniedza to Dasam, likdams

398

nomazgāt rokas. Dasa paklausīja. Tad, izlējis atlikušo ūdeni papardēs, sirmgalvis atdeva viņam trauku, vēlēdams atnest svaigu ūdeni. Dasa paklāvīgs aizsteidzas uz avotu, un sirds viņam smeldza atvadu sāpēs, pēdējo reizi ejot pa šauro taciņu, pēdējo reizi pieliecot vieglo trauku ar gludo nodilušo malu pār mazo ūdens ovālu, kura atspoguļojas ir briežmēles, ir lapotņu vainagi, ir simt atspulgos izkliedētā, saldā debess zilgme un no kura tagad, viņam nolīkstot pāri, brūnajā mijkrēslī pēdējo reizi pretī vērās arī paša vaigs. Domās nogrimis, Dasa lēnām gremdēja trauku ūdenī, juzdamies nedrošs un nespēdams izskaidrot sev, kādēļ viņam tik ērmoti ap sirdi, kādēļ — reiz viņš izlēmis doties ceļā — tā sāpina doma, ka vecais nav aicinājis viņu palikt vēl brīdi, varbūt pat palikt pavisam.

Notupies avota malā, viņš iesmēla traukā mazliet ūdens, piesardzīgi pieslējās kājās, lai neizlietu ne lāsi, un jau dzīrās doties īsajā atceļā, kad auss uztvēra skaņu, kas viņu gan ielīksmoja, gan izbiedēja, — balsi, kuru dzirdēja ne vienu reizi vien sapņos un saklausīt rūgti ilgojās ne vienā vien nomoda stundā. Tik saldi skanēja balss, tik salda, bērnišķi mīlīga, mīlas pilna aicinot ūboja meža dzesnā balss, ka sirds aiz bailēm un lieglaimes vai pamira. Tā bija viņa sievas, tā bija Pravati balss. — Dasa! — balss vilināja viņu. Neticīgi viņš pavērās visapkārt, arvien vēl turēdams trauku rokā, un raugi, starp kokiem parādījās viņa, slaika un vijīga, — garkāje Pravati, mīļotā, neaizmirstamā, neuzticīgā. Nometis trauku zemē, viņš skriešus devās tai pretī. Smaidoša, drusku nokaunējusies — Pravati stāvēja Dasas priekšā, raudzīdamās viņā platām stirnas acīm, un tagad, atrazdamies līdzās, viņš ievēroja, ka tai kājās sarkanas ādas sandales, ka tērpusies tā skaistās, krāšņās drānās, ka roku tai rotā zelta stīpa un melnajos matos mirgo krāsaini, dārgi akmeņi. Nodrebējis viņš atkāpās soli. Vai tad Pravati vēl aizvien ir valdnieka mīļākā? Vai tad viņš nav nogalinājis Nalu? Vēl aizvien viņa skraida apkārt, apkārusies ar valdnieka veltēm! Kā viņa uzdrīkstas, izrotājusies ar šīm sprādzēm, ar šiem dārgakmeņiem, nostāties viņa priekšā, izrunāt viņa vārdu?

Bet sieva bija daiļāka nekā jebkad agrāk, un, iekams prasīja, lai Pravati sniedz paskaidrojumus, Dasa, nespēdams valdīties, tomēr apkampa viņu, piekļāva pieri viņas matiem un, atliecis atpakaļ viņas galvu, noskūpstīja viņu uz lūpām, bet, darīdams to, juta, ka atgriezies, atgūts viss, ko reiz saucis par savu, — laime, mīla, baudkāre, dzīvesprieks, kaisle. To pašu mirkli viņš domās jau bija tālu prom no meža, no vecā vientuļnieka; mežs, vientuļnieka dzīve, meditācijas un joga bija pagaisušas un aizmirstas, nedomāja viņš arī vairs par vecā vīra ūdenstrauku, ko bija dzīries tam aiznest. Tas palika zemē pie avota, bet viņš kopā ar Pravati steigšus atstāja mežu. Un aizgūtnēm viņa stāstīja, kā nokļuvusi šeit un kas viss noticis.

Brīnumains bija viņas stāsts, brīnumains, teiksmains un neticams; kā pasakā Dasa sāka jaunu dzīvi. Ne jau tas vien, ka Pravati atkal piederēja viņam, ka nīstais Nala bija miris un slepkavu jau sen neviens vairs nevajāja, — Dasa, par ganu kļuvušais radžas dēls, pilsētā bija pasludināts par likumīgo troņa mantinieku un valdnieku; kāds vecs bramins un gans bija atsaukuši ļaudīm atmiņā bezmaz aizmirstu stāstu par Dasas padzīšanu, un to pašu cilvēku, kuru kādu laiku malu malās meklēja kā Nala slepkavu, lai viņu spīdzinātu un sodītu ar nāvi, tagad vēl jo cītīgāk meklēja visā zemē, lai celtu radžas godā un svinīgi vestu uz pilsētu un tēva pili. Tas atgādināja sapni, un visvairāk pārsteigtajam Dasam patika laimīgā sagadīšanās, ka daudzo meklētāju vidū, kas siroja pa visu valsti, tieši Pravati atradusi un pirmā sveikusi viņu. Meža malā viņš ieraudzīja teltis, tur oda pēc dūmiem un cepta medījuma. Svīta skaļi sveica Pravati, un, līdzko viņa pavēstīja galmam, ka atradusi Dasu, savu vīru, sākās lieli svētki. Klāt bija kāds cilvēks, ar kuru kopā Dasa reiz bija ganījis govis, — viņš bija atvedis Pravati ar svītu šurp, uz vienu no Dasas agrākajām dzīvesvietām. Ieraudzījis Dasu, gans smējās aiz laimes, skriešus metās pie viņa un laikam gan draudzīgi uzsistu viņam pa plecu vai apkamptu viņu, ja neatģistos, ka biedrs kļuvis par radžu; pusceļā tas sastinga kā triekas ķerts, pēc tam lēnām un bijīgi tuvojās Dasam un sveica viņu, zemu klanīdamies. Dasa piecēla un apkampa ganu, laipni sauca vārdā un jautāja, ko lai tam dāvina. Gans izlūdzās teli par dāvanu un saņēma veselas trīs, turklāt pašas labākās sugas. Jaunajam radžam stādīja priekšā neskaitāmus padotos — ierēdņus, medību pārziņus, galma braminus, un viņš uzklausīja visu šo ļaužu laimes vēlējumus; klāti tika dzīru galdi, ieskanējās bungas, cītaras un flautas, un visa šī godība un greznība Dasam šķita kā sapnis, viņš nespēja tai noticēt, īsta viņam šobrīd likās vienīgi Pravati, viņa jaunā sieva, ko pats turēja apskautu.

No dienas dienā veicot pa nelielam ceļa posmam, gājiens tuvojās pilsētai; pa priekšu bija izsūtīti ziņneši, lai pavēstītu prieka vēsti, ka atrasts jaunais radža un atgriežas pilsētā, un, kad pilsēta kļuva redzama, tās mūros jau dunēja gongi un bungas un svinīgi, tērpušies baltās drānas, pretī nāca bramini, citiem pa priekšu pēctecis tam pašam Vasudevam, kurš reiz, pirms gadiem divdesmit, nosūtīja Dasu pie ganiem un nesen bija miris. Bramini sveica Dasu, skandēdami himnas, un pavadīja viņu līdz pilij, pie kuras bija sakūruši lielus upura sārtus. Dasu aizveda uz viņa mītni, un arī šeit viņu sagaidīja ar apsveikuma un suminājuma vārdiem, svētības un labas veselības vēlējumiem. Aiz pils sienām līdz vēlai naktij nerima svētku līksme.

Diendienā divu braminu apmācīts, Dasa īsā laikā apguva visas nepieciešamās zināšanas. Viņš piedalījās upurēšanas rituālos, sprieda tiesu un vingrinājās kurtuāzijas un kara mākslās. Bramins Gopala mācīja Dasu orientēties politikā, pastāstīja viņam, kāds ir valdnieka dzimtas un viņa tiesiskais stāvoklis, kādas tiesības ir viņa varbūtējiem pēcnācējiem un kas ir viņa ienaidnieki. Naidniece pirmām kārtām bija Nala māte, tā pati, kas reiz atņēma princim Dasam viņa tiesības un tīkoja laupīt viņam dzīvību, turklāt tagad nīda viņu arī kā sava dēla slepkavu. Viņa bija aizbēgusi, patvērusies kaimiņzemes valdnieka Govindas pilī un uzturējās tā galmā, un šā Govindas dzimta sensenis tika uzskatīta par bīstamu ienaidnieku, tā karojusi jau ar Dasas senčiem un tiecas pievienot sev dažus viņa valsts novadus. Dienvidu kaimiņš, Gaipali valdnieks, turpretī bijis draudzīgās attiecībās ar Dasas tēvu un ne acu galā nav cietis Nalu; drīzumā apciemot radžu, pasniegt tam veltes, uzaicināt to uz medībām tādēļ ir neatliekams Dasas pienākums.

Pravati ātri aprada ar savu augsto stāvokli; viņai piemita valdnieces stāja, un krāšņajās drānās un dārgajās rotās viņa izskatījās tā, it kā būtu ne mazāk augsta dzimuma par savu vīru un pavēlnieku. Mīlas laimē abiem ritēja gads aiz gada, un šī laime piešķīra viņiem spozmi un mirdzumu — kā jau dievu lutekļiem, un tauta godāja un mīlēja viņus. Kad pēc ilgām un veltīgām gaidām Pravati beidzot dzemdēja vīram skaistu puisēnu, ko Dasa nosauca sava tēva vārdā par Ravanu, nekas vairs neaptumšoja viņa laimi un viss, kas viņam piederēja, — zeme un vara, nami un staļļi, piena kambari, govis un zirgi — paša acīs kļuva divtik nozīmīgs un svarīgs, iemantoja jaunu spozmi un vērtību: visa šī mantība bija likusies jauka un tīkama, lai pakalpotu Pravati, tērptu, rotātu un slavinātu sievu, bet tagad šķita vēl jaukāka, patīkamāka un nozīmīgāka, tādēļ ka tā bija dēla Ravanas mantojuma tiesa un nākotnes laimes ķīla.

Pravati vairāk par visu patika svinības, svētku procesijas, krāšņas un dārgas drānas un rotas, liela svīta; Dasu turpretī priecēja paša dārzs, kurā viņš lika iestādīt retus, vērtīgus kokus un augus un turēja arī papagaiļus un citus košus putnus; viņam bija ieradums katru dienu pabarot putnus un sarunāties ar tiem. Vilināja viņu arī zinības; kļuvis par centīgu skolnieku braminiem, viņš iemācījās daudzas vārsmas un prātulas, apguva māku lasīt un rakstīt, algoja arī mācītu pārrakstītāju, kurš prata izgatavot papirusu no palmu lapām; pateicoties šā cilvēka izveicībai, pilī tika radīta neliela, bibliotēka. Šeit, grāmatu vidū, mazā, grezni iekārtotā telpā ar cēlkoka sienām, kuras visgarām rotāja kokā grieztas, vietumis apzeltītas ainas no dievu dzīves, viņš dažkārt pulcēja braminus, izcilākos priesteru kārtas zinību vīrus un prātniekus, lai tie disputētu par debesu lietām, par pasaules radīšanu un lielā Višnu māju, par svētajām vēdām, upura spēku un vēl jo lielāko askēzes varu, kas mirstīgu cilvēku spēj darīt tik stipru, ka pat dievi dreb aiz bailēm viņa priekšā. Bramini, kas vislabāk bija runājuši, disputējuši un pamatojuši savu viedokli, saņēma bagātīgas dāvanas — dažs, uzvarējis disputā, atgriezās mājās, vezdams valgā brangu govi, un palaikam bija ir smieklīgi, ir aizkustinoši vērot, kā mācītie vīri, kas nupat vēl skandēja un izskaidroja vēdu citātus, apliecinādami, ka zina itin visu gan par debesu, gan zemes lietām, lepni un uzpūtīgi dodas mājup ar izcīnītajām veltēm vai pat aiz nenovīdības sāk par tām strīdu.

Dažbrīd radžam Dasam savā laimē un bagātībā, savā dārzā, savu grāmatu pasaulē, ērmots un apšaubāms sāka likties viss, kam sakars ar dzīvi un cilvēka dabu, — tikpat aizkustinošs un smieklīgs kā vīzīgi viedie bramini, reizē gaišs un tumšs, iekārojams un nicināms. Mielojot acis gar lotosa ziediem dārza dīķos vai gar košo krāsu zaigu savu pāvu, fazānu, degunradža putnu raibajās spalvās, vai gar apzeltītajiem kokgriezumiem uz pils sienām, viss redzamais viņam dažbrīd likās dievišķs, it kā mūžīgās dzīvības siltuma caurstrāvots, bet citubrīd, jā gan, pat vienlaikus, viņš saskatīja tai visā ko neīstu, nedrošu, apšaubāmu — slieksmi zust un iznīkt, gatavību pagaist bezveidīgajā, haosā. Tāpat kā viņš, Dasa, bijis princis, kļuvis par ganu, par slepkavu, par ārpus likuma izsludinātu bēgli un galu galā atkal paaugstināts par valdnieku — nezināmu varu vadīts un skubināts, nejauzdams, kas viņu gaida rīt vai parīt, tā arī dzīves mājas rotaļa ik uz soļa ietver gan cildo un zemisko, gan mūžību un nāvi, gan dižo un smieklīgo. Pat Pravati, daiļā mīļotā, viņa acīs reizēm uz mirkli zaudēja savu pievilcību un likās smieklīga — pārāk daudz aproču rotāja tās rokas, pārāk daudz dižmanības un uzvaras apziņas bija tās skatienā, tēlota cienīguma — tās gaitā.

Bet mīļāks par dārzu un grāmatām Dasam bija Ravana, viņa dēliņš, viņa mīlestības un mūža piepildījums, viņa glāstu un rūpju bērns — glezns, skaists puisēns, īsts princis ar stirnas acīm kā mātei, tikpat domīgs un sapņains kā tēvs. Dažreiz, redzēdams, ka mazais dārzā ilgi kavējas pie kāda košuma krūma vai, apsēdies uz paklāja, viegli pacēlis uzacis, klusu, vienaldzīgi stingu skatienu aplūko akmentiņus, koka rotaļlietiņu vai putna spalvu, Dasa nosprieda, ka dēls ir ļoti līdzīgs viņam. Cik mīļš viņam dēls, Dasa īsti saprata tad, kad pirmo reizi bija spiests uz ilgāku laiku no tā šķirties.

Reiz galmā ieradās vēstnesis no pierobežas novadiem, aiz kuriem sākās Govindas — Dasas kaimiņa platības, un ziņoja, ka zemē ielauzies Govindas karapūlis, nolaupījis lopus, kā arī sagūstījis un aizvedis sev līdzi vienu otru iedzīvotāju. Ne mirkli nevilcinādamies, Dasa posās ceļā un kopā ar miesassardzes priekšnieku un vairākiem desmitiem jātnieku devās vajāt laupītājus; brīdī, kad viņš, iekams sēdās zirgā, paņēma rokās un noskūpstīja savu puisēnu, kā sveloša sāpe sirdī uzliesmoja mīlestība, un no šīm svelošajām sāpēm, tik stiprām, ka tās pārsteidza viņu un saviļņoja it kā brīdinājums no nezināmām tālēm, garajā ceļā uz pierobežas novadiem radās kāda atziņa, kāds izpratums. Jājiena laikā viņu, proti, nodarbināja doma, kādēļ viņš kāpis zirgā un tik nelokāms un skubīgs auļo cauri visai zemei, kas tā īsti par varu, kura liek viņam šādi rīkoties un uzņemties tādas pūles. Padomājis Dasa atzina, ka sirds dziļumos nejūtas nedz aizskarts, nedz sāpināts par to, ja kaut kur robežas tuvumā viņam nolaupa lopus un cilvēkus, ka zādzības un valdnieka tiesību aizskāruma vien būtu par maz, lai viņu saniknotu un pamudinātu rīkoties, ka viņa dabā drīzāk būtu līdzcietīgi pasmaidīt, uzzinot par lopu aizdzīšanu. Bet, nedarīdams neko, viņš, šaubu nav, izturētos bezgala netaisni pret ziņnesi, kas atdevis pēdējos spēkus, lai nodotu vēsti, tāpat pret cilvēkiem, kuriem nolaupīti lopi, un arī pret tiem, kas sagūstīti un no dzimtās puses aizdzīti vergu gaitās svešā malā. Jā gan, atteikdamies no bruņotas atriebības, viņš nodarītu pāri arī visiem citiem, kas nav cietuši ne tik, cik melns aiz naga; tiem liktos neciešami un nesaprotami, ka valdnieks nerūpējas par zemes drošību un neviens, kam uzbrūk varmākas, nevar cerēt uz palīdzību un atriebību. Dasa saprata, tas ir viņa pienākums — kāpt zirgā, lai atriebtu. Bet kas ir pienākums? Cik daudz ir pienākumu, ko mēs, nejuzdami sirdsapziņas pārmetumus, bieži vien nepildām! Kādēļ tad šis pienākums — pienākums atriebt — nav viens no tiem, ko var nepildīt, kādēļ viņš šo pienākumu veic aizrautīgi un dedzīgi, nevis negribīgi, pa roku galam? Līdzko jautājums bija izteikts, sirds viņam pateica priekšā atbildi, no jauna nodrebot sāpēs, ko bija jutis, atvadīdamies no Ravana. Viņš saprata: ja valdnieks nestāsies ceļā tiem, kas viņam nolaupa lopus un cilvēkus, laupītāji un varmākas ielauzīsies arvien dziļāk valstī, līdz galu galā uzbruks arī viņam un ievainos viņu pašā sāpīgākajā vietā. Tie nolaupīs viņam dēlu, atņems mantinieku, nolaupīs un nogalinās princi, varbūt liekot ciest nāves mokas, un tā būtu lielākā nelaime, kāda vien var viņu piemeklēt, — ļaunāka, daudz ļaunāka par Pravati nāvi. Tādēļ, lūk, viņš jāja tik skubīgs un bija tik uzticīgs savam valdnieka pienākumam. Tāds viņš bija ne jau tāpēc, ka zaudējis ganāmpulku vai gabalu zemes, ne jau aiz iežēlas pret saviem pavalstniekiem. Atriebties mudināja sāpīgi kvēla, neprātīga mīlestība uz dēlu, neprātīgas bailes no sāpēm, kas būtu jācieš, zaudējot bērnu.

Tik tālu Dasa aizdomājās sava karagājiena laikā. Starp citu, viņam neizdevās panākt un sodīt Govindas ļaudis, tie jau bija aizbēguši ar visu laupījumu, un, lai pierādītu, cik viņš drosmīgs un nelokāms, Dasa savuties devās pāri robežai, nopostīja kaimiņu zemē kādu ciematu un aizdzina sev līdzi lopus un cilvēkus. Dienām ilgi viņš bija atradies ceļā, bet, dodamies mājup kā uzvarētājs, no jauna iegrima dziļās pārdomās un atgriezās pilī skumjš un mazrunīgs, jo prātojot bija sapratis, cik cieši un neglābjami, bez cerībām izrauties, ar visu savu būti un darbību notverts un sapinies viltīgi izliktā tīklā. Nemitīgi augot un pastiprinoties slieksmei uz pārdomām, prasībai pēc rimtas apceres un bezdarbīgas, nevainīgas dzīves, reizē auga un pastiprinājās, aizsākusies mīlestībā uz Ravanu un raizēs un bailēs par dēlu, par tā dzīvību un nākotni, arī nepieciešamība darboties, spiezdama sapīties arvien vairāk: maigums radīja strīdus, mīlestība — karu; jau šobrīd tikai tādēļ, lai būtu taisnīgs un sodītu, viņš nolaupījis ganāmpulku, līdz nāvei pārbiedējis kādu ciematu un varmācīgi aizdzinis gūstā posta piemeklētus, nevainīgus cilvēkus, un šāda rīcība, protams, izraisīs jaunus atriebības un varmācības aktus, un tā tas turpināsies, līdz viņa dzīvē un valstī valdīs vien karš un varmācība, un ieroču šķinda. Šī atziņa vai apjausma bija tā, kas pēc atgriešanās darīja viņu tik mazrunīgu un skumju.

Naidīgi noskaņotais kaimiņš tik tiešām nelikās mierā. Viņš nemitējās uzbrukt un laupīt. Dasam vajadzēja no jauna doties ceļā, lai sodītu un aizstāvētos, un, ja pretiniekam izdevās nozust, viņš bija spiests pieļaut, ka paša jātnieki un kājnieki nodara kaimiņam jaunus zaudējumus. Galvaspilsētā gan jāšus, gan kājām pulcējās arvien vairāk bruņotu vīru, dažos pierobežas ciematos tagad atradās pastāvīgi garnizoni, un ne diena vairs nepagāja bez militārām apspriedēm un gatavošanās karam. Dasa nespēja saprast, kāda jēga un nozīme ir nemitīgajām sadursmēm, viņam sāpēja sirds par karadarbības skarto ciešanām, par nogalināto dzīvībām, viņam sāpēja sirds par savu dārzu un par savām grāmatām, kurām laika atlika aizvien mazāk un mazāk, par savas dzīves un dvēseles mieru. Bieži viņš runāja par to visu ar braminu Gopalu un dažreiz arī ar savu sievu Pravati. Būtu jāpanāk, tā viņš sprieda, lai kāds cienījams kaimiņvalsts valdnieks tiktu aicināts par šķīrējtiesnesi un palīdzētu atjaunot mieru, — viņš no savas puses labprāt piekāptos un atdotu dažas ganības un apdzīvotas vietas, lai nodibinātu mieru. Viņš jutās vīlies un dusmojās, redzēdams, ka nedz bramins, nedz Pravati nevēlas par to ne dzirdēt.

Saruna ar Pravati beidzās ar niknu ķildu un abpusēju naidu. Neatlaidīgi, lūgtin lūgdams uzklausīt viņu, Dasa izklāstīja sievai savus apsvērumus, savas domas, taču sievai šķita, ka vīrs ik vārdā vēršas tikai pret viņu, nevis pret karu un nevajadzīgo slepkavošanu. Tieši tas ienaidniekam esot padomā, viņa dedzīgi, neskopodamās ar vārdiem, pamācīja vīru, proti, izmantot savā labā Dasas iecietību un miermīlību, lai neteiktu, bailes no kara; ienaidnieks piespiedīšot viņu slēgt līgumu pēc līguma, par katru liekot samaksāt ar nelielu apdzīvotu platību, un galu galā tas nelikšoties vis mierā, bet, līdzko Dasa būšot pietiekami novājināts, sākšot atklātu karu un atņemšot viņam pēdējo gabalu zemes. Runa te neesot par ganāmpulkiem un ciematiem, par priekšrocībām vai zaudējumiem — runa esot par visu valsti, par tās pastāvēšanu vai bojāeju. Un, ja Dasa nezinot, ko tas esot parādā paša godam, dēlam un sievai, tad viņai, Pravati, vīrs esot jāpamāca. Acis viņai zvēroja, balss drebēja — sen viņš nebija redzējis sievu tik daiļu un dedzīgu, bet pats juta vien skumjas.

Tikmēr robežas pārkāpšanas un sadursmes sekoja cita citai, tikai lielais lietus periods darīja tām uz laiku galu. Dasas galms bija sašķēlies divās nometnēs. Viena, miera piekritēju nometne, bija pavisam neliela, bez Dasas to pārstāvēja vienīgi daži gados vecāki bramini — mācīti, meditācijās iegrimuši vīri. Turpretī kara piekritēju nometnes — Pravati un Gopalas partijas pusē bija vairums priesteru un visi virsnieki. Valsts drudžaini bruņojās, visiem zinot, ka naidīgais kaimiņš viņpus robežas dara to pašu. Mazo Ravanu medību pārzinis apmācīja šaut ar loku, un māte katru reizi ņēma dēlu līdzi, kad devās uz karaspēka skatēm.

Tolaik Dasa ne vienu reizi vien iedomāja mežu, kurā viņš, nabaga bēglis, kādu brīdi bija mitis, un sirmgalvi, kas meža vientulībā gremdējās sevī. Dažkārt, atcerējies veco vīru, Dasa juta vēlēšanos apciemot viņu, no jauna tikties ar viņu un lūgt viņam padomu. Bet Dasa nezināja, vai vientuļnieks vēl dzīvs, šaubījās arī, vai jogs uzklausītu viņu un dotu viņam padomu, turklāt, ja jogs tiešām vēl būtu dzīvs un neliegtu padoma, viss tik un tā ietu savu gaitu un itin nekas nebūtu grozāms. Gremdēšanās sevī un viedums ir labas lietas, taču noder tās, šķiet, tikai atmaļus, dzīves pamalē, turpretī cilvēkam, kas peld pašā dzīves straumē, cīnīdamies ar bangām, darbodamies un ciezdams, nav ar viedumu ne mazākā sakara, viņa darbi un sirdēsti ir cēloņsakarīgi un top par likteni, tie ir jāpaveic, ir jāizcieš. Pat dievi nedzīvo mūžīgā mierā un nav mūždien viedi, arī viņiem nav svešas briesmas un bailes, cīņas un kaujas — Dasam par to daudz bija stāstīts. Un viņš piekāpās, nestrīdējās vairs ar Pravati, rīkoja karaspēka skates, juta, ka tuvojas karš, redzēja to naktīs — murgainos sapņos un, noliesēdams un kļūdams arvien drūmāks, vēroja, kā vīst un bālē viņa dzīvesprieks un laime. Atlika vien mīlestība uz dēlu, tā auga līdz ar raizēm, līdz ar bruņošanās pasākumiem un kara vingrinājumiem, dega kā sarkana puķe viņa panīkušajā dārzā. Viņam bija brīnums, cik daudz tukšuma un drūmes spēj paciest, kā var aprast ar rūpēm un netīksmi cilvēks, un viņš brīnījās arī, cik kvēla un valdonīga viņa šķietami nejūtīgo sirdi pārņēmusi šī baiļā un raizīgā mīlestība. Viņa mūžam, iespējams, nebija jēgas, taču tam bija savs kodols, sava ass, un šī ass bija mīlestība uz dēlu. Dēla dēļ viņš rītos cēlās no gultas, strādāja augu dienu, deva rīkojumus, kuru mērķis bija karš un kuri katrs par sevi viņam bija pretīgi. Dēla dēļ viņš pacieta nebeidzamās kara padomes apspriedes un tik vien pretojās vairākuma lēmumiem, ka prasīja, lai tas vismaz nogaida un pa galvu pa kaklu nemetas kara dēkā.

Tāpat kā dzīveeprieks, arī dārzs un rakstu tīstokļi pamazām kļuva viņam sveši un novērsās no viņa, vai arī viņš novērsās no tiem, sveša un neuzticīga viņam kļuva sieviete, kas gadiem ilgi bija bijusi viņa dzīves laime un ieprieca. Ar politiku tas bija sācies, un toreiz, kad viņa tik dedzīgi pamācīja vīru, bezmaz atklāti smiedamās par Dasas nevēlēšanos rīkoties netaisni un iztēlodama vīra miermīlību par gļēvulību, kad sasārtušiem vaigiem kvēli spriedelēja par valdnieka godu, par varoņgaru un izciestiem pazemojumiem, — tieši toreiz viņš satriekts, kā reibonī piepeši bija jutis un atskārtis, cik plata kļuvusi plaisa, kas abus šķir. Un kopš tās dienas plaisa bija vērtusies arvien platāka un vēl turpināja plesties platumā un ne viens, ne otrs nedarīja neko, lai to aizkavētu. Pareizāk sakot, tas bija Dasa, kam būtu jārīkojas, jo patiesībā tikai viņš redzēja plaisu un tikai viņa acīs tā pamazām vērtās arvien platāka un platāka, līdz kļuva par bezdibeni starp vīrieti un sievieti, starp "jā" un "nē", starp dvēseli un miesu. Domās atskatoties pagātnē, viņam šķita, ka redz visu pilnīgi skaidri: reiz Pravati, burvīgā skaistule, iemīlināja viņu sevī un kaitējās ar viņu, līdz viņš pameta ganus, savus biedrus un draugus, savu līdz šim tik bezrūpīgo gana dzīvi un viņas dēļ apmetās svešatnē un kļuva par znotu nelāga ļaudīm, kas izmantoja to, ka viņš iemīlējies, lai kalpinātu viņu. Tad kādu dienu uzradās Nala, un sākās viņa posta dienas. Nala atņēma viņam sievu, bagātais, iznesīgais radža, kam netrūka krāšņu drānu un telšu, zirgu un sulaiņu, paveda ar tādu greznību neapradušu nabaga sievieti; tas, jādomā, neprasīja viņam lielas pūles. Tikai... vai Nalam izdotos tik ātri un viegli pavest Pravati, ja viņa savā sirdī būtu uzticama un tikla? Vienalga, radža tātad paveda vai arī paņēma ar varu Pravati un nodarīja viņam, Dasam, pašas negantākās sāpes, kādas viņš jebkad izcietis. Tad viņš, Dasa, atriebās, nogalināja savas laimes zagli, un šis bija varena gandarījuma mirklis. Bet, līdzko negods bija atriebts, viņam vajadzēja bēgt; dienām, nedēļām, mēnešiem ilgi viņš slapstījās brikšņos un meldrājos — vajāts, ārpus likuma izsludināts, neuzticēdamies nevienam. Bet ko tikmēr darīja Pravati? Par to abi ne reizes netika runājuši. Galu galā sekojusi tā viņam nebija, tā meklēja un atrada viņu tikai tad, kad viņš, dzimis princis, tika pasludināts par valdnieku un kļuva tai vajadzīgs, lai uzkāptu tronī un apmestos uz dzīvi valdnieka pilī. Tad Pravati ieradās, aizveda viņu prom no meža un godājamā vientuļnieka; Dasu ietērpa košās drānās un padarīja par radžu, un tas viss bija viltus spožums un laime, patiešām — ko viņš toreiz bija pametis un ko guvis? Guvis viņš bija valdnieka spozmi un pienākumus, kas sākumā likās viegli, bet ar laiku kļuva arvien smagāki un smagāki, guvis, atguvis viņš bija daiļo sievu, saldās mīlas stundas, guvis bija dēlu, mīlestību uz bērnu un augošās raizes par savu apdraudēto laimi un dzīvību, līdz tagad durvju priekšā bija karš. Lūk, ko viņam bija nesusi Pravati — toreiz, kad atrada viņu mežā pie avota. Un ko viņš tā visa labad bija pametis, ko par to bija atdevis? Pametis viņš bija meža mieru, bijīgo vientulību, atdevis bija tuvību svētajam jogam, zaudējis paraugu, zaudējis cerību kļūt par joga mācekli un pēcnieku, cerību iemantot vieda cilvēka dziļo, starojošo, nesatricināmo mieru, atraisīties no dzīves cīņām un kaislībām. Pravati dailes savalgots, sievietes pavedināts, ar tās godkāri sasirdzis, viņš pameta ceļu, kurš vienīgais ved uz brīvību un iekšēju mieru. Tāds šodien Dasam rādījās paša dzīves gājums, un tādu to tiešām it viegli varēja iztēloties, vien šis tas bija jāizskaistina vai jānoklusē, lai dzīvi skatītu šādā gaismā. Noklusēja viņš, starp citu, to, ka vēl nebūt nebija bijis vientuļnieka māceklis, ka, gluži otrādi, pats bija dzīries jogu pamest. Tik viegli ir visu sagrozīt, atskatoties pagātnē!

Pavisam citām acīm uz bijušo raudzījās Pravati, lai gan domāja par to nesalīdzināmi retāk nekā vīrs. Par Nalu viņa nedomāja nemaz. Toties, ja vien atmiņa viņu nevīla, tā bija viņa, kas lika pamatu Dasas laimei, no jauna cēla viņu radžas godā, dāvāja viņam dēlu, apveltīja viņu ar savu mīlestību un darīja laimīgu, lai galu galā pārliecinātos, ka vīram pietrūkst viņas dižuma, ka Dasa nav viņas godkāro centienu cienīgs. Jo viņai bija skaidrs, ka gaidāmais karš nevar beigties citādi kā vien ar Govindas sakāvi un viņas vara un bagātība kļūs divtik liela. Bet Dasa, kam par to būtu jāpriecājas un jādara viss, lai gūtu uzvaru, izturējās, kā viņai šķita, valdnieka necienīgi, vairīdamies karot un sagrābt svešas zemes, — vīrs laikam gan mīļu prātu vadītu savas dienas bezdarbībā puķu un koku, papagaiļu un grāmatu vidū. Tad jau pavisam cita kaluma cilvēks bija Višvamitra, jātnieku priekšnieks, līdzas viņai dedzīgākais kara piekritējs un drīzas uzvaras alcējs. Salīdzinājumā ar Dasu tas visādā ziņā bija pārāks.

Dasa redzēja gan, ka sieva sadraudzējusies ar Višvamitru, ka tā jūsmo par jātnieku priekšnieku un neliedz apjūsmot sevi, valdnieci, šim jautrajam un drosmīgajam, varbūt mazliet vieglprātīgajam, varbūt arī ne visai gudrajam virsniekam ar skaņajiem smiekliem, stiprajiem, baltajiem zobiem un rūpīgi kopto bārdu. Dasa raudzījās uz notiekošo ar rūgtumu un nicināšanu, ar to izsmējīgo vienaldzību, ko pats sev liekuļoja. Viņš neizspiegoja sievu un necentās izdibināt, vai šī draudzība nepārkāpj pieklājības un krietnas uzvedības robežas. Pravati aizraušanos ar izskatīgo jātnieku, katru sievas žestu, kas liecināja, ka salīdzinājumā ar vīru, kam viņas acīs pietrūkst varonības, viņa priekšroku dod Višvamitram, Dasa vēroja ar to ārēji vienaldzīgo, bet iekšēji rūgto mieru, ar kādu bija paradis vērot visu, kas ap viņu notika. Vai sieva, šķiet, gatavojās kļūt viņam neuzticīga, nodot viņu vai arī, izturēdamās šādi, pauda tikai necieņu pret Dasas uzskatiem, nebija svarīgi — kaut kas brieda un attīstījās, augtin auga, mācās virsū tāpat kā karš un liktenis, un nekas tur nebija līdzams, un nebija viņam citas izejas, kā vien samierināties, rimti paciest visu, jo tieši tas, nevis uzbrukt un iekarot, atbilda Dasas vīrišķības un varonības izpratnei. Neatkarīgi no tā, vai Pravati jūsma par jātnieku priekšnieku, tāpat arī jātnieku priekšnieka jūsma par Pravati, palika vai nepalika tikumiskā un pieļaujamā robežās, viņš pats — to Dasa saprata — kā nekā bija vainīgāks par sievu. Viņš, Dasa — prātnieks un šaubu mākts cilvēks —, tiesa gan, sliecās vainot Pravati, ka zudusi laime, vai vismaz padarīt sievu līdzatbildīgu par to, ka iejaukts un sapinies visā: mīlā un godkārē, atriebībā un laupīšanās; domās viņš vainoja sievieti, mīlu un saldkaisli visā, kas notika zemes virsū, visā šajā jaukajā dejā, kaislību un iekāres jezgā, laulības pārkāpšanā, nāvē, slepkavībās un karā. Bet, spriezdams šādi, viņš apzinājās itin labi, ka Pravati nav vainīga, nav cēlonis visam, bet gan pati ir upuris, ka nedz tā pati radījusi savu skaistumu, nedz likusi viņam iemīlēt sevi, tādēļ nav nosodāma, ka tā ir tikai puteklītis saules vizmā, vilnis upē un ka tas bijis vien viņa varā — atteikties no sievietes un mīlas, laimes alkām un godkāres un palikt par ganu, kas apmierināts ar savu likteni, vai arī doties noslēpumainajā jogas ceļā un pieveikt visu, kas pašā nepilnīgs. Viņš palaidis garām izdevību, viņš nav ticis galā ar uzdevumu, viņš nav aicināts kļūt dižens, nav bijis uzticams savam aicinājumam, un sievai galu galā ir taisnība, ja uzskata viņu par gļēvuli. Toties tā devusi viņam dēlu, šo skaisto, glezno puisēnu, par kuru viņš tik ļoti baiļojas un kura esamība piešķir viņa dzīvei jēgu un nozīmi; tā ir liela laime, tiesa, baiļa un smeldzīga, tomēr laime, viņa laime. Par šo laimi viņš tagad maksā ar sāpēm un rūgtumu paša sirdī, ar gatavību karot un slepkavot, ar apziņu, ka iet pretī savam liktenim. Tur, aiz robežas, savā valstī, sēž radža Govinda, un padomus tam dod un kūda to nogalinātā Nalas — ļaunā atmiņā palikušā pavedēja māte; arvien biežāki, arvien nekaunīgāki kļūst Govindas uzbrukumi un izaicinājumi, tikai savienībā ar vareno Gaipali radžu Dasa būtu stiprs diezgan, lai nodrošinātu mieru un piespiestu kaimiņu izlīgt. Bet šis radža, lai gan Dasam labvēlīgi noskaņots, tomēr ir Govindas radinieks un cik spēdams pieklājīgi noraida jebkurus piedāvājumus vienoties par sadarbību. Nē, izejas nav, nav ko cerēt uz saprātu vai cilvēcību, liktenis nepielūdzami tuvojas, atliek vien pakļauties tam. Ar laiku Dasa bezmaz pats vēlējās, lai sākas karš, lai no negaisa mākoņiem izlaužas zibens un straujāk rit notikumi, kas tik un tā vairs nav novēršami. Vēlreiz viņš apciemoja Gaipali valdnieku, bez panākumiem apmainījās ar to laipnībām, neatlaidīgi prasīja padomē, lai tiktu ievērota piesardzība un pacietība, kaut visas cerības jau bija zaudējis, un turpināja bruņoties. Padomē domstarpības tagad bija tikai par to, vai uz nākamo ienaidnieka iebrukumu jāatbild ar ielaušanos viņa zemē un ar karu vai arī jānogaida pretinieka galvenais trieciens, lai viņš tautas un visas pasaules priekšā kļūtu par vainīgo, par miera lauzēju.

Bet ienaidnieks, kurš par šādiem jautājumiem galvu nelauzīja, kādudien, ielauzies valstī, darīja galu pārlikumiem, apspriedēm, nogaidīšanai. Tas maldināšanas nolūkā sarīkoja plašāku uzbrukumu pierobežas joslai, piespiezdams Dasu kopā ar jātnieku priekšnieku un izlases karaspēku steigšus doties turp, un, kamēr Dasa bija ceļā, pats ar galvenajiem spēkiem ielauzās valstī un galvaspilsētā, ieņēma bastionus un aplenca pili. Uzzinājis par notikušo, Dasa nekavējoties griezās atpakaļ, saprazdams, ka sieva un dēls smok ienaidnieka apdraudētajā cietoksnī, bet ielās notiek asiņainas cīņas, un sirds viņam sažņaudzās aiz mežonīgām sāpēm, domājot par piederīgajiem un briesmām, kurām tie pakļauti. Vairs viņš nebija negribīgs un piesardzīgs karakungs — aizdedzies naidā un dusmās, viņš trakā steigā auļoja ar saviem pulkiem mājup un ieradās pilsētā brīdī, kad visās ielās plosījās kauja, izlauzās līdz pilij, stājās pretī naidniekam un cirtās kā neprātīgs, līdz beidzot, rietot asiņainajai dienai, saļima, neskaitāmas reizes ievainots.

Atguvis samaņu, Dasa saprata, ka kritis gūstā; kauja bija zaudēta, pils un pilsēta — ienaidnieka rokās. Sasietu viņu nogādāja pie Govindas, tas zobgalīgi sveica viņu un lika ievest kādā istabā; tā bija telpa ar kokā grieztajiem un apzeltītajiem rotājumiem, kurā glabājās rakstu tīstokļi. Te uz paklāja, taisni izslējusies, pārakmeņotu seju sēdēja viņa sieva Pravati, aiz tās — bruņoti sargi, un klēpī viņa turēja bērnu;

kā lauzts zieds viņas rokās dusēja gleznais puisēns — miris, pelnu pelēku vaigu, drānas asinīs. Sieva nepacēla galvu, kad ieveda Dasu, neuzlūkoja viņu — stingu, neizteiksmīgu skatienu viņa raudzījās uz mirušo bērnu; Dasam šķita, ka sieva ērmoti pārmainījusies, tikai pēc brīža viņš pamanīja, ka viņas matos, kas vēl pirms dažām dienām bija melni jo melni, no vienas vietas vīd sirmi pavedieni. Jādomā, viņa sēdēja tā jau ilgi, turēdama klēpī zēnu, nekustīga, stingu seju.

— Ravana! — iekliedzās Dasa. — Ravana, manu puisīt, manu gaišumiņ! — Viņš nometās ceļos, piekļāva vaigu mirušā galvai; kā lūgsnu skaitīdams, viņš lieca ceļus mēmās sievas un bērna priekšā, apraudādams, pielūgdams abus. Viņš elpoja nāves un asiņu smaku; smaržoja arī pēc rožu eļļas, ar kuru bija ieziesti bērna mati. Saltām, nedzīvām acīm abus uzlūkoja Pravati.

Kāds pieskārās viņa plecam — tas bija Govindas virsnieks; licis Dasam piecelties, virsnieks aizveda viņu. Ne vārda Dasa nebija teicis Pravati, un arī viņa ne vārda nebija bildusi vīram.

Sasietu viņu iecēla ratos un aizgādāja uz Govindas galvaspilsētu, ieslodzīja cietumā, palaida vaļīgāk sasēju, kāds kareivis atnesa krūzi ar ūdeni un nolika to uz akmens klona, sargi pameta viņu vienu, aizvēra un aizbultēja durvis. Ievainotais plecs svila kā ugunī. Sataustījis tumsā krūzi, Dasa apslacināja rokas un seju. Labprāt viņš būtu arī padzēries, taču krūzi pie lūpām necēla; aiz slāpēm, izlēma Dasa, viņš ātrāk nomirs. Cik ilgi tas vilksies, cik? Viņš alka nāves, kā izkaltušais kakls tvīka pēc veldzes. Tikai nāve darīs galu mokām, kas plosīja sirdi, tikai mirstot apziņā dzisīs mātes un nogalinātā bērna tēls. Bet, lai cik lielas bija šīs mokas, nogurums un nespēks iežēlojās par viņu — viņš noslīga zemē un iemiga.

Uztrūcies no īsās snaudas, viņš kā nemaņā dzīrās izberzēt acis, taču nespēja pacelt rokas; abas bija aizņemtas, viņš kaut ko turēja rokās. Aizdzinis miegu un atvēris acis, Dasa ieraudzīja, ka visapkārt vairs neslejas cietuma sienas, — spožajā saulē koši zaļas margoja lapas un sūnas, Dasa ilgi mirkšķināja apžilbušās acis, gaisma apstulboja viņu kā neskanīgs, spēcīgs sitiens, sirdi sagrāba bailes, tirpas skrēja pār kauliem; vēl arvien nespēdams atjēgties, viņš savilka seju, it kā grasītos raudāt, un plati iepleta acis. Viņš atradās mežā un rokās turēja trauku ar ūdeni, pie kājām zaļgani brūns spulgoja avots, bet tur, viņā pusē, aiz paparžu biezāja, būdas priekšā, atcerējās Dasa, gaida jogs, kurš aizsūtīja viņu pēc ūdens, — tas pats, kurš tik ērmoti bija smējies un kuru Dasa bija lūdzis, lai tas pastāsta viņam par maju. Nedz kauju Dasa bija zaudējis, nedz arī dēlu, gluži otrādi, jogs izpildījis viņa vēlmi un pamācījis viņu, kas ir maja: pils un dārzs, grāmatas un krāšņi putni, valdnieka rūpes un tēva mīlestība, karš un greizsirdība, mīla uz Pravati un neuzticības mokas — tas viss bija šķitums, nē, ne jau šķitums, tas viss bija maja. Satriekts stāvēja Dasa, pār vaigiem viņam ritēja asaras, rokām drebot, salīgojās trauks, kurā tikko bija iesmēlis ūdeni, lai nestu to vientuļniekam, šļakatas lija pāri malām un viņam uz kājām. Dasa jutās tā, it kā viņam būtu nocirsts kāds loceklis vai kaut kas būtu izmests no galvas, sirdī bija tukšums: gari, jau nodzīvoti gadi, rūpīgi sargāti dārgumi, prieki, kas izjusti, sāpes, kas izciestas, bailes, kas mākušas, izmisums, kas novedis viņu līdz nāves slieksnim, — tas viss pēkšņi bija kā ar roku atņemts, izdzēsts un pagaisis, tomēr neba viss bija pagaisis. Palikušas bija atjaudas, veselas ainas glabāja atmiņa, vēl arvien viņš redzēja Pravati, — kā tā sēž — diža un nekustīga, ar matiem, kas pēkšņi kļuvuši sirmi, klēpī tai atdusas dēls, it kā pati savām rokām būtu to nožņauguši, it kā tas būtu viņas laupījums, un bērna rokas un kājas kā vītuši staipekņi nokarājas pār mātes ceļgaliem. Ak, cik aši, cik aši un šausmīgi, cik pamatīgi un cietsirdīgi viņš pamācīts, kas ir maja! Viss pēkšņi mainījās: gari gadi, kuros daudz pārdzīvots, saruka par mirkļiem, sapņots bija viss, kas nule vēl šķita tirdoša tiešamība, vien sapnis varbūt bija arī viss cits, kas risinājies agrāk, — stāsts par valdnieka dēlu Dasu, par gana dzīvi un precībām, par viņa atriebību un patveršanos vientuļnieka būdā; viss bija tikai ainas, līdzīgas kokgriezumiem, ko mēdz apbrīnot uz pils sienas, kur lapotnes vidū redzami ziedi, zvaigznes, putni, pērtiķi, dievi. Un vai viss, ko viņš šobrīd pārdzīvo, viss, ko tieši šobrīd redz pats savām acīm, pamodies no valdnieka, karotāja un gūstnieka gaitām, — tas, ka viņš stāv avota malā, turēdams rokās trauku ar ūdeni, no kura nupat daži pilieni izlija, domas, kurām viņš nododas, — vai itin viss nav tās pašas matērijas veidoli, nav sapnis, ilūzija, māja? Un tas, ko viņam būs lemts vēl piedzīvot, redzēt ar acīm, taustīt ar rokām, līdz sitīs nāves stunda, — vai tas būs no citas vielas, būs kas cits? Nē, tikai māņi un māži, šķitums un sapnis, tikai maja tas viss — visa šī skaistā un drausmā, apburošā un bezcerīgā dzīves ainu mija un rotaļa ar tās kvēlo saldmi, ar tās svelošajām sāpēm.

Vēl arvien Dasa stāvēja kā apstulbots, kā triekas ķerts. Rokās atkal sazvārojās trauks, atkal izšļakstījās ūdens, salts izlija uz kājām un notecēja zemē. Ko viņam darīt? No jauna piesmelt trauku, aiznest jogam ūdeni, ļaut, lai tas pasmejas par visu, ko viņš izcietis sapnī? Vilinoši tas nelikās. Dasa nolaida rokas, izlēja ūdeni un tukšo trauku nosvieda sūnās. Apsēdies zālē, viņš sāka saspringti domāt. Viņam liku likām pietika šo sapņu, šā dēmoniskā pārdzīvojumu savērpuma, kurā prieki mijas ar bēdām, kas plosa sirdi un liek asinīm stingt dzīslās, līdz kādudien izrādās: tā ir maja, un cilvēks ir iznelgots; viņam pietika itin visa, viņš nekāroja vairs ne sievas, ne bērna, ne troņa, ne uzvaras, ne atriebes, ne laimes un gudrības, ne varas, ne tikuma. Viņš alka tikai miera, tikai beigu, viņš nevēlējās neko citu kā vien apstādināt šo ratu, kurš griežas bez mitas, darīt galu nebeidzamajai ainu mijai, izdzēst visu. Viņš tīkoja apstādināt un izdzēst pats sevi, kā tika to vēlējies toreiz, kad savā pēdējā kaujā ielauzās ienaidnieka rindās, kapādams pretiniekus un kapāts arī pats, cirzdams citus un citu cirsts, kamēr saļima. Bet kas tam sekoja? Sekoja nemaņas brīdis vai snauds, vai nāve. Un tūdaļ jauna atmoda, un atkal sirdī ielauzās dzīvības strāvas, un atkal gar acīm ņirbēja skaisto, šaušalīgo ainu plūsma — nebeidzama un neatvairāma, līdz nāca nākamā nemaņa, līdz nāca nākamā nāve. Tā, iespējams, sola atgūtu, īsu rimas mirkli, atelpu, bet tad viss sākas no jauna, un cilvēks atkal kļūst par vienu no tūkstoš sīkajām figūriņām šai mežonīgajā, skurbajā, izmisīgajā dzīves dejā. Ak, nekas nav izdzēšams, tam gala nav!

Nemiera mākts, viņš atkal pietrausās kājās. Reiz šajā nolādētajā riņķa dejā miers nav rodams, reiz viņa vienīgā, kvēlākā vēlēšanās nav piepildāma, viņš tikpat labi no jauna var iesmelt ūdeni traukā un aiznest to vecajam vīram, kas viņu šurp sūtījis, lai gan viņš patiesībā nevienam nav padots. Tas bija pakalpojums, ko vecais tika lūdzis, tas bija uzdevums — varēja paklausīt un darīt, kas likts, tas bija labāk nekā sēdēt šeit un gudrot dažādus pašnāvības veidus; paklausīt un kalpot galu galā taču ir daudz vieglāk un ērtāk, daudz nevainīgāk un lietderīgāk nekā valdīt un būt atbildīgam — vismaz to viņš zināja. Lai notiek, Dasa, ņem tātad trauku, pasmel ūdeni un aiznes to savam pavēlniekam!

Tuvodamies būdai, Dasa redzēja, ka vecais raugās viņam pretim ērmotu skatienu, kurā jaušas gan vaicājums, gan nožēla, gan izpratnīgs smaids, — tā, piemēram, zēns, kam par dažiem gadiem vairāk, nolūkojas uz gados jaunāku, redzēdams, ka tas atgriežas no grūtas un drusku apkaunojošas dēkas, no drosmes pārbaudes, ko pats tam uzlicis. Šis ganu princis, šis piekļūdušais grūtdienis devās gan tikai uz avotu, lai atnestu ūdeni, — ne stundas ceturksni viņš nav bijis prom, bet šajā laika sprīdī kā nekā sēdējis cietumā, zaudējis sievu, dēlu un karaļvalsti, aizvadījis veselu cilvēka mūžu un acīm skatījis ratu, kurš nebeidz griezties. Domājams, šis jaunais puisis jau agrāk modies vienu vai vairākas reizes un ieelpojis pa malkam īstenības gaisa, citādi viņš nebūtu ieradies šeit un tik ilgi palicis; tagad, liekas, viņš atmodies pavisam un gatavs tālajam ceļam. Paies ne viens vien gads, iekams viņš iemācīs jaunekli kaut vai pareizi sēdēt un elpot.

Tikai ar skatienu, kurā jautās kas līdzīgs vēlīgai dalībai, mājienam, ka starp abiem radušās kādas saites — meistara un mācekļa attiecī- bas, — ar šo skatienu vien jogs uzņēma Dasu par savu skolnieku. Šis skatiens aizliedza Dasam domāt veltīgas domas, pakļāva viņu stingrai kalpībai. Tas ir viss, kas stāstāms par Dasas dzīvi, atlikušais notika viņpus tēliem un norisēm. Mežu viņš vairs neatstāja.

SATURS